What is VAK?

YOU CAN APPROACH the topic of learning styles with a simple and powerful system—one that focuses on just three ways of perceiving through your senses:

- Seeing, or *visual learning*
- Hearing, or *auditory learning*
- Movement, or *kinesthetic learning*

To recall this system, remember the letters VAK, which stand for **v**isual, **a**uditory, and **k**inesthetic. The theory is that each of us prefers to learn through one of these sense channels. To reflect on your VAK preferences, answer the following questions. Circle the answer that best describes how you would respond. This is not a formal inventory—just a way to prompt some self-discovery.

When you have problems spelling a word, you prefer to

1. Look it up in the dictionary.
2. Say the word out loud several times before you write it down.
3. Write out the word with several different spellings and then choose one.

You enjoy courses the most when you get to

1. View slides, videos, and readings with plenty of charts, tables, and illustrations.
2. Ask questions, engage in small-group discussions, and listen to guest speakers.
3. Take field trips, participate in lab sessions, or apply the course content while working as a volunteer or intern.

When giving someone directions on how to drive to a destination, you prefer to

1. Pull out a piece of paper and sketch a map.
2. Give verbal instructions.
3. Say, "I'm driving to a place near there, so just follow me."

When planning an extended vacation to a new destination, you prefer to

1. Read colorful, illustrated brochures or articles about that place.
2. Talk directly to someone who's been there.
3. Spend time at that destination on a work-related trip before vacationing there.

You've made a commitment to learn to play the guitar. The first thing you do is

1. Go to a library or music store and find an instruction book with plenty of diagrams and chord charts.
2. Listen closely to some recorded guitar solos and see whether you can sing along with them.
3. Buy a guitar, pluck the strings, and ask someone to show you a few chords.

You've saved up enough money to lease a car. When choosing from among several new models, the most important factor in your decision is

1. The car's appearance.
2. The information you get by talking to people who own the cars you're considering.
3. The overall impression you get by taking each car on a test drive.

You've just bought a new computer system. When setting up the system, the first thing you do is

1. Skim through the printed instructions that come with the equipment.
2. Call up someone with a similar system and ask her for directions.
3. Assemble the components as best as you can, see if everything works, and consult the instructions only as a last resort.

You get a scholarship to study abroad next semester in a Spanish-speaking country. To learn as much Spanish as you can before you depart, you

1. Buy a video-based language course on DVD.
2. Download audio podcasts that guarantee basic fluency in just 30 days.
3. Sign up for a short immersion course in which you speak only Spanish.

Name _____ Date _____

Now take a few minutes to reflect on the meaning of your responses. The number of each answer corresponds to a learning style preference.

1 = visual   2 = auditory   3 = kinesthetic

	Visual	Auditory	Kinesthetic
My totals			

My dominant Learning Style(s): _____

_____

Do you see a pattern in your own answers? A pattern indicates that you prefer learning through one sense channel over the others. Or you might find that your preferences are fairly balanced.

Whether you have a defined preference or not, you can increase your options for success by learning through *all* your sense channels. For example, you can enhance visual learning by leaving room in your class notes to add your own charts, diagrams, tables, and other visuals later. You can also key your handwritten notes into a computer file and use software that allows you to add colorful fonts and illustrations.

To enhance auditory learning, reinforce your memory of key ideas by talking about them. When studying, stop often to summarize key points and add examples in your own words. After doing this several times, dictate your summaries into a voice recorder and transfer the files to an iPod or similar device. Listen to these files while walking to class or standing in line at the store.

For kinesthetic learning, you've got plenty of options as well. Look for ways to translate course content into three-dimensional models that you can build. While studying grammar, for example, create a model of a sentence using different colors of clay to represent different parts of speech. Whenever possible, supplement lectures with real-world audio and video input and experiences, field trips to Spanish-speaking neighborhoods, and other opportunities for hands-on activity. Also recite key concepts from your courses while you walk or exercise.

These are just a few examples. In your path to mastery of learning styles, you can create many more of your own.

NEXOS

With selected content from: Caminatas

Volume I

Sheri Spaine Long | María Carreira | Sylvia Madrigal Velasco | Kristin Swanson

Custom 4th Edition for Kent State University

CENGAGE
Learning·

Australia • Brazil • Japan • Korea • Mexico • Singapore • Spain • United Kingdom • United States

NEXOS : With selected content from: Caminatas, Volume I

Nexos, Fourth Edition
Sheri Spaine Long | María Carreira | Sylvia Madrigal Velasco | Kristin Swanson

© 2017,2015,2013,2010 Cengage Learning. All rights reserved.

Caminatas, Nivel Elemental

© 2014 Cengage Learning. All rights reserved.

For product information and technology assistance, contact us at
Cengage Learning Customer & Sales Support, 1-800-354-9706

For permission to use material from this text or product,
submit all requests online at **cengage.com/permissions**
Further permissions questions can be emailed to
permissionrequest@cengage.com

This book contains select works from existing Cengage Learning resources and was produced by Cengage Learning Custom Solutions for collegiate use. As such, those adopting and/or contributing to this work are responsible for editorial content accuracy, continuity and completeness.

Compilation © 2016 Cengage Learning

ISBN: 978-1-337-05655-7

Cengage Learning
20 Channel Center Street
Boston, MA 02210
USA

Cengage Learning is a leading provider of customized learning solutions with office locations around the globe, including Singapore, the United Kingdom, Australia, Mexico, Brazil, and Japan. Locate your local office at:
www.international.cengage.com/region.

Cengage Learning products are represented in Canada by Nelson Education, Ltd.

For your lifelong learning solutions, visit **www.cengage.com/custom.**

Visit our corporate website at **www.cengage.com.**

To the Student

¡Bienvenidos! Welcome to the **Nexos** introductory Spanish program. Spanish is one of the most useful languages you can learn; it is spoken by nearly 500 million people across the globe, including over 54 million Hispanics in the United States alone—one out of every six Americans. It is the second most spoken language in the world after Mandarin Chinese. As you undertake your study of the Spanish language with **Nexos**, keep in mind the following:

- We strive to present the Spanish-speaking world in all its diversity, with particular attention to indigenous and African-Hispanic populations, as well as European and Latin American immigrant populations. We include a chapter on Spanish-speaking communities around the world, in such places as Morocco, Equatorial Guinea, and the Philippines, as a reminder that not all Spanish-speaking countries are located in Europe or the Americas.

- We guide you to make cross-cultural comparisons between the cultures you learn about and your own. Too often, the emphasis has been on the differences among cultures, when what may be surprising is the number of things we have in common with Spanish speakers around the world.

- We encourage you to look at your own community and to meet and interact with the Spanish speakers you encounter in both local and global communities. Spanish is all around you—just keep your eyes and ears open for it!

- **Nexos** is designed to enrich your language-learning experience—while you are learning another language, you are also gathering information about the people who speak it and the countries where it is spoken. At first, you may think that you are unable to read or understand much Spanish, but in **Nexos**, the focus is on getting the main ideas, and the tasks expected of you are limited to what you have already learned or what you can safely deduce from context. You will be surprised to see that you can comprehend more than you think you can!

- **Nexos** features a variety of resources to help you achieve your language-learning goals more easily. In-text media icons at relevant points throughout the print book tell you exactly which component to use for additional practice or support. Or, work right from the eBook for direct access to all of the program's resources, including audio recordings of key vocabulary and grammar terms, instant activity feedback, and online chat functionality.

- Learning a language is easier if you relax and have fun. Keeping this in mind, we've included humorous and contemporary content with the goal of making language learning enjoyable and interesting.

We hope you enjoy your introduction to the Spanish language and its many peoples and cultures. Learning a language sets you on a course of lifelong learning. It is one of the most valuable and exciting things you can do to prepare yourself to be a global citizen of the twenty-first century.

—The Authors

Student Components

Student Text

Your **Student Text** contains all the information and activities you need for in-class use. It is divided into fourteen chapters that contain vocabulary presentations and activities, grammar presentations and activities, video-related practice, cultural information, reading selections, and writing practice. There are also valuable reference sections at the back of the book, including Spanish–English and English–Spanish glossaries and verb charts.

Student Activities Manual (SAM): Workbook / Lab Manual / Video Manual

The **Student Activities Manual (SAM)** includes out-of-class practice of the material presented in the Student Text. It is divided into a Workbook **(Cuaderno de práctica)**, which focuses on written vocabulary and grammar practice, reading, and writing; a Lab Manual **(Manual de laboratorio)**, which focuses on pronunciation and listening comprehension; and a Video Manual **(Manual de video),** which offers extra practice of the storyline and **Voces del mundo hispano** segments.

iLrn Language Learning Center

The iLrn Language Learning Center is all-in-one online learning environment, including an audio- and video-enhanced interactive eBook, eSAM, assignable textbook activities, companion videos, assignable voice-recorded activities, an online workbook and lab manual with audio, self-tests that generate a personalized study plan for better exam preparation, and media sharing and commenting capability through Share It!, as well as interactive grammar activities tailored to students with visual, auditory, and kinesthetic learning preferences.

Media Site

You will find the text and SAM audio and video on the **Nexos Media Site**, accessible at **www.cengage.com.**

Acknowledgments

Reviewers and Contributors

We would like to acknowledge the helpful suggestions and useful ideas of our reviewers, whose commentary was invaluable to us in shaping the fourth edition of **Nexos**.

Fourth Edition Reviewers

Dean Aida, *Virginia Commonwealth University*

Rosalinda Alemany, *University of Louisiana – Lafayette*

Javier Aliegro, *Elgin Community College*

Bárbara Ávila-Shah, *SUNY Buffalo – North Campus*

Andrew Barnette, *Westmoreland County Community College*

Rosalina Beard, *Harrisburg Area Community College*

Susana Blanco-Iglesias, *Macalester College*

Krista Bruenjes, *Indiana Wesleyan University*

Elizabeth Buckley, *Eastern Nazarene College*

Ronald Burgess, *Gettysburg College*

Leah Cáceres-Lutzow, *Fox Valley Technical College*

Beth Calderon, *Meridian Community College*

Wendy Caldwell, *Francis Marion University*

Daniel Castaneda, *Kent State University – Stark Campus*

Luciana Castro, *Skyline College*

Esther Castro, *San Diego State University*

Ana Caula, *Slippery Rock University of Pennsylvania*

Krista Chambless, *University of Alabama – Birmingham*

Heather Colburn, *Northwestern University*

Cecilia Colombi, *University of Colorado – Davis*

David Counselman, *Ohio Wesleyan University*

María Pilar Damron, *Northwest Vista College*

Alan Davis, *Jefferson State Junior College*

Martha Davis, *Northern Virginia Community College*

María de la Fuente, *George Washington University*

Juan De Urda Anguita, *State University of New York – Fredonia*

Elizabeth Deifell, *The University of Iowa*

Michael Dillon, *Morehouse College*

Alice Edwards, *Mercyhurst University*

Christine Esperson, *Cape Cod Community College*

Marla Estes, *University of North Texas*

Rachel Finney, *Richard Bland College*

Amparo Font, *Soka University*

Helen Freear-Papio, *College of the Holy Cross*

James Fulcher, *Central Carolina Technical College*

Delia Galvan, *Cleveland State University*

Paula Gamertsfelder, *Terra Community College*

Jennifer Gansler, *Marygrove College*

Ileana Gantt, *Butte College*

Victoria García-Serrano, *University of Pennsylvania*

Barbara Godinez-Martinez, *Tarleton State University*

Gloria González-Zenteno, *Middlebury College*

Margarita Groeger, *Massachusetts Institute of Technology*

Melissa Groenewold, *University of Louisville*

Agnieszka Gutthy, *Southeastern Louisiana University*

Sergio Guzman, *College of Southern Nevada*

Nancy Hall, *Wellesley College*

Anna-Lisa Halling, *University of Southern Indiana*

Robert Harland, *Mississippi State University*

Luis Hermosilla, *Kent State University*

Juan Carlos Hernández-Cuevas, *Claflin University*

Ann Hills, *University of La Verne*

Yolanda Hively, *Harrisburg Area Community College*

Patricia Horner, *Stanly Community College*

Martine Howard, *Camden County College*

Matthew Jordan, *Kent State University – East Liverpool*

Carlo Juliano, *Jones County Junior College*

Deborra Kaaikiola Strohbusch, *University of Wisconsin*

Leslie Kaiura, *University of Alabama – Huntsville*

Laura Kinsey, *Hinds Community College*

Asela Laguna-Diaz, *Rutgers University*

Roberta Lavine, *University of Maryland – College Park*

Diane Lee, *Hinds Community College*

Laura Levi Altstaedter, *East Carolina University*

Tasha Lewis, *Loyola University – Maryland*

Juan Liebana, *Hobart and William Smith Colleges*

Jared List, *Doane College*

Fabiola Marolda, *St. Xavier University*

José Martínez, *Stonehill College*

Francia Martínez-Valencia, *University of Michigan – Dearborn*

Donna McAvene, *Eastern Shore Community College*
Ramon Menocal, *University of the District of Columbia*
Linda Moran, *Freed-Hardeman College*
Susan Mraz, *University of Massachusetts – Boston*
Kathy O'Connor, *Tidewater Community College*
Jesse Oliver, *Bluffton College*
Lucia Ortiz, *Regis College*
Paqui Paredes, *Western Washington University*
Beatriz Pariente-Beltran, *Carleton College*
Maria Luisa Parra, *Harvard University*
Mike Pate, *Western Oklahoma State College*
Lynn Pearson, *Bowling Green State University*
Sue Pechter, *Northwestern University*
Marisa Pereyra, *Immaculata College*
Gina Ponce de Leon, *Fresno Pacific University*
Lucia Robelo, *Oregon State University*
Deborah Rosenberg, *Northwestern University*
Fernando Rubio, *University of Utah*
Amie Russell, *Mississippi State University*
Ivelisse Santiago-Stommes, *Creighton University*
Ursula Sayers-Ward, *University of Alabama – Tuscaloosa*
Kanishka Sen, *Ohio Northern University*
Sara Smith, *Colorado Mountain College*
Silvia Sobral, *Brown University*
Margaret Stanton, *Sweet Briar College*
Linda Stilling, *Notre Dame of Maryland University*
Elaine Sykes, *Coppin State University*
Maria Tajes, *William Patterson University*
Kwawisi Tekpetey, *Central State University*
Nell Tiller, *Blue Ridge Community Technical College*
Esther Tillet, *Miami Dade College*
Andrea Topash-Rios, *University of Notre Dame*
Sharon Van Houte, *Lorain County Community College*
Yamil Velazquez, *Sandhills Community College*
Lynn Walford, *Louisiana State University – Shreveport*
Valerie Watts, *Asheville-Buncombe Technical Community College*
Elizabeth Willingham, *Calhoun Community College*
Dennis Willingham, *Calhoun Community College*
Stacy Wilson, *Western Nebraska Community College*
Helga Winkler, *Moorpark College*
Catherine Wiskes, *University of South Carolina*
Wendy Woodrich, *Lewis-Clark State College*
Maria Zaldivar, *Kent State University*

Supplements Advisory Board

Silvia Arroyo, *Mississippi State University*
Tanya Chroman, *California Polytechnic State University, San Luis Obispo*
Conxita Domenech, *University of Wyoming*
Dorian Dorado, *Louisiana State University, Baton Rouge*
Luis Hermosilla, *Kent State University*
Carmen Jany, *California State University, San Bernadino*
Norma Rivera-Hernandez, *Millersville University*
Sandra Watts, *University of North Carolina, Charlotte*
Lee Wilberschied, *Cleveland State University*

Writers

Finally, *special thanks go to the following writers:*

Meghan Allen, *Babson College –Information Gap Activities*
Lori Mesrobian, *University of Southern California – Lesson Plans and Syllabi*
Lori Mele, Grammar rejoinders – *Boston College*

We would also like to thank the World Languages Group at Cengage Learning for their ongoing support of this project and for guiding us along the long and sometimes difficult path to its completion! Many thanks especially to Beth Kramer and Heather Bradley Cole for their professional guidance and outstanding support. We would also like to thank Maribel García, our development editor, for her enthusiastic support and dedication to the project, her unflagging energy, patience, and enthusiasm, and her unerring eye for language and detail; Kristen Keating and Julie Allen for their creative and focused work on the supplements that support **Nexos,** and their dedication to the quality of the media package. Thanks also to Aileen Mason, our content project manager, for her meticulous care and cheerful and good-humored tenacity in keeping the production side of things moving efficiently, and to Jenna Vittorioso for her excellent project management work. We would like to extend our appreciation to Michelle Williams, Marketing Director, for her outstanding creative vision and hard work on campus. We would like to acknowledge our copyeditor, our proofreaders, our art director, Brenda Carmichael, for her inspired design work, our illustrators, JHS Illustration Studio and Fian Arroyo, and the many other design, art, and production staff and freelancers who contributed to the creation of this program.

¡Mil gracias a todos!

To my inspirational students, who helped shape **Nexos**, and to *mi querida familia*, John, Morgan, and John, who have accompanied me on my life's magical journey as a Hispanist. *Gracias por el apoyo infinito.*

—S. S. L.

A mis padres, Marta Morán Arco y Domingo Carreira Pérez, mis primeros maestros en la vida. A mi marido, Bartlett Mel, mi coaprendiz en la vida. A nuestros hijos, Gabriel, Francisco, Margot y Carmen, nuestros nuevos maestros en la vida. Y a todos los maestros, habidos y por haber.

—M. C.

I would like to thank my parents, Dulce and Óscar Madrigal, for bequeathing to me their language, their culture, their heritage, their passion for life, and their *orgullo* in *México, lindo y querido*. I would also like to thank Gail Smith for all her support and kindness.

—S. M. V.

A special thanks to Mac Prichard and to Shirley and Bill Swanson for their constant support and encouragement, both personal and professional.

—K. S.

Scope and Sequence

Scope and Sequence

	TEMAS	COMUNICACIÓN	VOCABULARIO ÚTIL
4 ¿Te interesa la tecnología? 126	Conexiones virtuales y personales España	■ talk about computers and technology ■ identify colors ■ talk about likes and dislikes ■ describe people, emotions, and conditions ■ talk about current activities ■ say how something is done	1. Technology, computers, and colors 128–129 2. Emotions, electronics 132 3. On the Internet 134
5 ¿Qué tal la familia? 168	Relaciones familiares El Salvador y Honduras	■ talk about and describe your family ■ talk about professions ■ describe daily routines ■ indicate ongoing actions	1. The family 170 2. Professions and careers 172 3. Personal care items 176
6 ¿Adónde vas? 206	Comunidades locales México	■ talk about places in town and the university ■ talk about means of transportation and food shopping ■ talk about locations and give directions ■ make polite requests and commands ■ agree and disagree ■ refer to locations of objects	1. Places in the university and around town 208–209 2. Means of transportation 211 3. Shopping 212

Scope and Sequence

	TEMAS	COMUNICACIÓN	VOCABULARIO ÚTIL
7 ¿Qué pasatiempos prefieres? 242	Tiempo personal Costa Rica y Panamá	■ talk about sports and leisure activities ■ talk about seasons and the weather ■ say how you feel using **tener** expressions ■ describe your recent leisure activities ■ suggest activities and plans to friends	1. Sports and leisure activities, seasons 244–245 2. **Tener** expressions 248 3. Weather 250
8 ¿Cómo defines tu estilo? 282	Estilo personal Ecuador y Perú	■ talk about clothing and fashion ■ shop for various articles of clothing ■ discuss prices ■ describe recent purchases and shopping trips ■ talk about buying items and doing favors for friends ■ make comparisons	1. Articles of clothing, fabrics, accessories 284–285 2. Clothes shopping 288 3. Means of payment, numbers over 100 290

¡Bienvenidos a la clase de español!

The purpose of these pages is to introduce you to some of the "nuts and bolts" of Spanish you'll need right away. Familiarize yourself with these words and expressions and do the activities described. Don't worry about memorizing it all—you'll have many more opportunities to work with these words as you progress through *Nexos*.

21ST CENTURY SKILLS

Technology Literacy: Find out how to type the letter ñ on your keyboard.

The Spanish alphabet has 27 characters—the same 26 characters as the English alphabet, plus the extra letter ñ. When using a Spanish dictionary to look up words that begin with **ch** and **ll**, note that they do not have a separate listing, but are instead listed alphabetically under the letters **c** and **l**.

The names of the letters vary across the Spanish-speaking world and there are many regional variations. The variants missing on this alphabet are not incorrect.

In 2010, the **Real Academia de la Lengua Española** updated the Spanish names of some letters. **Ve** and **doble ve** are now **uve** and **doble uve**, and **i griega** has been shortened to **ye**, but the adoption of these names is not universal among Spanish speakers. In addition, **ch** and **ll** have not been considered independent letters since 1994.

Go to the **Pronunciación** section of the preliminary chapter in the *Student Activities Manual* and practice the sounds of the alphabet.

El alfabeto

a	*a*	**A**rgentina
b	*be*	**B**olivia
c	*ce*	**C**osta Rica
d	*de*	**D**inamarca
e	*e*	**E**cuador
f	*efe*	**F**ilipinas
g	*ge*	**G**uatemala
h	*hache*	**H**onduras
i	*i*	**I**nglaterra
j	*jota*	**J**alisco
k	*ka*	**K**enia
l	*ele*	**L**os Ángeles
m	*eme*	**M**arruecos
n	*ene*	**N**icaragua
ñ	*eñe*	Espa**ñ**a
o	*o*	**O**taval**o**
p	*pe*	**P**araguay
q	*cu*	**Q**uito
r	*erre/ere*	Pe**r**ú
s	*ese*	**S**antiago
t	*te*	**T**oledo
u	*u*	C**u**ba
v	*uve*	**V**enezuela
w	*doble uve*	Ku**w**ait
x	*equis*	Mé**x**ico
y	*ye*	**Y**ucatán
z	*zeta*	**Z**acatecas

Los números de 1 a 100

0	*cero*	20	*veinte*	40	*cuarenta*
1	*uno*	21	*veintiuno*	41	*cuarenta y uno*
2	*dos*	22	*veintidós*	42	*cuarenta y dos*
3	*tres*	23	*veintitrés*	43	*cuarenta y tres*
4	*cuatro*	24	*veinticuatro*	44	*cuarenta y cuatro*
5	*cinco*	25	*veinticinco*	45	*cuarenta y cinco*
6	*seis*	26	*veintiséis*	46	*cuarenta y seis*
7	*siete*	27	*veintisiete*	47	*cuarenta y siete*
8	*ocho*	28	*veintiocho*	48	*cuarenta y ocho*
9	*nueve*	29	*veintinueve*	49	*cuarenta y nueve*
10	*diez*	30	*treinta*	50	*cincuenta*
11	*once*	31	*treinta y uno*	51	*cincuenta y uno*
12	*doce*	32	*treinta y dos*	52	*cincuenta y dos*
13	*trece*	33	*treinta y tres*	53	*cincuenta y tres*
14	*catorce*	34	*treinta y cuatro*	54	*cincuenta y cuatro*
15	*quince*	35	*treinta y cinco*	55	*cincuenta y cinco*
16	*dieciséis*	36	*treinta y seis*	56	*cincuenta y seis*
17	*diecisiete*	37	*treinta y siete*	57	*cincuenta y siete*
18	*dieciocho*	38	*treinta y ocho*	58	*cincuenta y ocho*
19	*diecinueve*	39	*treinta y nueve*	59	*cincuenta y nueve*
				60	*sesenta*
				70	*setenta*
				80	*ochenta*
				90	*noventa*
				100	*cien*

Memorize the numbers 1–15.

Notice the pattern for the numbers from 16 to 29: **diez** + **seis** = **dieciséis**; **veinte** + **uno** = **veintiuno**. Notice that 11–15 do not follow that pattern.

Notice the word **quinceañera** comes from **quince** and **año** *(year)*.

Notice the pattern for the numbers over 30: **treinta** + **uno** = **treinta y uno**; **cuarenta** + **dos** = **cuarenta y dos**; **cincuenta** + **tres** = **cincuenta y tres**; etc.

Do not confuse sixty and seventy. Notice that **sesenta** is formed from **seiS**, with an **s**, and **setenta** is formed from **sieTe**, with a **t**.

With a partner, practice counting in Spanish by taking turns (Student 1: **uno**; Student 2: **dos**, etc.). Or, practice a sequence; for example, multiples of three (Student 1: **tres, seis, nueve**; Student 2: **doce, quince, dieciocho**, etc.).

With a partner, name ten people you know. Take turns identifying them first by age and gender and then by their relationship to you: **Marcos Martínez—20 años, hombre, amigo**.

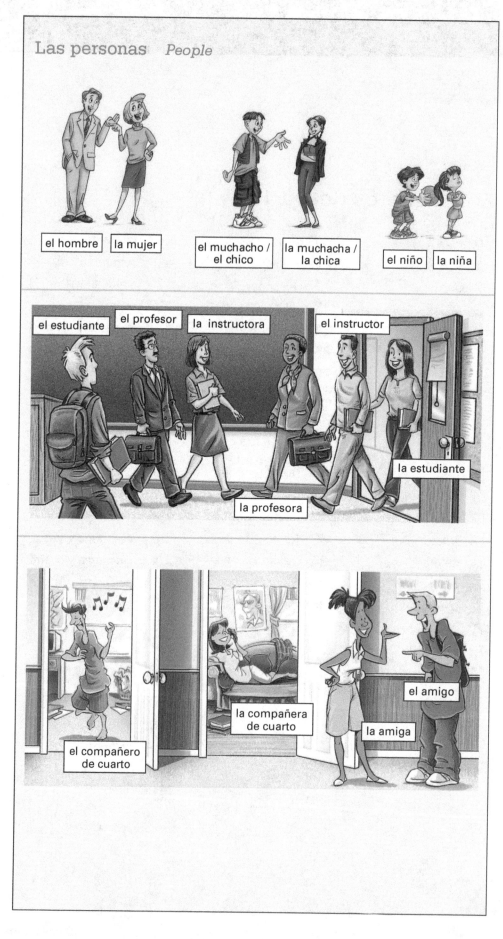

Las personas *People*

el hombre | la mujer

el muchacho / el chico | la muchacha / la chica

el niño | la niña

el estudiante | el profesor | la instructora | el instructor

la estudiante

la profesora

el compañero de cuarto

la compañera de cuarto

la amiga

el amigo

En el salón de clase *In the classroom*

En el libro de texto *In the textbook*
la actividad *activity*
el capítulo *chapter*
el dibujo *drawing*
la foto *photo*
la lección *lesson*
la página *page*

La pregunta *The question*
¿Cómo se dice...? *How do you say . . . ?*
¿Qué significa...? *What does . . . mean?*

La respuesta *The answer*
Se dice... *It's said . . .*
Significa... *It means . . .*

Cognates are words that either look alike or sound similar in both Spanish and English (e.g., **filosofía**: *philosophy*; **geografía**: *geography*).

With a partner, take turns pointing out objects shown in the illustration that you can see in your classroom.

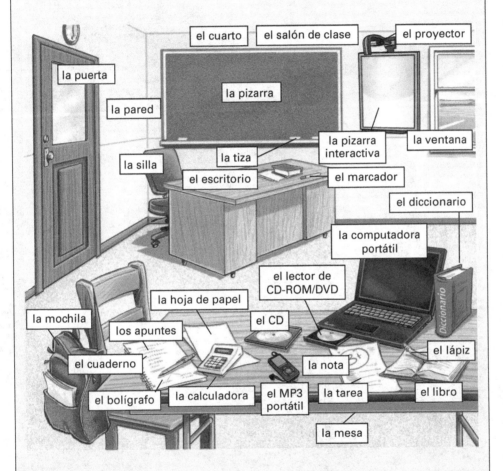

el cuarto · el salón de clase · el proyector · la puerta · la pizarra · la pared · la pizarra interactiva · la ventana · la tiza · la silla · el escritorio · el marcador · el diccionario · la computadora portátil · el lector de CD-ROM/DVD · la hoja de papel · el CD · la mochila · los apuntes · el lápiz · el cuaderno · la nota · el bolígrafo · la calculadora · el MP3 portátil · la tarea · el libro · la mesa

Mandatos comunes *Classroom commands*
Abran el libro / el libro electrónico. *Open your books / e-books.*
Adivina. / Adivinen. *Guess.*
Cierren el libro / el libro electrónico. *Close your books / e-books.*
Contesta. / Contesten. *Answer.*
Entreguen la tarea. *Turn in your homework.*
Mándenme la tarea por e-mail. *E-mail me your homework.*
Escriban en el cuaderno / la computadora. *Write in your notebooks / computers.*
Escuchen el audio. *Listen to the audio.*
Estudien las páginas... a... *Study pages . . . to . . .*
Hagan la tarea para mañana. *Do the homework for tomorrow.*
Lean el Capítulo 1. *Read Chapter 1.*
Repitan. *Repeat.*

Your instructor will practice the most common classroom commands with the entire class and before you know it, you will know them by heart! Do not worry about memorizing them.

© Rido/Shutterstock.com

LA IDENTIDAD PERSONAL

As individuals we value our uniqueness while drawing strength from the similarities and experiences we share with others.

How do you define yourself, both as an individual and as a member of different groups?

Un viaje por el mundo hispanohablante

¿Qué sabes? *(What do you know?)*

1. Match the names of these famous locations in the Spanish-speaking world with their photos.
    a. la Pirámide del Sol, Teotihuacán, México
    b. las Cataratas de Iguazú, Puerto Iguazú, Argentina
    c. la Catedral de la Sagrada Familia, Barcelona, España

2. There are 21 official Spanish-speaking countries in the world, not including the United States. Can you place them in the correct areas of the world? Use the information below to make a list of the six areas. Then list the countries that you think belong in each one. Save your work to check in the **¡Explora y exprésate!** section on page 33.

Áreas: África, el Caribe, Centroamérica, Europa, Norteamérica, Sudamérica

Países: Argentina, Bolivia, Chile, Colombia, Costa Rica, Cuba, Ecuador, El Salvador, España, Guatemala, Guinea Ecuatorial, Honduras, México, Nicaragua, Panamá, Paraguay, Perú, Puerto Rico, República Dominicana, Uruguay, Venezuela

> **Lo que sé y lo que quiero aprender** Complete the chart in **Appendix A**. Write some facts you *already know* about Spanish and the Spanish-speaking world in the **Lo que sé** column. Then add some things you *want to learn* about in the **Lo que quiero aprender** column. Save the chart to use again in the **¡Explora y exprésate!** section on page 33.

COMMUNICATION

By the end of this chapter you will be able to

- exchange addresses, phone numbers, and e-mail addresses
- introduce yourself and others, greet, and say goodbye
- make a phone call
- tell your and others' ages
- address friends informally and acquaintances politely
- write a personal email

CULTURES

By the end of this chapter you will have explored

- Spanish around the world
- a brief history of the Spanish language
- some statistics about Spanish speakers
- a few comparisons between Spanish and English
- Spanish in the professional world
- Spanish-language telephone conventions

¡Imagínate!

▶ VOCABULARIO ÚTIL 1

Javier: ¡Hola!

Anilú: Hola, Beto. ¿Cómo te va?

Javier: **Bastante bien**, pero... ¿Beto? Yo no soy Beto.

Spanish has formal and informal means of address: singular formal *(s. form.)*, singular familiar *(s. fam.)*, and plural *(pl.)* for more than one person, formal or informal. You will learn more about how to address people on pages 23–24.

Para saludar *How to greet*

Hola. *Hello.*
¿Qué tal? *How are things going?*
¿Cómo estás (tú)? *How are you? (s. fam.)*
¿Cómo está (usted)? *How are you? (s. form.)*
¿Cómo están (ustedes)? *How are you? (pl.)*
¿Cómo te va? *How's it going with you? (s. fam.)*
¿Cómo le va? *How's it going with you? (s. form.)*
¿Cómo les va? *How's it going with you? (pl.)*
¿Qué hay de nuevo? *What's new?*
Buenos días. *Good morning.*
Buenas tardes. *Good afternoon.*
Buenas noches. *Good night. Good evening.*

Para responder *How to respond*

Bien, gracias. *Fine, thank you.*
Bastante bien. *Quite well.*
(No) Muy bien. *(Not) Very well.*
Regular. *So-so.*
¡Terrible! / ¡Fatal! *Terrible! / Awful!*
No mucho. *Not much.*
Nada. *Nothing.*
¿Y tú? *And you? (s. fam.)*
¿Y usted? *And you? (s. form.)*

ACTIVIDADES

1 Conversaciones With a classmate, take turns greeting each other and responding. Choose an appropriate response from those provided.

1. Hola, ¿cómo te va?
   a. Buenos días.
   b. Muy bien, gracias.
   c. ¿Y tú?

2. Buenas tardes. ¿Qué hay de nuevo?
   a. No mucho.
   b. Bastante bien.
   c. Terrible.

3. Buenas noches. ¿Cómo le va?
   a. Nada.
   b. ¿Y usted?
   c. Fatal.

4. Buenos días. ¿Cómo están?
   a. Regular.
   b. Buenas noches.
   c. No mucho.

5. Hola, ¿cómo está?
   a. ¿Cómo te va?
   b. Bien, gracias, ¿y usted?
   c. Nada.

6. Buenas tardes.
   a. Terrible.
   b. Buenas tardes. ¿Qué hay de nuevo?
   c. No muy bien. ¿Y tú?

2 Saludos Exchange greetings with a classmate. Follow the cues.

1. **Greeting:** It is morning, and you want to know how your classmate is doing.

   Response: You had a terrible night and don't feel well.

2. **Greeting:** It is evening, and you run into two classmates; you want to know if anything new has come up.

   Response: Not much has happened since you last saw your friend.

3. **Greeting:** You run into a professor in the afternoon; you want to know how things are going.

   Response: You're doing quite well and want to know how your student is doing.

3 ¿Qué tal? Have a conversation with one of your friends when you first see him or her that day.

MODELO   **Tú:** *¡Hola, Adriana! ¿Cómo te va?*
         Compañero(a): *Bien, gracias, Rosa. Y tú, ¿cómo estás?*
         Tú: *Regular.*

Anilú: Pues, ¿cómo te llamas?

Javier: ¿Yo? **Soy** Javier de la Cruz. Y yo, ¿con quién hablo?

Anilú: **Me llamo** Anilú. Ana Luisa Guzmán... Pero, ¿**cuál es tu número de teléfono?** Yo marqué el 3-39-71-94.

Javier: No, ese no es mi número de teléfono. **Mi número es el 3-71-28-12.**

Para pedir y dar información personal *Exchanging personal information*

¿Cómo te llamas? *What's your name? (s. fam.)*
¿Cómo se llama? *What's your name? (s. form.)*

Me llamo... *My name is . . .*
(Yo) soy... *I am . . .*

¿Cuál es tu número de teléfono? *What's your phone number? (s. fam.)*
¿Cuál es su número de teléfono? *What's your phone number? (s. form.)*

Mi número de teléfono es el 3-71-28-12. *My phone number is 371-2812.*
Es el 3-71-28-12. *It's 371-2812.*

¿Dónde vives? *Where do you live? (s. fam.)*
¿Dónde vive? *Where do you live? (s. form.)*

Vivo en... *I live in / at / on . . .*
 la avenida... *avenue*
 la calle... *street*
 el barrio... / la colonia... *neighborhood*

¿Cuál es tu dirección? *What's your address? (s. fam.)*
¿Cuál es su dirección? *What's your address? (s. form.)*
Mi dirección es... *My address is . . .*

¿Cuál es tu dirección electrónica? *What's your e-mail address? (s. fam.)*
¿Cuál es su dirección electrónica? *What's your e-mail address? (s. form.)*
Aquí tienes mi dirección electrónica. *Here's my e-mail address. (s. fam.)*
Aquí tiene mi dirección electrónica. *Here's my e-mail address. (s. form.)*

Spanish speakers often ask ¿**Cuál es tu / su e-mail?**, using the English term rather than **dirección electrónica**.

In an e-mail address in Spanish, @ is pronounced **arroba** and **.com** is pronounced **punto com**.

ACTIVIDADES

4 **Respuestas** Pick from the second column the correct response to the questions in the first column.

1. ¿Dónde vives?
2. ¿Cuál es su dirección electrónica?
3. ¿Cómo se llama?
4. ¿Cuál es tu número de teléfono?

a. Yo soy Rita Rivera.
b. Es el 4-87-26-91.
c. Es Irene29@yahoo.com.mx.
d. En la colonia Villanueva.

5 **En la reunión** You are at the first meeting of the International Hispanic Student Association at your college. You have been elected secretary and must record in Spanish the name, address, and phone number of every member. With a male and female classmate playing the parts of the members, ask for the information you need. Without looking at the book, listen to their responses and type or write out their personal information. Then ask your partners for their real personal information and record that. **¡OJO!** All items follow the pattern of the model.

MODELO   *Jorge Salinas, avenida B 23, 2-91-66-45*
Tú: *¿Cómo te llamas?*
Compañero(a): *Me llamo Jorge Salinas.*
Tú: *¿Dónde vives?*
Compañero(a): *Vivo en la avenida B, veintitrés.*
Tú: *¿Cuál es tu número de teléfono?*
Compañero(a): *Es el dos, noventa y uno, sesenta y seis, cuarenta y cinco.*

Notice that in the **MODELO**, all digits of the telephone number are given in pairs after the initial digit. This is common in many countries, but Spanish speakers in the United States might not use this convention.

1. Amanda Villarreal, calle Montemayor 10, 8-13-02-55
2. Diego Ruiz, Colonia del Valle, calle Iturbide 89, 7-94-71-30
3. Irma Santiago, avenida Flores Verdes 12, 9-52-35-27
4. Baldemar Huerta, calle Otero 39, 7-62-81-03
5. Ingrid Lehmann, avenida Aguas Blancas 62, 4-56-72-93

Notice that unlike in English, the street name precedes the number in addresses in Spanish: **calle Iturbide 12** vs. *12 Iturbide Street.*

6 **¡Mucho gusto!** With a classmate, role-play a cell phone conversation in which one of you has reached the wrong number. You are curious about the person you have accidentally reached. Try to get as much information from each other as possible.

MODELO   —*Hola, ¿Marcos?*
—*No, yo no soy Marcos.*
—*Bueno, ¿cómo se llama usted?*
—*...*

¡FÍJATE!

Los celulares

Cellular phone technology has revolutionized telecommunications throughout the entire world. Cell phones are as popular in Latin America and Spain as they are in the United States. With the advent of the smartphone, cell phones are now routinely used for e-mail, photos, video, text messaging, games, applications, face-to-face phone conversations, GPS directions, and almost anything else you can do online.

© princessdlaf/iStock

Although customs for speaking on the phone vary from one Spanish-speaking country to another, here are some useful phrases to get you started.

Familiar Conversation

—¡Hola!	*Hello?*
—Hola. ¿Qué estás haciendo?	*Hi. What are you doing?*
—Nada, ¿y tú?	*Nothing, and you?*
—¿Quieres hacer algo?	*Do you want to do something?*
—Claro. ¿Nos vemos donde siempre?	*Sure. See you at the usual place?*
—Está bien. Hasta luego.	*OK. See you later.*
—Chau.	*Bye.*

Formal Conversation

—¡Hola! / ¿Aló?	*Hello?*
—Hola. ¿Puedo hablar con...?	*Hi. May I speak with . . . ?*
—Sí, aquí está.	*Yes, he/she is here.*
—Lo siento. No está.	*Sorry. He/She is not here.*
—Por favor, dígale que llamó (nombre). Mi número es el...	*Please tell him/her that (name) called. My number is . . .*
—Muy bien.	*OK.*
—Muchas gracias.	*Thank you very much.*
—De nada. Adiós.	*You're welcome. Goodbye.*
—Adiós.	*Goodbye.*

PRÁCTICA With a partner, role-play two different phone calls, using the expressions provided. In the first call, you dial a friend's cell phone and speak to him or her. In the second call, you dial a friend's home number and speak to his grandmother. In the second case, the person you are trying to reach is not in and you need to leave a message. Don't forget to use the correct level of address (familiar or formal).

In Spain, a cell phone is called **un móvil**. Can you guess what it means?

Remember that most Spanish speakers give their phone number by using pairs after the first digit. For example: **Mi número es el dos, treinta y seis, diez, dieciocho.**

Anilú: Beto, **quiero presentarte a** Javier de la Cruz.

Beto: **Mucho gusto**, Javier.

Javier: **Encantado**, Beto.

Beto: Aquí está tu celular.

Javier: Gracias, Beto. Y aquí está tu celular.

Beto: **Bueno, ¡tengo que irme! Muchas gracias**, Javier.

Y gracias a ti también, Anilú.

Anilú: Pues, Javier, **mucho gusto en conocerte**.

Javier: **El gusto es mío.**

Anilú: Pues, entonces, **¡nos vemos!**

Javier: ¡Hasta luego! Chau.

Para presentar a alguien *Introducing someone*

Soy... *I am . . .*
Me llamo... / Mi nombre es... *My name is . . .*
Quiero presentarte a... *I'd like to introduce you to . . . (s. fam.)*
Quiero presentarle a... *I'd like to introduce you to . . . (s. form.)*
Quiero presentarles a... *I'd like to introduce you to . . . (pl.)*

Para responder *How to respond*

Mucho gusto. *My pleasure.*
Mucho gusto en conocerte. *A pleasure to meet you (s. fam.).*
Encantado(a). *Delighted to meet you.*
Igualmente. *Likewise.*
El gusto es mío. *The pleasure is mine.*
Un placer. *My pleasure.*

Para despedirse *Saying goodbye*

Adiós. *Goodbye.*
Hasta luego. *See you later.*
Hasta mañana. *See you tomorrow.*
Hasta pronto. *See you soon.*
Nos vemos. *See you later.*
Chau. *Bye.*
Bueno, tengo que irme. *Well / OK, I have to go.*

The word **chau** comes from the Italian word *ciao*, which means both hello and goodbye. In Spanish, it is only used to say goodbye. The spelling has been changed to reflect Spanish pronunciation.

ACTIVIDADES

7 **¿Cómo respondes?** Choose the best response to each statement.

1. Me llamo Rubén.
   a. Adiós.   **b.** Un placer.   **c.** Hasta mañana.

2. Quiero presentarte a Cristina.
   a. Igualmente.   **b.** Bueno, tengo que irme.   **c.** Mucho gusto.

3. Mucho gusto en conocerte.
   a. Chau.   **b.** Igualmente.   **c.** Mi nombre es Santiago.

4. Bueno, tengo que irme.
   a. Hasta luego.   **b.** Encantado(a).   **c.** El gusto es mío.

8 **Quiero presentarte a...** Introductions are a normal part of everyday life. Work in groups to study the drawing and create four short conversations in which one person introduces another person to a third party. In each conversation, pick one of the characters in the group and play that role. The labels show the four groups.

MODELO   (Grupo 3) **Estudiante #1:** *Hola, Alicia. Te presento a Miguel.*
          Estudiante #2: *Mucho gusto, Alicia.*
          Estudiante #3: *Igualmente, Miguel.*

9 **Fiesta** You're at a party and you meet someone you really like who speaks only Spanish. Write out the conversation you might have with that person. Include the following:

greeting
response
introduction
exchange of phone numbers and e-mail addresses
exchange of addresses
goodbyes

10 **Un e-mail** Write an e-mail to your Spanish instructor introducing yourself. In it, give your name, address, e-mail address, phone number, and any other information you think your Spanish instructor should know about you. Send it!

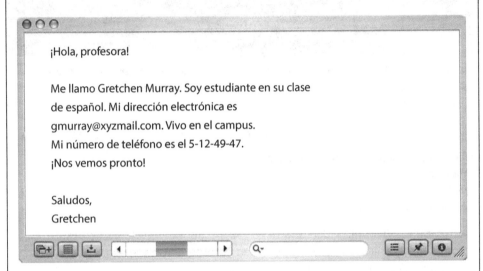

¡Hola, profesora!

Me llamo Gretchen Murray. Soy estudiante en su clase
de español. Mi dirección electrónica es
gmurray@xyzmail.com. Vivo en el campus.
Mi número de teléfono es el 5-12-49-47.
¡Nos vemos pronto!

Saludos,
Gretchen

Formal opening: **Estimado(a)**
profesor(a):
Informal opening: **¡Hola,**
profesor(a)!

11 ¡Mucho gusto en conocerte!
You are at a party with a group of four
or five classmates. Greet each other,
introduce yourselves, present at least one
other member of the group to the others,
and then carry on as lively a conversation
as you can, exchanging as much personal
information as you normally would. Find a
natural way to end the conversation and
then say goodbye to each other.

© Juan Silva/Getty Images

A ver

Antes de ver 1 How many of the characters in this video segment do you already know? Go back to pages 8, 10, and 13 and identify the people you see in the photos there.

Antes de ver 2 Review some of the key words and phrases used in the video.

Ha sido un placer. *It's been a pleasure.*
Marqué… *I dialed . . .*
¡Tengo prisa! *I'm in a hurry!*
Voy a marcar… *I'm going to dial . . .*

Antes de ver 3 In the video segment you are about to watch, one of the characters you have already encountered comments on the video action from the future. (This person is a professor who is showing a video to students at the University of Costa Rica.) Before you watch the video segment, read items 1–4. Then, as you watch, listen for this information.

1. ¿Cómo se llama la persona que habla desde *(from)* el futuro?
2. Las personas que hablan por celular, ¿cómo se llaman?
3. Las personas al final, ¿cómo se llaman?
4. _____ tiene *(has)* el celular de _____.

▶ **Ver** Now watch the video segment as many times as necessary to answer the questions in **Antes de ver 3**.

Después de ver Are the following statements about the video segment true **(cierto)** or false **(falso)**? Correct the false statements.

1. Javier tiene el celular de Anilú.
2. Anilú es una amiga de Javier.
3. Beto es un amigo de Anilú.
4. El número del teléfono celular que tiene Javier es el 3-39-71-94.
5. El número de teléfono de Beto es el 3-39-71-94.
6. Anilú le presenta Javier a Beto.

Voces de la comunidad

▶ Voces del mundo hispano

In this video segment, people from around the Spanish-speaking world introduce themselves. First read the statements below. Then watch the video as many times as needed to say whether each statement is true **(cierto)** or false **(falso)**.

1. Ela y Sandra son de Puerto Rico.
2. Aura y Dayramir son de Honduras.
3. Claudio tiene 42 años *(is 42 years old)*.
4. David tiene 19 años.
5. Ricardo es estudiante universitario.
6. Patricia y Constanza son profesoras de español.

🔊 Voces de Estados Unidos

© Comstock Images/Thinkstock

Spanish speakers in North America

In 1787, Thomas Jefferson had this advice for his nephew, Peter Carr:

" Apply yourself to the study of the Spanish language with all of the assiduity you can. It and the English covering nearly the whole of America, they should be well known to every inhabitant who means to look beyond the limits of his farm. "

Today, the U.S. is the fourth-largest Spanish-speaking country in the world. The 54 million Hispanics (or Latinos) who make their home in this country represent the fastest-growing segment of the U.S. population, comprising nearly 17% of the total population. For its part, Canada is also home to a thriving community of over 480,000 Hispanics.

U.S. Hispanics are enjoying a period of unprecedented prosperity. Their estimated buying power of $1.5 trillion a year more than doubles the combined buying power of all other Spanish-speaking countries in the world. Through Spanish-language websites, publications, and advertising aimed at the lucrative Hispanic market, U.S. companies are continually striving to better understand, entice, and serve Latino consumers.

The **Voces de la comunidad** section of **Chapters 2–14** of *Nexos* features an outstanding North American Hispanic from these and other areas, people whose contributions have direct relevance to the theme of the chapter.

¿Y tú? **What are your reasons for studying Spanish? Do you want to use it for personal or professional reasons?**

¡Prepárate!

GRAMÁTICA ÚTIL 1

Identifying people and objects: Nouns and articles

Cómo usarlo

Nouns identify people, places, and things: **señora Velasco, calle,** and **teléfono** are all nouns. *Articles* supply additional information about the noun.

1. *Definite* articles refer to a specific person, place, or thing.

La avenida Central es **la** calle   *Central Avenue is **the** most*
   más importante de **la** universidad.   *important street in **the** university.*
(You already know which avenue
   and university you are talking about.)

2. *Indefinite* articles refer to a noun without identifying a specific person, place, or thing.

Un amigo es **una** persona que te gusta.   ***A** friend is **a** person you like.*
(You are making a generalization,
   true of any friend.)

Cómo formarlo

Lo básico

- Number indicates whether a word is singular or plural: **la calle** *(sing.)*, **las calles** *(pl.)*, **un escritorio** *(sing.)*, **unos escritorios** *(pl.)*.
- Gender indicates whether a word is masculine or feminine: **una avenida** *(fem.)*, **el teléfono** *(masc.)*.

The idea of gender for non-person nouns and for articles does not exist in English, although it is a feature of Spanish and other languages. When learning new Spanish words, memorize the article with the noun to help remember gender.

3. Noun gender and number

- *Gender:* Often you can tell the gender of a Spanish noun by looking at its ending. Here are some general guidelines.

Masculine	Feminine
1. Nouns ending in **-o: el amigo, el muchacho**	Exception to rule #1: **la mano** *(hand)*
Exceptions to rule #2: words ending in **-ma: el sistema, el problema, el tema, el programa;** also **el día, el mapa**	2. Nouns ending in **-a: la compañera de cuarto, una chica**
	3. Nouns ending in **-ción, -sión, -xión, -dad, -tad,** and **-umbre** are feminine: **la información, la extensión, la conexión, una universidad, la libertad, una costumbre** *(custom).*

When nouns ending in **-ión** become plural, they lose the accent on the o: **la corporación**, but **las corporaciones**.

Nouns referring to people often reflect gender by changing a final **o** to an **a (chico / chica, amigo / amiga)** or adding an **a** to a final consonant (**profesor / profesora**). For nouns ending in -**e** or -**ista** that refer to people, the article or context indicates gender (**el estudiante / la estudiante, el guitarrista / la guitarrista**). There are also words that end en -**a** in both the masculine and feminine form, such as **atleta**, and in these cases the gender is determined by the article or context as well. (**Juan/Juanita es atleta.**)

- *Number:* Spanish nouns form their plurals in several ways.

Singular	Plural
Ends in vowel: **calle**	Add **s**: **calles**
Ends in consonant: **universidad**	Add **es**: **universidades**
Ends in -**z**: **lápiz**	Change **z** to **c** and add **es**: **lápices**

Décima Feria
de las Mascotas

sábado, 11 de mayo, 10:00 a 14:00, Plaza Central

¡Ven a ver y a llevarte algunos de los perros, gatos, pájaros, lagartos y serpientes más raros del mundo!

Photo: © Ameng Wu/iStockphoto.com (Boa); © Eric Isselee/iStockphoto.com (Dog and Cat); © Ameng Wu/iStockphoto.com (Chameleon)

How many plural nouns can you identify in this poster for a pet fair? Can you find the two definite articles?

4. Definite and indefinite articles

- Here are the Spanish definite articles, which correspond to the English article *the*.

	Singular	Plural
Masculine	**el amigo** *the friend (male)*	**los amigos** *the friends (male or mixed group)*
Feminine	**la amiga** *the friend (female)*	**las amigas** *the friends (female)*

- Here are the Spanish indefinite articles, which correspond to the English articles *a*, *an*, and *some*.

	Singular	Plural
Masculine	**un amigo** *a friend (male)*	**unos amigos** *some friends (male or mixed group)*
Feminine	**una amiga** *a friend (female)*	**unas amigas** *some friends (female)*

- Remember that you use masculine articles with masculine nouns and feminine articles with feminine nouns. When a noun is in the plural, the corresponding plural article (masculine or feminine) is used: **el hombre, los hombres.**
- When referring to a person's *profession*, the article is omitted: **Liana es profesora y Ricardo es dentista.** NOT: **Liana es una profesora.**
- However, when you use a *title* to refer to someone, the article is used: **Es el profesor Gómez.** When you address that person directly, using their title, the article is not used: **Buenos días, profesor Gómez.**

  The following titles are typically used with the article when referring to a person, and without the article when addressing that person directly.

señor (Sr.)	*Mr.*	**señorita (Srta.)**	*Miss / Ms.*
señora (Sra.)	*Mrs. / Ms.*	**profesor / profesora**	*professor*

When the noun is modified, the article is used: **Liana es una profesora excelente.**

ACTIVIDADES

1 🔊 **¿Femenino o masculino?** Listen to the speaker name a series of items and people. First write whether the noun mentioned is masculine **(M)** or feminine **(F)**, or both **(M/F)**. Next write the singular form of the noun with its correct definite article. Lastly, write the plural noun with its correct definite article.

MODELO **You hear:** libro
You write: *M*
el libro
los libros

2 **¿Definido o indefinido?** Work with a partner. Take turns guessing from context whether it makes more sense to use the definite article, the indefinite article, or no article in each of the following pairs of sentences. Then say which article to use if one is required. If no article is required, mark X.

MODELO   Es _____ salón de clase de español.
Es *el* salón de clase de español.

1. Es _____ calle en mi colonia.
Es _____ calle central de mi colonia.

2. Es _____ estudiante *(fem.)* más *(most)* inteligente de mi clase.
Es _____ estudiante.

3. Es _____ avenida más importante de mi colonia.
Es _____ avenida en mi colonia.

4. Es _____ universidad en mi estado *(state)*.
Es _____ universidad más importante de mi estado.

3 **Presentaciones** With a partner, take turns to complete the following introductions with the correct definite or indefinite articles where needed. If no article is needed, mark with an X.

1. —Señora Oliveros, quiero presentarle a _____ señorita Martínez.
—Un placer. ¿Dónde vive usted?
—Vivo en _____ calle Colón, en _____ colonia Robles.

2. —Oye, Ricardo, quiero presentarte a mi amiga Rebeca. Ella es _____ dentista.
—¡Mucho gusto, Rebeca! Yo soy _____ profesor de matemáticas.
—¿De veras? Yo tengo *(I have)* _____ amigo que es profesor también.

3. —Buenas tardes. Yo soy _____ señor Bustelo.
—Señor Bustelo, ¿cuál es su número de teléfono?
—Es _____ 8-21-98-32.

4. —¡Hola!
—Buenos días. ¿Puedo hablar con _____ señor Lezama?
—Lo siento. No está.
—Por favor, dígale que llamó _____ señora Barlovento. Tenemos *(We have)* clase de administración mañana y necesito darle *(I need to give him)* _____ apuntes.

4 **Más presentaciones** In pairs, take turns to introduce yourself to your partner. Exchange information about where you live, phone numbers, and e-mail addresses. Then prepare to introduce your classmate to the entire class.

MODELO   **Tú:** *Hola, ¿qué tal? Me llamo... Y tú, ¿cómo te llamas?*
Compañero(a): *Hola, me llamo... ¿Dónde vives?*

¿Tú eres Javier?

Identifying and describing: Subject pronouns and the present indicative of the verb **ser**

Cómo usarlo

The Spanish verb **ser** can be used to identify people and objects, to describe them, to make introductions, and to say when something will take place. It is one of two Spanish verbs that are the equivalents of the English verb *to be*.

Mi teléfono **es** el 2-39-71-49.	*My telephone number **is** 2-39-71-49.*
Yo **soy** Mariela y ella **es** Elena.	*I **am** Mariela and this **is** Elena.*
La fiesta **es** el miércoles.	*The party **is** on Wednesday.*

Cómo formarlo

Estar, which you have already used in the expression **¿Cómo estás?**, also means *to be*. You will learn other ways to use **estar** in **Chapter 4**.

Lo básico

- *Pronouns* are words used to replace nouns. (Some English pronouns are *it, she, you, him,* etc.)
- Verbs change form to reflect *number* and *person. Number* refers to singular versus plural. *Person* refers to different subjects.
- A verb's tense indicates the time frame in which an event takes place (for example, *talk, talked, will talk*). The present indicative tense refers to present-time events or conditions *(I talk, I am talking).*

1. Subject pronouns

- Subject pronouns are pronouns that are used as the subject of a sentence. Here are the subject pronouns in Spanish.

Singular		Plural	
yo	*I*	**nosotros / nosotras**	*we*
tú	*you (fam.)*	**vosotros / vosotras**	*you (fam.)*
usted (Ud.)	*you (form.)*	**ustedes (Uds.)**	*you (fam., form.)*
él, ella	*he, she*	**ellos, ellas**	*they*

Yo soy Manuel. ¡Mucho gusto!

- The **vosotros / vosotras** forms are primarily used in Spain. They allow speakers to address more than one person informally. In most other places, Spanish speakers use **ustedes** to address several people, regardless of the formality of the relationship. The **vosotros** forms of verbs are provided in *Nexos* so that you can recognize them, but they are not included for practice in activities.

2. Formal vs. familiar

English has a single word—*you*—to address people directly, regardless of how well you know them. As you have already seen, Spanish has two basic forms of address: the **tú** form and the **usted** form.

- **Tú** is used to address a family member, a close friend, a child, or a pet.
- **Usted** (often abbreviated as **Ud.**) is a more formal means of address used with older people, strangers, acquaintances, and sometimes with colleagues.
- Remember that the **ustedes** form is normally used to address more than one person in both *informal* and *formal* contexts (except in Spain, where **vosotros / vosotras** is used in informal contexts).

Levels of formality vary throughout the Spanish-speaking world, so it's important when traveling to listen to how **tú** and **usted** are used and to follow the local practice.

In some countries, you will hear **vos** forms (Argentina and parts of Uruguay, Chile, and Central America). This is a variation of **tú** that is used only in these regions.

To show respect, you sometimes hear the titles **don** and **doña** used with people you address as **usted**. **Don** and **doña** are used with the person's first name: **don Roberto, doña Carmen**.

3. The present tense of the verb **ser**

The present indicative forms of the verb **ser** are as follows. Note the subject pronouns associated with each form.

ser *(to be)*	
Singular	
yo soy	*I am*
tú eres	*you (s. fam.) are*
usted es	*you (s. form.) are*
él es	*he is*
ella es	*she is*
Plural	
nosotros / nosotras somos	*we are*
vosotros / vosotras sois	*you (pl. fam.) are*
ustedes son	*you (pl. form. or pl. fam.) are*
ellos son	*they (masc. or mixed) are*
ellas son	*they (fem.) are*

In Spanish, it is not always necessary to use the subject pronoun with the verb, as long as the subject is understood. For example, it's less common to say **Yo soy Rafael**, because **Soy Rafael** is clear enough on its own.

The subject pronouns only substitute for animate subjects. So, in **El libro es bueno**, it is not possible to replace **el libro** with **él**. There are only two options with this sentence: (1) to include the subject **El libro es bueno**, or (2) to leave out the subject, as in **Es bueno**.

ACTIVIDADES

5 **Descripciones** Match each of the following descriptions with the correct group of individuals.

_____ **1.** two teens   **a.** Son compañeras de cuarto.
_____ **2.** one professor   **b.** Es profesor de periodismo (journalism).
_____ **3.** two roommates   **c.** Somos profesores en la universidad.
_____ **4.** two professors   **d.** Son estudiantes.
_____ **5.** A mom and two children   **e.** Son amigas.
_____ **6.** two little girls   **f.** Es una familia.

6 **Manuel** Manuel writes an e-mail to a new Facebook friend describing himself and his two best friends. Complete his e-mail with the correct forms of **ser**.

¡Hola! Yo (1) _____ Manuel Ybarra. (2) _____ estudiante de la Universidad Nacional Autónoma de México, que (3) _____ una de las universidades más importantes de las Américas. ¡La población estudiantil (4) _____ de más de 270.000 estudiantes!

Tengo dos amigos íntimos. Mi amiga Susana (5) _____ una persona muy sincera. Ella y yo (6) _____ inseparables. Mi amigo Hernán (7) _____ muy cómico. Hernán y yo (8) _____ compañeros de cuarto. Susana y Hernán (9) _____ buenos amigos también. Y tú, ¿cómo (10) _____?

7 **¿Quiénes son?** Use **ser** to say who the following people are. (In items 1-3 you need to supply the name of the person in addition to the correct form of **ser**. In items 5-8 you need to write a complete sentence.)

1. [Nombre] _____ mi compañero(a) de clase.
2. [Nombre] _____ el profesor (la profesora) de español.
3. [Nombre] _____ el instructor (la instructora) de la clase de español.
4. Nosotros _____ estudiantes de español.
5. Tú…
6. Usted…
7. Ustedes…
8. Ellos…

8 Le presento a… In groups of three or four, act out an introduction in front of the class. Decide beforehand the ages and the social standing of the people you are role-playing as well as how informal or formal the situation is. The class must guess whether the introduction is formal or informal. Follow the model.

MODELO   (formal)
—Buenos días, profesora García.
—Buenos días, Susana.
—Profesora García, le presento a mi amigo Paul.
—Encantada, Paul.

GRAMÁTICA ÚTIL 3

Expressing quantity: **Hay** + *nouns*

Cómo usarlo

1. **Hay** is the Spanish equivalent of *there is* or *there are* in English.

   Hay una reunión en la cafetería.   ***There is*** a meeting in the cafeteria.
   Hay tres estudiantes en la clase.   ***There are*** three students in the class.
   Hay unos libros en la mesa.   ***There are*** some books on the table.
   Hay una fiesta el viernes.   ***There is*** a party on Friday.

2. **Hay** is used with both singular and plural nouns, and in both affirmative and negative contexts.

   Hay un bolígrafo, pero no **hay** lápices en la mesa.

Aquí **hay** un problema.

3. **Hay** can be used with numbers or with indefinite articles (**un, una, unos, unas**), but it is never used with definite articles (**el, la, los, las**).

   ¡**Hay** tres profesores en la clase,   ***There are*** three professors in the class,
   pero solo **hay** una estudiante!   but ***there is*** only one student!

4. With a plural noun or in negative contexts, typically no article is used with **hay** unless you are providing extra information.

   Hay papeles en la mesa.   ***There are papers*** on the table.
   No hay libros en el escritorio.   ***There aren't (any) books*** on the desk.
   Hay muchas computadoras   ***There are many computers***
   en la clase.   *in the class.*

   BUT:

   Hay unas personas interesantes   ***There are some interesting people***
   en la clase.   *in the class.*

Cómo formarlo

Hay is an *invariable verb form* because it never changes to reflect number or person. That is why **hay** can be used with both singular and plural nouns.

Hay siete estudiantes en la clase.

ACTIVIDADES

9 **¿Sí o no?** Look at the form and then answer the questions using **hay** or **no hay**. Follow the model.

Nombre: *Alicia Monteverde Salinas*
Dirección: *1742 NE Cleary Street , Portland, OR 97208*
Número de teléfono:
  casa: _____ celular: *971-555-2951* oficina: *503-555-8820*
Contacto personal: _____
Dirección electrónica: *Alims@netista.org*
Referencia: _____

MODELOS ¿Hay... un nombre?
Sí, hay un nombre.
¿Hay... un número de teléfono de la casa?
No, no hay número de teléfono.

¿Hay...

1. ... una dirección?
2. ... un número de teléfono de la oficina?
3. ... un número de celular?
4. ... un contacto personal?
5. ... una dirección electrónica?
6. ... una referencia?

10 **Hay...** Say how many of the following things are in the places mentioned.

MODELO ventana (5): salón de clase
Hay cinco ventanas en el salón de clase.

1. computadora (15): laboratorio
2. policía (2): calle
3. libro (5): escritorio
4. profesor (3): reunión
5. estudiante (40): cafetería
6. persona (20): fiesta
7. verbo (35): pizarra
8. celular (1): mochila

11 **¿Cuántos *(How many)* hay?** In groups of four or five, find out how many of the following objects there are in your group.

MODELO *Hay tres teléfonos celulares en el grupo.*

1. teléfonos celulares
2. cuadernos
3. dólares
4. computadoras portátiles
5. mochilas
6. ¿...?

12 **¿Hay o no hay...?** With a classmate, take turns asking and answering whether the items indicated are in the classroom.

Objetos posibles: una computadora, un escritorio, un libro, un mapa, una mesa, una mochila, una pizarra digital interactiva, una ventana, ¿...?

MODELO **Tú:** *¿Hay una silla en el salón de clase?*
Compañero(a): *Hay treinta sillas en el salón de clase.*

COMPRENSIÓN

Answer the following questions about the cartoon.

1. Según *(According to)* Dieguito, ¿qué hay en su cuarto?
2. En realidad, ¿qué hay en el cuarto de Dieguito?
3. Según el papá de Dieguito, ¿qué hay en el jardín *(garden)*?
4. En realidad, ¿hay un elefante en el jardín?

Expressing possession, obligation, and age:
Tener, tener que, tener + años

Tienes el celular de mi amigo Beto.

Cómo usarlo

1. The verb **tener** means *to have*. It is used in Spanish to express possession and to give someone's age. You can also use it with **que** and another verb to say what you have to do: **Tengo que irme.** *(I have to go.)*

Tengo dos teléfonos en casa.	I **have** two telephones in my house.
Elena **tiene** veinte años. ¿Cuántos años **tienen** Sergio y Dulce?	Elena **is** twenty years old. How old **are** Sergio and Dulce?
Tengo que irme porque **tengo** clase.	I **have to** go because I **have** class.

2. When **tener** is used to express possession, the article is usually omitted, unless number is emphasized or you are referring to a specific object.

3. Note that where Spanish uses **tener... años** to express age, the English equivalent is *to be . . . years old.*

Cómo formarlo

1. Here are the forms of the verb **tener** in the present indicative tense.

tener *(to have)*			
yo	**tengo**	nosotros / nosotras	**tenemos**
tú	**tienes**	vosotros / vosotras	**tenéis**
Ud. / él / ella	**tiene**	Uds., ellos, ellas	**tienen**

Remember, it's better to use the verb without a subject pronoun unless the subject is unclear or you want to emphasize it.

In Spanish the word for birthday is **cumpleaños**, which literally means "completes (**cumple**) years (**años**)." Many Spanish speakers celebrate their saint's day (**el día de su santo**), which is the birthday of the saint whose name is the same as or similar to their own. For example: **El 19 de marzo es el día de San José.**

2. Ask **¿Cuántos años tienes?** to find out someone's age. Ask **¿Cuándo es tu cumpleaños?** to find out someone's birthday. He or she can respond with **Mi cumpleaños es el [número] de [mes].**

Los meses del año *(Months of the year)*

enero	julio
febrero	agosto
marzo	septiembre
abril	octubre
mayo	noviembre
junio	diciembre

3. When giving dates in Spanish, the day of the month comes first: **el quince de abril** = *April 15th.* When writing the date with numbers, the day always comes before the month: 15/4/16 = **el quince de abril de 2016.**

ACTIVIDADES

13 **¿Qué tienen?** Say what each person *has* or *has to do*.

MODELO   *Yo tengo un cuaderno en el escritorio.*

1. Yo _____ un celular en la mochila.
2. Nosotros _____ que leer el libro.
3. Ellos _____ unos apuntes en el cuaderno.
4. Tú _____ dos libros en la mochila.
5. El profesor _____ cinco lápices en el escritorio.
6. Ustedes _____ que escuchar el audio.

14 👥 **¿Cuántos años tienen?** In groups, take turns to tell the birthdays and ages of the following people.

MODELO   Arturo (28/3; 25 años)
      El cumpleaños de Arturo es el veintiocho de marzo.
         Tiene veinticinco años.

1. Martín (12/4; 21 años)
2. Sandra y Susana (14/7; 24 años)
3. mamá (16/6; 45 años)
4. papá (22/2; 47 años)
5. Gustavo (7/9; 17 años)
6. Irma y Daniel (19/1; 19 años)

The number **veintiuno** shortens to **veintiún** when it's used with a noun: **veintiún años**.

15 🔊 **La fiesta** Listen to the conversation between Marta and Juan. They are talking about the birthdays and ages of various friends. Write down the age and the birthday of each person.

	Edad	Cumpleaños
1. Miguel		
2. Arturo		
3. Enrique		
4. Isabel		

16 🔁 **Yo tengo...** With a classmate, take turns asking and telling which of the following objects you have and don't have with you today. Follow the model.

MODELO   **Tú:** *¿Tienes un libro?*
      Compañero(a): *Sí. Tengo tres libros.*

Objetos posibles: bolígrafo, celular, computadora portátil, cuaderno, diccionario, lápiz, marcador, mochila, ¿...?

¡Explora y exprésate!

El español: ¡una lengua global!

© Ryan McVay/Getty Images

Información general ▶

- Spanish is the official language of 21 countries.
- With almost 500 million native and second-language speakers internationally, Spanish is one of the most widely spoken languages in the world.
- Spanish ranks second worldwide for number of native speakers, with 405 million. (Chinese is first, with 1.2 billion native speakers, and English is a close third, with 360 million speakers.)
- Spanish is spoken by over 50 million people in the United States and by approximately 900,000 people in Canada. It is one of the most widely studied and fastest-growing languages in both countries.

Top 5 languages on the Internet	Internet users by language	Internet users as percentage of total
English	800,625,314	28.6%
Chinese	649,375,491	23.2%
Spanish	222,406,379	7.9%
Arabic	135,610,819	4.8%
Portuguese	121,779,703	4.3%

Adapted from Top Ten Languages Used in the Web chart at http://www.internetworldstats.com/stats7.htm, Copyright © 2014, Miniwatts Marketing Group. All rights reserved worldwide.

A tener en cuenta

- Spanish originated on the Iberian Peninsula as a descendant of Latin.

- King Alfonso X tried to standardize the language for official use in the 13th century in the Castile region of Spain.

- By 1492, when Christopher Columbus headed for the Western Hemisphere, Spanish had already become the spoken and written language that we would recognize today.

- Spanish was brought to the New World by explorers who colonized the new territories under the Spanish flag for the Spanish Empire. At its peak, **el Imperio español** was one of the largest empires in world history.

- Today, there are far more Spanish speakers in Latin America than there are in Spain.

© Prisma Archivo/ Alamy

■ El Imperio español

Idioma

- Spanish is referred to as either **español** or **castellano**.
- Like all languages, Spanish exhibits some regional variations, limited mainly to vocabulary and pronunciation. In spite of these variations, Spanish speakers from all over the world communicate without difficulty.
- Spanish and English share many cognates, due to the fact that many of their words have Latin as one linguistic root in common.

Remember that cognates are words that either look alike or sound similar in both Spanish and English.

| family | *familia* | computer | *computadora* |

Profesiones

- Here are just a few of the professions where Spanish is in high demand in the United States:

law
medicine
tourism
social sciences
education
translation and interpretation

investment banking
sales and marketing
government
human resources
interactive media

© Marty Lederhandler/AP Images

EN RESUMEN

La información general

1. In how many countries is Spanish the official language?
2. In what place does Spanish rank in terms of numbers of native speakers?
3. Where did Spanish originate?
4. Who tried to standardize Spanish in the 13th century?
5. What do English and Spanish have in common?

Los países de habla hispana 🔄 Did you place the countries in the correct areas? With a partner, check your list from **¿Qué sabes?** on page 7 against the list below to see how many you got right.

África	Guinea Ecuatorial
El Caribe	Cuba, Puerto Rico*, República Dominicana
Centroamérica	Costa Rica, El Salvador, Guatemala, Honduras, Nicaragua, Panamá
Europa	España
Norteamérica	Canadá, Estados Unidos**, México
Sudamérica	Argentina, Bolivia, Chile, Colombia, Ecuador, Paraguay, Perú, Uruguay, Venezuela

* Es un Estado Libre Asociado *(Commonwealth)*, no un país independiente.
** Se habla español, pero el español no es la lengua oficial.

Los beneficios de hablar español 🔄 With a partner, discuss your reasons for studying Spanish. What professional or personal benefits do you expect to get out of your study of this language? Do a search for key words such as "medical careers in Spanish", "legal Spanish" or "What can I do with a Spanish major/minor?" to find out why knowing Spanish will be useful to you in your career.

¿Quieres saber más?

Return to the chart that you started at the beginning of the chapter. Add all the information that you already know in the column **Lo que aprendí**. Then look at the column labeled **Lo que quiero aprender**. Are there some things that you still don't know? Pick one or two of these, or choose from the topics listed below, to investigate further online. You can also find more key words for different topics at **www.cengagebrain.com**. Be prepared to share this information with the class.

Palabras clave: Historia: la Península Ibérica, la influencia árabe, el Nuevo Mundo, Cristóbal Colón. Profesiones: derecho, medicina, finanzas, tecnología, turismo, traducción. Hispanos célebres: Alfonso X de Castilla y León, los Reyes Católicos.

A leer

Antes de leer

¡OJO! (literally, "Eye!") is used in Spanish to direct a person's attention to something. It is similar to saying "Watch out!" or "Be careful!" in English.

ESTRATEGIA

Identifying cognates to aid comprehension

You have already learned a number of *cognates*—words that look similar in both Spanish and English but are pronounced differently. Some cognates you have already learned are **regular, terrible,** and **teléfono.** Cognates help you get a general idea of content, even if you don't know a lot of words and grammar.

¡OJO! *False cognates* are words that look similar in English and Spanish but mean different things. For example, here **dirección** means *address,* not *direction,* in English. If a word that looks like a cognate doesn't make sense, you may need to look it up in a dictionary to discover its true meaning.

1 Look at the headline and the four sections of the following article. See if you can get the main idea of the article by relying on cognates and words you already know.

1. Put a check mark by the words that you already know in the title and the four bulleted sections.
2. Underline the cognates that appear in these sections. Can you guess their general meaning, based on context and where they appear in the sentence?

2 Now read the article, concentrating on the cognates and words you already know. Then answer the following questions, based on what you have read.

1. Según *(According to)* el artículo, las personas que tienen una dirección electrónica con su nombre son…
   - **a.** misteriosas
   - **b.** honestas
   - **c.** emocionales
   - **d.** introvertidas
2. Las personas que son lógicas y poco emocionales tienen una dirección electrónica…
   - **a.** con números
   - **b.** con su nombre
   - **c.** de fantasía
   - **d.** descriptiva
3. Las personas que se describen *(describe themselves)* con su dirección electrónica son…
   - **a.** un poco inocentes
   - **b.** aventureras
   - **c.** agresivas
   - **d.** introvertidas
4. ¿Cuál es el nombre de fantasía que usan en el artículo?
5. En tu opinión, ¿es correcta o falsa la información sobre tu personalidad?

¡Tu dirección electrónica revela tu personalidad!

¿Es simbólica la dirección electrónica que usas? Muchas personas creen[1] que no, pero en realidad, los "nombres de computadora" que usamos revelan información importante sobre nuestras características más secretas. ¿Revela todo[2] tu dirección electrónica? ¡Vamos a ver!

Escoge[3] el tipo de dirección electrónica más parecida *(similar)* a la tuya[4].

Nombre

ejemplo: lucidíaz@woohoo.net
En este caso, la dirección electrónica puede[5] representar a una persona directa y honesta. Prefiere la realidad y es práctica y realista. No le interesa el misterio o la fantasía. Estas personas son muy aptas para los negocios[6] a causa de su estilo directo.

Números

ejemplo: 1078892@compluservicio.com
Las personas con números en las direcciones electrónicas no tienen mucho interés en las cortesías diarias o las interacciones sociales. ¡Prefieren el mundo[7] súper racional de los números y las matemáticas puras! Otra explicación es que prefieren ser anónimos —¡quieren[8] mantener su misterio con un nombre que revela muy poco[9]!

Autodescripción

ejemplo: románticoloco29@universidad.edu
Las personas que se describen con la dirección electrónica necesitan comprensión y cariño[10]. Pueden ser amables, afectuosas y un poco ingenuas o inocentes. Pero, ¡cuidado[11]! ¡Estos nombres pueden ser totalmente falsos!

Los nombres que indican que una persona es honesta o responsable pueden distorsionar la realidad completamente...

Fantasía

ejemplo: frodo4ever@ciberífico.net
Por lo general, estas personas consideran el ciberespacio como una oportunidad para la reinvención personal. Prefieren identificarse como un personaje imaginario para participar en lo que es, para ellos, ¡un drama cibernético! Pueden ser aventureras, emocionales y extrovertidas. Estos nombres también pueden atraer a las personas introvertidas que tienen la fantasía de presentarse con una identidad diferente a la de su realidad diaria.

[1] believe [2] everything [3] Choose [4] yours [5] can [6] business [7] world [8] they want to [9] very little [10] affection [11] careful

Después de leer

3 With a partner, try to invent as many names in each of the last two categories (**autodescripción** and **fantasía**) as you can. Use cognates from the reading when possible and be as creative as you can!

4 Now take the list of e-mail names you created in **Activity 3** and add your own e-mail name to the list. (Or, if your e-mail name is simply your name or number, create a name that you would like to use.) Then, with your partner from **Activity 3**, form a group with two other pairs. Share your lists and see if you can guess each other's e-mail addresses.

All of the reading passages in *Nexos* include translations of key (but not all) unknown words. Try to get the gist of the passage before you look for the definitions. Saving them as a last resort allows you to read the passage more quickly and to concentrate on getting the main idea.

A escribir

Antes de escribir

As you use *Nexos*, you will learn to write by using a process that moves from prewriting (identifying ideas and organizing them) through writing (creating a rough draft) and ends with revising (editing and commenting on writing). In each **A escribir** section, you will learn strategies that help you improve your techniques in each of the three phases of the writing process.

ESTRATEGIA

Prewriting—Identifying your target audience

Before you write, consider who will read your work. Your intended reader's identity is the crucial element that helps you establish the format, tone, and content of your written piece. Imagine you are writing two descriptions of the same event. How would your description vary if you were writing it for a close friend or for someone you have never met? Remembering your audience is the first step toward creating an effective written piece.

1 🔁 You are going to write an e-mail to your new Spanish-speaking roommate whom you have not yet met. With a partner, create a list of the information you should include in your message and identify its tone.

2 🔁 Taking your list of information from **Activity 1**, study the following partial model and see if you have included everything you need.

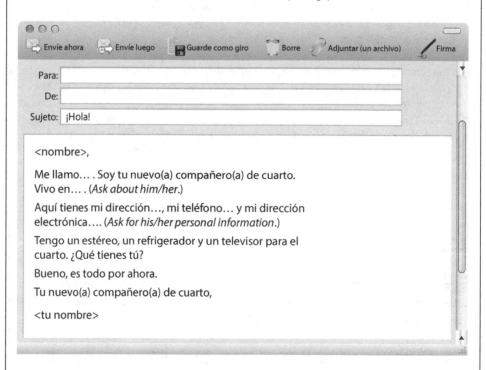

```
Envíe ahora    Envíe luego    Guarde como giro    Borre    Adjuntar (un archivo)    Firma

Para:
De:
Sujeto: ¡Hola!

<nombre>,

Me llamo… . Soy tu nuevo(a) compañero(a) de cuarto.
Vivo en… . (Ask about him/her.)

Aquí tienes mi dirección…, mi teléfono… y mi dirección
electrónica…. (Ask for his/her personal information.)

Tengo un estéreo, un refrigerador y un televisor para el
cuarto. ¿Qué tienes tú?

Bueno, es todo por ahora.

Tu nuevo(a) compañero(a) de cuarto,

<tu nombre>
```

Composición

3 Using the model in item 2, write a rough draft of your e-mail. Try to write freely without worrying too much about mistakes or misspellings. You will have an opportunity to revise your work later. Here are some additional words and phrases.

una cafetera	*coffee maker*
Es todo por ahora.	*That's all for now.*
un altoparlante	*speaker*
una impresora	*printer*
una lámpara	*lamp*
un microondas	*microwave oven*
para el cuarto	*for the room*
un refrigerador	*refrigerator*

© Sean Locke Photography/Shutterstock.com

Después de escribir

4 Exchange your rough draft with a partner. Read each other's work and comment on its content and structure. For example, put a check mark next to places where you would like more information. Put a star by the sentence you like best. Put a question mark where the meaning is not clear. Underline any places where you are not certain the spelling and grammar are correct.

5 Now go back over your e-mail and revise it. Incorporate your partner's comments. Use the following checklist to check your final copy. Did you…

- make sure you included all the necessary information?
- match the tone of your writing to your audience?
- follow the model provided in **Activity 2**?
- check to make sure you used the correct forms of **ser** and **tener**?
- watch to make sure articles and nouns agree?
- look for misspellings?

21ST CENTURY SKILLS
Collaboration:
Working with your partner will help your writing as you learn collaborative skills in the language classroom.

¡Vívelo!

You are going to create a fictitious person to introduce to a classmate. Your goal is to create someone who is memorable and will stand out, in either a good way or a bad way. At the end of the activity, the class will vote for which personality is best in a variety of categories.

Antes de clase

Before you come to class, write down all the information you will need to introduce your imaginary person to a classmate. Give him or her a creative name and complete the following chart with personal details. (You can choose from the cognates supplied below to add details about his or her profession and personality.) Make a drawing or find a public domain photo that you can use to present your imaginary person.

¿Cómo se llama?	
¿Cuántos años tiene?	
¿Cuál es su profesión?	
¿Cuál es su dirección electrónica?	
¿Cómo es? *(What is he/she like?)*	

Profesiones posibles: arqueólogo(a), arquitecto(a), artista, astronauta, atleta, bloguero(a), científico(a), dentista, detective, estudiante, florista, fotógrafo(a), médico(a), músico, poeta, político(a), presidente(a) (de ¿?), psiquiatra, reportero(a), veterinario(a), profesor(a), pintor(a), chef, compositor(a).

Características personales posibles: activo(a), agresivo(a), ambicioso(a), arrogante, convencional, creativo(a), cruel, delicado(a), desorganizado(a), egoísta, excéntrico(a), famoso(a), fascinante, generoso(a), honesto(a), idealista, intolerante, inteligente, modesto(a), optimista, paciente, pesimista, popular, rebelde, responsable, sarcástico(a), serio(a), sociable, solitario(a), tímido(a).

You can also look up other professions and/or characteristics to include as long as they are cognates that are close enough to English for other students to understand.

You will learn more about adjective agreement in **Chapter 2**. For now, use **-o** endings for men and **-a** endings for women. All the other professions and personality adjectives listed here do not change to reflect gender.

tímido   optimista

© PathDoc/Shutterstock.com   © doglikehorse/Shutterstock.com

Durante la clase

Paso 1 Work in pairs. Introduce the person you created to your partner. Give your partner the photo or drawing of that person and follow the model.

MODELO Quiero presentarte a Flora Guerrero. Ella tiene veinticuatro años. Es cantante *(singer)* y poeta. Su dirección electrónica es soyyo@floralalocaroquera.com. Es egoísta, famosa, creativa y cruel.

Paso 2 Now take notes as your partner introduces you to the imaginary person he or she created. You will need these notes in **Fuera de clase**, along with the photo or drawing your partner gave you.

Fuera de clase

Write an introduction (similar to the **Modelo** in **Durante la clase, Paso 1** above) to the person your partner created, including the photo or drawing of that person.

¡Compártelo!

Paso 1 Post the image and introduction you wrote in **Fuera de clase** to the *Nexos* online forum.

Paso 2 Read the other introductions and vote for the imaginary character you think best fits each of the following categories. To indicate your vote, use the boldfaced words and symbols shown below for each category to comment on the description of each person you vote for.

1. Person you would most want on a road trip: **¡Automóvil!**
2. Person you'd least want as president of the U.S.: **¡Presidente!**
3. Person you would least want to be related to: **¡Familia!**
4. Person you would most want to be in a parallel universe: **¡Universo paralelo!**

© Igor Zakowski/Shutterstock.com

Vocabulario

Para saludar *How to greet*

Hola. *Hello.*
¿Qué tal? *How are things going?*
¿Cómo estás (tú)? *How are you? (s. fam.)*
¿Cómo está (usted)? *How are you? (s. form.)*
¿Cómo están (ustedes)? *How are you? (pl.)*
¿Cómo te va? *How's it going with you? (s. fam.)*

¿Cómo le va? *How's it going with you? (s. form.)*
¿Cómo les va? *How's it going with you? (pl.)*
¿Qué hay de nuevo? *What's new?*
Buenos días. *Good morning.*
Buenas tardes. *Good afternoon.*
Buenas noches. *Good night. Good evening.*

Para responder *How to respond*

Bien, gracias. *Fine, thank you.*
Bastante bien. *Quite well.*
(No) Muy bien. *(Not) Very well.*
Regular. *So-so.*
¡Terrible! / ¡Fatal! *Terrible! / Awful!*

No mucho. *Not much.*
Nada. *Nothing.*
¿Y tú? *And you? (s. fam.)*
¿Y usted? *And you? (s. form.)*

Para pedir y dar información personal *Exchanging personal information*

¿Cómo te llamas? *What's your name? (s. fam.)*
¿Cómo se llama? *What's your name? (s. form.)*
Me llamo... *My name is . . .*
(Yo) soy... *I am . . .*
¿Cuál es tu número de teléfono? *What's your phone number? (s. fam.)*
¿Cuál es su número de teléfono? *What's your phone number? (s. form.)*
Mi número de teléfono es el 3-71-28-12. *My phone number is 371-2812.*
Es el 3-71-28-12. *It's 371-2812.*
¿Dónde vives? *Where do you live? (s. fam.)*
¿Dónde vive? *Where do you live? (s. form.)*
Vivo en... *I live at . . .*
la avenida... *avenue . . .*
la calle... *street . . .*

el barrio... / la colonia... *neighborhood . . .*
¿Cuál es tu dirección? *What's your address? (s. fam.)*
¿Cuál es su dirección? *What's your address? (s. form.)*
Mi dirección es... *My address is . . .*
¿Cuál es tu dirección electrónica? *What's your e-mail address? (s. fam.)*
¿Cuál es su dirección electrónica? *What's your e-mail address? (s. form.)*
Aquí tienes mi dirección electrónica. *Here's my e-mail address. (s. fam.)*
Aquí tiene mi dirección electrónica. *Here's my e-mail address. (s. form.)*
arroba @
punto com *.com*

Para presentar a alguien *Introducing someone*

Soy... *I am . . .*
Me llamo... / Mi nombre es... *My name is . . .*
Quiero presentarte a... *I'd like to introduce you to . . . (s. fam.)*

Quiero presentarle a... *I'd like to introduce you to . . . (s. form.)*
Quiero presentarles a... *I'd like to introduce you to . . . (pl.)*

Para responder *How to respond*

Mucho gusto. *My pleasure.*
Mucho gusto en conocerte. *A pleasure to meet you. (s. fam.)*
Encantado(a). *Delighted to meet you.*

Igualmente. *Likewise.*
El gusto es mío. *The pleasure is mine.*
Un placer. *My pleasure.*

Para despedirse *Saying goodbye*

Adiós. *Goodbye.*
Hasta luego. *See you later.*
Hasta mañana. *See you tomorrow.*
Hasta pronto. *See you soon.*

Nos vemos. *See you later.*
Chau. *Bye.*
Bueno, tengo que irme. *Well / OK, I have to go.*

Para hablar por teléfono *Talking on the telephone*

Familiar

—**¡Hola!** *Hello?*
—**Hola. ¿Qué estás haciendo?** *Hi. What are you doing?*
—**Nada, ¿y tú?** *Nothing, and you?*
—**¿Quieres hacer algo?** *Do you want to do something?*
—**Claro. ¿Nos vemos donde siempre?** *Sure. See you at the usual place?*
—**Está bien. Hasta luego.** *OK. See you later.*
—**Chau.** *Bye.*

Formal

—**¡Hola! / ¿Aló?** *Hello?*
—**Hola. ¿Puedo hablar con...?** *Hi, may I speak with . . . ?*
—**Sí. Aquí está.** *Yes. Here he/she is.*
—**Lo siento. No está.** *Sorry. He's/she's not here.*
—**Por favor, dígale que llamó (nombre).** *Please tell him/her that (name) called.*
Mi número es el... *My number is . . .*
—**Muy bien.** *OK.*
—**Muchas gracias.** *Thank you very much.*
—**De nada. Adiós.** *You're welcome. Goodbye.*
—**Adiós.** *Goodbye.*

¿Cuándo es tu cumpleaños? *When is your birthday?*

enero *January*
febrero *February*
marzo *March*
abril *April*
mayo *May*
junio *June*

julio *July*
agosto *August*
septiembre *September*
octubre *October*
noviembre *November*
diciembre *December*

Palabras útiles *Useful words*

Títulos *Titles*
don *title of respect used with male first name*
doña *title of respect used with female first name*
señor / Sr. *Mr.*
señora / Sra. *Mrs., Ms.*
señorita / Srta. *Miss, Ms.*

Los artículos definidos *Definite articles*
el, la, los, las *the*

Los artículos indefinidos *Indefinite articles*
un, una *a / an*
unos, unas *some*

Los pronombres personales *Personal pronouns*
yo *I*
tú *you (fam.)*
usted (Ud.) *you (form.)*

él *he*
ella *she*
nosotros / nosotras *we*
vosotros / vosotras *you (fam. pl.)*
ustedes (Uds.) *you (fam. or form. pl.)*
ellos / ellas *they*

Los verbos *Verbs*
estar *to be*
hay *there is, there are*
ser *to be*
tener *to have*
tener... años *to be . . . years old*
tener que *to have to (+ verb infinitive)*

Expresiones *Expressions*
Tengo prisa. *I'm in a hurry.*

Complete these activities to check your understanding of the new grammar points in **Chapter 1** before you move on to **Chapter 2**.

The answers to the activities in this section can be found in **Appendix B**.

Repaso del Capítulo 1

Nouns and articles (p. 18)

1 For each blank, decide whether an article is needed. If it is, write the correct definite or indefinite article. If no article is needed, write X.

¡Demos la bienvenida a (1) _____ doctora Silvina Madrones! Ella es (2) _____ profesora de estadística y tiene un doctorado de (3) _____ Universidad Autónoma de México. Además *(Besides)* de ser (4) _____ profesora, es (5) _____ escritora y (6) _____ autora de (7) _____ libros de texto muy populares. ¡Ella es (8) _____ persona con muchos intereses diversos!

Subject pronouns and the present indicative of the verb **ser** (p. 22)

2 For sentences 1-3, write in the missing subject pronouns. For sentences 4-6, write in the missing forms of the verb **ser** in the present indicative.

1. _____ eres dentista.

2. _____ somos profesores.

3. _____ soy veterinario.

4. Ella _____ taxista.

5. Uds. _____ arquitectos.

6. Nosotras _____ actrices.

Hay + *nouns* (p. 25)

Remember to leave out the indefinite article with **no hay: Hay una silla, pero no hay escritorio.**

3 Say whether the drawing shows the following items. If you see more than one item, say how many there are.

1. ¿una chica?

2. ¿un hombre?

3. ¿una mujer?

4. ¿un niño?

5. ¿una computadora?

6. ¿una mochila?

7. ¿una serpiente?

8. ¿un elefante?

Tener, tener que, tener + años (p. 28)

4 Complete each sentence with the correct present indicative form of **tener**.

1. Marcos, ¿_____ un bolígrafo?
2. Profesor Martín, ¿_____ la tarea?
3. Yo _____ tu dirección.
4. Nosotras _____ muchos amigos.
5. Ellos no _____ el libro.
6. Tú _____ las fotos.

5 Write forms of **tener que** to tell what the following people have to do.

1. Yo _____ presentarte a mis amigos.
2. ¡Ellos _____ conocerte!
3. Nosotros _____ entregar la tarea.
4. Él _____ contestar la pregunta.
5. Tú _____ escuchar el audio.
6. Ustedes _____ leer el capítulo.

6 Say how old each person is, based on the year he or she was born.

1. tú (1957)
2. ellos (2005)
3. usted (1962)
4. ella (1975)
5. yo (1992)
6. nosotros (1990)
7. ustedes (1983)
8. tú y yo (1995)

© KidStock/Getty Images

¿Cuántos años tiene?

Preparación para el Capítulo 2

To prepare for **Chapter 2**, reread **Chapter 1: Gramática útil 1.**

Starting in **Chapter 2**, the **Preparación** section provides review and practice of grammar topics presented in *previous* chapters. The objective of this section is to help you remember previously learned structures that will be useful when you learn new grammar topics in the next chapter. Because this is the first chapter, however, there is no previous grammar to review.

© Felix Sanchez/Getty Images

GUSTOS Y PREFERENCIAS

We express aspects of our personalities through our likes and dislikes. In this chapter, we explore the relationship between personalities and preferences.

How do you think that the activities you like and dislike define who you are?

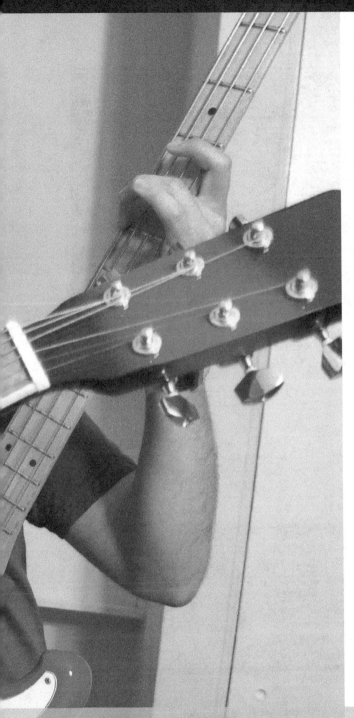

Un viaje por las áreas hispanohablantes de Estados Unidos

Estos diez estados *(states)* tienen las poblaciones más grandes *(biggest)* de hispanohablantes de Estados Unidos. ¿Puedes *(Can you)* identificar los cinco estados con más hispanohablantes?

Orden	Estado	
	Arizona	Illinois
	California	Nueva Jersey
	Colorado	Nuevo México
	Florida	Nueva York
	Georgia	Texas

¿Qué sabes? Di si las siguientes oraciones son **C (ciertas)** o **F (falsas)**.

1. No hay ningún *(none)* estado del Medio Oeste *(Midwest)* en la tabla.
2. La mayoría *(Most)* de los estados con muchos hispanohablantes están en el Sur *(South)*, el Suroeste *(Southwest)* o el Oeste.
3. Los nombres de algunos *(some)* de los estados son de origen español.

Lo que sé y lo que quiero aprender Completa la tabla del **Apéndice A**. Escribe algunos datos que **ya sabes** sobre el español y los hispanohablantes de Estados Unidos en la columna **Lo que sé** *(What I already know)*. Después, añade *(add)* algunos temas que **quieres aprender** a la columna **Lo que quiero aprender** *(What I want to learn)*. Guarda *(Save)* la tabla para usarla otra vez en la sección **¡Explora y exprésate!** en la página 73.

COMMUNICATION

By the end of this chapter you will be able to

- express likes and dislikes
- compare yourself to other people and describe personality traits
- ask and answer questions
- talk about leisure-time activities
- indicate nationality

CULTURES

By the end of this chapter you will have explored

- world nationalities
- bilingual culture in the U.S. and Canada
- some statistics about Hispanics in the U.S.
- Hispanic groups in the U.S.: a brief overview of their history and culture
- some famous U.S. Hispanics talking about themselves and their heritage

¡Imagínate!

▶ VOCABULARIO ÚTIL 1

Beto: Autora14, **¿qué te gusta hacer** los domingos?

Dulce: Los domingos generalmente **estudio** en la biblioteca.

Anilú: ¡Qué aburrida!

Beto: ¡Estudias!

Anilú: Dile que **bailas** y **cantas** y **escuchas** música.

Beto: ¿No te gusta hacer otras cosas?

Dulce: Pues sí. A veces, mis amigos y yo **tomamos un refresco** en el Jazz Café o **alquilamos un video.**

21ˢᵀ CENTURY SKILLS

Initiative & Self-Direction:
Although her friends poke fun at Dulce's answer, consider her response as a strategy to succeed academically and a pathway to future opportunity.

Las actividades *Activities*

A ti, ¿qué te gusta hacer los fines de semana (los viernes, los sábados y los domingos)?	*What do you like to do on the weekends (Fridays, Saturdays, and Sundays)?*
A mí me gusta...	*I like . . .*

A mí me gusta...

estudiar en la biblioteca / en casa

conversar

alquilar videos / películas

escuchar música

cocinar

bailar

cantar

caminar

A mi amiga le gusta...   *My friend likes . . .*

A mis amigos les gusta...   *My friends like . . .*

ACTIVIDADES

1 **Los verbos** What Spanish verbs do you associate with the following? Choose from the list. (Some items can have more than one answer.)

1. _____ los murales
2. _____ la música
3. _____ los deportes
4. _____ una presentación oral
5. _____ un instrumento musical
6. _____ la familia

a. preparar
b. pintar
c. tocar
d. visitar
e. escuchar
f. practicar
g. conversar
h. estudiar
i. mirar

2 **Le gusta...** Your friends like to participate in certain activities. Say what they like to do, based on the information provided.

MODELOS Ernestina: murales
Le gusta pintar.
Leo: orquesta de música clásica
Le gusta tocar un instrumento musical.

1. Neti: ballet
2. Antonio: himnos y ópera
3. Javier: paella y enchiladas
4. Clara: cámara
5. Ernesto: estéreo
6. Beti: programas de comedia, noticias
7. Susana: celular
8. Luis: páginas web

3 **Mis actividades favoritas**

1. Make a list of five activities you like to do.

MODELO *Me gusta patinar en el parque.*

2. Now ask three other students what their favorite activities are and record their responses.

MODELO **Tú:** *¿Qué te gusta hacer?*
Compañero(a): *Me gusta caminar.*
You write: *A Heather le gusta caminar.*

3. Compare responses to see who, if anyone, has similar favorite activities, and share this list with the class.

MODELO *A Marta y a Juan les gusta sacar fotos.*

4. Make a list of the most frequent activities mentioned by your classmates. Write a short paragraph about what students like to do and what activities they don't like to do.

"Spanglish": la mezcla de dos idiomas

When two cultures are in close proximity, eventually their languages will influence each other. Because native speakers of Spanish and native speakers of English have lived side by side for hundreds of years in the United States, a new hybrid form of the two languages has begun to spring up in conversation on the street, in poetry and fiction, and even in the articles of academic linguistic journals.

Strict language purists, including parents who want their children to be fluent and literate in both languages, and traditionally-minded people who view the mixing of languages as a degradation of the original languages, do not approve of the casual use of Spanglish among the newer generations of Latino Americans. Ilan Stavans, a Mexican native, award-winning essayist, and the Lewis-Sebring professor in Latin American and Latino Culture at Amherst College, illustrates this point in his book *Spanglish: The Making of a New American Language*:

From *When I was Puerto Rican* by Esmeralda Santiago, copyright © 1993.

NEW YORK TIMES BESTSELLER

The Brief Wondrous Life of Oscar Wao

a novel

"An extraordinarily vibrant book that's fueled by adrenaline-powered prose. [Junot Díaz has] written a book that decisively establishes him as one of contemporary fiction's most distinctive and irresistible new voices."
—Michiko Kakutani, *The New York Times*

WINNER OF THE PULITZER PRIZE

Junot Díaz

author of *Drown*

Cover of *The Brief Wondrous Life of Oscar Wao* by Junot Díaz, published by

> Asked by a reporter in 1985 for his opinion on el espanglés, …Octavio Paz, the Mexican author of *The Labyrinth of Solitude* (1950) and a recipient of the Nobel Prize for Literature, is said to have responded with a paradox: "ni es bueno ni es malo, sino abominable"—it is neither good nor bad but abominable. This wasn't an exceptional view: Paz was one of scores of intellectuals with a distaste for the bastard jargon, which, in his eyes, didn't have gravitas.

Spanglish is not easy to master. It takes a profound understanding of the nuances of both English and Spanish in order to syncopate the linguistic components of each and produce a comprehensible and communicative statement. Bilingual puns, bilingual wordplay, and bilingual sentence fusion can be found in the works of many Latino American writers such as Francisco Alarcón, Julia Álvarez, Sandra Cisneros, Cristina García, Tato Laviera, and Junot Díaz.

Even Stavans admits, "Over the years my admiration for Spanglish has grown exponentially . . .," and he continues:

> And, atención, Spanglish isn't only a phenomenon that takes place en los Unaited Esteits: in some shape or form, with English as a merciless global force, it is spoken—and broken: no es solamente hablado sino quebrado—all across the Hispanic world, from Buenos Aires to Bogotá, from Barcelona to Santo Domingo.
> Beware: Se habla el espanglés everywhere these days!

PRÁCTICA

1. How do you feel about the mixing of two languages? Here you have some other occurrences: Chinglish, Portuñol, Franglais. Can you guess what the languages involved are in each case?

2. Do you know any bilingual speakers? Do you know of any books that use the fusion of Spanish and English in some form? Do some research in your community or on the web and try to find two or three examples of a bilingual statement that amuses you.

21ST CENTURY SKILLS

Social & Cross-Cultural Skills:
An awareness of varieties of Spanish and Spanish-English mix (and different attitudes toward Spanglish) will help you navigate the complex cross-cultural situations in which you hear Spanglish.

Sergio: ¿Con quién hablas?

Beto: No sé. Es una estudiante de la Universidad. Su nombre electrónico es Autora14.

Sergio: Dile que tienes un amigo muy **guapo**.

Características físicas *Physical traits*

Notice that you say **Tiene el pelo negro / rubio / castaño**, etc., but when someone is a redhead, you say **Es pelirrojo(a)**. You can also say **Es rubio(a)** to indicate that someone is a blond(e). **Es moreno(a)** may indicate that someone is either a brunette or has dark skin.

ACTIVIDADES

4 **Sergio, Beto, Anilú y Dulce** Complete the following descriptions of the video characters.

1. Sergio…
    a. es rubio.   **b.** es muy, muy pequeño.   **c.** es guapo.

2. Anilú…
    a. es pelirroja.   **b.** tiene el pelo castaño.   **c.** es gorda.

3. Beto…
    a. es viejo.   **b.** es gordo.   **c.** es delgado.

4. Dulce…
    a. tiene el pelo negro.   **b.** tiene el pelo rubio.   **c.** es baja.

5 **Descripciones** Describe the people in the illustrations below. Use as many physical descriptions as you can.

1. Eduardo

2. el señor Bernal

3. Sofía

4. Roque

6 **¿Cómo soy yo?** Work in pairs. First, describe yourself in a paragraph for your Internet blog. You can also include activities that you like to do. Then, take turns to read your description to each other.

MODELO   *Soy alta y tengo el pelo negro. Me gusta tomar el sol y escuchar música.*

Anilú: Y tú, Experto10, ¿qué te gusta hacer los domingos?

Sergio: Autora14, soy un hombre **activo.** Bailo, canto, toco la guitarra, cocino...

Beto: ¡Sergio! ¡**Mentiroso!** ¡No me gusta bailar, no me gusta cantar, no toco la guitarra y no cocino!

Sergio: ¡Qué **aburrido** eres, hombre!

Características de la personalidad *Personality traits*

aburrido(a)	divertido(a); interesante	*boring / fun, entertaining; interesting*
activo(a)	perezoso(a)	*active / lazy*
antipático(a)	simpático(a)	*unpleasant / nice, pleasant*
extrovertido(a)	introvertido(a); tímido(a)	*extroverted / introverted; timid, shy*
generoso(a)	egoísta	*generous / selfish, egotistic*
impaciente	paciente	*impatient / patient*
impulsivo(a)	cuidadoso(a)	*impulsive / cautious*
inteligente	tonto(a)	*intelligent / silly, stupid*
mentiroso(a)	sincero(a)	*liar / sincere*
responsable	irresponsable	*responsible / irresponsible*
serio(a)	cómico(a)	*serious / funny*
trabajador(a)	perezoso(a)	*hard-working / lazy*

ACTIVIDADES

7 🔄 **Diferentes** You and a partner have differing opinions of the same person. Your partner will say that this imaginary person is a certain way, and you will counter by saying they are just the opposite. Take turns describing several imaginary people this way. Follow the model.

MODELO **Tú:** *Arturo es activo.*
Compañero(a): *¡No! Arturo es perezoso.*
Compañero(a): *Carmela es impulsiva.*
Tú: *¡No! Carmela es cuidadosa.*

8 **¿Cómo son?** Benjamín describes himself and several of his friends and relatives. Which adjective best describes each person?

1. No me gusta mirar televisión. Prefiero practicar deportes o levantar pesas.
   a. serio   **b.** activo   **c.** impulsivo

2. A mi amiga Marta le gusta ayudar *(to help)* a sus amigos.
   a. antipática   **b.** mentirosa   **c.** generosa

3. Mi profesora enseña muy bien. Explica la lección y repite todas las instrucciones.
   a. paciente   **b.** impaciente   **c.** interesante

4. Mi amigo Joaquín tiene mucha imaginación. Le gusta inventar historias falsas.
   a. tímido   **b.** tonto   **c.** mentiroso

5. Mi amigo Alberto habla y habla y habla... ¡pero no es muy interesante!
   a. aburrido   **b.** serio   **c.** divertido

6. Mi amiga Linda tiene muchas ideas buenas sobre qué hacer los fines de semana. Además es una persona muy cómica.
   a. inteligente   **b.** tonta   **c.** divertida

9 **La clase de psicología** What personality traits does it take to succeed in various professions? Choose characteristics on the right that you think best fit the professions on the left. Follow the model.

MODELO   *Los políticos tienen que ser honestos,...*

Profesiones	Características	
los políticos	sistemáticos	serios
los artistas	deshonestos	estudiosos
los criminales	honestos	sinceros
los actores	inteligentes	pacientes
los científicos	creativos	talentosos
los doctores	simpáticos	impulsivos
los policías	extrovertidos	egoístas
los estudiantes	trabajadores	mentirosos
	curiosos	cuidadosos
	temperamentales	¿...?
	responsables	

10 **Mis amigos** In pairs, take turns to describe two people from your family, friends or contacts to your partner. Provide both physical and personality traits in your descriptions.

MODELO   *Es una persona alta y delgada. Tiene el pelo castaño. También (Also) es una persona cómica y divertida...*

Notice that you use the **-a** form of all the adjectives in this activity because the adjectives modify the feminine noun **persona**. You will learn more about adjective endings later in this chapter.

A ver

ESTRATEGIA

Using questions as an advance organizer

One way to prepare yourself to watch a video segment is to familiarize yourself with the questions you will answer after viewing. Look at the questions in **Después de ver 1**. Before you watch the video, use these questions to create a short list of the information you need to find. Example: **el nombre electrónico de Beto, el nombre electrónico de Dulce, el nombre del amigo de Beto**, etc.

Antes de ver Review these key words and phrases used in the video.

apagar *to turn off*
Dile que... *Tell him/her that . . .*
No sé. *I don't know.*

▶ **Ver** Now watch the video segment as many times as needed to find the information in your list.

Después de ver 1 Answer (in Spanish) the following questions about the video.

1. ¿Cuál es el nombre electrónico de Beto? ¿Y el de Dulce?
2. ¿Cómo se llama el amigo de Beto? ¿Y la amiga de Dulce?
3. ¿Cuáles son las actividades preferidas de Dulce?
4. Según *(According to)* Sergio, ¿cuáles son las actividades preferidas de Experto10?

Después de ver 2 Now say whether the following statements about the video segment are true **(cierto)** or false **(falso)**.

1. Según Anilú, Dulce es una persona muy aburrida.
2. Sergio es una persona muy sincera.
3. Dulce generalmente estudia en casa los domingos.
4. A Beto le gusta bailar, cantar y tocar la guitarra.
5. Según Anilú, un hombre que cocina, canta y baila es el hombre ideal.
6. Sergio apaga la computadora porque Anilú quiere *(wants)* su número de teléfono.

Voces de la comunidad

▶ Voces del mundo hispano

In this video segment, the speakers say where their families are from and talk about their personalities and pastimes. First read the statements below. Then watch the video as many times as needed to say whether each statement is true **(cierto)** or false **(falso)**.

1. La mamá de Nicole es de Guatemala.
2. El papá de Liana es de la República Dominicana.
3. Según Inés, ella es activa, extrovertida y feliz *(happy)*
4. Según los amigos y familiares de Inés, ella es alegre, cuidadosa y tímida.
5. A Constanza le gusta caminar.
6. A Jessica y a Ana les gusta leer.

🔊 Voces de Estados Unidos

Courtesy of Isabel Valdés

Isabel Valdés, ejecutiva y autora

❝ Hispanics are becoming more and more entrenched in American society. Their participation is reflected in the growing number of Hispanic associations, libraries, research centers, and businesses throughout the United States. Furthermore, Hispanics are increasingly active in government at the federal, state, county, and city levels. They have also made significant contributions to American art, theater, literature, film, music, and sports. ❞

Isabel Valdés es responsable de muchas campañas publicitarias en español en Estados Unidos y Latinoamérica. Entre sus clientes hay firmas tales como PepsiCo y Frito-Lay. Esta chilena-estadounidense es autora de cuatro libros sobre el mercado *(market)* hispano en Estados Unidos. Es además la directora de IVC, una empresa *(business)* consultora que ofrece servicios estratégicos a compañías para llegar *(to reach)* a consumidores multiculturales en EEUU y los mercados globales. Valdés dedica mucho tiempo al trabajo voluntario para ayudar a *(help)* varias organizaciones, entre ellas *The National Council of La Raza* y *The Latino Community Foundation*.

¿Y tú? What are your interests? Do you identify yourself as part of a market segment? If so, which one(s)?

¡Prepárate!

GRAMÁTICA ÚTIL 1

Describing what you do or are doing: The present indicative of regular -ar verbs

Cómo usarlo

In English we use a variety of structures to express different present-tense concepts. In Spanish many of these are communicated with the same grammatical form. The present indicative tense in Spanish can be used . . .

- to describe routine actions:

  ¡Estudias mucho!   *You study a lot!*

- to say what you are doing now:

  Estudias matemáticas hoy.   *You are studying mathematics today.*

- to ask questions about present events:

  ¿Estudias con Enrique todas las semanas?   *Do you study with Enrique every week?*

- to indicate plans in the immediate future:

  Estudias con Enrique el viernes, ¿no?   *You're going to study with Enrique on Friday, right?*

Notice how the same form in Spanish, **estudias**, can be translated four different ways in English.

Bailo, canto, toco la guitarra, **cocino**…

The use of the present tense to talk about future plans is more common in some regions of the Spanish-speaking world than others.

Cómo formarlo

Lo básico

- An *infinitive* is a verb before it has been conjugated to reflect person and tense. **Bailar** *(To dance)* is an infinitive.

- A *verb stem* is what is left after you remove the -ar, -er, or -ir ending from the infinitive. **Bail-** is the verb stem of **bailar**.

- A conjugated verb is a verb whose endings reflect person *(I, you, he / she, we, you, they)* and tense *(present, past, future, etc.)*. **Bailas** *(You dance)* is a conjugated verb (person: *you familiar singular;* tense: *present*).

1. Spanish infinitives end in **-ar, -er,** or **-ir**. For now, you will learn to form the present indicative tense of verbs ending in **-ar**. To form the present indicative tense of a regular **-ar** verb, simply remove the **-ar** and add the following endings.

bailar *(to dance)*			
yo	bail**o**	nosotros / nosotras	bail**amos**
tú	bail**as**	vosotros / vosotras	bail**áis**
Ud., él, ella	bail**a**	Uds., ellos, ellas	bail**an**

2. Remember, as you learned in **Chapter 1**, you do not need to use the subject pronouns (**yo, tú, él, ella**, etc.) unless the meaning is not clear from the context of the sentence, or you wish to clarify, add emphasis, or make a contrast.

Camino en el parque todos los días.	*I **walk** in the park every day.*

But:

Yo camino en el parque, pero Lidia camina en el gimnasio.	*I **walk** in the park, but Lidia walks in the gymnasium.*

3. You may use certain conjugated present-tense verbs with infinitives. However, do not use two conjugated verbs together unless they are separated by a comma or the words **y** *(and)*, **pero** *(but),* or **o** *(or)*.

Necesitamos trabajar el viernes.	*We **have to work** on Friday.*
Los sábados, **trabajo, practico** deportes y **visito** a amigos.	*On Saturdays **I work, play** sports, and **visit** friends.*
Los domingos, **dejo de trabajar**.	*On Sundays **I stop working**.*
¡**Bailo, canto** o **escucho** música!	*I **dance, sing**, or **listen** to music!*

> Notice that in this usage, Spanish infinitives are often translated into English as *-ing* forms: *I stop working.*

4. To say what you don't do or aren't planning to do, use **no** before the conjugated verb.

¡**No estudio** los fines de semana!	*I **don't study** on the weekends!*

5. Add question marks to turn a present-tense sentence into a *yes/no* question.

¿**No estudias** los fines de semana?	*Don't you study on the weekends?*
¿**Tienes que estudiar** este fin de semana?	*Do you have to study this weekend?*

6. Other regular **-ar** verbs:

apagar	*to turn off*
acabar de *(+ infinitive)*	*to have just done something*
buscar	*to look for*
cenar	*to eat dinner*
comprar	*to buy*
dejar de *(+ infinitive)*	*to leave; to stop (doing something)*
descansar	*to rest*
llamar	*to call*
llegar	*to arrive*
necesitar *(+ infinitive)*	*to need (to do something)*
pasar	*to pass (by); to happen*
preparar	*to prepare*
regresar	*to return*
usar	*to use*
viajar	*to travel*

> The expression **acabar de** can be used with any infinitive to say what activity you and others have just completed: **Acabo de llegar.** *(I just arrived.)* **Acabamos de cenar.** *(We just ate dinner.)*

ACTIVIDADES

1 Beto Beto describes his day in an e-mail to a friend. Complete his description with the correct form of the verb in parentheses.

A las siete de la mañana, (1. caminar) _____ a la universidad. (2. Llegar) _____ a las siete y media. Si tengo tiempo, (3. estudiar) _____ un poco antes de las clases.

A veces (4. necesitar) _____ comprar unos libros. (5. Comprar) _____ los libros en la librería. Generalmente (6. cenar) _____ en la cafetería. Después (7. pasar) _____ por un café y (8. tomar) _____ un café o un té. (9. Regresar) _____ a la residencia estudiantil a las siete de la noche. (10. Hablar) _____ con mis amigos por teléfono o (11. navegar) _____ por Internet.

2 Anilú y Sergio Anilú and Sergio do different things. Say what each of them does. Use **pero** *(but)* to contrast what they do. Follow the model.

MODELO Anilú: cenar en un restaurante; Sergio: cocinar en casa
Anilú cena en un restaurante, pero Sergio cocina en casa.

1. Anilú: bailar; Sergio: levantar pesas
2. Anilú: trabajar; Sergio: descansar
3. Anilú: tomar un refresco; Sergio: tomar café
4. Anilú: estudiar; Sergio: navegar por Internet
5. Anilú: alquilar un video; Sergio: mirar televisión
6. Anilú: escuchar música rap; Sergio: tocar la guitarra

3 Tú Interview a partner about his or her activities.

MODELO estudiar en la biblioteca
Tú: *¿Estudias en la biblioteca?*
Compañero(a): *Sí, estudio en la biblioteca.*

1. caminar mucho
2. tocar un instrumento musical
3. visitar mucho a tu familia
4. trabajar mucho
5. cenar en la cafetería
6. necesitar una computadora nueva

4 Ellos y nosotros Work in pairs to compare the activities of you and your friends **(nosotros),** and someone else's friends **(ellos).**

MODELO estudiar
Nosotros estudiamos en la biblioteca. Ellos estudian en casa.

1. estudiar
2. cenar
3. trabajar
4. visitar a la familia
5. necesitar
6. llegar a la universidad
7. navegar por Internet
8. ¿...?

5 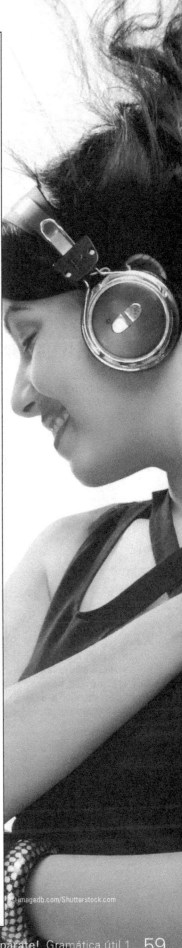 **Los fines de semana** What do you generally do on the weekends? First make a chart like the one below and fill in the **Yo** column. Then, compare your list with those of two classmates. Then write a paragraph comparing your typical weekend to theirs. (**¡OJO!** **por la mañana / tarde / noche** = *in the morning / afternoon / night*)

¿Cuándo?	Yo	Amigo(a) 1	Amigo(a) 2
viernes por la noche:	*Descanso en casa.*		
sábado por la mañana:			
sábado por la tarde:			
sábado por la noche:			
domingo por la mañana:			
domingo por la tarde:			
domingo por la noche:			

MODELO   *Los viernes por la noche generalmente descanso en casa.*
Mi amigo Eduardo generalmente…

6 **¿Quién?** You work at a dating service and you have to decide who to introduce to whom. You have some descriptions in writing and some on audio. First read the profiles. Then listen to the audio descriptions. For each description you hear, write the person's name next to the profile below that is most compatible with that person.

Descripciones en audio: Andrés, Marta, Jorge, Ángela, Rudy, Sara
Perfiles: Andrés, Marta, Jorge, Ángela, Rudy, Sara

Rosa: Me gusta escuchar música de todo tipo. ¡Soy muy divertida!
Sugerencia para Rosa: _____

Isidro: Levanto pesas tres veces por semana. Soy muy atlético.
Sugerencia para Isidro: _____

Roberta: Me gusta mirar películas. No practico deportes.
Sugerencia para Roberta: _____

Carmen: Uso Internet mucho en mis estudios. Soy introvertida.
Sugerencia para Carmen: _____

José Luis: Estudio mucho. Soy un poco serio.
Sugerencia para José Luis: _____

Antonio: Todos los días hablo por teléfono con mis amigos. Mis amigos son muy divertidos.
Sugerencia para Antonio: _____

Now use the information above to find the best match for you and your classmates, based on the information you provided in **Activity 5**.

MODELO   *Antonio es la persona más compatible con* (with) *Katie.*

GRAMÁTICA ÚTIL 2

Saying what you and others like to do:
Gustar + *infinitive*

Cómo usarlo

The Spanish verb **gustar** can be used with an infinitive to say what you and your friends like to do. Note that **gustar**, although often translated as *to like*, is really more similar to the English *to please*. **Gustar** is always used with pronouns that indicate *who is pleased* by the activity mentioned.

—**Me gusta bailar** salsa.	*I like to dance salsa.* (***Dancing** salsa **pleases me.**)*
—¿**Te gusta bailar** también?	*Do you like to dance, too?* (***Does dancing please you**, too?)*
—No, pero a **Luis le gusta** mucho.	*No, but **Luis likes it** a lot.* (*No, but **it pleases Luis** a lot.*)

Un hombre que cocina...
y también ¡**le gusta
bailar** y **cantar**!

Cómo formarlo

Lo básico

The pronouns used with **gustar** are indirect object pronouns. They show the person who is being pleased or who likes something. You will learn more about them in **Chapter 8**.

1. When **gustar** is used with one or more infinitives, it is always used in its third-person singular form **gusta**. Sentences with **gusta** + *infinitive* can take the form of statements or questions without a change in word order.

—**Nos gusta cocinar** y **cenar** en restaurantes.	*We like to cook and to eat dinner in restaurants.*
—¿**Te gusta cocinar** también?	*Do you like to cook also?*

¡**OJO!** Do not confuse **me, te, le, nos, os,** and **les** with the subject pronouns **yo, tú, él, ella, usted, nosotros, vosotros, ellos, ellas,** and **ustedes** that you have already learned.

2. **Gusta** + *infinitive* is used with the following pronouns.

gusta + *infinitive*	
Me gusta cantar. *I like to sing.*	**Nos** gusta cantar. *We like to sing.*
Te gusta cantar. *You like to sing.*	**Os** gusta cantar. *You (fam. pl.) like to sing.*
Le gusta cantar. *You (form.) / He / She like(s) to sing.*	**Les** gusta cantar. *You (pl.) / They like to sing.*

3. When you use **gusta**, you can also use **a** + *person* to emphasize or clarify *who* it is who likes the activity mentioned. Clarification is particularly important with **le** and **les,** because they can refer to several people.

Le gusta navegar por Internet.	*He/She likes to browse the Internet. (Who does?)*
A Beto / A él le gusta navegar por Internet.	*Beto / He likes to browse the Internet.*
A ellos les gusta cantar.	*They like to sing.*
A nosotros nos gusta conversar.	*We like to talk.*
A Sergio y a Anilú les gusta bailar.	*Sergio and Anilú like to dance.*

4. If you want to emphasize or clarify what you or a close friend likes, use **a mí** (with **me gusta**) and **a ti** (with **te gusta**).

A mí me gusta alquilar películas, pero **a ti te gusta** mirar televisión.	*I like to rent movies, but you like to watch television.*

Notice that **mí** has an accent, but **ti** does not.

5. To create negative sentences with **gusta** + *infinitive,* place **no** before the *pronoun* + **gusta**.

No nos gusta trabajar.	*We don't like to work.*
A Roberto **no le gusta cocinar**.	*Roberto doesn't like to cook.*

6. To express agreement with someone's opinion, use **también**. If you want to disagree, use **no** or **tampoco**. If you want to ask a friend if he or she likes an activity you've already mentioned, ask **¿Y a ti?**

—¿Te gusta cocinar?	*Do you like to cook?*
—**A mí, no.** No me gusta. Me gusta comer en restaurantes. **¿Y a ti?**	***No, not me.** I don't like it. I like to eat in restaurants. **And you?***
—**A mí también.** Pero no me gusta comer en restaurantes elegantes.	***Me too.** But I don't like to eat in fancy restaurants.*
—**¡A mí tampoco!**	***Me neither!***

A mí me gusta sacar fotos.

ACTIVIDADES

7 **Atleta23** Can you tell what the following people like to do, based on their online names? Pick their preferred activities from the column to the right.

MODELO   Cantante29
A Cantante29 le gusta cantar.

1. Pianista18   estudiar
2. Atleta23   cocinar
3. Artista12   cantar
4. Estudiante31   tocar el piano
5. Fotógrafo11   sacar fotos
6. Cocinero13   bailar
7. Bailarina39   practicar deportes
                        pintar

8 **En el parque** With a partner, describe what everyone in the illustration likes to do.

9 🔊 **Les gusta** Susana and Alberto like to participate in certain activities together, but prefer to do other things alone. First listen to what they say and decide who likes to do the activity mentioned. After you listen, use the verbs indicated to create a sentence saying who likes to do what. Follow the models.

MODELOS *(A Susana y a Alberto) Les gusta bailar.*

	Susana	Alberto	Susana y Alberto
bailar			x

(A Susana) Le gusta caminar en el parque.

	Susana	Alberto	Susana y Alberto
caminar en el parque	x		

	Susana	Alberto	Susana y Alberto
1. hablar por teléfono			x
2. cocinar comida mexicana			
3. sacar fotos			
4. navegar por Internet			
5. tocar la guitarra			

10 **El estudiante hispanohablante** A new Spanish-speaking student is arriving at your dorm today. You want to let him know what activities you and your friends like to do so he can think about which activities he'd like to do with you. Write a note to post on your door that tells him what you and your friends typically like to do and where, so that when he arrives, he can decide what he wants to do with you.

1. First fill out the following chart to help you organize the information. Here are some possible locations: **el parque, el gimnasio, el restaurante, la cafetería, la residencia estudiantil, la biblioteca, la discoteca, el café, la oficina**.

Me gusta...	Nos gusta...	¿Dónde?

Use these expressions in your note:
Estimado(a) *Dear*
Bienvenido(a) a…
Welcome to . . .
Te invitamos a…
We invite you to . . .
¡Hasta pronto!
See you soon!

2. Once you complete the chart, use the information to write a note to welcome the new student, telling what you and your friends like to do and where, so that he can make plans to join you or not.

GRAMÁTICA ÚTIL 3

Describing yourself and others: Adjective agreement

Cómo usarlo

SE BUSCA

PERSONAS QUE SEAN
**ARTISTAS
DIVERTIDAS
EXTROVERTIDAS
DINÁMICAS
ACTITUD POSITIVA**

*llena tu formulario On-Line
Click Aquí*

> Find at least three adjectives in this advertisement from a Spanish magazine. What nouns do they modify?

As you learned in **Chapter 1,** Spanish nouns must agree with definite and indefinite articles in both gender and number. This agreement is also necessary when using Spanish adjectives. Their endings change to reflect the number and gender of the nouns they modify.

Anilú es **delgada**.	*Anilú is **thin**.*
Sergio y Beto son **inteligentes**.	*Sergio and Beto are **intelligent**.*
Sergio es un hombre **alto**.	*Sergio is a **tall** man.*
Dulce y Anilú son mujeres **jóvenes**.	*Dulce and Anilú are **young** women.*

Notice that in these cases the adjectives go *after* the noun, rather than before, as in English.

Cómo formarlo

Lo básico

■ A *descriptive adjective* is a word that describes a noun. It answers the question *What is . . . like?*

■ To *modify* is to limit or qualify the meaning of another word. A descriptive adjective *modifies* a noun by specifying characteristics that apply to that noun: **un estudiante** vs. **un estudiante inteligente**.

1. **Gender**: If an adjective is used to modify a masculine noun, the adjective must have a masculine ending. If it is used to modify a feminine noun, it must have a feminine ending.

   - The masculine ending for adjectives ending in **-o** is the **o** form.
   - The feminine ending for adjectives ending in **-o** is the **a** form.
   - Adjectives ending in **-e** or most consonants don't change to reflect gender.
   - Adjectives ending in **-or** add **a** to the ending for the feminine form.

Un profesor	Una profesora
simpátic**o**	simpátic**a**
interesant**e**	interesant**e**
trabajad**or**	trabajad**ora**

2. **Number**: If an adjective is used to modify a plural noun or more than one noun, it must be used in its plural form.

   - To create the plural of an adjective ending in a vowel, add **s**.
   - To create the plural of an adjective ending in a consonant, add **es**.
   - To create the plural of an adjective ending in **-or**, add **es** to the masculine form and **as** to the feminine form.
   - To create the plural of an adjective ending in **-z**, change the **z** to **c** and add **es**.

El profesor	Los profesores	Las profesoras
simpátic**o**	simpátic**os**	simpátic**as**
interesant**e**	interesant**es**	interesant**es**
trabajad**or**	trabajad**ores**	trabajad**oras**
feli**z**	feli**ces**	feli**ces**

3. As with articles and subject pronouns, adjectives that apply to mixed groups of males and females use the masculine form.

4. Most descriptive adjectives are used *after* the noun, rather than before.

5. If you want to use more than one adjective, you can use **y** *(and)* or **o** *(or)*.

   El estudiante es simpático **y** trabajador.

   ¿Es el profesor alto **o** bajo?

   Mis amigos son activos, generosos **y** cómicos.

   ¿Son ellas extrovertidas **o** introvertidas?

   - If **y** appears before a word that begins with an **i**, it changes to **e**.

      La instructora es divertida **e** interesante.

   - If **o** appears before a word that begins with an **o**, it changes to **u**.

      Hay siete **u** ocho estudiantes buenos en la clase.

Numbers do not change to match the number or gender of the nouns they describe, except for numbers that end in **–uno(-a)** such as **"una camisa"** and **"veintiuna libras."** They go *before* the noun, rather than after.

Note that Spanish does not use a serial comma, as English does optionally. In the following English sentence, the comma after *generous* can be kept or omitted: *My friends are active, generous, and funny.* In Spanish, you do not use a comma after **generosos**: **Mis amigos son activos, generosos y cómicos.**

6. Adjectives of nationality follow slightly different rules. These adjectives add **-a / -as** feminine endings for nationalities whose names end in **-l, -s,** and **-n**. See the nationalities in the following group for examples. Adjectives of nationality are always used after the noun.

Remember that Puerto Ricans are U.S. citizens.

Nacionalidades		
África		
ecuatoguineano(a) Guinea Ecuatorial	**nigeriano(a)** Nigeria	
egipcio(a) Egipto	**sudafricano(a)** Sudáfrica	
marroquí Marruecos		
Asia		
chino(a) China	**indio(a)** India	**vietnamita** Vietnam
coreano(a) Corea	**japonés, japonesa** Japón	
Australia		
australiano(a) Australia		
Centroamérica y el Caribe		
costarricense Costa Rica	**guatemalteco(a)** Guatemala	**panameño(a)** Panamá
cubano(a) Cuba	**hondureño(a)** Honduras	**puertorriqueño(a)** Puerto Rico
dominicano(a) República Dominicana	**nicaragüense** Nicaragua	**salvadoreño(a)** El Salvador
Europa		
alemán, alemana Alemania	**francés, francesa** Francia	**italiano(a)** Italia
español, española España	**inglés, inglesa** Inglaterra	**portugués, portuguesa** Portugal
Norteamérica		
canadiense Canadá	**estadounidense** Estados Unidos	**mexicano(a)** México
Sudamérica		
argentino(a) Argentina	**colombiano(a)** Colombia	**peruano(a)** Perú
boliviano(a) Bolivia	**ecuatoriano(a)** Ecuador	**uruguayo(a)** Uruguay
chileno(a) Chile	**paraguayo(a)** Paraguay	**venezolano(a)** Venezuela

Estados Unidos is often abbreviated as **EEUU** or **EE.UU.** in Spanish. Some native speakers do not use the article **los** with **EEUU: en Estados Unidos** or en **EEUU**.

Notice the umlaut on the **ü** in **nicaragüense**. It is called a **diéresis** in Spanish. The **diéresis** is placed on the **u** in the syllables **gue** and **gui** to indicate that the **u** needs to be pronounced. Compare: **bilingüe, pingüino** and **guerra, Guillermo**.

7. Several adjectives in Spanish may be used *before* or *after* the noun they modify. Three common adjectives of this type are **bueno** *(good)*, **malo** *(bad)*, and **grande** *(big, large)*. When **bueno** and **malo** are used before a singular masculine noun, they have special shortened forms **(buen, mal)**. Whenever **grande** is used before any singular masculine or feminine noun, its shortened form **gran** is used. Note that **grande** has different meanings when used *before* the noun *(great, famous)* and *after* the noun *(big, large)*.

un estudiante bueno	BUT:	un **buen** estudiante
una estudiante buena		una **buena** estudiante
un día malo	BUT:	un **mal** día
una semana mala		una **mala** semana
un hotel grande	BUT:	un **gran** hotel
una universidad grande	BUT:	una **gran** universidad

ACTIVIDADES

11 **El profesor y la profesora** Say whether the description refers to **la profesora, el profesor**, or if it could refer to both of them.

MODELO   Es trabajadora.
la profesora

1. Es serio.
2. Es activo.
3. Es extrovertida.
4. Es responsable.
5. Es inteligente.

6. Es cuidadosa.
7. Es paciente.
8. Es interesante.
9. Es sincera.
10. Es generoso.

12 **Marcos y María** Marcos and María are two of your best friends. They are not at all similar. Describe what they are like. Follow the model.

MODELO   Marcos es divertido.
María no es divertida. Es aburrida.

1. Marcos es paciente.
2. María es responsable.
3. Marcos es extrovertido.
4. María es perezosa.

5. Marcos es sincero.
6. María es antipática.
7. Marcos es rubio.
8. María es delgada.

13 **También** In pairs, your partner tells you that a person you both know has a certain personality or physical trait. Say that two of your friends are just like that person.

MODELO   **Compañero(a):** *Rocío es alta.*
Tú: *Tomás y Marcelo también son altos.*

Rocío

1. Gerardo
2. Ángela
3. Miguel

4. Carmela
5. Pablo
6. Jimena

14 🔄 **Las nacionalidades** With your partner, take turns asking the nationalities of the following people. Then mention another person of the same nationality.

MODELO   Daniel Radcliffe (Inglaterra)
Tú: *¿De qué nacionalidad es Daniel Radcliffe?*
Compañero(a): *Es inglés.*
Tú: *¿De veras? Emily Blunt es inglesa también.*

1. Penélope Cruz y Rafael Nadal (España)
2. Zoe Saldana (República Dominicana)
3. Sonia Sotomayor (Puerto Rico)
4. Audrey Tautou (Francia)
5. Diego Luna y Gael García Bernal (México)
6. Gabriel García Márquez y Sofía Vergara (Colombia)
7. Rigoberta Menchú Tum (Guatemala)
8. Venus y Serena Williams (Estados Unidos)
9. Fidel Castro (Cuba)

15 🔗 **Personas famosas** In groups of four or five, each person takes a turn describing a famous person. The rest of the group tries to guess who is being described.

Palabras útiles: actor (actriz), atleta, cantante, músico(a), político(a), escritor(a), periodista, chef, diseñador(a)

MODELO   **Tú:** *Es cantante. Es estadounidense. Es joven, delgada y rubia. Le gusta mucho la moda* (fashion) *y es famosa por sus canciones sobre sus exnovios* (ex boyfriends)*. ¿Quién es?*
Grupo: *Es Taylor Swift.*

16 🔄 **Tus cualidades** You and your partner are appearing in a play and the director wants you to write a short bio for the theater program. First, make a list of the personal and physical qualities you want to include in your bio. Then, make a list of all of your favorite and least favorite activities. (If you want to use adjectives and activities you haven't learned yet, look for them in a Spanish-English dictionary.) Exchange your lists with your partner and suggest changes you think would be helpful.

17 🔗 **Tu descripción** Now, using the information you listed in **Activity 16**, write your description. Make sure you write at least five complete sentences, using the third person, since that is how these descriptions normally appear in theater programs. Then, in groups of three or four, exchange your descriptions and see if you can guess whose ad is whose. If possible, as a follow-up, post your description on the class website under a false name and see if others can guess who it is.

MODELOS   *Shannon Silvestre es una actriz buena... También es... Le gusta...*
Shaun Perales es un actor cómico... No le gusta..., pero sí le gusta...

SONRISAS

COMPRENSIÓN

Answer the following questions about the cartoon.

1. Según el gato *(cat)*, ¿cómo es él?
2. Según el perro, ¿cómo es él?
3. En realidad, ¿cómo es el gato? ¿Y el perro?
4. ¿Tienen consecuencias serias las mentiras del gato? En tu opinión, ¿son sinceras o mentirosas las personas cuando se comunican por Internet?

© Andresr/Shutterstock.com

Doble identidad: Los latinos en EEUU y Canadá ▶

When expressing numbers with numerals, Spanish uses a period where English uses a comma (480.000 rather than 480,000). It also uses a comma instead of a period to express decimals (6,5 rather than 6.5).

Los cinco grupos de latinos de mayor número en Estados Unidos son los mexicoamericanos (o chicanos), los puertorriqueños, los cubanoamericanos, los dominicanos y los salvadoreños. Cada grupo tiene una historia larga y distinta. Sin embargo, lo que tienen en común estos grupos es ser de dos culturas y hablar dos idiomas. El censo de 2010 indica que hay más de 53 millones de latinos en Estados Unidos.

En Canadá, viven 480.000 hispanos de varios países. La población va creciendo *(is increasing)*, aumentando un 6% cada año.

Latinos en Estados Unidos*

mexicanos	34.586.088
puertorriqueños	5.138.109
cubanos	2.013.155
salvadoreños	1.974.870
dominicanos	1.757.961
guatemaltecos	1.303.379
colombianos	1.055.751
hondureños	779.358
españoles	759.781
ecuatorianos	683.364
peruanos	636.694

* U.S. Census Bureau, 2013 American Community Survey

Los cinco estados con las poblaciones hispanas más concentradas*

California	14.358.000
Texas	9.794.000
Florida	4.354.000
Nueva York	3.497.000
Illinois	2.078.000

*http://pewhispanic.org/

Los mexicoamericanos o chicanos

A tener en cuenta

- After the Mexican American War in 1848, Mexico ceded California, Texas, and parts of New Mexico, Arizona, Utah, Nevada, Colorado, Kansas, and Wyoming to the U.S. The majority of Mexicans in these areas elected to stay and were granted citizenship.
- The Chicano movement was born in the 1960s as Mexican Americans attempted to regain a sense of pride in their Mexican heritage and culture.
- The integration of Mexican culture can be seen in vibrant areas such as the Riverwalk in San Antonio, Texas, the Pilsen and La Villita communities in Chicago, and the Mission District in San Francisco.

© Justin Sullivan/AP Images

Los grandes muralistas chicanos

Diego Rivera, José Orozco y David Siqueiros eran *(were)* grandes muralistas mexicanos que usaban sus murales para expresar su visión política y reclamar sus orígenes indígenas. El arte del mural como expresión cultural ha sido adoptado *(has been adopted)* por los chicanos en EEUU.

The term "chicano" was adopted by Americans of Mexican descent during the American civil rights movement to distinguish themselves from Mexicans native to Mexico. There are many theories about its origin, none of which can be proven. The term was used by Mexican American activists who wanted to claim a unique ethnic and political identity.

Los puertorriqueños

A tener en cuenta

- In 1898, after the Spanish-American War, Spain ceded Puerto Rico to the U.S. Nine years later, President Woodrow Wilson signed the Jones Act, which granted American citizenship to all Puerto Ricans.
- Many Puerto Ricans settled in New York City or in other parts of New York State, but younger Puerto Ricans have moved to Texas, Florida, Pennsylvania, New Jersey, Massachusetts, and other states.
- El Museo del Barrio, La Marqueta, and el Desfile Puertorriqueño de Nueva York are all testimony to the bicultural life of the "Nuyoricans," also known as "nuyorquinos" or "nuevarriqueños."

© Philip Scalia/Alamy

Los *poetry slams*

Miguel Algarín, profesor de Rutgers, empezó *(began)* *The Nuyorican Poets Café* en su apartamento del East Village en 1973. Hoy día el Café es una organización sin fines de lucro *(non-profit agency)* que se ha transformado en un foro de poesía, música, hip hop, video, artes visuales, comedia y teatro. Los *Poetry Slams* son eventos muy populares en el Café.

© RosalreneBetancourt 2 / Alamy

Los cubanoamericanos

A tener en cuenta

- All of Florida and Louisiana were provinces of Cuba prior to the Louisiana Purchase and the Adams-Onís Treaty of 1819.
- The largest community of Cuban Americans in the United States is in Miami-Dade County in Florida.
- La Pequeña Habana in Miami is the cultural center of Cuban American life.

La música

El Buena Vista Social Club era un club en La Habana donde se juntaban los músicos en los años 40. La ilustre historia musical de Cuba sigue hoy día en Estados Unidos con los cantantes Jon Secada, Albita, Gloria Estefan y el saxofonista Paquito D'Rivera, todos ganadores del premio Grammy.

Los dominicanos y los centroamericanos

A tener en cuenta

- New York City has had a Dominican population since the 1930s. They largely settled in Quisqueya Heights, an area of Washington Heights in Manhattan. Nowadays, Dominicans also reside in New Jersey, Massachusetts, and Miami.
- In the 1980s and 90s, Dominican immigration to the United States was at its height.
- In the 1980s, political conflicts in Guatemala, El Salvador, and Nicaragua led to a big wave of immigration to the U.S. Many Central Americans made their homes in cities like Los Angeles, Houston, Washington, D.C., New York, and Miami.

La literatura revolucionaria

El conflicto produce literatura. La tarea del escritor es captar la verdad *(truth)* de la vida diaria. En países que pasan por una revolución, es urgente describir las condiciones del ser humano por escrito *(in writing)*. Testimonio de la necesidad de escribir en tiempos de conflicto es la importante literatura centroamericana de escritores como Gioconda Belli, Rigoberta Menchú Tum, Claribel Alegría, Ernesto Cardenal y Roque Dalton.

© Carlos Firmino /Getty Images

EN RESUMEN

La información general Say which Hispanic group each statement describes.

1. Los **nuyoricans** son personas de este grupo que viven *(live)* en Nueva York.
2. Este grupo en Estados Unidos adopta esta forma de arte como expresión cultural.
3. Los conflictos en los países de origen de este grupo produce una literatura revolucionaria.
4. **Chicano** es otro nombre para una persona de este grupo.
5. Una sección de Miami es el centro cultural de este grupo.
6. La inmigración de este grupo a Estados Unidos ocurre principalmente en las décadas de 1980 y 1990.

¿Quieres saber más?

Return to the chart that you started at the beginning of the chapter. Add all the information that you already know in the column **Lo que aprendí**. Then, look at the column labeled **Lo que quiero aprender**. Are there some things that you still don't know? Pick one or two of these, or from the topics listed below, to further investigate online.

Palabras clave: mexicoamericanos the Mexican American War, Treaty of Guadalupe Hidalgo, 5 de mayo; **puertorriqueños** Treaty of Paris, Jones Act, Luis Muñoz Rivera; **cubanoamericanos** calle Ocho, Ybor City, Louisiana Purchase, Adams-Onís Treaty; **dominicanos y centroamericanos** *El Norte,* Rafael Trujillo, Anastasio Somoza, Sandinistas, Civil War in El Salvador

🌐 To learn more about Spanish-speaking communities in the U.S., watch the cultural footage online.

© Félix Sanchez/Getty Images

A leer

Antes de leer

21ST CENTURY SKILLS

Productivity & Accountability:
Using a dictionary will help you learn how to expand your Spanish vocabulary on your own.

For more on using a bilingual dictionary, see the **A escribir** section on page 78.

ESTRATEGIA

Looking up Spanish words in a bilingual dictionary

When reading in Spanish, try to understand the general meaning of what you read and don't spend time looking up every unknown word. But if there are key words you can't understand, using a dictionary can save you time.

Try to look up only one or two words from each page of text. Focus on words that you cannot guess from the context and that you must understand to get the reading's general meaning. When you do look up the word, don't settle on the first definition! Look at the different English translations provided. Which one seems to best fit with the overall content of the reading?

When looking up verbs, remember that you must look up the infinitive form (**-ar**, **-er**, or **-ir**) and not the conjugated form. (**Ser** instead of **soy**, **hablar** instead of **hablas**, etc.) When you look up adjectives, look up the masculine form (**bueno** instead of **buena**, etc.).

1 When celebrities are interviewed, they often describe themselves and talk about their backgrounds. The point of the interview is to share personal information with the viewer and reader.

1. Look at the quotes of the seven U.S. Hispanics featured on pages 75–76. Read the translated words at the bottom of each page, then skim the quotes themselves. What words don't you know that you might need in order to get the main idea? Make a list of five to ten words.

2. Can you guess from context any of the words you identified? For example, Albert Pujols is listed as a **pelotero** and in his photo he is wearing a uniform. Based on that information, can you guess what a **pelotero** is?

3. Of the remaining words, how many do you really need to know in order to understand the basic idea of what the person is saying? With a partner, create a list that contains only the words you think are necessary to get the main idea.

2 Now that you have narrowed down your list of unknown but key words, work with a partner to look them up in the dictionary. Be sure to read all the English definitions. Which one(s) fit(s) best in the context of the article?

¿Cómo soy yo?

Albert Pujols
pelotero de
ascendencia
dominicana

"Yo quiero que la gente me recuerde[1], no solo como Albert Pujols el buen pelotero, sino por la persona que yo soy, bien humilde[2] y que trata de ayudar[3] a los que lo necesitan".

Isabel Toledo
diseñadora de ropa
de ascendencia
cubana

"Ser latina es ser quien soy, no cómo me defino… Es una cultura enamorada de la moda".

Carlos Santana
músico de
ascendencia
mexicana

"Soy un músico serio, como Paco de Lucía. Serio, pero divertido. Nunca invertí[9] energía en ser rico o famoso".

Zoe Saldana
actriz de ascendencia puertorriqueña
y dominicana

"Como latina, pienso que[4] tenemos que sentirnos[5] muy orgullosos de nuestra herencia. Tendemos[6] a buscar raíces[7] europeas y a rechazar las indígenas y las africanas, y eso es un asco, una vergüenza[8]. El latino es una composición de todos".

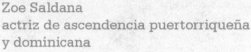

[1] **Yo…:** *I want people to remember me* [2] *humble*
[3] **trata…:** *that tries to help* [4] **pienso…:** *I think that* [5] *to feel*
[6] *We tend to* [7] *roots* [8] **un…:** *it's disgusting and a shame*
[9] **Nunca…:** *I never invested*

Eva Longoria
actriz de ascendencia mexicana

"Somos mexicanos de quinta[10] generación en Texas y estoy[11] orgullosa de ser latina y de representar a los latinos en todas partes…".

Wilmer Valderrama
actor de ascendencia venezolana

"Yo soy muy agradecido por mis raíces latinas… A mí me da mucha dicha[12] y un orgullo muy grande cuando la gente latina admira cualquier[13] trabajo que he hecho[14]".

César Millán
entrenador de perros ("el encantador de perros"), de ascendencia mexicana

"Solo soy un tipo instintivo que vive en el momento".

[10] fifth [11] I am [12] me…: it gives me a lot of happiness [13] whatever [14] he…: I have done

Después de leer

3 Now work with a partner to match the descriptions on the right with each person on the left.

_____ 1. Albert Pujols
_____ 2. Zoe Saldana
_____ 3. Isabel Toledo
_____ 4. Carlos Santana
_____ 5. César Millán
_____ 6. Eva Longoria
_____ 7. Wilmer Valderrama

a. Es muy agradecido por su herencia latina.
b. Vive en el presente, no en el futuro.
c. Es de origen mexicano y está muy orgullosa de su herencia.
d. Habla de ser una composición de culturas.
e. Es una persona muy humilde.
f. Es serio, pero divertido.
g. Es de una cultura enamorada de la moda.

4 With a partner, take turns interviewing each other and writing down your responses. Answer the following questions based on your own personality or that of a famous celebrity.

1. ¿Cuál es tu ascendencia? (Soy de ascendencia…)
2. ¿Cómo eres? (Soy…)
3. ¿Qué te gusta hacer? (Me gusta…)
4. Now, choose a famous Spanish speaker and do a search for him or her online. Find enough information to answer the three questions above about that person—**¡en español, por favor!** Be prepared to share your information with the class.

Paulina Rubio, México

Rafael Nadal, España

A escribir

Antes de escribir

ESTRATEGIA

Prewriting—Looking up English words in a bilingual dictionary

Since no textbook can provide you with all the words you may want to use when you write, you will want to use a bilingual dictionary to supplement the words you already know. Here's how to use the dictionary most effectively.

1. Decide on the English word you want to translate: for example, *lively*.
2. Think of several English synonyms for that word: *vivacious, energetic*.
3. Look up the original English word in the English-Spanish part of the dictionary and write down all the Spanish equivalents given. Note that semicolons are used to separate groups of words that are similar in meaning. Example: *lively*: **vivo, vivaz, vivaracho; rápido, apresurado; gallardo, galán, airoso; vigoroso, brioso, enérgico; animado, bullicioso; eficaz, intensivo**
4. Take a Spanish equivalent from each group and look it up in the Spanish part of the dictionary. What is given as its English equivalent? As you look up each word, you'll see that often the different Spanish words express very different ideas in English.

   Example: **Rápido** and **apresurado** are words that apply more to actions, since they are translated as *rapid, quick, swift* and *brief, hasty*.

5. Now look up the English synonyms you listed in step #2 and see what Spanish equivalents are given. Are any of them the same as those that turned up for the first word? Example: *vivacious:* **vivaz, animado, vivaracho**; *energetic:* **enérgico, activo, vigoroso**
6. Focus on the words that came up more than once: **vivaz, vivaracho, animado, enérgico**. If you need to, look these words up a final time. Which best expresses the shade of meaning you want to use?

1 You are going to write a short description of a sculpture by Fernando Botero, the well-known Colombian painter and sculptor.

Look at the photo of the sculpture on page 79. What words might you need to describe it? Here are some to get you started, but look up any new words you might require in a bilingual dictionary. **¡OJO!** Remember to cross-check the words you choose in order to get the one that best fits what you are trying to say.

Palabras útiles: escultura *(sculpture)*, **estatua** *(statue)*, **montado a caballo** *(on horseback)*, **sombrero** *(hat)*

La escultura *Hombre montado a caballo* de Fernando Botero

Composición

2 Write three to five sentences that describe the sculpture, using the list of words you generated in **Activity 1**. Try to write freely without worrying too much about mistakes and misspellings.

Después de escribir

3 Now go back over your review and revise it. Use the following checklist to guide you. Did you…

- include all the necessary information?
- check to make sure that the adjectives and nouns agree in gender and number?
- make sure that the verbs agree with their subjects?
- look for misspellings?

¡Vívelo!

You are going to research a famous person who is known for a specific activity. Then, in class, you and your group members will compete against your classmates to guess the identities of different people described.

Antes de clase

Paso 1 Choose a famous person who is well known for one of the following activities. Make sure the activity you choose is also one you enjoy doing or watching.

Actividades: bailar, cantar, cocinar, patinar, pintar, practicar béisbol / básquetbol / fútbol *(soccer)* / fútbol americano / tenis / volibol, tocar la guitarra / el piano / la batería *(drums)*

Paso 2 Research basic information about the person you chose. Complete the following bio and find and print out a photo of him or her. Bring it to class along with the bio.

> Nombre: _____
>
> Actividad: _____
>
> Es hombre *(man)* / mujer *(woman)*.
>
> Nacionalidad: _____
>
> Tiene _____ años.
>
> Características físicas: _____
>
> Características de la personalidad: _____
>
> También le gustan estas actividades: _____
>
> Otros detalles: _____

Look up other words that you need for your description, but use cognates so that your classmates will be able to guess them easily.

Durante la clase ⚙

Paso 1 Form groups of 3–4 students. You will work as a team to guess the identity of the people your classmates researched.

Paso 2 All students take turns reading their bios to the class as a whole. Each group competes against the others to guess the person's identity. Try to outwit your classmates by guessing as quickly as possible. If no one guesses correctly, you can provide a clue by showing a photo of the person.

MODELO *Es hombre. Toca la guitarra. Es estadounidense. Tiene unos 40 años. Tiene el pelo negro. Es delgado. No es guapo, pero no es feo. Es inteligente y divertido. Es un poco egoísta y muy excéntrico. También le gusta tocar la batería y cantar. Ahora toca solo* (alone) *y no con una banda.*

© Barry Brecheisen/Invision/AP Images

Paso 3 Once all the bios have been read and guessed, the group with the most correct guesses wins.

Paso 4 Now find other students who chose the same (or a similar) activity to the one you chose. Make plans to meet outside of class.

Fuera de clase ♻

In your group of students with similar interests, do something related to the activity or activities you like. It could be attending a concert, cooking together, playing a sport, creating an art project, etc. Take photos documenting your activity.

¡Compártelo! ♻

Post the photos you and your group took on the *Nexos* online forum. Each person should write a caption describing what the group is doing and what activities you all enjoy.

MODELO *Aquí jugamos volibol.*
Nos gusta jugar volibol.
¡También nos gusta bailar!

© oliveromg/ Shutterstock.com

© YSK1 / Shutterstock.com

Vocabulario

Para expresar preferencias   *Expressing preferences*

¿Qué te gusta hacer? *What do you like to do?*
A mí me gusta... *I like . . .*
A ti te gusta... *You like . . .*
A... le gusta... *You / He / She like(s) . . .*
A... les gusta... *You (pl.) /They like . . .*
¿Y a ti? *And you?*

alquilar videos / películas *to rent videos / movies*
bailar *to dance*
caminar *to walk*
cantar *to sing*
cocinar *to cook*
escuchar música *to listen to music*
estudiar en la biblioteca / en casa *to study at the library / at home*
hablar por teléfono *to talk on the phone*
levantar pesas *to lift weights*

mirar televisión *to watch television*
navegar por Internet *to browse the Internet*
patinar *to skate*
pintar *to paint*
practicar deportes *to play sports*
sacar fotos *to take photos*
tocar un instrumento musical *to play a musical instrument*
    la guitarra *the guitar*
    el piano *the piano*
    la trompeta *the trumpet*
    el violín *the violin*
tomar un refresco *to have a soft drink*
tomar el sol *to sunbathe*
trabajar *to work*
visitar a amigos *to visit friends*

Para describir   *Describing*

¿Cómo es? *What is he/she/it like?*

muy *very*

Características de la personalidad   *Personality traits*

aburrido(a) *boring*
activo(a) *active*
antipático(a) *unpleasant*
bueno(a) *good*
cómico(a) *funny*
cuidadoso(a) *cautious*
divertido(a) *fun, entertaining*
egoísta *selfish, egotistic*
extrovertido(a) *extroverted*
generoso(a) *generous*
impaciente *impatient*
impulsivo(a) *impulsive*
inteligente *intelligent*
interesante *interesting*

introvertido(a) *introverted*
irresponsable *irresponsible*
malo(a) *bad*
mentiroso(a) *dishonest, lying*
paciente *patient*
perezoso(a) *lazy*
responsable *responsible*
serio(a) *serious*
simpático(a) *nice, pleasant*
sincero(a) *sincere*
tímido(a) *timid, shy*
tonto(a) *silly, stupid*
trabajador(a) *hard-working*

Características físicas   *Physical traits*

alto(a) *tall*
bajo(a) *short*
delgado(a) *thin*
feo(a) *ugly*
gordo(a) *fat*
grande *big, great*
guapo(a) *handsome, attractive*

joven *young*
lindo(a) *pretty*
pequeño(a) *small*
viejo(a) *old*

Es pelirrojo(a) / rubio(a). *He/She is redheaded / blond(e).*
Tiene el pelo negro / castaño / rubio.
    He/She has black / brown / blond(e) hair.

Nacionalidades *Nationalities*

alemán (alemana) *German*	**hondureño(a)** *Honduran*
argentino(a) *Argentinian*	**indio(a)** *Indian*
australiano(a) *Australian*	**inglés (inglesa)** *English*
boliviano(a) *Bolivian*	**italiano(a)** *Italian*
canadiense *Canadian*	**japonés (japonesa)** *Japanese*
chileno(a) *Chilean*	**marroquí** *Moroccan*
chino(a) *Chinese*	**mexicano(a)** *Mexican*
colombiano(a) *Colombian*	**nicaragüense** *Nicaraguan*
coreano(a) *Korean*	**nigeriano(a)** *Nigerian*
costarricense *Costa Rican*	**panameño(a)** *Panamanian*
cubano(a) *Cuban*	**paraguayo(a)** *Paraguayan*
dominicano(a) *Dominican*	**peruano(a)** *Peruvian*
ecuatoguineano(a) *Equatorial Guinean*	**portugués (portuguesa)** *Portuguese*
ecuatoriano(a) *Ecuadoran*	**puertorriqueño(a)** *Puerto Rican*
egipcio(a) *Egyptian*	**salvadoreño(a)** *Salvadoran*
español(a) *Spanish*	**sudafricano(a)** *South African*
estadounidense *U.S. citizen*	**uruguayo(a)** *Uruguayan*
francés (francesa) *French*	**venezolano(a)** *Venezuelan*
guatemalteco(a) *Guatemalan*	**vietnamita** *Vietnamese*

Los verbos *Verbs*

acabar de *(+ inf.) to have just done something*	**llamar** *to call*
apagar *to turn off*	**llegar** *to arrive*
buscar *to look for*	**necesitar** *to need*
cenar *to eat dinner*	**pasar** *to pass (by)*
comprar *to buy*	**preparar** *to prepare*
dejar *to leave*	**regresar** *to return*
dejar de *(+ inf.) to stop (doing something)*	**usar** *to use*
descansar *to rest*	**viajar** *to travel*

Otras palabras *Other words*

los fines de semana *weekends*	**el perro** *dog*
los viernes *Fridays*	**pero** *but*
los sábados *Saturdays*	**también** *also*
los domingos *Sundays*	**tampoco** *neither*
el gato *cat*	

Repaso del Capítulo 2

Complete these activities to check your understanding of the new grammar points in **Chapter 2** before you move on to **Chapter 3**.

The answers to the activities in this section can be found in **Appendix B**.

The present indicative of regular -ar verbs (p. 56)

1 Look at the illustrations and say what the people indicated are doing.

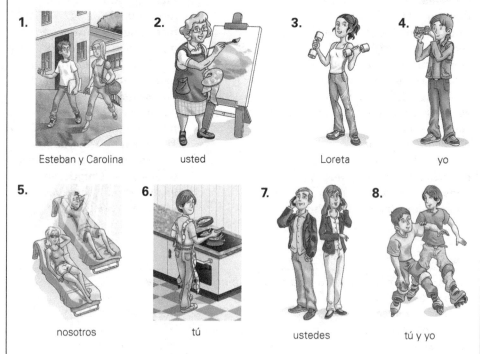

1. Esteban y Carolina
2. usted
3. Loreta
4. yo
5. nosotros
6. tú
7. ustedes
8. tú y yo

Gustar + *infinitive* (p. 60)

2 Read the description of each person. Then say what activity he or she likes to do, choosing from the list. Follow the model.

Actividades: estudiar, mirar televisión, pintar, practicar deportes, visitar a amigos, trabajar

MODELO   Ellos son muy trabajadores.
          A ellos les gusta trabajar.

1. Yo soy muy serio.
2. Tú eres muy perezosa.
3. Usted es muy extrovertido.
4. Nosotras somos muy artísticas.
5. Ustedes son muy activos.

Adjective agreement (p. 64)

3 Use forms of **ser** to describe each person using the cues provided.

1. Gretchen y Rolf / Alemania / sincero
2. Brigitte / Francia / divertido
3. nosotras / España / simpático
4. yo (femenino) / Estados Unidos / generoso
5. usted (femenino) / Japón / interesante
6. tú (masculino) / Italia / activo

Preparación para el Capítulo 3

Nouns and articles (p. 18)

4 Complete the description with the definite and indefinite articles that are missing. Make sure the articles agree with the nouns they modify.

A mí me gustan (1) _____ clases que tengo hoy. (2) _____ profesor de

historia es muy inteligente y (3) _____ profesora de español es muy interesante.

Tengo (4)_____ amigos en (5) _____ clase de ingeniería y por eso es muy

divertida. Solamente tengo (6) _____ clase por la tarde. Pero no es (7) _____

día normal. Normalmente tengo clases por (8) _____ mañana y también por

(9) _____ tarde. ¡Pero por lo menos, no tengo clases por (10) _____ noches!

Subject pronouns and the present indicative of the verb **ser** (p. 22)

5 Match the illustrations on the left with the sentences on the right. Then write in the missing forms of the verb **ser**.

1. _____

2. _____

3. _____

4. _____

5. _____

6. _____

7. _____

a. Ella _____ muy tímida.

b. Nosotros _____ muy perezosos.

c. Yo _____ muy extrovertida.

d. Usted _____ muy impaciente.

e. Tú _____ generoso.

f. Él _____ activo.

g. Ustedes _____ inteligentes.

Complete these activities to review some previously learned grammatical structures that will be helpful when you learn the new grammar in **Chapter 3**.

Be sure to reread **Chapter 2: Gramática útil 1** and **2** before moving on to the **Chapter 3** grammar sections.

The answers to the activities in this section can be found in **Appendix B**.

© Diego Cervo/Shutterstock.com

¡VIVIR ES APRENDER!

Los estudiantes asisten a clases donde estudian muchas materias. Pero en un sentido más amplio *(broader sense)*, todos somos estudiantes. Aprendemos algo nuevo todos los días de nuestros *(our)* amigos y familiares y de las experiencias que vivimos.

Para ti, ¿cuál es la mejor manera *(the best way)* de aprender?

Un viaje por Cuba, Puerto Rico y la República Dominicana

Estos tres países están situados en el mar Caribe. La República Dominicana comparte *(shares)* la isla La Española con Haití. Estos países, de clima tropical, también tienen montañas.

País / Área	Tamaño y fronteras *(Size and Borders)*	Sitios *(Places)* de interés
Cuba 110.860 km²	un poco más pequeño que Pensilvania	las cavernas de Bellamar, la Vieja Habana, la península de Guanahacabibes
Puerto Rico 8.950 km²	casi tres veces *(almost three times)* el área de Rhode Island	Vieques, El Morro, el Viejo San Juan
La República Dominicana 48.380 km²	más de dos veces el área de Nuevo Hampshire; frontera con Haití	Pico Duarte, la sierra *(mountains)* de Samaná, la Universidad Autónoma de Santo Domingo

¿Qué sabes? Di si las siguientes oraciones son ciertas (**C**) o falsas (**F**).

1. Estos tres países están en el mar Caribe.
2. La República Dominicana tiene casi dos veces el tamaño de Puerto Rico.
3. No hay una zona vieja en Cuba.

Lo que sé y lo que quiero aprender Completa la tabla del **Apéndice A**. Escribe algunos datos que **ya sabes** sobre estos países en la columna **Lo que sé**. Después, añade algunos temas que **quieres aprender** a la columna **Lo que quiero aprender**. Guarda la tabla para usarla otra vez en **¡Explora y exprésate!** en la página 115.

COMMUNICATION

By the end of this chapter you will be able to

- talk about courses and schedules and tell time
- talk about present activities and future plans
- talk about possessions
- ask and answer questions

CULTURES

By the end of this chapter you will have explored

- facts about Puerto Rico, Cuba, and the Dominican Republic
- **Cuba:** the campaign for literacy
- **Puerto Rico:** the bilingual education of the **boricuas**
- **La República Dominicana:** the oldest university in the New World
- the 24-hour clock
- three unusual schools in the Caribbean

¡Imagínate!

▶ VOCABULARIO ÚTIL 1

Chela: Para empezar, dime, ¿cuántas clases tienes?

Anilú: Ay, ¡qué aburrido!, ¿no crees? Si voy a salir por Internet, quiero hacer más que recitar mis clases: **computación, diseño gráfico, psicología**, bla, bla, bla...

Chela: Comprendo que no son las preguntas más interesantes del mundo, pero...

Anilú: Prefiero hablar de mi tiempo libre, los **sábados**, por ejemplo.

Campos de estudio *Fields of study*

Notice that many of the courses of study are cognates of their English equivalents. Be sure to notice the difference in spelling, accentuation, and pronunciation, for example: **geografía**: *geography*.

Los cursos básicos
Basic courses
la (doble) especialidad
   (*double*) *major*
la arquitectura *architecture*
las ciencias políticas
   political science
la economía *economics*
la educación *education*
la geografía *geography*
la historia *history*
la ingeniería *engineering*
la psicología *psychology*

Las humanidades
Humanities
la filosofía *philosophy*
la literatura *literature*

Las lenguas / Los
idiomas *Languages*
el alemán *German*
el chino *Chinese*
el español *Spanish*
el francés *French*
el inglés *English*
el japonés *Japanese*

Las matemáticas
Mathematics
el cálculo *calculus*
la computación / la
   informática *computer*
   science
la estadística *statistics*

Las ciencias *Sciences*
la biología *biology*
la física *physics*
la medicina *medicine*
la química *chemistry*
la salud *health*

Los negocios *Business*
la administración de
   empresas *business*
   administration
la contabilidad *accounting*
el mercadeo *marketing*

La comunicación
pública *Public*
communications
el periodismo *journalism*
la publicidad *advertising*

Las artes *The arts*
el arte *art*
el baile *dance*
el diseño gráfico *graphic*
   design
la música *music*
la pintura *painting*

Lugares en la universidad

¿Dónde tienes la clase de…?	*Where does your . . . class meet?*
En el centro de computación.	*In the computer center.*
el centro de comunicaciones	*the media center*
el gimnasio	*the gymnasium*
la cafetería	*the cafeteria*
la librería	*the bookstore*
la residencia estudiantil	*the dorm*

Los días de la semana

lunes	martes	miércoles	jueves	viernes	sábado	domingo
8	9	10	11	12	13	14

To say that something happens on the same day every week, use the plural article with the day of the week: **Los sábados visito a mi madre.** Notice that there is no preposition **en** *(on)* in these cases.

To say that something happens **on** a certain day, use the singular article with the day of the week: **La fiesta va a ser el sábado.**

Notice: (1) The week begins on Monday in most Spanish-speaking countries. (2) The days of the week are not capitalized in Spanish as they are in English. (3) On many Spanish calendars, the days of the week are abbreviated: **L M M J V S D** or **Lu, Ma, Mi, Ju, Vi, Sa, Do.** In Spain it is more common to use **L M X J V S D.**

ACTIVIDADES

1 **Las carreras** Say what course you would take if you were interested in a certain career.

MODELO journalist
el periodismo

1. psychologist
2. accountant
3. software programmer
4. architect
5. graphic designer
6. teacher

2 **Las clases de Mariana** With a partner, say on which days Mariana has each of her classes, based on her class schedule.

MODELO economía
Mariana tiene economía los lunes, los miércoles y los viernes.

1. psicología
2. literatura
3. francés
4. contabilidad
5. pintura
6. música

	lunes	martes	miércoles	jueves	viernes
8:00	economía		economía		economía
10:00	psicología	literatura	psicología	literatura	
11:30	francés	francés	francés	francés	francés
3:00		contabilidad		contabilidad	
4:00	pintura		música	pintura	música

3 🔁 **Mis clases** Create a chart with your class schedule. Include days, times, and locations. Then, with a partner, ask each other questions about each day of the week. Be sure to save your schedule for later activities.

MODELO **Tú:** *¿Qué clases tienes los lunes?*
Compañero(a): *Los lunes tengo psicología, arte y computación.*

4 🔁 **¿Dónde?** Ask your partner where he/she does certain activities.

MODELO levantar pesas
Tú: *¿Dónde levantas pesas?*
Compañero(a): *En el gimnasio.*

1. visitar a tus amigos
2. navegar por Internet
3. escuchar los audios de la clase de español
4. practicar deportes
5. comprar libros
6. vivir
7. tener clase de baile
8. estudiar

5 🔁 **Entrevista** Work in pairs to record an interview. One of you is like Chela in the video and the other is the interviewee. Use as much language as you can from previous chapters. Make a list of questions and answers beforehand. Then record the interview and upload it for the class to view or summarize the interview in class. You can use the following questions or make up your own.

Preguntas:

Buenos días, ¿qué tal?

¿Cómo te llamas?

¿De dónde eres?

¿Cuántos años tienes?

¿Qué te gusta hacer los domingos?

¿Qué estudias?

¿Cuántas clases tienes?

¿Dónde tienes la clase de…?

¿Cuál es tu clase preferida?

¿Qué día de la semana te gusta más?

6 **Mi blog** Write a blog post about the interview you did in **Activity 5**. What were some of the interesting things you learned about your partner?

MODELO *Mi compañero estudia psicología, pero su clase preferida
es la clase de baile.*

Chela: ¿Qué haces los sábados?

Anilú: **Por la mañana**, corro por el parque. **A las dos de la tarde**, tengo clase de danza afrocaribeña.

Chela: ¿Y **por la noche**?

Anilú: Por la noche escucho música con mis amigos o vamos al cine o a un restaurante.

Camarógrafo: Uy, ¿**qué hora es**? ¡Tengo que irme!

Chela: Pero, ¿adónde vas? ¡Necesito otra entrevista!

Camarógrafo: ¡Tengo clase **a las once**!

Chela: **Son las once menos cuarto.** Espera un minuto, por favor.

Para pedir y dar la hora *Asking for and giving the time*

¿Qué hora es? *What time is it?*

Es la una.

Son las dos.

Son las cinco y cuarto.
Son las cinco y quince.

Son las cinco y media.

Son las cinco y diez.

Son las cinco menos cuarto.
Faltan quince para las cinco.

—¿**Tienes tiempo** para tomar un café? *Do you have time for a coffee?*
—Sí, **es temprano**. / —¡Ay, no, **ya es muy tarde**. *Yes, it's early. / Oh no, it's already very late!*

Compare the following two questions and responses.

¿Qué hora es?
(What time is it?)
Es la una.
(It's one o'clock.)
¿A qué hora es la clase de español? *([At] What time is Spanish class?)*
Es a la una.
(It's at one o'clock.)

When you ask the time, you use **¿qué?** and when asking what time something takes place, you use **¿a qué?**

De la mañana is used for the morning hours between midnight and noon. De la tarde is used for daylight hours after noon. De la noche is used only for nighttime hours. These hours vary from country to country, given that in some countries it gets dark earlier or stays light later.

Compare the use of de and por in the following sentences.

La clase es a las diez de la mañana.

En general estudio por la mañana.

Note that you use de la mañana / tarde / noche to give a specific time of day. You use por la mañana / tarde / noche to give a more general time frame.

Mira **el reloj** para **decir la hora.**   *Look at **the clock** to **tell the time**.*

Son las ocho de la mañana.
It's eight in the morning.

Son las tres de la tarde.
It's three in the afternoon.

Son las nueve de la noche.
It's nine in the evening.

Es mediodía.   *It's noon.*
Es medianoche.   *It's midnight.*
Es tarde.   *It's late.*
Es temprano.   *It's early.*

ACTIVIDADES

7 🔄 **¿Qué hora es?** Ask your partner what time it is. Take turns asking the time.

MODELO   1:00 P.M.
          Tú: *¿Qué hora es?*
          Compañero(a): *Es la una de la tarde.*

1. 3:15 P.M.   **4.** 12:00 noon
2. 2:45 P.M.   **5.** 6:55 A.M.
3. 10:30 A.M.   **6.** 9:25 P.M.

8 🔄 **Mi horario** Get out the agenda page that you completed for **Activity 3**. Ask your partner about his/her class schedule. You name a day and a time, and your partner tells you what class he/she has at that time. Talk about all five days of the week.

MODELO   **Tú:** *Es lunes y son las diez de la mañana.*
          Compañero(a): *Tengo clase de cálculo.*

9 🔄 **Tu horario** Exchange your agenda page with your partner. Your partner names a day and a time, and you tell him/her where he/she is at that time. Take turns with each other's schedules.

MODELO   **Compañero(a):** *Es viernes y son las dos de la tarde. ¿Dónde estoy?*
          Tú: *Estás en la clase de danza afrocaribeña.*

¡FÍJATE!

El reloj de veinticuatro horas

The 24-hour clock is used globally, and in all Spanish-speaking countries, for schedules and official times. The system is based on counting the hours of the day from zero through twenty-four. The first twelve hours of the day (from midnight until noon) are represented by the numbers 0–12. Any time after noon is represented by that time +12. The **h** after the time stands for **horas**.

© Ken Welsh / Alamy

For example:
1:00 P.M. = 1:00 + 12 = 13:00h
2:30 P.M. = 2:30 + 12 = 14:30h
5:45 P.M. = 5:45 + 12 = 17:45h

To go from a 24-hour clock time to a 12-hour clock time, you must subtract 12 hours from the 24-hour clock time.

For example:
13:00h − 12 = 1:00 P.M.
14:30h − 12 = 2:30 P.M.
17:45h − 12 = 5:45 P.M.

The 24-hour clock is almost always used in written form. In conversation, Spanish speakers use the 12-hour format, adding **de la mañana** (morning, A.M.), **de la tarde** (afternoon, P.M.), and **de la noche** (evening, P.M.) for clarification.

PRÁCTICA **1** Look at the schedules below. Convert the times on the 24-hour clock to the 12-hour clock. Follow the model.

MODELO   21:20h = *9:20 P.M.*

1. 23:20h =   **3.** 18:30h =   **5.** 15:10h =
2. 14:45h =   **4.** 16:25h =   **6.** 19:15h =

PRÁCTICA **2** With a partner, look at the schedules that you used in **Activity 3**. Convert the times on your schedules to hours on the 24-hour clock. Follow the model.

MODELO   **Tú:** *Mi* (My) *clase de matemáticas es a las 3:00 de la tarde.*
Compañero(a): *Tu* (Your) *clase de matemáticas es a las 15:00 horas.*

Chela: ¿Así que te gustan más los fines de semana que los días de **entresemana**?

Anilú: Pues sí, por supuesto. Los fines de semana son mucho más divertidos. Ay, **es tarde**. Yo también tengo clase a las once.

Chela: Gracias por la entrevista. ...

Anilú: Oye, ¿cuándo sale la entrevista en la red?

Chela: **Mañana.**

Para hablar de la fecha *Talking about the date*

¿Qué día es hoy? *What day is today?*
Hoy es martes treinta. *Today is Tuesday the 30th.*

¿A qué fecha estamos? *What is today's date?*
Es el treinta de octubre. *It's October 30th / the 30th of October.*
Es el primero de noviembre. *It's November 1st / the first of November.*

¿Cuándo es el Día de la(s) Madre(s)? *When is Mother's Day?*
Es el doce de mayo. *It's May 12th.*

el día *day*
la semana *week*
el fin de semana *weekend*
el mes *month*
el año *year*
todos los días *every day*
entresemana *during the week / on weekdays*

ayer *yesterday*
hoy *today*
mañana *tomorrow*

ACTIVIDADES

10 **¿Qué es?** Say what each of the following time periods are.

MODELO febrero
el mes

1. enero
2. sábado y domingo
3. 2012

4. el 7 de septiembre
5. 7 de noviembre a 14 de noviembre
6. hoy

11 **Las fechas** Form pairs and look at a current yearly calendar. Your instructor will give each team five minutes to answer the following questions. Write out your answers in Spanish. There are some words that you might not know. Try to guess at their meaning, but don't let it hold you up!

1. ¿Qué día de la semana es Navidad (25 de diciembre) este año?
2. ¿Qué día de la semana es el Día de la Independencia (4 de julio) este año?
3. ¿Qué día de la semana es el Día de los Enamorados (14 de febrero) este año?
4. ¿A qué fecha estamos? ¿Cuándo es el próximo *(next)* examen de español?
5. ¿Cuándo son las próximas vacaciones? ¿Qué día regresan los estudiantes de las próximas vacaciones?

12 **Fechas importantes** Write out in Spanish ten to fifteen dates that are important for you. Then copy them into your calendar. The following are some examples of the dates you might include.

los cumpleaños de los miembros de mi familia
los cumpleaños de mis amigos
el Día de las Madres
el Día del Padre
las fechas de las vacaciones
el aniversario de…
las fechas de mis exámenes finales

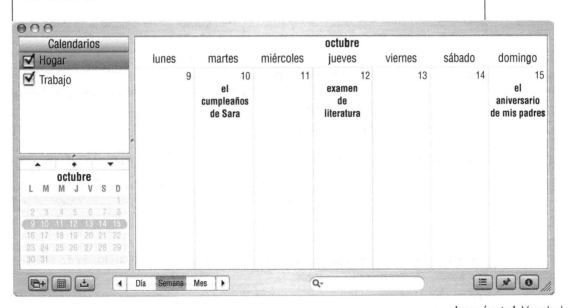

A ver

Using body language to aid in comprehension

When you observe the body language of the person speaking, you can get clues to a person's meaning by watching facial expressions, gestures, hand movements, and so on. For example, if you ask someone a question and the person shrugs and walks away, the meaning is clear, even if no words were uttered!

To help you understand the video segment, read the items in **Después de ver 1** *before* you view the video.

Antes de ver Review these key words used in the video.

la entrevista *the interview*
transmitir *to broadcast*
la red *the Internet*

▶ **Ver** Now watch the video segment for **Chapter 3** without sound. Pay special attention to the characters' body language.

Después de ver 1 Say whether statements 1–4 are true **(cierto)** or false **(falso)**, based on your observation of the characters' body language. Then watch again with sound and complete statements 5–9.

1. Muchos estudiantes prefieren no participar en la entrevista con Chela.
2. Chela indica algo *(something)* al camarógrafo.
3. El estudiante con la cámara no tiene prisa *(is not in a hurry)*.
4. Anilú observa a Javier (el estudiante que aparece al final del segmento) con mucho interés.
5. El estudiante con la cámara y Anilú opinan que el tema del programa de Chela es _____.
6. Anilú tiene clases de computación, diseño gráfico y _____.
7. Los _____, Anilú corre en el parque.
8. Los sábados por la noche, Anilú escucha música con amigos o va *(goes)* al _____ o a un restaurante.
9. El estudiante con la cámara tiene clase a las _____.

Después de ver 2 With a partner, dramatize one of the following situations.

- You are the reporter and you need the interviewee's number to follow up later. Ask for her phone number.
- You are the interviewee and you need a cameraman for another project. Ask for his phone number.
- You are the interviewee and you don't like the reporter's attitude. Try to evade the reporter's questions.

Voces de la comunidad

▶ Voces del mundo hispano

In this video segment, the speakers talk about their studies and pastimes. First read the statements below. Then watch the video as many times as needed to say whether each statement is true **(cierto)** or false **(falso)**.

1. Sandra estudia administración de empresas.
2. Jessica estudia química.
3. A Javier le gusta ver *(to see)* películas.
4. A Dayramir le gusta bailar salsa con sus amigos.
5. Durante los fines de semana, Ela va al parque.
6. Durante los fines de semana, Inés visita a su familia.

🔊 Voces de Estados Unidos

Courtesy of Supreme Court of the United States

Sonia Sotomayor, jueza, Corte Suprema de Estados Unidos

" Creo que si las caras de los jueces *(judges' faces)* no reflejan la población a la que sirven, la gente va a tener menos confianza en el sistema de justicia. Es importante que todos los grupos de Estados Unidos estén representados en la función más importante de la sociedad ".

Sonia Sotomayor, la primera persona de ascendencia hispana en la Corte Suprema de Estados Unidos, es la personificación del sueño *(dream)* americano. Nacida *(Born)* en el Bronx, de padres puertorriqueños, la jueza es conocida por su inteligencia, capacidad de trabajo y respeto por sus raíces *(her roots)*. Dos tragedias en su niñez forman su carácter: la muerte *(death)* de su padre a los nueve años y la diabetes juvenil. Con la ayuda *(help)* de su madre, Sotomayor triunfa sobre estas adversidades. Asiste a Princeton y después a la Escuela de Derecho de Yale. Sin embargo, la jueza nunca olvida *(never forgets)* sus raíces. Sus experiencias como empleada en una dulcería *(candy store)* y una tienda de ropa *(clothing store)* y como camarera *(waitress)* le dan una especial sensibilidad hacia las necesidades de la clase trabajadora *(working class)*.

¿Y tú?   **Are you interested in working in the public sector? Why or why not?**

¡Prepárate!

GRAMÁTICA ÚTIL 1

Asking questions: Interrogative words

Cómo usarlo

You have already seen, learned, and used a number of interrogative words to ask questions. **¿Cómo te llamas?**, **¿Cuál es tu dirección electrónica?**, **¿Dónde vives?**, and **¿Qué tal?** are all questions that begin with interrogatives: **cómo, cuál, dónde, qué.**

As in English, we use interrogatives in Spanish to ask for specific information. Here are the Spanish interrogatives.

¿Qué?	*What? Which?*	**¿Cuánto(a)?**	*How much?*
¿Cuál(es)?	*What? Which one(s)?*	**¿Cuántos(as)?**	*How many?*
¿Dónde?	*Where?*	**¿A qué hora?**	*(At) What time?*
¿Adónde?	*To where?*	**¿De dónde?**	*From where?*
¿De quién(es)?	*Whose?*	**¿De qué?**	*About what? Of what?*
¿Por qué?	*Why?*	**¿Cuándo?**	*When?*
¿Quién(es)?	*Who?*	**¿Cómo?**	*How?*

¿Cuántas entrevistas tenemos que hacer?

1. **¿Qué?** and **¿Cuál?** may appear interchangeable at first sight, but they are used in very specific ways.

   ¿Qué? is . . .
   - used to ask for a definition: **¿Qué es el reloj de veinticuatro horas?**
   - used to ask for an explanation or further information: **¿Qué estudias este semestre?**
   - generally used when the next word is a noun: **¿Qué libros te gustan más? ¿Qué clase tienes a las ocho?**

   ¿Cuál? is . . .
   - used to express a choice between specified items: **¿Cuál de los libros prefieres?**
   - used when the next word is a form of **ser** but the question is *not* asking for a definition: **¿Cuál es tu número de teléfono? ¿Cuáles son tus clases favoritas?**

Notice that **dónde** and **adónde** are both translated the same way into English.

2. **¿Dónde?** is used to ask where something is.

   ¿Dónde está la biblioteca?   ***Where*** *is the library?*

3. **¿Adónde?** is used to ask where someone is going.

   ¿Adónde vas ahora?   ***Where*** *are you going now?*

4. **¿De quién es?** and **¿De quiénes son?** are used to ask about possession. You answer using **de**.

—¿**De quién** es la computadora?	**Whose** computer is this?
—**Es de** Miguel.	**It's** Miguel**'s**.
—¿**De quiénes** son los libros?	**Whose** books are these?
—**Son de** Anita y Manuel.	**They're** Anita**'s** and Manuel**'s**.

Note that you use **¿Quién?** for one person or **¿Quiénes?** for more than one person.

5. Questions using **¿Por qué?** can be answered using **porque** *(because)*.

—¿**Por qué** tienes que trabajar?	**Why** do you have to work?
—¡**Porque** necesito el dinero!	**Because** I need the money!

Note that the interrogative is two separate words with an accent on **qué**. **Porque** is one single word with no accent.

Cómo formarlo

1. Interrogatives are always preceded by an inverted question mark (**¿**). The question requires a regular question mark (**?**) at the end.

2. Notice that in a typical question the subject *follows* the verb.

¿Dónde **estudia Marcos**?	*Where does **Marcos study**?*
¿Qué instrumento **tocan ustedes?**	*What instrument **do you play**?*

3. **¿Quién?** and **¿Cuál?** change to reflect number.

¿**Quién** es el hombre alto? / ¿**Quiénes** son los hombres altos?

¿**Cuál** de los libros tienes? / ¿**Cuáles** son tus idiomas favoritos?

4. **¿Cuánto?** changes to reflect both number and gender.

¿**Cuánto** dinero tienes?	**How much** money do you have?
¿**Cuánta** comida compramos?	**How much** food should we buy?
¿**Cuántos** años tienes?	**How many** years old are you? / **How old** are you?
¿**Cuántas** personas hay?	**How many** people are there?

5. When you want to ask *how much* in a general way, use **¿Cuánto?**

¿**Cuánto es?**	¿**Cuánto necesitamos?**

6. Note that interrogatives always require an accent.

7. You have already learned how to form simple *yes/no* questions by adding **no** to a sentence.

¿**No escribes** e-mails hoy?	**Aren't you writing** any e-mails today?

8. You can also form simple *yes/no* questions by adding a tag question, such as **¿verdad?** *(Isn't that right?)* or **¿no?** to the end of a statement.

Cantas en el coro con Ana, **¿no?**	*You sing in the chorus with Ana, **right**?*
Enrique baila salsa muy bien, **¿verdad?**	*Enrique dances salsa very well, **right**?*

When a Spanish speaker adds **¿verdad?** or **¿no?** to a question, he or she is expecting an affirmative answer.

ACTIVIDADES

1 🔊 **Las preguntas** What question would you have to ask to produce the response shown? You will hear three questions. Choose the correct one.

_____ **1.** La clase de informática es a las once de la mañana.
_____ **2.** Tengo que ir al centro de computación para la clase de informática.
_____ **3.** La computadora portátil es de mi compañero de cuarto.
_____ **4.** Hay que comprar tres libros para la clase de informática.
_____ **5.** Porque me gustan mucho las computadoras y quiero aprender a programarlas.
_____ **6.** La señora Delgado es la profesora de informática.

2 **En la cafetería** You overhear a conversation between two students in the cafeteria. Fill in the correct form of the question words to complete their conversation.

—¿(1) _____ clases tienes este semestre?
—Tengo arte, literatura, cálculo, química y economía.

—¿(2) _____ son tus clases favoritas?
—Arte y literatura.

—¿(3) _____ son tus autores favoritos?
—Gabriel García Márquez, Mario Vargas Llosa, Julia Álvarez e Isabel Allende.

—¿(4) _____ es tu profesor de literatura?
—El señor Banderas.

—¿(5) _____ libros necesitas para la clase de literatura?
—Diez, más o menos, pero son libros que puedo sacar de la biblioteca.

—¿A (6) _____ hora tienes la clase de literatura?
—A las diez de la mañana.

—¿(7) _____ vas ahora?
—Al centro de computación.

—¿(8) _____ vas allí?
—Porque necesito usar una computadora para hacer mi tarea.
—¿No tienes computadora portátil?
—No, pero a veces uso una computadora prestada *(borrowed)*.

—¿(9) _____ es?
—Es de mi compañero de cuarto. Mira, ¡no más! ¡Haces demasiadas *(You ask too many)* preguntas!

Gabriel García Márquez was a Colombian novelist who won the Nobel Prize for Literature (1982). He is best known for his novel *Cien años de soledad / One Hundred Years of Solitude* (1967). Mario Vargas Llosa, originally from Peru, is one of Latin America's leading novelists and essayists—among his novels is *La fiesta del chivo / The Feast of the Goat* (2000), set in the Dominican Republic. Born in Chile, Isabel Allende is an award-winning Latin American novelist who is known for her novel *La casa de los espíritus / The House of the Spirits* (1982). Raised in the Dominican Republic and the U.S., Julia Álvarez is a successful Latin American writer who wrote *How the García Girls Lost Their Accents* (1992).

3  **Más preguntas** For each activity indicated, take turns asking and answering questions with a partner.

MODELO bailar (cuándo)
   Estudiante #1: *¿Cuándo bailas?*
   Estudiante #2: *Bailo los viernes.*

1. estudiar (qué)
2. visitar a amigos (cuándo)
3. hablar con la profesora (por qué)
4. caminar (adónde)
5. tener años (cuánto)
6. tomar un refresco con amigos (dónde)

4 **¡Qué curiosidad!** In groups of three or four, take turns coming up with as many questions as you can for each activity listed. (Take turns writing down the questions or keep your own list.) Then compare your group's questions with another group to see who has the most questions for each activity.

1. cocinar
2. sacar fotos
3. estudiar
4. escuchar música
5. comprar muchos libros
6. tomar clases

5 **Encuesta 1** In the chapter activities labeled **"Encuesta"** you will gather information from your fellow students in order to write a description of life at your college or university in the **A escribir** section at the end of the chapter.

1. In groups of three or four, first prepare a questionnaire by creating two questions for each category, using the cues provided or coming up with your own.

   El horario: clases por día *(a day)* / semana *(a week)*, lugar preferido para estudiar

   El trabajo: lugar de trabajo, horas de trabajo

   La computadora: tiempo que pasas online, sitios interesantes en Internet

   La universidad: clases difíciles y fáciles, las horas por semana que estudias, profesores buenos y malos

2. Now work with another group and ask its members to answer your questionnaire. Be sure to answer their questions as well. Keep track of your results. You will need them later in the chapter.

Por la mañana, corro en el parque.

Talking about daily activities:
The present indicative of regular **-er** and **-ir** verbs

Cómo usarlo

In **Chapter 2**, you learned how to use the present indicative of regular **-ar** verbs to talk about daily activities. The present indicative of **-er** and **-ir** verbs are used in the same contexts.

Remember:

1. The present indicative, depending on how it is used, can correspond to the following English usages: *I read* (in general), *I am reading, I am going to read, I do read*, and, if used as a question, *Do you read?*

2. You can often omit the subject pronoun when the subject is clear from the verb ending used or from the context of the sentence.

   Leo en la biblioteca todos los días.   *I read in the library every day.*
   Lees en la residencia estudiantil, ¿no?   *You read in the dorm, right?*

3. You may use an infinitive after certain conjugated verbs.

   ¿**Tienes que imprimir** esto?   *Do you have to print this?*
   ¿**Debes leer** este libro?   *Do you need to read this book?*
   ¡**Dejo de leer** después de medianoche!   *I stop reading after midnight!*

4. However, do not use two verbs conjugated in the present tense together unless they are separated by a comma or the words **y** *(and)* or **o** *(or)*.

   Leo, estudio y **escribo**   *I read, study, and write*
   composiciones en la biblioteca.   *compositions in the library.*

5. Remember that you can negate sentences in the present indicative tense to say what you don't do or aren't planning to do by placing the word **no** before the conjugated verb.

   No comemos en la   *We're not eating in the*
   cafetería hoy.   *cafeteria today.*
   No leo todos los días.   *I don't read every day.*

Cómo formarlo

To form the present indicative tense of **-er** and **-ir** verbs, simply remove the **-er** or **-ir** and add the following endings.

comer *(to eat)*			
yo	**como**	nosotros / nosotras	**comemos**
tú	**comes**	vosotros / vosotras	**coméis**
Ud. / él / ella	**come**	Uds. / ellos / ellas	**comen**

vivir *(to live)*	
yo **vivo**	nosotros / nosotras **vivimos**
tú **vives**	vosotros / vosotras **vivís**
Ud. / él / ella **vive**	Uds. / ellos / ellas **viven**

Notice that the present indicative endings for **-er** and **-ir** verbs are identical except for the **nosotros** and **vosotros** forms.

Here are some commonly used **-er** and **-ir** verbs.

-er verbs			
aprender a (+ infinitive)	*to learn to (do something)*	**creer (en)**	*to believe (in)*
beber	*to drink*	**deber** (+ infinitive)	*should, ought (to do something)*
comer	*to eat*	**leer**	*to read*
comprender	*to understand*	**vender**	*to sell*
correr	*to run*		

-ir verbs			
abrir	*to open*	**escribir**	*to write*
asistir a	*to attend*	**imprimir**	*to print*
compartir	*to share*	**recibir**	*to receive*
describir	*to describe*	**transmitir**	*to broadcast*
descubrir	*to discover*	**vivir**	*to live*

ACTIVIDADES

6 **¿Qué hacen?** Based on the information provided, what do the people indicated do? Choose verbs from the list. Follow the models.

MODELOS Carlos ya no necesita esa cámara digital.
Vende la cámara.
Tú y yo necesitamos hacer ejercicio.
Corremos en el parque.

Verbos posibles: aprender / asistir / comer / compartir / correr / vender

1. ¡Olivia tiene la clase de biología a las tres y ya son las tres y cinco! _____ a la universidad.
2. A Susana no le gusta esa bicicleta. _____ la bicicleta.
3. Raúl y Enrique tienen que viajar a Puerto Rico en dos meses. _____ español.
4. Elena y yo no comprendemos las lecturas del libro. _____ a una clase particular *(tutorial)*.
5. No me gustan los restaurantes de aquí. _____ en la cafetería todos los días.
6. Susana vive con una compañera de cuarto. _____ el apartamento con ella.

7 **La vida estudiantil** Say what the people indicated are doing today on campus. The numbers indicate how many actions are going on for each person.

1. Juan Carlos e Isabel (1)
2. Marcos (2)
3. Cecilia y Marta (2)
4. Radio WBRU (1)
5. Y tú, ¿qué haces *(what are you doing)*?

8 **¿Y tú?** With a partner, take turns asking and answering the following questions.

1. ¿A qué hora asistes a tu primera clase del día?
2. ¿Vives en un apartamento o en una residencia?
3. ¿A qué hora comes la cena *(dinner)*?
4. ¿Recibes muchos mensajes de texto de tu familia?
5. ¿Escribes muchos informes?
6. ¿Dónde lees los libros para tus clases?

9 **¿Qué hacemos?** Using an element from each of the three columns, create eight sentences describing what you and people you know do on and around campus.

MODELO *Yo asisto a clases los lunes, los miércoles y los jueves.*

A	B	C
yo	aprender a hablar	café por la mañana
tú	español	en el centro de comunicaciones
compañero(s)	asistir a	clases *(número)* días de la semana
de cuarto	beber	mensajes de texto todos los días
profesor(es)	comprender	en el estadio
estudiante(s)	correr	la importancia de Internet
amigo(s)	creer (en)	clases los *(día de la semana)*
	escribir	novelas latinoamericanas en
	leer	el parque
	recibir	poemas para la clase de literatura
		las lecturas del libro
		¿...?

10 **Encuesta 2** Use the interrogatives you learned earlier in the chapter along with the cues provided. Once your group has completed the questionnaire, ask the questions to members of another group. Remember to save their responses for use later in the chapter.

MODELO (correr en el parque)
Estudiante # 1: ¿Cuándo corres en el parque?
Estudiante # 2: Corro en el parque los lunes y los sábados.
Estudiante # 3: No corro en el parque.

1. leer libros / en una semana
2. compartir cuarto / con compañero(a) de cuarto
3. asistir a clase / todos los días
4. comer en la cafetería / días en una semana
5. vender / libros de texto

11 **La vida universitaria** Write a message to a friend describing your university life. Mention the following things or anything else you might want to talk about. Save your work for use later in the chapter.

- cuántas clases tienes y los días que asistes a clase
- dónde y cuándo comes
- dónde vives
- qué libros lees
- qué actividades te gustan (correr, levantar pesas, mirar televisión, navegar por Internet, leer, escribir, etc.)

GRAMÁTICA ÚTIL 3

Talking about possessions: Simple possessive adjectives

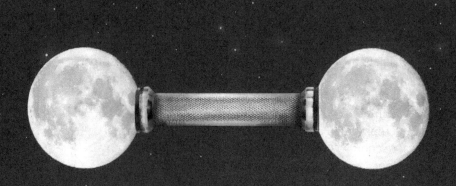

Tus horas son nuestras horas

Abierto 24 horas al día para acomodar los horarios
más exigentes... y a los atletas más dedicados

GIMNASIO EL NOCTÁMBULO

www.elnoctambulo.com

1590 Condado Ave., Condado 907 PR

What two possessive adjectives do you see in this ad for a gym?

Cómo usarlo

1. You already have learned to express possession using **de** + a noun or name.

| Es la computadora portátil **de la profesora**. | *It's **the professor's** laptop computer.* |

2. You can also use possessive adjectives to describe your possessions, other people's possessions, or items that are associated with you. You are already familiar with some possessive adjectives from the phrases **¿Cuál es <u>tu</u> dirección?** and **Aquí tienes <u>mi</u> número de teléfono**.

| —¿Cuándo es **tu** clase de historia? | *When is **your** history class?* |
| — A las dos. Y **mi** clase de español es a las tres. | *At two. And **my** Spanish class is at three.* |

3. When you use **su** (which can mean *your, his, her, its,* or *their*), the context will usually clarify who is meant. If not, you can follow up with **de** + name.

Es **su** libro. Es **de la profesora**.   *It's **her** book. It's **the professor's**.*

Cómo formarlo

Lo básico

Possessive adjectives modify nouns in order to express possession. In other words, they tell who owns the item.

1. Here are the simple possessive adjectives in Spanish.

mi	*my*	**nuestro / nuestra**	*our*
mis		**nuestros / nuestras**	
tu	*your (fam.)*	**vuestro / vuestra**	*your (fam. pl.)*
tus		**vuestros / vuestras**	
su	*your (form.), his, her, its*	**su**	*your (pl.), their*
sus		**sus**	

2. Notice that...

- all possessive adjectives change to reflect number: **mi clase, mis clases; nuestro compañero de cuarto, nuestros compañeros de cuarto.**
- **mi, tu**, and **su** do not change to reflect gender, but **nuestro** and **vuestro** do: **nuestro libro, vuestras clases**, but **mi libro, mi clase.**
- unlike other adjectives, which often go after the noun they modify, simple possessive adjectives always go before the noun: **su profesora, nuestras amigas.**

The subject pronoun **tú** *(you)* has an accent on it to differentiate it from the possessive adjective **tu** *(your)*.

Tú trabajas los lunes, ¿verdad?

Tu libro está en mi casa.

ACTIVIDADES

12 **¿De quién es?** Say to whom the following things belong.

MODELO   computadora portátil, diccionario (yo)
Es mi computadora portátil. Es mi diccionario.

1. apuntes, tarea, CD, silla (yo)
2. bolígrafos, lápiz, celular, examen (María)
3. calculadoras, cuadernos, dibujo, mochilas (nosotros)
4. diccionario, notas, escritorio, DVD (tú)
5. libros, tiza, cuarto, papeles (la profesora Roldán)
6. computadora, fotos, salón de clase, apuntes (ustedes)

13 **¿Qué tienen?** Look at the pictures and state what each person has.

MODELO *Marta tiene su guitarra.*

Marta

1.

Martín

2.

Felipe y Eusebio

3.

Sarita y Estela

4.

tú y yo

5.

tú

6.

ustedes

14 **Conversaciones** You just met someone from Cuba. Write a message to him or her asking for more information. Use the following ideas for your message or make up your own questions.

- dirección
- número de teléfono
- cumpleaños
- clases

- amigos / compañeros de cuarto
- actividades favoritas
- ¿...?

15 **Nuestros amigos** Make two charts like the one below—one each for two of your friends. Put your name at the bottom of each chart. In groups of four, give one chart to each person. The person whose chart it is has to start the conversation. Then each of the others must say something about the friend using a possessive adjective. Notice whom you're addressing!

Mi amigo(a) se llama _____ ¿Cómo es?			
¿nacionalidad?	¿características físicas?	¿características de personalidad?	¿nacionalidad de sus papás?
_____	_____	_____	_____

MODELO

Estudiante #1: *Mi amigo es puertorriqueño.*
Estudiante #2: *Tu amigo puertorriqueño es alto.* (talking to Estudiante #1)
Estudiante #3: *Su amigo puertorriqueño es responsable.* (talking to others)
Estudiante #4: *Su amigo se llama Carlos y sus padres son puertorriqueños también.* (talking to others)

SONRISAS

COMPRENSIÓN

In your opinion, how would you describe the characters in the cartoon?

1. El hombre, en tu opinión, ¿es generoso y romántico, o manipulador? ¿Por qué?
2. Y la mujer, ¿es inocente y romántica, o manipuladora? ¿Por qué?
3. ¿Crees que los contratos prenupciales son una buena o una mala idea?

Indicating destination and future plans: The verb **ir**

Cómo usarlo

You can use the Spanish verb **ir** to say where you and others are going. You can also use it to say what you and others are going to do in the near future.

Vamos a la biblioteca mañana.	**We're going** to the library tomorrow.
Vamos a estudiar.	**We're going to study.**

Cómo formarlo

Lo básico

An *irregular verb* is one that does not follow the normal rules, such as **tener**, which you learned in **Chapter 1**.

A *preposition* links nouns, pronouns, or noun phrases to the rest of the sentence. Prepositions can express location, time sequence, purpose, or direction. *In, under, after, for,* and *to* are all English prepositions.

1. Here is the verb **ir** in the present indicative tense. **Ir**, like the verbs **ser** and **tener** that you have already learned, is an irregular verb.

ir *(to go)*			
yo	**voy**	nosotros / nosotras	**vamos**
tú	**vas**	vosotros / vosotras	**vais**
Ud. / él / ella	**va**	Uds. / ellos / ellas	**van**

2. Use the preposition **a** with the verb **ir** to say where you are going.

Voy a la cafetería.	**I'm going to** the cafeteria.

3. When you want to use the verb **ir** to say what you are going to do, use this formula: **ir** + **a** + *infinitive.*

Vamos a comer a las cinco hoy.	**We're going to eat** at 5:00 today.
Después, **vamos a ir** al concierto.	Afterward, **we're going to go** to the concert.

4. When you use **a** together with **el**, it contracts to **al**. The same holds true for **de** + **el**: **del**.

$$a + el = al \qquad de + el = del$$

Voy **a la** biblioteca y luego **al** gimnasio. Después, **al** mediodía, voy a trabajar en la biblioteca **del** centro de comunicaciones.

Quiero hacerle una entrevista para un programa que **vamos a transmitir** en la página web de la universidad.

You have already used similar expressions: **necesitar** + infinitive *(to need to do something),* **tener que** + infinitive *(to have to do something),* and **dejar de** + infinitive *(to stop doing something).*

Note that when an article is part of a complete name, it doesn't shorten to **al** or **del**: **Soy de El Salvador.**

ACTIVIDADES

16 **Vamos a...** Say what the people indicated plan to do and where they are going to do it.

MODELO   yo (estudiar: biblioteca)
Voy a estudiar. Voy a la biblioteca.

1. Pedro y Rafael (levantar pesas: gimnasio)
2. mi compañero de cuarto y yo (correr: parque)
3. Fabiola (escuchar los audios de español: centro de comunicaciones)
4. Tomás, Andrea y yo (tomar un refresco: cafetería)
5. tú (comprar libros: librería)
6. Lourdes (descansar: residencia estudiantil)
7. tú (leer libros: biblioteca)
8. David y Patricia (comer: restaurante caribeño)

17 🔊 **¡Pobre Miguel!** Listen as Miguel describes his schedule to his best friend Cristina. As you listen, write down where he goes on each day of the week. Then use **ir** + **a** to create seven complete sentences that describe his schedule.

MODELO   **You hear:** El lunes tengo clase de música.
You write: *El lunes va a la clase de música.*

1. los lunes:
2. los martes:
3. los miércoles:
4. los jueves:
5. los viernes:
6. los sábados:
7. los domingos:

18 🔄 **Encuesta 3** You need to get more information about student life for the description you will be writing later in this chapter. Find out as much as you can about your partner's leisure activities. Ask questions such as the following and take notes. Then, as a class, tally the information you collected.

El tiempo libre

1. ¿Adónde vas los viernes y los sábados por la noche? ¿Con quién vas?
2. ¿Adónde vas entresemana cuando no estudias? ¿Con quién vas?
3. ¿...?

Vocabulario útil: ir a... un club, una discoteca, una fiesta *(party)*, un restaurante, un centro comercial *(mall)*, un partido *(game)* de fútbol americano / de básquetbol, etc.

If you want to review leisure activities, go back to **Chapter 2**.

¡Explora y exprésate!

Cuba

© claffra/Shutterstock.com

▶ Información general

Nombre oficial: República de Cuba

Población: 11.167.325

Capital: La Habana (f. 1515) (2.106.146 hab.)

Otras ciudades importantes: Santiago (506.037 hab.), Camagüey (323.309 hab.)

Moneda: peso cubano

Idiomas: español (oficial)

Consulta el mapa de Cuba en el **Apéndice D**.

Notice that **f.** is the abbreviation for **fundado(a)**, which means *founded*. La Habana, the capital city of Cuba, was founded in 1515.

Notice that **hab.** is the abbreviation for **habitantes**, which means *inhabitants*.

A tener en cuenta

- La población de la isla es una mezcla *(mixture)* de indígenas taínos, inmigrantes europeos y descendientes de esclavos *(slaves)* africanos, circunstancia que produce una cultura única. También hay una población significativa de ascendencia china, resultado de la inmigración china a Norteamérica y al Caribe durante el siglo XIX.
- Raúl Castro (hermano de Fidel) es el actual presidente de Cuba.

La educación para todos

Cuba se distingue por tener uno de los mejores sistemas de educación del mundo. Desde la revolución cubana en 1959, el sistema de educación ha sido *(has been)* prioridad del gobierno cubano, empezando con la Campaña Nacional de Alfabetización en Cuba en 1960. El objetivo de la campaña fue *(was)* eliminar el analfabetismo *(illiteracy)* y llevar maestros *(to bring teachers)* y escuelas *(schools)* a todas las regiones del país.

© Chine Nouvelle/SIPA/Newscom

Puerto Rico

▶ **Información general**

Nombre oficial: Estado Libre Asociado de Puerto Rico *(Commonwealth of Puerto Rico)*

Población: 3.725.789

Capital: San Juan (f. 1521) (381.931 hab.)

Otras ciudades importantes: Ponce (132.502 hab.), Caguas (82.243 hab.)

Moneda: dólar estadounidense

Idiomas: español, inglés (oficiales)

A tener en cuenta

- Los puertorriqueños también son conocidos como *(are also known as)* "boricuas", ya que antes de la llegada de los europeos en 1493 la isla se llamaba *(was called)* Borinquen.
- Los puertorriqueños son ciudadanos *(citizens)* estadounidenses, pero no votan en las elecciones de Estados Unidos.

Consulta el mapa de Puerto Rico en el **Apéndice D**.

La educación bilingüe

La educación en Puerto Rico está garantizada constitucionalmente y es gratuita hasta el nivel secundario *(secondary level)*. El español es el idioma de instrucción, pero los estudiantes toman clases de inglés en todos los grados. Los estudios universitarios son iguales al sistema estadounidense: el bachillerato *(bachelor's degree)*, la maestría *(master's degree)* y finalmente el doctorado *(Ph.D)*. Ser boricua es ser bilingüe.

La República Dominicana

Consulta el mapa de la República Dominicana en el **Apéndice D**.

A tener en cuenta

- La isla que comparten la República Dominicana y Haití se llama La Española. Estuvo bajo *(It was under)* control español hasta 1697, cuando la parte oeste *(western)* pasó a ser territorio francés.

- Santo Domingo es la primera ciudad del Nuevo Mundo *(New World)*. En esta ciudad capital, se construyeron *(were built)* la primera catedral, el primer hospital y la primera universidad del Nuevo Mundo.

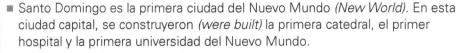

La universidad más antigua del Nuevo Mundo

La Universidad Santo Tomás de Aquino, ahora conocida como la Universidad Autónoma de Santo Domingo, es considerada *(is considered)* la universidad más antigua del Nuevo Mundo. Fundada en 1538 —unos cien años antes que Harvard en 1636 y Yale en 1701— empezó *(it began)* con cuatro facultades: Medicina, Derecho *(Law)*, Teología y Artes. ¡Cómo han cambiado los tiempos! *(How times have changed!)* Hoy día la universidad ofrece más especialidades, entre ellas: ingeniería, arquitectura, economía e informática, por supuesto.

> ### ▶ Información general
>
> **Nombre oficial:** La República Dominicana
>
> **Población:** 9.445.281
>
> **Capital:** Santo Domingo (f. 1492) (2.374.370 hab.)
>
> **Otras ciudades importantes:** Santiago de los Caballeros (963,422 hab.), La Romana (245.433 hab.)
>
> **Moneda:** peso dominicano
>
> **Idiomas:** español

EN RESUMEN

La información general Answer these questions in English.

1. Look at the map on page 87. What is the Spanish name of the area in which these three countries are located?
2. Which of the three countries is closest to the United States?
3. Which two countries are islands and which one shares an island with another country?
4. Why are Puerto Ricans called **boricuas**?
5. Which island citizens are also American citizens?
6. Which country boasts the first city in the New World?

El tema de la educación

1. What was the objective of Cuba's "Campaña Nacional de Alfabetización"?
2. Why are **boricuas** bilingual?
3. What were the first four academic departments established in the oldest university of the New World?

¿Quieres saber más?

On the chart that you started at the beginning of the chapter, add what you already know under **Lo que aprendí**. For the **Lo que quiero aprender** column, pick one or two of the things you would still like to learn, or one or two of the key words below to investigate online. Be prepared to share this information with the class.

Palabras clave: Cuba la Revolución Cubana, José Martí, Celia Cruz; **Puerto Rico** Estado Libre Asociado de Puerto Rico, Rosario Ferré, Tito Puente; **República Dominicana** Juan Pablo Duarte, las hermanas Mirabal, Sammy Sosa

⊕ To learn more about Cuba, Puerto Rico, and the Dominican Republic, watch the cultural footage in the Media Library.

© Diego Cervo/Shutterstock.com

A leer

Antes de leer

1 Look at the following article about three different schools **(escuelas)** in the Caribbean. Focus on the photos, captions, and headlines, then match the general information on the right with the photos on the left.

1. _____ Foto A
2. _____ Foto B
3. _____ Foto C

a. Aquí los estudiantes estudian técnicas para filmar programas de televisión y cine.
b. Los estudiantes de esta escuela toman clases de música.
c. Esta escuela ofrece cursos de bellas artes, ilustración, diseño gráfico y diseño digital.

2 The following are some unknown words and phrases you will encounter in the reading passages. Although not all the words are cognates, they are somewhat similar to their English counterparts. See if you can match them up.

1. _____ sin pagar nada
2. _____ se han graduado
3. _____ está afiliada a
4. _____ se admiten
5. _____ construyó
6. _____ villa
7. _____ fue inaugurado
8. _____ se ofrecen
9. _____ edición
10. _____ han recibido

a. *was inaugurated*
b. *village*
c. *without paying anything*
d. *editing*
e. *are admitted*
f. *constructed*
g. *have received*
h. *is affiliated with*
i. *have graduated*
j. *are offered*

3 Now, using the information you gained from looking at the visuals, read the article, and focus on getting the main idea. Don't forget to use cognates and active vocabulary to help you understand the content. Try not to worry about unknown words and just focus on getting the main information.

Tres escuelas interesantes del Caribe

A. El saxofonista puertorriqueño David Sánchez, uno de los graduados famosos de "La Libre"

La Escuela Libre[1] de Música Ernesto Ramos Antonini

En Puerto Rico muchos estudiantes de música toman sus cursos sin pagar nada, gracias a cinco escuelas públicas de educación musical. Establecidas a finales de los años 40 por un político local, estas escuelas han graduado a miles[2] de estudiantes. Entre los estudiantes famosos están el saxofonista de jazz David Sánchez y el cantante salsero Gilberto Santa Rosa.

La escuela más grande es la de San Juan, que está afiliada al prestigioso Berklee College of Music en Boston. Los cursos incluyen música clásica, rock, jazz, contemporánea y tradicional, y el currículum prepara a los estudiantes para estudiar cursos más avanzados en el Conservatorio de Música de Puerto Rico. En la escuela de San Juan solo se admiten 100 estudiantes al año, aunque reciben más de 600 solicitudes[3], así que los estudiantes de la escuela están entre los más talentosos de la isla.

La Escuela de Diseño Altos de Chavón

Esta escuela data de los años 70, cuando la República Dominicana construyó un centro cultural en la pequeña villa de Altos de Chavón. La Escuela de Diseño, que forma parte del centro, fue inaugurada por Frank Sinatra en 1982 y está afiliada al famoso Parsons The New School for Design en la ciudad[4] de Nueva York.

Los 110 estudiantes de La Escuela de Diseño estudian materias como bellas artes e ilustración, diseño gráfico, diseño de modas[5], diseño digital y diseño de interiores. Más de 1.000 estudiantes dominicanos y de otras nacionalidades se han graduado de la escuela. Los graduados de la escuela pueden transferirse directamente a Parsons en Nueva York o París.

B. Unas estudiantes de arte de La Escuela de Diseño

La Escuela Internacional de Cine y Televisión

En la Escuela Internacional de Cine y Televisión (EICTV) de San Antonio de los Baños, Cuba, se ofrecen cursos de formación audiovisual para estudiantes de todo el mundo[6]. La EICTV fue[7] inaugurada en 1986 y fue presidida por el famoso escritor colombiano Gabriel García Márquez hasta 2014. Los profesores, además de ser instructores, son cineastas profesionales que dirigen[8] películas y documentales a nivel mundial[9].

Los estudiantes de la EICTV estudian siete especialidades en el curso regular: guión[10], producción, dirección, fotografía, sonido[11], edición y documentales. También se presentan unos veinte talleres[12] especializados cada año. Más de 1.500 estudiantes de unos treinta países se han graduado de la EICTV desde su inauguración y los graduados de la escuela han recibido más de 100 premios[13] en varios festivales nacionales e internacionales.

C. Un estudiante de la Escuela Internacional de Cine y Televisión

[1] Free [2] thousands [3] **aunque…** although they receive [4] city [5] fashion [6] world [7] was
[8] they direct [9] **a…** worldwide [10] script [11] sound [12] workshops [13] prizes

Después de leer

4 Answer the following questions about the readings to see how well you understood them.

1. ¿Quiénes son dos graduados famosos de la Escuela Libre de la Música?
2. ¿A qué institución estadounidense está afiliada la Escuela Libre de Música?
3. ¿Cuáles son tres tipos de música que los estudiantes estudian en la Escuela Libre?
4. ¿A qué institución estadounidense está afiliada la Escuela de Diseño Altos de Chavón?
5. ¿Cuáles son cuatro materias que se ofrecen en la Escuela de Diseño?
6. ¿Cuántos graduados de la Escuela de Diseño hay?
7. ¿Qué autor estuvo *(was)* relacionado con la EICTV?
8. ¿Cuáles son cuatro campos de estudio que se ofrecen en la EICTV?

5 🔁 With a partner, answer the following questions about the reading and about your own interests.

1. ¿Cuál de las tres escuelas les interesa *(interests you)* más?
2. ¿Cuál de los campos de estudio de esa escuela les interesa más?
3. ¿Conocen *(Are you familiar with)* escuelas similares en Estados Unidos? ¿Cómo se llaman?

Una escuela especializada de Estados Unidos es RISD, the Rhode Island School of Design, en Providence, Rhode Island.

© Andre Jenny / Alamy

A escribir

Antes de escribir

1 Retrieve the information from the three **Encuesta** activities (**Activity 5** on page 101, **Activity 10** on page 105, and **Activity 18** on page 111). With a partner, study the results and brainstorm ideas to describe the life of a typical student at your university.

2 Look at the following partial diary entry and organize your information into a similar format. Try to use only words you've already learned.

> viernes, 10 de octubre
>
> ¡Tengo muchas actividades hoy! A las ocho, tengo clase de química. Luego, voy a ir al café para estudiar para el examen de historia a las diez...
> Por la tarde, tengo que...
> Por la noche, voy a...

Composición

3 Using the previous model, work with your partner on a rough draft of your diary entry. For now, just write freely without worrying about mistakes. Here are some additional words and phrases that may be useful as you write.

primero	first	**finalmente**	finally
luego	later	**mucho que hacer**	a lot to do
entonces	then	**un día (muy) ocupado**	a (very) busy day
después	after	**con**	with

Después de escribir

4 Now, with your partner, go back over your diary entry and revise it.

Did you...

- make sure you included all the necessary information?
- check to make sure the verbs are conjugated correctly?
- make sure articles, nouns, and adjectives agree?
- use possessive adjectives correctly?
- look for misspellings?

ESTRATEGIA

Prewriting— Brainstorming ideas

When you are planning to write and need ideas, try brainstorming. You can do this verbally with a partner, writing down your ideas, or on your own, writing freely and without restriction. The key thing is to write ideas as they occur, without evaluating them. Then take the list of ideas and decide which work best.

It is important to try to brainstorm in Spanish. This will get you to start "thinking" in Spanish, which in turn will lead to increased comfort and ease with the language.

¡Vívelo!

You are going to work with a group of classmates to create a treasure hunt for another group of students. The clues you write for the hunt will be based on your weekly activities and will lead the other group to different places on the university campus until they find the "treasure" you have hidden for them!

Antes de clase

Before you come to class, prepare a list of five Spanish sentences that describe something you do on campus each day, Monday through Friday. Each should mention a different campus location. Follow the models.

MODELOS   *Los lunes, nado en la piscina del gimnasio a las tres de la tarde.*
          Los martes, voy a la clase de biología en Brown Auditorium a las
              ocho y media de la mañana.
          Los miércoles…
          etc.

Durante la clase

Paso 1 In a group of five students, work together to analyze your lists of sentences. Choose a total of five sentences from all your lists, one for each student, that refer to different places. Use these combinations of times, places and activities to create five clues for your hunt, following the model below. Put each clue on a separate piece of paper and number them 1–5. At the end of the class, you will give the first clue to another group, who will use it to begin their treasure hunt when it is time.

MODELO   Pista *(Clue)* 1: *Brynn va allí a las tres de la tarde todos*
              los lunes.

Paso 2 Now, with your group from **Paso 1**, find another group of five students to work with. Each student should interview a student in the other group about his or her activities and take detailed notes. You will need the information from these notes in order to solve the other group's clues and find their hidden treasure. Follow the model.

MODELO   —*Brynn, ¿qué haces los lunes?*
          —*Los lunes nado en la piscina del gimnasio a las tres.*
          —*¿Y qué haces los martes?*
          —*Los martes voy…*

Escribe tus notas en la tabla:

Nombre:				
Día	**Actividad**		**Hora**	**Lugar**
lunes				
martes				
miércoles				
jueves				
viernes				

Paso 3 Now use the list of sentences you prepared at home to answer questions from a student in the other group. Once everyone has finished, give the other group the first clue you wrote in **Paso 1**.

Paso 4 With your original group, decide what your treasure will be. Choose a student or students to go and hide the clues in the places you decided upon and to put the treasure in the place where the final clue leads. Your teacher will announce when the treasure hunts will begin. This will give you time to hide your clues and treasure.

Fuera de clase

After your group has set up your treasure hunt for the other group, use the clue they gave you to begin the hunt they created for you. Use your notes with the information you gathered about the other students' schedules and activities to answer the first clue and go where it tells you. Once you are there, you will find a clue to the next location, and so on. Don't stop until you find the hidden treasure!

¡Compártelo!

Once you have found the other group's treasure, take a photo of your group with the treasure and post it on Share It! Be sure to include comments and ask questions about it!

Get a cell number from someone in the other group in case you need to ask additional questions while on the hunt… Remember only to use Spanish!

Vocabulario

Campos de estudio   *Fields of study*

Los cursos básicos   *Basic courses*
la (doble) especialidad   *(double) major*
la arquitectura   *architecture*
las ciencias políticas   *political science*
la economía   *economics*
la educación   *education*
la geografía   *geography*
la historia   *history*
la ingeniería   *engineering*
la psicología   *psychology*

Las humanidades   *Humanities*
la filosofía   *philosophy*
la literatura   *literature*

Las lenguas / Los idiomas   *Languages*
el alemán   *German*
el chino   *Chinese*
el español   *Spanish*
el francés   *French*
el inglés   *English*
el japonés   *Japanese*

Las matemáticas   *Mathematics*
el cálculo   *calculus*
la computación   *computer science*

la estadística   *statistics*
la informática   *computer science*

Las ciencias   *Sciences*
la biología   *biology*
la física   *physics*
la medicina   *medicine*
la química   *chemistry*
la salud   *health*

Los negocios   *Business*
la administración de empresas
    business administration
la contabilidad   *accounting*
el mercadeo   *marketing*

La comunicación pública   *Public communications*
el periodismo   *journalism*
la publicidad   *advertising*

Las artes   *The arts*
el arte   *art*
el baile   *dance*
el diseño gráfico   *graphic design*
la música   *music*
la pintura   *painting*

Lugares en la universidad   *Places in the university*

¿Dónde tienes la clase de...?
    Where does your . . . class meet?
En el centro de computación.
    In the computer center.
el centro de comunicaciones   *the media center*
el gimnasio   *the gymnasium*

la cafetería   *the cafeteria*
la librería   *the bookstore*
la residencia estudiantil   *the dorm*

Los días de la semana   *The days of the week*

lunes *Monday*	**miércoles** *Wednesday*	**viernes** *Friday*	**domingo** *Sunday*
martes *Tuesday*	**jueves** *Thursday*	**sábado** *Saturday*	

Para pedir y dar la hora   *Asking for and giving the time*

Mira el reloj para decir la hora.
    Look at the clock to tell the time.
¿Qué hora es?   *What time is it?*
Es la una.   *It's one o'clock.*
Son las dos.   *It's two o'clock.*
Son las... y cuarto.   *It's . . . fifteen.*
Son las... y media.   *It's . . . thirty.*
Son las... menos cuarto.   *It's a quarter to . . .*

Faltan quince para las...   *It's a quarter to . . .*
tarde   *late*
temprano   *early*
¿A qué hora es la clase de español?
    (At) What time is Spanish class?
Es a la / a las...   *It's at . . .*

Mañana, tarde o noche   *Morning, afternoon, or night*

de la mañana *in the morning* (with precise time)
de la tarde *in the afternoon* (with precise time)
de la noche *in the evening* (with precise time)
Es mediodía. *It's noon.*

Es medianoche. *It's midnight.*
por la mañana *during the morning*
por la tarde *during the afternoon*
por la noche *during the evening*

Para hablar de la fecha   *Talking about the date*

¿Qué día es hoy? *What day is today?*
Hoy es martes treinta. *Today is Tuesday the 30th.*
¿A qué fecha estamos? *What is today's date?*
Es el treinta de octubre.
  It's October 30th / the 30th of October.
Es el primero de noviembre.
  It's November 1st / the first of November.
¿Cuándo es el Día de la(s) Madre(s)?
  When is Mother's Day?
Es el doce de mayo. *It's May 12th.*
el día *day*

la semana *week*
el fin de semana *weekend*
el mes *month*
el año *year*
todos los días *every day*
entresemana *during the week / on weekdays*
ayer *yesterday*
hoy *today*
mañana *tomorrow*

Para hacer preguntas   *Asking questions*

¿Cómo? *How?*
¿Cuál(es)? *What? Which one(s)?*
¿Cuándo? *When?*
¿Cuánto(a)? *How much?*
¿Cuántos(as)? *How many?*
¿De quién es? *Whose is this?*

¿De quiénes son? *Whose are these?*
¿Dónde? *Where?*
¿Por qué? *Why?*
¿Qué? *What? Which?*
¿Quién(es)? *Who?*

Verbos

abrir *to open*
aprender a *to learn*
asistir a *to attend*
beber *to drink*
comer *to eat*
compartir *to share*
comprender *to understand*
correr *to run*
creer (en) *to believe (in)*
deber *should, ought*
dejar de *to stop (doing something)*

describir *to describe*
descubrir *to discover*
escribir *to write*
imprimir *to print*
ir *to go*
ir a *to be going to (do something)*
leer *to read*
recibir *to receive*
transmitir *to broadcast*
vender *to sell*
vivir *to live*

Adjetivos posesivos

mi(s) *my*
tu(s) *your (fam.)*
su(s) *your (sing. form., pl.) his, her, their*

nuestro(a) / nuestros(as) *our*
vuestro(a) / vuestros(as) *your (pl. fam.)*

Contracciones

al (a + el) *to the*
del (de + el) *from the, of the*

Otras palabras

porque *because*
escuela *school*

Repaso y preparación

Repaso del Capítulo 3

Complete these activities to check your understanding of the new grammar points in **Chapter 3** before you move on to **Chapter 4**.

The answers to the activities in this section can be found in **Appendix B**.

Interrogative words (p. 98)

1 Complete each sentence in the chat with an interrogative word **(cuál, cuándo, cuántas, por qué, qué, quién)**, capitalizing as needed.

Finita7:   Marcos, (1) ¿_____ estudias?

Marcosis: Historia. (2) ¿_____?
Finita7:   ¡Necesito tu ayuda! ¡Por favor!

Marcosis: (3) ¿_____ es tu problema?
Finita7:   ¡Tengo que escribir un informe!

Marcosis: ¿(4) _____ tienes que entregar la tarea?
Finita7:   ¡Mañana!

Marcosis: (5) ¿_____ páginas?
Finita7:   ¡Cinco!

Marcosis: (6) ¿_____ es el profesor?
Finita7:   ¡Martínez!

Marcosis: ¡Noooooooooo! Este problema no tiene solución...
Finita7:   :-O

The present indicative of regular **-er** and **-ir** verbs (p. 102)

2 Complete each sentence with the present-tense form of the verb indicated.

1. Marta _____ (escribir) la tarea para la clase de ciencias políticas.
2. Tú y yo _____ (deber) ir a la biblioteca.
3. Yo _____ (comer) pizza mientras estudio.
4. Ustedes _____ (vivir) en la Residencia Central, ¿verdad?
5. La profesora de literatura _____ (leer) muchas novelas.

Simple possessive adjectives (p. 106)

3 Complete each sentence with a possessive adjective that matches the subject of the sentence.

1. (Yo) No comprendo a _____ padres.
2. ¿(Tú) Tienes _____ notas?
3. (Nosotras) Escribimos _____ tarea.
4. Ella lee _____ papeles.
5. Ellos abren _____ libros.
6. Aquí (tú) tienes _____ celular.

The verb **ir** (p. 110)

4 Complete the sentences with the present-indicative forms of **ir**.

1. Si yo _____ a la biblioteca, ¿qué _____ a hacer ustedes?
2. Mi amiga _____ a correr, pero nosotros _____ al gimnasio.
3. Tú _____ a la librería, ¿verdad?

Preparación para el Capítulo 4

Complete these activities to review some previously learned grammatical structures that will be helpful when you learn the new grammar in **Chapter 4**.

Be sure to reread **Chapter 3: Gramática útil 2** before moving on to the new **Chapter 4** grammar sections.

The answers to the activities in this section can be found in **Appendix B**.

Gustar + *infinitive* (p. 60)

5 Use the cues to create complete sentences. Follow the model.

MODELO   (a Marta) / gustar correr
A Marta le gusta correr.

1. (a mí) / gustar leer
2. (a nosotros) / gustar comer
3. (a ustedes) / gustar bailar
4. (a ti) / gustar cocinar
5. (a él) / gustar patinar
6. (a mí) / gustar cantar

The present indicative of regular **-ar** verbs (p. 56)

6 Complete the description with present indicative forms.

Tengo dos compañeros de cuarto. Roque es muy serio y (1) _____ (estudiar) mucho. También (2) _____ (cocinar) la cena. ¡Es un chef fantástico! El otro, Raúl, (3) _____ (tocar) la guitarra y (4) _____ (cantar). A veces, él y Roque (5) _____ (levantar) pesas y (6) _____ (practicar) deportes, como el tenis y el fútbol. Nosotros (7) _____ (mirar) televisión y (8) _____ (alquilar) videos por las noches. ¿Y yo? Pues, yo (9) _____ (trabajar) mucho y a veces (10.) _____ (visitar) a mis amigos. ¡Yo no (11) _____ (pasar) mucho tiempo allí!

Present indicative of **ser** (p. 22), Adjective agreement (p. 64)

7 Use an adjective from the list to write a sentence with **ser** about each person.

MODELO   *Neli es muy trabajadora.*

Adjetivos: activo(a), divertido(a), egoísta, generoso(a), impaciente, perezoso(a), tímido(a), trabajador(a)

Neli

1.

Rogelio y Mauricio

2.

tú

3.

nosotros

4.

yo

5.

Sandra

6.

Néstor y Nicolás

© maxriesgo/Shutterstock.com

CONEXIONES VIRTUALES Y PERSONALES

Las nuevas tecnologías tienen un impacto tremendo en las áreas de las comunicaciones, los negocios y las relaciones personales, entre otras. ¡Nuestro mundo está cambiando *(is changing)* todos los días!

¿Cuáles son tus aparatos electrónicos favoritos y para qué los usas?

Un viaje por España

España es el único país europeo donde el español es la lengua oficial. Este país forma la Península Ibérica con Portugal y tiene costas en el Atlántico, el mar Mediterráneo y el mar Cantábrico. También tiene grandes extensiones montañosas, entre ellas los Pirineos y Sierra Nevada.

País / Área	Tamaño y fronteras	Sitios de interés
España 499.542 km²	un poco más de dos veces el área de Oregón; fronteras con Portugal, Francia y Andorra, y Marruecos (Ceuta y Melilla)	la Alhambra, el Museo del Prado, el Museo Guggenheim, las islas Canarias, las islas Baleares

¿Qué sabes? Di si las siguientes oraciones son ciertas **(C)** o falsas **(F)**.

1. España está situada completamente en Europa.
2. Varios grupos de islas también forman parte de España.
3. Hay museos importantes en España.
4. España es más pequeña que Oregón.

Lo que sé y lo que quiero aprender Completa la tabla del **Apéndice A**. Escribe algunos datos que **ya sabes** sobre España en la columna **Lo que sé**. Después, añade algunos temas que **quieres aprender** a la columna **Lo que quiero aprender**. Guarda la tabla para usarla otra vez en la sección **¡Explora y exprésate!** en la página 157.

COMMUNICATION

By the end of this chapter you will be able to

- talk about computers and technology
- identify colors
- talk about likes and dislikes
- describe people, emotions, and conditions
- talk about current activities
- say how something is done

CULTURES

By the end of this chapter you will have explored

- the Spanish empire
- the great artists and writers of Spain
- the Arabic influence on Spanish architecture
- Buika, a Spanish singer who blends many musical styles
- young people's attitudes toward technology
- borrowed words on the Internet

¡Imagínate!

Beto: ¡Estoy furioso!

Chela: Pero, ¿por qué?

Beto: Primero llego tarde a la clase de literatura.

Chela: Llegar tarde no es una tragedia.

Beto: ¡Tenemos examen! Abro mi **computadora portátil**, pero en la **pantalla** dice que no tengo suficiente **memoria** para abrir la **aplicación**.

Notice: In Spain, **la computadora** is called **el ordenador**. **El computador** is also used, mostly in Latin America. Another term for **hacer clic** is **pulsar**.

To describe the hard drive of your computer or its processor, use:

- **un disco duro con capacidad de 500 GB (gigabytes) o 10 TB (terabytes)**
- **un procesador a 2.4 o 2.53 GHz (gigahercios)**

La tecnología *El hardware*

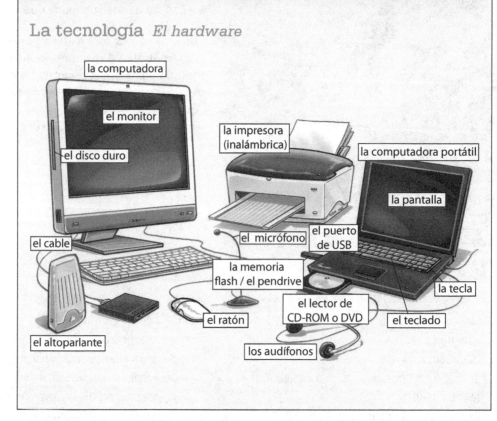

La tecnología *Technology*

El software *Software*
la aplicación *application*
el archivo *file*
el archivo PDF *PDF file*
el ícono del programa *program icon*
el juego interactivo *interactive game*
el programa antivirus *antivirus program*
el programa de procesamiento de textos *word processing program*

Funciones de la computadora
Computer functions
archivar *to file*
bajar / descargar *to download*
conectar *to connect*
enviar *to send*
funcionar *to function*
grabar *to record*
guardar *to save*
hacer clic / doble clic *to click / double-click*
instalar *to install*
subir / cargar *to upload*

PDF stands for **el formato de documento portátil** and is pronounced **pe-de-efe**.

When a color is used as an adjective, it comes after the noun it modifies.

■ If it ends in **-o,** it changes to match the gender and number of that noun: **la silla negra, los cuadernos rojos**.

■ If the color ends in **-e**, add an **s** to form the plural: **las pizarras verdes**.

■ If the color ends in a consonant, add **es** to the plural: **los libros azules**.

■ **Marrón** in the plural changes to **marrones**, with no accent. Can you figure out why, for pronunciation reasons, it loses the accent?

■ Note that **rosa** and **café** change to reflect number, but not gender.

■ If you want to say that a color is dark, use **fuerte** or **oscuro**. For example, **amarillo fuerte** or **amarillo oscuro**. If you want to say that a color is light, use **claro**. For example, **azul claro**.

Los colores

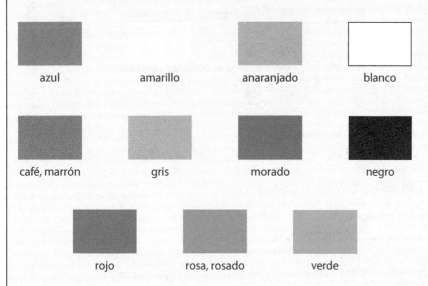

azul amarillo anaranjado blanco

café, marrón gris morado negro

rojo rosa, rosado verde

ACTIVIDADES

1 **La computadora** Un amigo necesita hacer *(needs to do)* ciertas cosas en la computadora. ¿Qué va a necesitar para hacer lo que quiere? Escoge de la segunda columna.

1. _____ Necesito imprimir el correo electrónico.
2. _____ Necesito ver un video de YouTube.
3. _____ Necesito conectar el monitor.
4. _____ Necesito escuchar música mientras trabajo.
5. _____ Necesito escribir un documento.
6. _____ Necesito archivar un documento.
7. _____ Necesito grabar un mensaje para enviar a mis amigos.
8. _____ Necesito quitar *(remove)* un virus.

a. los audífonos
b. la pantalla
c. el teclado
d. el disco duro
e. la impresora
f. el cable
g. el micrófono
h. el programa antivirus

Starting in this chapter, many of the activity direction lines will be presented in Spanish. Here are a few words that will help you understand Spanish direction lines: **di** *(say)*, **haz** *(do)*, **escoge** *(choose)*, **luego** *(then, later)*, **siguiente** *(following)*, **oración** *(sentence)*, **párrafo** *(paragraph)*.

2 🔁 **El sitio web** Tu compañero(a) quiere buscar información sobre ciertos temas en el servicio ¡VIVA! Latino. Tú le dices *(You tell him/her)* en qué enlace debe hacer clic. Luego, él/ella te dirige a los íconos que corresponden a tus intereses.

MODELO el Museo del Prado en Madrid
> **Compañero(a):** *Necesito más información sobre el Museo del Prado en Madrid.*
> **Tú:** *Haz clic en el enlace rojo.*

1. una dieta vegetariana
2. mi actor (actriz) favorito(a)
3. un diccionario español-inglés
4. la Copa Mundial de Fútbol
5. un programa de procesamiento de textos
6. la Universidad Complutense de Madrid
7. el periódico *El País* de Madrid
8. ¿…?

3 **Mi computadora** ¿Puedes diseñar una computadora? Inventa y describe una computadora con todos los componentes y menciona el color de cada uno si es apropiado.

MODELO *El monitor de mi computadora es azul y blanco. No tiene cables. El ratón es amarillo. Los altoparlantes son muy grandes…*

¡FÍJATE!

El lenguaje de Internet

© Brosa/iStock

The Internet is a source of entirely new words in English, a development that has created language issues for translators and Internet users alike. Online word forums in which people from different countries discuss how to translate Internet terms into their own languages are useful in dealing with these issues. In many cases, the universal Internet terms have simply stayed in English. Here are some examples of words that have commonly (or frequently) used Spanish translations, and others that do not yet (and may never!) have translations.

Blog: This is an abbreviated form of Web-log, and is usually referred to simply as *blog*, losing the *We* of Web. In Spanish, it is common to simply say **blog**, but it can also be defined as: **un diario personal en un sitio web que contiene reflexiones, comentarios, fotos, videos o enlaces**.

Forum: Foro is the common Spanish translation. If you are referring to an announcement board, you would say **un tablón de anuncios**. A message board is **un tablón de mensajes**.

Podcast: Un podcast is a radio broadcast that is Portable On Demand. If you want to use only Spanish words, you could say **una emisora radial en Internet**. **Los podcasts** are downloaded to **un teléfono inteligente** or **un smartphone**, where the user can listen to them at leisure.

Video conferencing: Chat with your friends via Internet using **un sistema de videoconferencia**, like Skype or Facetime.

Wifi: Most Spanish speakers simply say **wifi**, with a wide variation in pronunciation from country to country. To be technically correct, you could refer to it as **la red inalámbrica**. (**Alambre** means *wire,* which is why **inalámbrica** means *wireless.*) Although you would be understood with this mouthful of a phrase, you would probably be considered rather geeky. Stick with **wifi** for now.

Text messaging: Everyone texts these days. In Spanish this would be **enviar un mensaje de texto**.

Instant messaging: If you instant message someone, this is referred to as **enviar un mensaje instantáneo**.

Sound files: Music downloads are **archivos de sonido** or **MP3** that can be transferred directly to **los MP3 portátiles** or **los smartphones**.

Las redes sociales: Social networking sites like Facebook and Twitter have become the preferred mode of communication for many people throughout the world.

Without a doubt, the Internet will continue to create new functions and new words as its uses multiply. Don't panic! You can find a site online that will help you find just the Spanish expression you are looking for!

PRÁCTICA Escribe en inglés una lista de términos de Internet que no sabes decir en español. Con un(a) compañero(a), busca en Internet las traducciones y las pronunciaciones, o simplemente verifica si el término se usa en inglés.

Beto: Entonces, empiezo a salir del salón de clases. No sé en dónde, pero entre el salón y la biblioteca, pierdo mi asistente electrónico.

Chela: Ya me voy. Estoy muy **aburrida** con tu cuento trágico.

Note that Beto uses an **asistente electrónico** *(PDA)*. Today, most students use their smartphones to organize their schedules.

Las emociones *Emotions*

aburrido(a) *bored*
cansado(a) *tired*
contento(a) *happy*
enfermo(a) *sick*
enojado(a) *angry*
furioso(a) *furious*
nervioso(a) *nervous*
ocupado(a) *busy*
preocupado(a) *worried*
seguro(a) *sure*
triste *sad*

Aparatos electrónicos *Electronic devices*

la cámara digital *digital camera*
la cámara web *webcam*
el GPS *GPS*
el lector digital *e-reader*
el libro electrónico *e-book*
el MP3 portátil *portable MP3 player*
el reproductor / grabador de discos compactos *CD player / burner*
el reproductor / grabador de DVD *DVD player / burner*
la tableta *tablet*
el teléfono inteligente / smartphone *smartphone*
el televisor de alta definición *High-Definition television*
la videocámara *videocamera*

Products like the iPad ®, the iPhone®, Android™, the Blackberry®, Bluetooth®, etc., can all be referred to in English when speaking in Spanish. For example, **¿Tienes un iPhone? ¿De qué color es tu iPad?**

ACTIVIDADES

4 **Las emociones** ¿Cómo crees que están estas personas? Consulta la lista de emociones de la página 132 para describirlas.

MODELO   Amelia tiene un examen esta mañana y no tiene tiempo para estudiar.
          Está preocupada.

1. A Raúl le gusta navegar por Internet y jugar videojuegos. Hay una tormenta *(thunderstorm)* y por eso no hay electricidad en su casa. No tiene nada *(nothing)* que hacer.
2. Blanca acaba de comprar una computadora portátil pero cuando llega a casa, no funciona.
3. Julio tiene que escribir una composición de diez páginas para su clase de historia de mañana y todavía no ha empezado *(hasn't begun)*.
4. Mañana Luis tiene que ir al trabajo por tres horas, estudiar para un examen y hacer una investigación en Internet para la clase de filosofía.
5. Sabrina trabaja diez horas en la biblioteca, va a su clase de ejercicio aeróbico y camina a casa del gimnasio.
6. Marcos y Marina toman un refresco, escuchan música y conversan en un café en la Plaza Mayor.

5 ♻ **¿Eres un(a) "tecnogeek" o un(a) "tecnófobo(a)"?** With a partner, come up with a list of items related to technology. Then, in groups of four or five, ask each person in the group about each item. Based on your findings, decide who is the most technologically advanced and who is the most technologically inexperienced in the group. Use a point system of 1–5 to rate how tech-savvy someone is (1 = the least advanced and 5 = the most engaged). Report your findings to the class.

Sample items

teléfono inteligente   lector digital
computadora portátil   tomar clases virtuales en línea
tableta   *(take classes online)*
perfil *(profile)* en Facebook   bajar videos de YouTube

MODELO   —¿Bajas videos de YouTube?
          —Nunca bajo videos de YouTube.

6 🔗 **El Corte Inglés** El Corte Inglés es el almacén *(department store)* más grande de España. Con un(a) compañero(a), busca el sitio web de El Corte Inglés. Entren en el Departamento de Electrónica y contesten las siguientes preguntas.

1. ¿Cuáles son las subcategorías en el Departamento de Electrónica?
2. Entren en la subcategoría DVD & Blu-Ray. Nombren tres productos que hay allí y sus precios en euros (€).
3. Quieren comprarle un regalo *(gift)* a un amigo a quien le gusta la música. Busquen un regalo apropiado. ¿Qué es? ¿Cuánto cuesta?
4. Quieren comprarle un regalo a una amiga a quien le gusta grabar videos, pero no tienen mucho dinero *(money)*. Busquen la videocámara con el precio más bajo *(lowest price)*.
5. ¿Qué producto electrónico quieres comprar? ¿Cuánto cuesta?

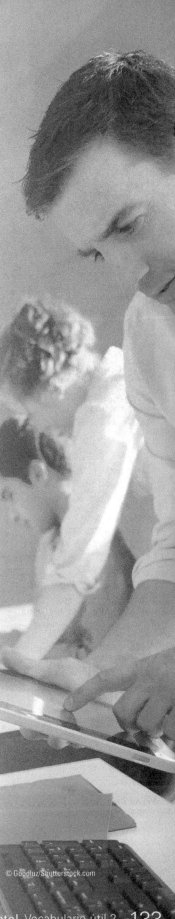

© Goodluz/Shutterstock.com

Beto: ¿Tú? ¿Tú eres Autora14?

Dulce: Sí, yo soy Autora14. ¿Por qué preguntas?

Beto: No, no, nada. ¿Te gustan los grupos de conversación?

Dulce: No, en realidad, no. Prefiero el **correo electrónico**.

Beto asks Dulce about **grupos de conversación** *(chat rooms)*. Have you ever used chat rooms? Do you use them now?

You are learning two words for e-mail: **correo electrónico** and **e-mail**. **Correo electrónico** refers more to the whole system of e-mail or a group of e-mails, while **el e-mail** refers to a specific e-mail message.

To say you are going to post something on your Facebook page, you can say:

Voy a publicar un post en mi página de Facebook.

Voy a publicar mi estado *(status)*.

Voy a publicar mis noticias *(news)*.

Voy a publicar algo en la biografía *(timeline)* **de mi amigo Javier.**

Voy a subir / bajar fotos / videos a mi página de Instagram.

Funciones de Internet *Internet functions*

acceder *to access*
el blog *blog*
el buscador *search engine*
el buzón electrónico *electronic mailbox*
chatear *to chat online*
el ciberespacio *cyberspace*
la conexión *connection*
hacer una conexión *to get online*
cortar la conexión *to get offline, to disconnect*
la contraseña *password*
el correo electrónico / el e-mail *e-mail*
en línea *online*
el enlace *link*
el foro *forum*
el grupo de noticias *news group*
la página web *web page*
la red (mundial) *World Wide Web*
la red social *social networking site*
el sitio web *website*
el (la) usuario(a) *user*
el wifi *wifi, wireless connection*

7 🎯 **¡Gran sorteo!** Completa el cuestionario para el concurso *(contest)* de la revista *DIGITAL en Español*. Compara tus respuestas con las respuestas de diez compañeros de clase. Haz una gráfica como la de la página 136 que muestre *(shows)* los resultados de tu cuestionario. Llena los espacios en blanco *(Fill in the blanks)* con el número de estudiantes que marcaron *(marked)* esa respuesta.

Digital en Español — ¡GRAN SORTEO!

Participe en el sorteo de *Digital en Español* y gánate una impresora multifunción que puede colocarse perfectamente sobre cualquier escritorio. Además, resulta fácil de usar y funciona como impresora, escáner, copiadora y fax. Este modelo puede ser conectado fácilmente a tu computadora con conexiones inalámbricas Bluetooth 2.0 o Wifi.

1. ¿Usas computadora portátil o una de escritorio?
_____ portátil
_____ de escritorio
_____ ninguna de las dos

2. ¿Tienes teléfono inteligente o celular sin capacidades de computadora?
_____ inteligente
_____ celular

3. ¿Tienes tableta?
_____ sí
_____ no

4. ¿Cuál de tus aparatos electrónicos usas con más frecuencia?
_____ teléfono inteligente
_____ teléfono celular
_____ tableta
_____ computadora portátil
_____ otro aparato

5. ¿Para qué usas tu teléfono con más frecuencia?
_____ para hablar por teléfono
_____ para enviar mensajes de texto
_____ para navegar por Internet
_____ para publicar en redes sociales como Facebook y Twitter
_____ otro

6. ¿Para qué usas Internet principalmente? Indica solo tres usos.
_____ compras
_____ servicios de banco
_____ investigaciones
_____ correo electrónico
_____ redes sociales
_____ para mantener mi sitio web
_____ para publicar un blog
_____ para ver videos de YouTube
_____ otro

7. ¿Cuántas veces al día publicas algo en Facebook?
_____ 0
_____ 1–3
_____ 4–6
_____ más de 7

8. ¿Cuál es tu modo preferido de comunicación con tus amigos?
_____ hablar por teléfono
_____ enviar mensajes de texto
_____ enviar e-mails
_____ publicar en Facebook
_____ tuitear *(to tweet)*
_____ persona a persona
_____ otro

1. _____ portátil
   _____ de escritorio
   _____ ninguna de las dos

5. _____ para hablar por teléfono
   _____ para enviar mensajes de texto
   _____ para navegar por Internet
   _____ para publicar en las redes
   sociales como Facebook y Twitter
   _____ otro

2. _____ inteligente
   _____ celular

6. _____ compras
   _____ servicios de banco
   _____ investigaciones
   _____ correo electrónico
   _____ redes sociales
   _____ para mantener mi sitio web
   _____ para publicar un blog
   _____ para ver videos de YouTube
   _____ otro

3. _____ sí
   _____ no

7. _____ 0
   _____ 1–3
   _____ 4–6
   _____ más de 7

4. _____ teléfono inteligente
   _____ teléfono celular
   _____ tableta
   _____ computadora
   portátil
   _____ otro aparato

8. _____ hablar por teléfono
   _____ enviar mensajes de texto
   _____ enviar e-mails
   _____ publicar en Facebook
   _____ tuitear *(to tweet)*
   _____ persona a persona
   _____ otro

8 🔁 **¿Cómo usas Internet?** ¿Qué más quieres saber sobre *(do you want to know about)* los hábitos de tus compañeros en Internet? Escribe cinco preguntas más como las del cuestionario en la **Actividad 7.** Luego, hazle las preguntas a un(a) compañero(a) de clase y que él/ella te haga *(have him/her ask you)* sus preguntas.

MODELOS   *¿Te gustan las redes sociales? ¿Cuántas horas al día pasas en las redes sociales?*
¿Tienes un blog? ¿Cuántas veces por semana escribes en tu blog?

9 **Mi blog** Escribe una entrada de blog para describir cómo usas Internet. Ponle todos los detalles que puedas *(that you can)*. Usa las ideas de la **Actividad 8**, de la lista o inventa otras.

Opciones:

■ ¿Qué te gusta hacer en Internet?
■ ¿Usas el teléfono inteligente para pagar en las tiendas?
■ ¿Cuáles son tus aparatos electrónicos preferidos?
■ ¿Qué clase de videos te gusta bajar o subir?
■ ¿Usas la computadora para alquilar películas?
■ ¿Cuál es tu modo de comunicación preferido?

10 **La red social** Escribe un perfil en español para tu página de una red social. Además de la información básica, escribe un párrafo sobre tu personalidad. Explica un poco tu relación con la tecnología. ¿Eres "tecnófobo(a)" o "tecnogeek"?

11  **¿Qué estás pensando?** Ten una conversación con un(a) compañero(a) sobre un post que piensas publicar en la página de tu red social. El post describe cómo vas a usar la tecnología hoy.

MODELO   **Tú:** *Voy a compartir unas fotos en mi red social.*
           Compañero(a): *¡Qué divertido! ¿Vas a subir tus* selfies*?*

12 **Los cursos virtuales** Hoy en día es posible tomar cursos virtuales por Internet. Hay muchas universidades de habla española que ofrecen una gran variedad de cursos a distancia.

En grupos de cuatro, escojan *(choose)* un país de la lista de abajo y busquen sitios web de universidades de ese país que ofrecen cursos virtuales.

Países: España, México, Argentina

1. ¿Qué cursos virtuales ofrece la universidad?
2. ¿En el sitio web es posible hacer una visita virtual? ¿Hay información sobre los profesores de los cursos? ¿Y sobre los otros estudiantes?
3. Después de obtener toda la información sobre este sitio web, compárenla con la información de los otros grupos.

Like so many other technology terms that originate in English, such as those in the **¡Fíjate!** section on page 131, selfie is a word that does not yet have a Spanish equivalent. As with the other words of its kind, it is converted into Spanish with the addition of the masculine article and Spanish (not English) pronunciation: **el selfie**.

© enigmatico/Shutterstock.com

A ver

ESTRATEGIA

Watching without sound

Sometimes it helps to watch a segment first without the sound, especially when it contains a lot of action. As you watch, focus on the characters' actions and interactions. What do you think is happening? Once you have gotten some ideas, watch the segment a second time with the sound turned on.

Antes de ver Lee la lista de eventos que ocurren en este episodio.

_____ Beto descubre que su computadora no tiene suficiente memoria.

_____ Dulce tiene el asistente electrónico de Beto.

_____ Beto está furioso porque tiene que escribir el examen con bolígrafo y papel.

_____ Beto llega tarde a clase.

_____ Beto ve una hoja de papel con el e-mail de Autora14.

_____ Beto deja su asistente electrónico en el salón de clase.

▶ **Ver** Mira el episodio para el **Capítulo 4** sin sonido _(sound)._

Después de ver 1 Ahora vuelve a _(go back to)_ **Antes de ver** y usa números para poner _(to put)_ la lista en el orden correcto.

Después de ver 2 Mira el episodio otra vez —ahora con sonido— y completa las oraciones siguientes.

1. Beto llega tarde a la clase de _____.
2. Según Chela, ella está muy _____ con la historia trágica de Beto.
3. El nombre de usuario de _____ es Autora14.
4. Dulce prefiere el _____ a los grupos de conversación.

Después de ver 3 En tu opinión, ¿de qué hablan Dulce y Beto mientras salen juntos al final del episodio? Basándote en lo que ya sabes de sus personalidades, escribe una conversación breve entre ellos mientras se conocen _(they get to know each other)_ un poco mejor.

Voces de la comunidad

▶ Voces del mundo hispano

En el video de este capítulo, Juan Pedro, Patricia y Sergio hablan de los aparatos tecnológicos y sus hábitos con relación a Internet. Lee las siguientes oraciones. Después mira el video una o más veces para decir si las oraciones son ciertas **(C)** o falsas **(F)**.

1. Juan Pedro y Patricia tienen una cámara digital.
2. Sergio tiene un reproductor de MP3.
3. A Juan Pedro le gusta mucho su reproductor de discos compactos.
4. A Patricia le gusta usar su ordenador (computadora) para chatear.
5. Patricia solo usa Internet durante los días de entresemana.
6. A Sergio no le gusta usar e-mail ni *(nor)* Skype.

◀» Voces de Estados Unidos

Courtesy of AT&T

Thaddeus Arroyo, CEO

" Mi padre emigró a los Estados Unidos y mi madre es mexicoamericana, y ambos me inculcaron un gran respeto por la educación, el trabajo duro y el 'arte de lo posible'. Mi mayor crecimiento ha venido de tomar riesgos, de estar en situaciones incómodas y de darme tiempo para mi desarrollo personal". "*My father emigrated to the United States and my mother is Mexican-American, and both instilled in me a great respect for education, hard work and the 'art of the possible'. My greatest growth has come from taking risks, from being in uncomfortable situations and from taking time for my personal development.* "

En sus épocas de estudiante, a Thaddeus Arroyo siempre le gustó resolver problemas, y las matemáticas y la lógica se convirtieron en sus materias favoritas. Actualmente, Arroyo está al frente de la compañía mexicana de servicios móviles Iusacell y es Director Ejecutivo de AT&T México, LLC. Ha sido *(was)* Presidente de Desarrollo Tecnológico y Director de Información *(Chief Information Officer)* de AT&T. Arroyo es conocido por aprovechar la tecnología para impulsar las empresas y ha sido reconocido *(he has been recognized)* por varias publicaciones por su liderazgo *(leadership)* y creatividad para planear e implementar tecnología. Hijo de padre español y madre mexicoamericana, Arroyo explica su éxito profesional de la siguiente manera:

¿Y tú? En tu opinión, ¿qué tipo de educación y características personales son necesarios para ser un líder en el campo de la tecnología de la información?

¡Prepárate!

GRAMÁTICA ÚTIL 1

Expressing likes and dislikes:
Gustar with nouns and other verbs like gustar

Cómo usarlo

As you learned in **Chapter 2**, you can use **gustar** with an infinitive to say what activities you and other people like to do.

Me gusta estudiar en la biblioteca, pero **a Vicente le gusta estudiar** en la cafetería.	*I like to study* in the library, but *Vicente likes to study in the cafeteria.*

You can also use **gustar** with nouns, to say what thing or things you (and others) like or dislike. In this case, you use **gusta** with a single noun and **gustan** with plural nouns or a series of nouns.

—¿**Te gusta** esta **computadora**?	*Do you like* this *computer?*
—Sí, ¡pero **me gustan** más estas **computadoras** portátiles!	*Yes, but I like these laptops more!*

When you make negative sentences with **gusta** and **gustan**, you use **no** before the pronoun + **gusta / gustan**.

Nos gustan los programas de diseño gráfico, pero **no nos gustan** los programas de arte.	*We like* the graphic design programs, but *we don't like* the art programs.

¿**Te gustan** los grupos de conversación?

Remember that when you use **gustar** + infinitive you only use **gusta: A ellos les gusta comer en la cafetería. A mí me gusta tomar café y comer en la cafetería.**

You will learn more about Spanish indirect object pronouns in **Chapter 8**.

Cómo formarlo

Lo básico

- In Spanish, an *indirect object pronoun* is used with **gustar** to say who likes something. Because **gustar** literally means *to please*, the indirect object answers the question: *Pleases whom?*
- A *prepositional pronoun* is a pronoun that is used after a preposition, such as **a** or **de**.

1. As you have already learned, you must use forms of **gustar** with the correct indirect object pronoun.

Me gusta	el foro.	**Nos gusta**	el foro.
Me gustan	los foros.	**Nos gustan**	los foros.
Te gusta	el foro.	**Os gusta**	el foro.
Te gustan	los foros.	**Os gustan**	los foros.
Le gusta	el foro.	**Les gusta**	el foro.
Le gustan	los foros.	**Les gustan**	los foros.

2. As you have learned, if you want to *emphasize* or *clarify* who likes what, you can use **a** + name or noun, or **a** + prepositional pronoun. Note that when **a** + prepositional pronoun is used, there is often no direct translation in English. Notice that except for **mí** and **ti**, the prepositional pronouns are the same as the subject pronouns you already know.

Prepositional pronoun	Indirect object pronoun	Form of *gustar* + noun
A mí	**me**	gustan los videojuegos.
A ti	**te**	gustan los videojuegos.
A Ud. / a él / a ella	**le**	gustan los videojuegos.
A nosotros / a nosotras	**nos**	gustan los videojuegos.
A vosotros / a vosotras	**os**	gustan los videojuegos.
A Uds. / a ellos / a ellas	**les**	gustan los videojuegos.

Notice that while **mí** takes an accent, **ti** does not.

A mí me gustan los MP3 portátiles pero **a Elena** no le gustan.

*I like MP3 players, but **Elena** doesn't like them.*

A ella le gustan los teléfonos inteligentes para escuchar música.

***She** likes smartphones to listen to music.*

3. A number of other Spanish verbs are used like **gustar**. These verbs are usually just used in two forms, as is **gustar**.

—**Me interesan** mucho estos celulares.

*I'm very **interested** in these cell phones.*

—¿No **te molesta** la mala recepción aquí?

*Doesn't the bad reception here **bother you**?*

Other verbs like *gustar*	
encantar *to like a lot*	**¡Me encanta** la tecnología!
fascinar *to fascinate*	A Ana **le fascinan** esos sitios web.
importar *to be important to someone; to mind*	**Nos importa** tener acceso a Internet. ¿**Te importa** si usamos la computadora?
interesar *to interest, to be interesting*	A ellos **les interesan** las redes sociales.
molestar *to bother*	**Nos molestan** las computadoras lentas *(slow).*

In Spanish-speaking cultures, courtesy is of utmost importance. It is very common to use phrases like **¿Le importa?** or **¿Le molesta?** to ask someone a question. **¿Le importa si uso la computadora?** would be more likely heard than **Voy a usar la computadora** or **¿Puedo usar la computadora?** It's also common to use **por favor** when asking a question and **gracias** upon receiving the answer. Other common expressions of courtesy are:

¡Perdón! / ¡Disculpe! / ¡Lo siento! *Pardon me! / Excuse me! / I'm sorry!*

No hay de qué. / No se preocupe. *No problem. / Not to worry.*

Con permiso… *Excuse me … / With your permission . . .*

Cómo no. *Of course. / Certainly.*

¡Les encanta la nueva computadora!

© Monkey Business Images/Shutterstock.com

ACTIVIDADES

1 **¿Te gusta?** Di si te gustan o no las siguientes cosas.

MODELO (Me gustan / No me gustan) las computadoras portátiles.
Me gustan las computadoras portátiles.

1. (Me gustan / No me gustan) los juegos interactivos de tenis.
2. (Me gusta / No me gusta) el sitio web de YouTube.
3. (Me gustan / No me gustan) las clases virtuales.
4. (Me gustan / No me gustan) los aparatos electrónicos.
5. (Me gusta / No me gusta) el nuevo disco de Enrique Iglesias.
6. (Me gustan / No me gustan) los sitios web y foros sobre España.

2 **Los gustos** Di si le gustan o no las siguientes cosas a las personas indicadas.

MODELO los teléfonos inteligentes / Mario (no)
A Mario no le gustan los teléfonos inteligentes.

1. las computadoras portátiles / tú (sí)
2. las cámaras digitales / Sara y Laura (sí)
3. los juegos interactivos / usted (no)
4. las redes sociales / nosotros (sí)
5. los foros sobre autos / ustedes (no)
6. los podcasts / tú (no)
7. los grupos de noticias / yo (¿…?)
8. las tabletas / yo (¿…?)

3 **¿Qué les gusta o gustan?** Mira los dibujos y di qué les gusta (o gustan) a las personas indicadas. Sigue el modelo y usa **gusta** o **gustan** según la(s) cosa(s) o la actividad indicadas.

MODELO Martina / navegar en Internet
A Martina le gusta navegar en Internet.

1.

Roque / las computadores portátiles

2.

ustedes / jugar juegos interactivos

3.

nosotros / las tabletas

4.

tú / tu videocámara

5.

yo / mi teléfono inteligente

6.

los niños / ver los videos en la computadora

4  **¿Y ustedes?** Pregúntales a varios compañeros sobre sus gustos.

MODELO   Facebook (Twitter, Yelp, Snapchat, …)
Tú: *¿Les gusta Facebook?*
Compañeros(as): —*Sí, me gusta Facebook, pero no me gusta Twitter.*
                          —*No, no me gusta Facebook para nada.*

1. el grupo de noticias de profesores de español (de artistas chilenos, de actores de teatro, ¿…?)
2. la página web de Yahoo! en español (de *People en español*, de *Newsweek* o *CNN en español*, ¿…?)
3. el foro de estudiantes de español (de profesores de español, de estudiantes de francés, ¿…?)
4. los juegos interactivos (de mesa, videojuegos, ¿…?)
5. las computadoras portátiles (PC, Mac, ¿…?)
6. el programa de arte (de diseño gráfico, de contabilidad, ¿…?)

5 **¿Te interesa?** Pregúntale a un(a) compañero(a) qué opina *(thinks)* sobre varios aspectos de la tecnología.

MODELO   interesar: los blogs de personas desconocidas *(strangers)*
Tú: *¿Te interesan los blogs de personas desconocidas?*
Compañero(a): *No, no me interesan los blogs de personas desconocidas.*

1. molestar: recibir mucho correo electrónico
2. interesar: grupos de noticias
3. gustar: enviar mensajes de texto
4. molestar: buscadores muy lentos *(slow)*
5. interesar: sitios web comerciales
6. gustar: chatear con personas en otros países
7. importar: recibir e-mails de personas desconocidas

6  **Encuesta** Haz una encuesta con por lo menos siete de tus compañeros de clase. Pregúntales si les gustan las cosas y actividades indicadas. Después, con la clase entera, comparen los resultados para ver cuáles son los gustos y preferencias de todos los estudiantes.

¿Te gusta(n)…

_____ los videojuegos o los juegos tradicionales?

_____ los textos digitales o los libros?

_____ las clases en la universidad o las clases virtuales?

_____ estudiar en la biblioteca o estudiar en un café?

_____ escuchar música cuando estudias o estudiar sin música?

_____ ver películas en la computadora o ver películas en el televisor?

7  **La tecnología** Pregúntales a seis compañeros qué les gusta de la tecnología y qué les molesta. Escribe un resumen sobre los resultados.

MODELO   *¿Qué tres cosas te gustan de la tecnología? ¿Qué tres cosas te molestan?*

Describing yourself and others and expressing conditions and locations: The verb **estar** and the uses of **ser** and **estar**

Cómo usarlo

You already know that the verb **ser** is translated as *to be* in English. You have already used the verb **estar**, which is also translated as *to be*, in expressions such as **¿Cómo estás?** While both these Spanish verbs mean *to be*, they are used in different ways.

Estoy muy **aburrida** con tu cuento trágico.

1. Use **estar**...

- to express location of people, places, or objects.

  La profesora Suárez **está** en la biblioteca.

  *Professor Suárez **is** in the library.*

  Los libros **están** en la mesa.

  *The books **are** on the table.*

- to talk about a physical condition.

  —¿Cómo **está** usted?

  *How **are** you?*

  —**Estoy** muy bien, gracias.

  I'm well, thank you.

  —Yo **estoy** un poco cansada.

  I'm a little tired.

- to talk about emotional conditions.

  El señor Albrega **está** un poco nervioso hoy.

  *Mr. Albrega **is** a little nervous today.*

  Estoy muy ocupada esta semana.

  I'm very busy this week.

2. Use **ser**...

- to identify yourself and others.

  Soy Ana y ella **es** mi hermana Luisa.

  *I'm Ana and she **is** my sister Luisa.*

- to indicate profession.

  Pablo Picasso **es** un artista famoso.

  *Pablo Picasso **is** a famous artist.*

- to describe personality traits and physical features.

  Somos altos y delgados.

  We are tall and thin.

  Somos buenos estudiantes.

  We are good students.

- to give time and date.

  Es la una. Hoy **es** miércoles.

  It is one o'clock. Today is Wednesday.

- to indicate nationality and origin.

  —**Eres** española, ¿no?

  You are Spanish, right?

  —Sí, **soy** de España.

  Yes, I am from Spain.

- to express possession with **de.**

  Este celular **es de Anita**.

  This is Anita's cell phone.

- to give the location of an event.

  La fiesta **es** en la residencia estudiantil.

  The party is in the dorm.

Notice that expressing the location of people, places, and things (other than events) requires the use of **estar.** Ser is used only to indicate *where an event will take place*.

Cómo formarlo

1. Here are the forms of the verb **estar** in the present indicative tense.

estar *(to be)*			
yo	**estoy**	nosotros / nosotras	**estamos**
tú	**estás**	vosotros / vosotras	**estáis**
Ud. / él / ella	**está**	Uds. / ellos / ellas	**están**

2. In the **¡Imagínate!** section you learned some adjectives that are commonly used with **estar** to describe physical and emotional conditions.

aburrido(a)	nervioso(a)
cansado(a)	ocupado(a)
contento(a)	preocupado(a)
enfermo(a)	seguro(a)
enojado(a)	triste
furioso(a)	

Don't forget that when you use adjectives with **estar**, as with any other verb, they need to agree with the person or thing they are describing in both gender and number.

**Los estudiantes están
preocupados** por Miguel.

*The students are worried
about Miguel.*

Elena está nerviosa a causa
del examen.

*Elena is nervous because of
the exam.*

ACTIVIDADES

8 **¿Dónde están?** Las siguientes personas participan en actividades en diferentes lugares de la universidad. ¿Dónde están?

MODELO   Ricardo y Juana estudian. (Está / <u>Están</u>) en la biblioteca.

1. Javier toma un refresco. (Está / Estás) en la cafetería.
2. Mi compañero(a) de cuarto y yo descansamos. (Estoy / Estamos) en la residencia estudiantil.
3. Paula y Pedro navegan por Internet. (Estamos / Están) en el centro de computación.
4. La profesora Martínez lee una novela. (Estás / Está) en el parque.
5. Usted escribe en la pizarra. (Está / Están) en el salón de clase.
6. Nosotros escuchamos el audio de la clase de español. (Estoy / Estamos) en el centro de comunicaciones.
7. Teresa levanta pesas. (Está / Están) en el gimnasio.
8. Tú compras un libro para la clase de filosofía. (Estás / Está) en la librería.
9. Tomo un café. (Estoy / Está) en el café.
10. Escuchan a la profesora. (Estás / Están) en el salón de clase.

9 **¿Cómo están?** Tú y varias personas están en las siguientes situaciones. Usa **estar** + adjetivo para describir cómo están. Usa los adjetivos de la lista.

Adjetivos: aburrido(a), cansado(a), contento(a), enfermo(a), enojado(a), nervioso(a), ocupado(a), preocupado(a), triste

MODELO   Sales bien *(You did well)* en el examen de francés, tomas el sol por la tarde, cenas con tu mejor amigo(a) y alquilas un video que te gusta mucho.
Estoy contento(a).

1. Tienes una entrevista con el director de la universidad para un trabajo que necesitas.
2. Carlos tiene una infección y tiene que ir al hospital.
3. Marta y Mario no tienen nada *(nothing)* que hacer *(to do)*. No hay nada interesante en la tele y su computadora no funciona.
4. Compras una nueva computadora. Llegas a casa y cuando tratas de usarla, no funciona. La tienda de computadoras no abre hasta el lunes.
5. Tú y tu familia tienen mucho que hacer. Entre los estudios, el trabajo, los deportes, la familia y los amigos, no hay suficiente tiempo en el día para hacerlo todo.
6. Elena practica deportes por la mañana, trabaja en la biblioteca por la tarde y estudia por la noche. Cuando llega a casa, descansa.
7. La tarea de matemáticas es muy difícil y Martín no comprende las instrucciones. Es muy tarde para llamar a un amigo. Tiene que entregar la tarea muy temprano por la mañana.
8. El abuelo *(grandfather)* de Pedro y Delia está muy enfermo. Pedro y Delia lo visitan en el hospital.

10 **Yo soy...** Completa las oraciones con la forma correcta de **ser** o **estar**.

MODELO   Yo _____ estudiante. _____ en clase.
Yo *soy* estudiante. *Estoy* en clase.

1. El señor Ortega _____ muy ocupado.
   _____ en la oficina.
2. Nosotros _____ divertidos.
   _____ contentos ahora.
3. Rogelio _____ profesor.
   _____ alto y delgado.
4. Alejandro y yo _____ de Barcelona.
   _____ aquí en Estados Unidos por un año.
5. Pedro y Arturo _____ enfermos.
   _____ en el hospital.
6. Esta computadora _____ de Lucía.
   Lucía _____ una estudiante muy trabajadora.

11  **¿*Ser* o *estar*?** Trabaja con un(a) compañero(a) de clase para completar las oraciones. Lean las oraciones y juntos decidan si se debe usar **ser** o **estar**. Escriban la forma correcta del verbo. Luego, escriban por qué se usa **ser** o **estar**.

MODELO   *Soy* María Hernández Catina.
          razón *(reason): identidad*

Razones: característica física, característica de personalidad, estado físico, estado transitorio, fecha, hora, identidad, lugar de un evento, nacionalidad, posesión, posición *(location),* profesión

   1. ¿Cómo _____ usted, profesor Taboada? razón:
   2. Yo _____ un poco cansado hoy. razón:
   3. Isabel _____ de España. razón:
   4. ¿Dónde _____ la biblioteca? razón:
   5. Mi padre _____ profesor de lenguas. razón:
   6. Hoy _____ miércoles, el 22 de octubre. razón:
   7. Nati _____ alta, delgada y tiene el pelo castaño. razón:
   8. Esta semana Leonardo _____ muy ocupado. razón:
   9. Este libro, ¿_____ de la profesora? razón:
  10. ¿Dónde _____ la clase de filosofía? razón:

12 ¡**Pobre Mónica!** Trabaja con un(a) compañero(a) de clase. Miren el dibujo y juntos escriban una descripción de Mónica y de la situación en general. Traten de usar **ser** o **estar** en cada oración y de escribir por lo menos cinco oraciones.

MODELO   *Mónica está en su apartamento.*

In Spanish-speaking countries, **martes 13,** or Tuesday the 13th, rather than Friday the 13th, is considered an unlucky day.

COMPRENSIÓN

En tu opinión, ¿cuáles de los siguientes adjetivos describen al hombre rubio?
¿Y al hombre moreno?

- ¿Quién está...?
  aburrido / cansado / contento / enfermo / furioso / nervioso /
  ocupado / preocupado / seguro / triste

- ¿Quién es...?
  activo / antipático / cómico / cuidadoso / divertido / egoísta /
  extrovertido / impaciente / introvertido / perezoso / serio /
  simpático / tonto

GRAMÁTICA ÚTIL 3

Talking about everyday events:
Stem-changing verbs in the present indicative

¡Pobre Beto! **Siento** tu frustración.

Cómo usarlo

In **Chapters 1** and **2** you learned the present indicative forms of regular **-ar,** **-er,** and **-ir** verbs in Spanish. There are other Spanish verbs that use the same endings as regular **-ar, -er,** and **-ir** verbs in this tense, but they also have a small change in their stem. (Remember that the stem is the part of the infinitive that is left after you remove the **-ar / -er / -ir** ending.)

—¿Qué **piensas** de esta impresora?   *What **do you think** of this printer?*
—Me gusta, pero **prefiero** esta.   *I like it, but I **prefer** this one.*
—¿De verdad? Bueno, ¿por qué no le   *Really? Well, why don't **you ask***
   pides el precio al dependiente?   *the sales clerk the price?*

Cómo formarlo

1. There are three categories of stem-changing verbs in the present indicative.

	o → ue: encontrar *(to find)*	e → ie: preferir *(to prefer)*	e → i: pedir *(to ask for)*
yo	encuentro	prefiero	pido
tú	encuentras	prefieres	pides
Ud. / él / ella	encuentra	prefiere	pide
nosotros / nosotras	encontramos	preferimos	pedimos
vosotros / vosotras	encontráis	preferís	pedís
Uds. / ellos / ellas	encuentran	prefieren	piden

2. Note that the stem changes in all forms except the **nosotros / nosotras** and **vosotros / vosotras** forms.

3. Remember, all the endings for the present indicative are the same for these verbs as for the other regular verbs you've learned: **-o, -as, -a, -amos, -áis, -an** for **-ar** verbs; **-o, -es, -e, -emos / -imos, -éis / -ís, -en** for **-er** and **-ir** verbs. The only thing that is different here is the change in the stem.

4. Here are some commonly used Spanish verbs that experience a stem change in the present indicative tense.

e → ie

cerrar	*to close*
comenzar (a)	*to begin (to)*
empezar (a)	*to begin (to)*
entender	*to understand*
pensar de	*to think (of), to have an opinion about*
pensar en	*to think about, to consider*
perder	*to lose*
preferir	*to prefer*
querer	*to want, to love*
sentir	*to feel*

o → ue

contar	*to tell, to relate; to count*
dormir	*to sleep*
encontrar	*to find*
jugar*	*to play*
poder	*to be able to*
sonar	*to ring, to go off (phone, alarm clock, etc.)*
soñar (con)	*to dream (about)*
volver	*to return*

e → i

pedir	*to ask for something*
repetir	*to repeat*
servir	*to serve*

***Jugar** is the only **u → ue** stem-changing verb in Spanish. It's grouped with the **o → ue** verbs because its change is most similar to those.

ACTIVIDADES

13 **En la clase de computación** Estás en la clase de computación. Escoge la forma correcta del verbo entre paréntesis para describir lo que hacen todos.

1. Yo (pido / pide) el número de teléfono del nuevo estudiante.
2. La profesora (repite / repiten) las instrucciones de la actividad.
3. Nosotros (sirvo / servimos) refrescos después de la clase.
4. Él (prefiere / prefieren) usar los mensajes de texto para comunicarse con su familia.
5. Tú (encontramos / encuentras) la clase muy difícil.
6. Ellos (piden / pedimos) la dirección electrónica de la universidad.
7. Nosotras (preferimos / prefieren) ir a un café con wifi después de clase.
8. Yo (encuentras / encuentro) la clase muy divertida.

14 🔁 **¿Entiendes?** Tienes que presentar el nuevo sistema de software a un grupo diverso de asistentes administrativos. Les preguntas si entienden cómo tienen que hacer ciertas cosas con los nuevos programas. Tu compañero(a) te contesta.

MODELO ¿_____ (ustedes) cómo tienen que instalar el programa antivirus? (sí)
Tú: ¿*Entienden cómo tienen que instalar el programa antivirus?*
Compañero(a): *Sí, entendemos cómo tenemos que instalar el programa antivirus.*

1. ¿_____ (ustedes) cómo tienen que abrir la aplicación? (no)
2. ¿_____ (usted) cómo tiene que archivar los documentos en el disco duro? (sí)
3. ¿_____ (tú) cómo funciona el buscador? (no)
4. ¿_____ (ellos) las instrucciones para conectar a Internet? (sí)
5. ¿_____ (ustedes) cómo se entra en los foros? (no)
6. ¿_____ (tú) cómo tienes que pedir apoyo técnico *(tech support)*? (sí)

15 🔊 **¿A qué hora vuelves?** Un amigo te pregunta cuándo vuelven a casa tú, tus amigos y varios miembros de tu familia. Escucha la pregunta y escribe la respuesta correcta en una oración completa. Estudia el modelo.

MODELO **Ves:** 10:30 A.M.
Escuchas: ¿A qué hora vuelves de la clase de computación?
Escribes: *Vuelvo de la clase de computación a las diez y media de la mañana.*

1. 4:00 P.M.   **4.** 8:00 P.M.
2. 1:00 A.M.   **5.** 7:00 P.M.
3. 3:15 P.M.   **6.** 11:30 A.M.

16 **En la clase de español** Todos los estudiantes en la clase de español están en medio de alguna actividad. Di lo que hace cada persona.

MODELO Olga (no entender las instrucciones)
Olga no entiende las instrucciones.

1. Joaquín (cerrar el texto digital)
2. Iris (perder su libro)
3. Paulo (dormir en su escritorio)
4. Lisa (empezar a hacer la tarea)
5. Arturo (pensar en las vacaciones)
6. Andrés y Marta (jugar en la computadora)
7. Roberto y Humberto (querer ir al gimnasio)
8. Ingrid (preferir hacer la tarea en la computadora)
9. Francisco (no poder abrir la aplicación)
10. la profesora (volver a repetir la tarea)
11. yo (pedir la tarea)
12. yo (repetir la pregunta)

Volver a + infinitive means *to go back and do something*, or *to do it over*.

17 🔄 **Trucos para "tecnófobos"** Con un(a) compañero(a), miren el anuncio de un programa de televisión sobre trucos para personas que no saben mucho de tecnología. Después, contesten las preguntas.

¿Eres tecnófobo?

¡En este show puedes aprender 50 cosas fáciles para ayudarte con todos tus aparatos!

¿Quieres saber más?
Pues ¡a ver! Canal 22, 19:30

cosas: *things*

1. ¿Cuántas cosas fáciles pueden hacer con estos trucos *(tricks)*?
2. ¿Prefieren aprender a usar estos *(these)* trucos o piensan que son una pérdida *(waste)* de tiempo?
3. ¿Pueden usar otras funciones de sus celulares? ¿Cuáles?
4. ¿Tienen todos estos aparatos? ¿Quieren comprar otros aparatos electrónicos? ¿Por qué sí o no?

18 🔄 **¿Quieres ir?** Pregúntale a tu compañero(a) si quiere hacer una actividad contigo. Él/Ella te dice que prefiere hacer otra cosa.

Actividades: ir a tomar un refresco, ver un video, estudiar en la biblioteca, mirar televisión, navegar por Internet, tomar el sol, visitar a amigos, bailar, ¿…?

MODELO **Tú:** *¿Quieres ver un video?*
Compañero(a): *No, prefiero jugar un juego interactivo.*

19 👥 **La vida universitaria** ¿Es la vida del estudiante muy difícil hoy en día? Con tres compañeros de clase, contesten las siguientes preguntas sinceramente. Basándose en las respuestas de sus compañeros, decidan juntos si la vida universitaria produce mucho estrés para el estudiante. Presenten su conclusión a la clase.

1. ¿Sientes mucho estrés? ¿Por qué?
2. ¿A qué hora vuelves a la residencia estudiantil de la universidad?
3. ¿A qué hora duermes? ¿Dónde duermes? ¿Cuántas horas duermes por noche? ¿Duermes lo suficiente?
4. ¿Juegas videojuegos? ¿juegos interactivos? ¿juegos en la red? ¿Cuánto tiempo pasas a diario jugando estos juegos?
5. ¿Pierdes tus llaves *(keys)* con frecuencia? ¿tus gafas *(glasses)*? ¿tu dinero *(money)*? ¿tu tarea? ¿tus libros? ¿tus cuadernos? ¿tu mochila?
6. ¿Piensas mucho en el futuro? ¿Puedes imaginar tu futuro?

20 👥 **Los hábitos del universitario** Haz un gráfico como el de abajo. Usa las frases indicadas para crear preguntas. (Si quieres, puedes escribir tus propias preguntas). Luego, hazles las preguntas a diez compañeros de clase. Según sus respuestas, apunta el número de estudiantes en la columna apropiada. Luego, escribe un párrafo para explicar tus resultados.

Frases para las preguntas	Número de estudiantes
dormir más de seis horas por noche:	6
no dormir más de seis horas por noche:	4
preferir hablar por teléfono para comunicarse:	
preferir escribir e-mails para comunicarse:	
preferir enviar un mensaje de texto para comunicarse:	
jugar un deporte:	
jugar videojuegos:	
sentir mucho estrés:	
no sentir mucho estrés:	
pensar en su futuro todos los días:	
no pensar en su futuro todos los días:	
encontrar la vida universitaria difícil:	
encontrar la vida universitaria fácil:	
¿...?	

MODELOS   *Seis estudiantes duermen más de seis horas por noche.*
Cuatro estudiantes no duermen más de seis horas por noche.

21 **Mi blog** Escribe un perfil personal para tu blog en Internet. Describe tus características físicas, tu personalidad, tus clases preferidas, tus hábitos en la universidad, tus emociones y lo que te gusta, molesta, interesa, etc. Añade *(Add)* todos los detalles que puedas a tu perfil.

Describing how something is done: Adverbs

The magazine *Muy interesante* runs an annual contest to award prizes to top Spanish innovators in a variety of fields. This is a profile of one of them. Can you find the **-mente** adverb and guess its meaning in English?

Personalidades famosas

"Para mí innovar es una filosofía de vida. Procuro innovar en cada momento profesional y personal y así no caer nunca en la rutina. Que cada día sea diferente. La idea original de mi empresa fue precisamente gracias a ese espíritu innovador que me caracteriza".

Carla Royo-Villanova
Fundadora de Carla Bulgaria Roses Beauty

《 Anterior 》　《 Siguiente 》

Slide of Carla Royo Villanova from *Muy Interestante*, http://premiosmuyinnovacion. muyinteresante.es/carla-royo-villanova. Used with permission from Gruner y Jahr and Carla Royo Villanova.

Cómo usarlo

When you want to say how an activity is carried out (slowly, thoroughly, generally, etc.), you use an adverb.

Generalmente, prefiero usar una contraseña secreta.	**Generally**, I prefer to use a secret password.
Escribo más **rápido / rápidamente** en computadora que con bolígrafo.	I write more **rapidly** on the computer than I do with a pen.
Este programa es **muy** lento.	This program is **very** slow.

Cómo formarlo

Lo básico

An adverb is a word that modifies a verb, an adjective, or another adverb. (Sometimes adjectives can also be used as adverbs—for example, *fast*). *Generally, rapidly,* and *very* are all adverbs. You can identify an adverb by asking the question, *"How?"*

1. To form an adverb from a Spanish adjective, it is often possible to add the ending **-mente** to the adjective: **fácil → fácilmente**. If the adjective ends in an **-o**, change it to **-a** before adding **-mente: rápido → rápidamente**.

2. Here are some frequently used Spanish adjectives that can be turned into **-mente** adverbs.

Lento and rápido can also be used with muy for the same effect: **Esta computadora se conecta a Internet muy rápido / muy lento / rápidamente / lentamente.**

fácil (*easy*)	→ **fácilmente**
difícil (*difficult*)	→ **difícilmente**
lento (*slow*)	→ **lentamente**
rápido (*fast*)	→ **rápidamente**

3. The following **-mente** adverbs are also useful to talk about your routine and what you normally do.

frecuentemente	→	*frequently*	**normalmente** → *normally*	
generalmente	→	*generally*		

4. Here are some other common Spanish adverbs.

bastante	*somewhat, rather*	Este sistema es **bastante** lento.
bien	*well*	Tu computadora funciona **bien**.
demasiado	*too much*	Navego **demasiado** por Internet.
mal	*badly*	¡Mi cámara web funciona muy **mal**!
mucho	*a lot*	Me gustan **mucho** los juegos interactivos.
muy	*very*	Guardo archivos **muy** frecuentemente.
poco	*little*	Chateo **poco** por Internet.

Remember, adverbs can be used to modify other adverbs, so it's perfectly acceptable to use **muy** with **frecuentemente** or **mal**, for example.

ACTIVIDADES

22 ◀ **¿Cómo?** Escucha a Miriam mientras le describe su vida a una amiga. Completa sus oraciones. Escoge el adjetivo más lógico del grupo y conviértelo en un adverbio añadiendo el sufijo **-mente**.

Adjetivos: constante, cuidadoso, directo, fácil, frecuente, general, inmediato, lento, normal, paciente, rápido, tranquilo

1. Puedes instalar el programa antivirus _____.

2. Yo chateo por Facebook _____.

3. Hay algunos sitios web que funcionan _____.

4. _____, navego por Internet dos o tres horas por día.

5. Con este módem interno, puedo hacer una conexión _____.

6. Instalo los programas de software en mi computadora _____.

7. Tengo tarea _____.

8. Los domingos prefiero pasar el día _____.

23 ⚃ **¿Cómo te sientes?** Averigua *(Find out)* cómo se sienten tus compañeros de clase en ciertas situaciones. Hazles las siguientes preguntas a varios compañeros y apunta sus respuestas. Luego, comparte los resultados de tu encuesta con la clase.

MODELO **Tú:** *¿Cómo te sientes cuando hablas...?*
Compañero(a): *Me siento bien.*

¿Cómo te sientes cuando...

1. vas a tener un examen?

2. tu computadora no funciona bien?

3. recibes la cuenta *(bill)* de tu teléfono celular?

4. la batería de tu teléfono no funciona?

5. pierdes los archivos de tu tarea?

6. ¿...?

Respuestas posibles

bien	bastante nervioso(a) (triste, preocupado(a), etc.)
mal	demasiado nervioso(a) (cansado(a), furioso(a), etc.)
muy bien	no me afecta
muy mal	¿...?

¡Explora y exprésate!

España

▶ Información general

Nombre oficial: Reino de España

Población: 46.464.053

Capital: Madrid (f. siglo X) (3.165.235 hab.)

Otras ciudades importantes: Barcelona (1.602.386 hab.), Valencia (786.424 hab.), Sevilla (696.676 hab.), Toledo (83.334 hab.)

Moneda: euro

Idiomas: castellano, catalán, vasco, gallego

Consulta el mapa de España en el **Apéndice D**.

Spain is often seen as one big culture when, in fact, it is the amalgamation of former kingdoms and separate regions. Many of these are autonomous states and have separate languages and/or dialects and distinct cultural customs. Spanish is referred to as **castellano** in areas where there is an additional native language. Typically these are bilingual zones.

A tener en cuenta

- El Imperio español fue *(was)* el primer imperio global y uno de los más grandes en toda la historia mundial. En su apogeo *(peak)*, España tenía territorios en todos los continentes menos en la Antártida.

- España ha producido muchos artistas ilustres. En literatura, se distingue Miguel de Cervantes, escritor de *El ingenioso hidalgo Don Quijote de la Mancha*, que se considera la primera novela moderna. En las artes, los grandes maestros de la pintura española están Diego Velázquez y Francisco de Goya. En el siglo *(century)* XX, Pablo Picasso, Joan Miró y Salvador Dalí están entre los innovadores más importantes del arte moderno.

- Los musulmanes vivieron en la península desde 711 hasta 1492. La arquitectura árabe de ese período está presente en todo el sur de España, en particular en Granada, Córdoba y Sevilla.

Buika, artista universal

Concha Buika, conocida profesionalmente como Buika, es una cantante española, hija de ecuatoguineanos, y una gran estudiosa de todos los estilos musicales del mundo. Boleros, flamenco, jazz, funk, soul y los ritmos africanos, todos forman parte de su obra musical. Además, le fascinan los ritmos electrónicos y dice que para ella sus "joyas" *(jewels)* son los aparatos electrónicos que utiliza para hacer música. Gracias a sus ritmos globales y su uso de la tecnología, Buika es una artista universal que rompe *(breaks)* todas las barreras.

EN RESUMEN

La información general

1. ¿Qué país fue *(was)* el primer imperio global?
2. ¿En qué continentes tenía *(had)* territorios España?
3. ¿Quién es el autor de la primera novela moderna?
4. ¿Quiénes son los grandes maestros de la pintura española?
5. ¿Quiénes son los artistas españoles que se consideran innovadores del arte moderno?
6. ¿Qué tres ciudades españolas tienen arquitectura árabe?

El tema de la música electrónica

1. ¿De dónde son los padres de Buika?
2. ¿Qué estilos musicales incorpora Buika en su obra musical?
3. ¿A qué considera Buika sus "joyas"?
4. ¿Qué hace de Buika una artista universal?

¿Quieres saber más?

En la tabla que empezaste al principio del capítulo, añade toda la información que ya sabes en la columna **Lo que aprendí**. Escoge uno o dos de los temas sobre los que escribiste en la columna **Lo que quiero aprender**, o uno o dos de los que figuran a continuación. Prepárate para compartir la información con la clase.

Palabras clave: el Imperio español; la Guerra Civil española; la influencia musulmana; Pedro Almodóvar; Penélope Cruz; Rafael Nadal

🌐 Para aprender más sobre España, mira el video cultural en línea.

© maxriesgo/Shutterstock.com

A leer

Antes de leer

1 Mira el artículo en la página 159. ¿Cuántas de las siguientes claves *(clues)* de formato puedes identificar en el artículo? Basándote en esas claves, ¿de qué trata el artículo?

- título de artículo
- subtítulo
- texto introductorio
- texto destacado *(sidebar)*
- cita *(quotation)*
- foto
- ilustración
- gráfico

2 Ahora lee el artículo en la página 159 y busca las ideas principales. (El título, "Un arma de doble filo", tiene el mismo significado que la expresión *a double-edged sword* en inglés).

Después de leer

3 Di si las siguientes oraciones son **ciertas (C)** o **falsas (F)**.

1. La mayoría *(majority)* de los jóvenes latinoamericanos piensa que la tecnología móvil es importante para el entretenimiento.
2. Una minoría *(minority)* de los jóvenes estadounidenses piensa que la tecnología móvil es importante para la educación y las investigaciones académicas.
3. Para los jóvenes de Europa Occidental, el impacto más significativo de la tecnología móvil se produce en la vida social.
4. La mayoría de los adolescentes de todas las regiones se preocupa *(worry)* por su privacidad en línea.
5. Un adolescente español tiene el doble de riesgo de ser adicto a Internet que un adolescente alemán.

4 Contesta las preguntas con un(a) compañero(a).

1. ¿Quiénes han realizado *(carried out)* los dos estudios?
2. ¿Cuáles son las tres regiones representadas en la encuesta de Telefónica?
3. ¿Cuáles son los países que se incluyen en el estudio de la Unión Europea y Protégeles?
4. Haz la encuesta del primer estudio. ¿Son tus respuestas semejantes *(similar)* a las de los otros jóvenes?
5. En tu opinión, ¿puede ser la adicción a Internet un problema grave para los jóvenes? ¿Por qué? ¿Tienes un(a) amigo(a) o un familiar adicto(a) a Internet?
   En tu opinión, ¿es posible pasar demasiado tiempo en línea sin ser adicto(a)? ¿Tienes un límite personal para el tiempo que pasas en Internet? ¿Por qué?

ESTRATEGIA

Using format clues to aid comprehension

In **Chapter 3**, you looked at the visuals that accompanied an article to get an idea of its content. It is also very helpful to look at an article's format. The headline, a section title, and any kind of highlighted or boxed text (often called *sidebars*) can give you a general idea of the article's content.

Una arma de doble filo

Las actitudes de los jóvenes hacia la tecnología

Dos estudios recientes se enfocan en varios aspectos del uso de la tecnología entre los jóvenes. Telefónica es una compañía multinacional española de telecomunicaciones y tecnología móvil. Está basada en España, con operaciones en Europa, Asia, Norteamérica y Latinoamérica. Para entender mejor a sus futuros clientes, ha realizado la encuesta *Global Millenium Survey* sobre las actitudes[1] de la generación del milenio hacia la tecnología. En la siguiente tabla se muestran las respuestas de más de 6.700 jóvenes de entre 18 y 30 años de Estados Unidos, Europa Occidental y Latinoamérica.

La tecnología personal móvil afecta a estas áreas de mi vida:	Europa Occidental[2]	Latinoamérica	Estados Unidos
el entretenimiento[3]	49%*	64%	58%
la vida social	45%	56%	51%
el acceso a noticias	49%	59%	47%
la educación y las investigaciones académicas	31%	62%	46%

*Los porcentajes indican una respuesta positiva.

Lo que más me importa de Internet es…			
la privacidad.	34%	34%	28%
la calidad y velocidad[4] de mi conexión.	24%	29%	24%
poder acceder al contenido[5] que quiero.	23%	20%	31%
que los gobiernos no controlen ni censuren[6] Internet.	19%	17%	18%

Estoy en control de mis datos personales.			
	65%	82%	84%

Otro estudio, financiado por la Unión Europea con la colaboración de la asociación española Protégeles, señala que[7], entre los siete países que se incluyen en la encuesta, los adolescentes de España tienen más riesgo[8] de ser adictos a Internet.

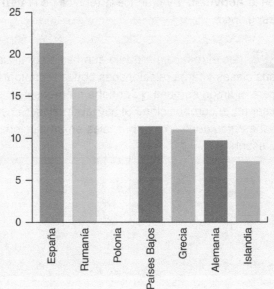

Porcentaje de adolescentes en riesgo de adicción a Internet

España, Rumania, Polonia, Países Bajos, Grecia, Alemania, Islandia

Fuente: Artemis Tsitsika et al., "Investigación sobre conductas adictivas…"

Según los autores del estudio, la adicción a Internet "conduce potencialmente al aislamiento[9] y al descuido[10] de las relaciones sociales, de las actividades académicas, de las actividades recreativas, de la salud y de la higiene personal".

[1]**ha…**: *carried out a study about the attitudes* [2] *Western* [3] *entertainment* [4] **calidad…**: *quality and speed* [5] *content* [6] **gobiernos…**: *governments don't control or censure* [7] **señala que…**: *points out that* [8] **tienen…**: *are at greater risk* [9] **conduce…**: *potentially leads to isolation* [10] *neglect*

Fuentes: Telefónica Global Millennial Survey, 2014, survey.Telefonica.com; Europa Press, "España, líder europeo en adicción adolescente a Internet," ElMundo.es; Artemis Tsitsika et al., "Investigación sobre conductas adictivas a Internet entre los adolescentes europeos" (EU NET ADB Consortium), centrointernetsegura.es.

A escribir

Antes de escribir

ESTRATEGIA

Prewriting—Narrowing your topic

After you choose a topic for a piece of writing, but before you begin the writing process, you need to narrow your topic to fit the scope of your written piece. For example, in this section, you will write a note to a friend who is interested in technology. Since most notes are short, you don't want to choose a huge topic to cover.

One way to narrow a topic is to ask yourself questions about it. For example, if your general topic is "electronic devices," ask, "What kind of device?" You might answer, "A tablet." The next question might be, "Why do you want a tablet?" The answer might be, "Because I like to be able to take it with me." You could then ask, "Where do you want to use your tablet?" with the answer, "At the coffee shop down the corner with free wifi." Once you have progressed through a series of narrowing questions like this, you have narrowed your topic from "electronic devices" to "ways having a tablet can help you save money."

1 Piensa en dos o tres temas generales que puedes usar para escribir a un(a) amigo(a) que es muy aficionado(a) *(a big fan)* a la tecnología. Un ejemplo de un tema general puede ser **las computadoras**, **Internet**, etc.

2 Ahora, elige *(choose)* uno de los temas en los que has pensado *(thought)* en la **Actividad 1** y practica la técnica de la **Estrategia** para hacer el tema más específico.

3 Lee el mensaje modelo que hay a continuación, donde Magali habla de sus clases y tarea relacionadas con la tecnología y también de sus planes para el fin de semana. ¿Contiene su mensaje palabras o frases que puedes usar en tu composición? Si hay, apúntalas. Si necesitas otras palabras que no sabes *(you don't know)*, búscalas en un diccionario bilingüe antes de empezar a escribir.

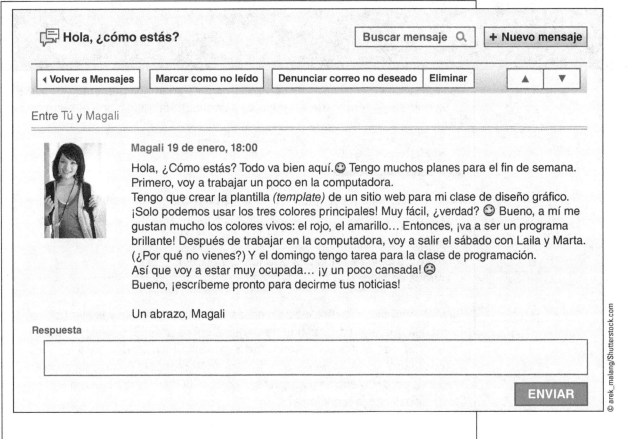

◄ Volver a Mensajes | Marcar como no leído | Denunciar correo no deseado | Eliminar | ▲ | ▼

Entre Tú y Magali

Magali 19 de enero, 18:00

Hola, ¿Cómo estás? Todo va bien aquí.☺ Tengo muchos planes para el fin de semana. Primero, voy a trabajar un poco en la computadora.
Tengo que crear la plantilla *(template)* de un sitio web para mi clase de diseño gráfico. ¡Solo podemos usar los tres colores principales! Muy fácil, ¿verdad? ☺ Bueno, a mí me gustan mucho los colores vivos: el rojo, el amarillo… Entonces, ¡va a ser un programa brillante! Después de trabajar en la computadora, voy a salir el sábado con Laila y Marta. (¿Por qué no vienes?) Y el domingo tengo tarea para la clase de programación. Así que voy a estar muy ocupada… ¡y un poco cansada! ☹
Bueno, ¡escríbeme pronto para decirme tus noticias!

Un abrazo, Magali

Respuesta

ENVIAR

Composición

4 Ahora, escribe un borrador *(rough draft)* de tu mensaje. Incluye información sobre el tema que desarrollaste *(that you developed)* en las **Actividades 1** y **2**. También debes incluir un poco de información personal para tu amigo(a), como en el mensaje modelo. Trata de escribir rápidamente, sin preocuparte *(without worrying)* demasiado por los errores.

Después de escribir

5 Mira tu borrador otra vez. Usa la siguiente lista para revisarlo *(to revise it)*.

■ ¿Tiene tu mensaje toda la información necesaria? ¿Está bien organizado?
■ ¿Corresponden los sujetos de las oraciones a los verbos?
■ ¿Corresponden las formas de los artículos, los sustantivos y los adjetivos?
■ ¿Usas correctamente **ser** y **estar**, los verbos con cambio en la raíz *(stem)* y los verbos como **gustar**?
■ ¿Hay errores de puntuación o de ortografía *(spelling)*?

¡Vívelo!

Vas a trabajar con un grupo de compañeros para crear una presentación sobre la tecnología. Al terminarla, el grupo va a compartir el trabajo con el resto de la clase.

Antes de clase

Paso 1 Elige el formato que más te gusta para crear la presentación.

- video
- canción o podcast
- ensayo *(essay)* de fotos con leyendas *(captions)*
- entrada de blog

Paso 2 Anota en español lo que piensas sobre la tecnología y la electrónica. Escribe lo que te gusta y lo que no te gusta sobre ellas. Si quieres, puedes revisar tus respuestas en la **Actividad 5** (p. 133), **Actividades 8** y **9** (p. 136) y **Actividad 7** (p. 143). Tienes que describir cómo usas la tecnología durante un día típico. ¿Hay actividades y tareas de tu vida diaria que no están relacionadas con la tecnología?

Durante la clase ⚏

Paso 1 Formen grupos de 3 o 4 estudiantes con compañeros que eligieron *(that chose)* el mismo formato para la presentación. **(Antes de clase, Paso 1)**

Paso 2 Compartan sus notas sobre la tecnología: lo que les gusta y lo que no les gusta, y cómo afecta a su vida diaria.

MODELOS *Me gusta correr y usar la aplicación Runtastic.*
No me gusta recibir mensajes de texto de mi mamá.
Uso mucho la tecnología para hablar con mis amigos.
Me gusta sacar fotos con mi teléfono inteligente, pero no uso la tecnología para dibujar.

© Mariday/Shutterstock.com

Paso 3 En grupo, hablen de sus ideas y opiniones, y preparen un plan para el tema de su presentación. Decidan el tono: simpático, serio, informativo, sensacionalista, etc. Trabajen en grupo para crear el guion *(the script)* o planear el contenido *(content)*.

Fuera de clase ⚏

¡Sean creativos! Trabajen juntos para crear la presentación, ya sea un video, un MP3 u otro tipo de archivo de audio, un ensayo fotográfico o una entrada de blog. Prepárenla en un formato que sea fácil de compartir electrónicamente con el resto de sus compañeros.

¡Compártelo! ⤳

Pongan su presentación en el foro en línea de *Nexos*. Luego, vean las presentaciones de los otros grupos y escriban un comentario sobre cada una.

Vocabulario

La tecnología   *Technology*

El hardware   *Hardware*

La computadora   *Computer*
el altoparlante   *speaker*
el cable   *cable*
el disco duro   *hard drive*
la impresora (inalámbrica)   *(wireless) printer*
la memoria flash / el pendrive   *flash drive*
el micrófono   *microphone*
el monitor   *monitor*
el ratón   *mouse*

La computadora portátil   *Laptop computer*
los audífonos   *earphones*
el lector de CD-ROM o DVD   *CD-ROM / DVD drive*
la pantalla   *screen*
el puerto de USB   *USB port*
la tecla   *key*
el teclado   *keyboard*

El software   *Software*

la aplicación   *application*
el archivo   *file*
el archivo PDF   *PDF file*
el ícono del programa   *program icon*
el juego interactivo   *interactive game*
el programa antivirus   *antivirus program*
el programa de procesamiento de textos   *word processing program*

Funciones de la computadora   *Computer functions*

archivar   *to file*
bajar / descargar   *to download*
conectar   *to connect*
enviar   *to send*
funcionar   *to function*
grabar   *to record*
guardar   *to save*
hacer clic / doble clic   *to click / double-click*
instalar   *to install*
subir / cargar   *to upload*

Los colores   *Colors*

amarillo(a)   *yellow*
anaranjado(a)   *orange*
azul   *blue*
blanco(a)   *white*
café / marrón   *brown*
gris   *gray*

morado(a)   *purple*
negro(a)   *black*
rojo(a)   *red*
rosa / rosado(a)   *pink*
verde   *green*

Las emociones   *Emotions*

aburrido(a)   *bored*
cansado(a)   *tired*
contento(a)   *happy*
enfermo(a)   *sick*
enojado(a)   *angry*
furioso(a)   *furious*

nervioso(a)   *nervous*
ocupado(a)   *busy*
preocupado(a)   *worried*
seguro(a)   *sure*
triste   *sad*

Aparatos electrónicos   *Electronic devices*

la cámara digital   *digital camera*
la cámara web   *webcam*
el GPS   *GPS*
el lector digital   *e-reader*
el libro electrónico   *e-book*
el MP3 portátil   *portable MP3 player*
el reproductor / grabador de discos compactos   *CD player / burner*

el reproductor / grabador de DVD   *DVD player / burner*
la tableta   *tablet*
el teléfono inteligente / smartphone   *smartphone*
el televisor de alta definición   *High-Definition television*
la videocámara   *videocamera*

Funciones de Internet *Internet functions*

acceder *to access*
el blog *blog*
el buzón electrónico *electronic mailbox*
el buscador *search engine*
chatear *to chat online*
el ciberespacio *cyberspace*
la conexión *connection*
hacer una conexión *to get online*
cortar la conexión *to get offline, to disconnect*
la contraseña *password*
el correo electrónico / e-mail *e-mail*

en línea *online*
el enlace *link*
el foro *forum*
el grupo de noticias *news group*
la página web *web page*
la red (mundial) *World Wide Web*
la red social *social networking site*
el sitio web *website*
el (la) usuario(a) *user*
el wifi *wifi, wireless connection*

Verbos como *gustar* *Verbs like* gustar

encantar *to like a lot*
fascinar *to fascinate*
importar *to be important to someone; to mind*

interesar *to interest, to be interesting*
molestar *to bother*

Otros verbos* *Other verbs*

cerrar (ie) *to close*
comenzar (ie) *to begin*
contar (ue) *to tell, to relate; to count*
dormir (ue) *to sleep*
empezar (ie) *to begin*
encontrar (ue) *to find*
entender (ie) *to understand*
jugar (ue) *to play*
pedir (i) *to ask for something*
pensar (ie) de *to think, to have an opinion about*
pensar (ie) en *to think about, to consider*

perder (ie) *to lose*
poder (ue) *to be able to*
preferir (ie) *to prefer*
querer (ie) *to want; to love*
repetir (i) *to repeat*
sentir (ie) *to feel*
servir (i) *to serve*
sonar (ue) *to ring, to go off (phone, alarm clock, etc.)*
soñar (ue) con *to dream (about)*
volver (ue) *to return*

Adjetivos *Adjectives*

difícil *difficult*
fácil *easy*

lento *slow*
rápido *fast*

Adverbios *Adverbs*

difícilmente *with difficulty*
fácilmente *easily*
frecuentemente *frequently*
generalmente *generally*
lentamente *slowly*
normalmente *normally*
rápidamente *rapidly*

bastante *somewhat, rather*
bien *well*
demasiado *too much*
mal *badly*
mucho *a lot*
muy *very*
poco *little*

* Starting here, stem-changing verbs will be indicated in vocabulary lists with the stem change in parentheses.

Repaso y preparación

Repaso del Capítulo 4

Complete these activities to check your understanding of the new grammar points in Chapter 4 before you move on to **Chapter 5**.

The answers to the activities in this section can be found in **Appendix B**.

Gustar with nouns and other verbs like gustar (p. 140)

1 Completa las oraciones con un pronombre de objeto indirecto y escoge la forma correcta del verbo indicado.

1. A ellos _____ (gusta / gustan) los blogs.
2. A mí _____ (encanta / encantan) mi teléfono inteligente.
3. A él _____ (molesta / molestan) perder acceso a Internet.
4. A nosotros _____ (interesa / interesan) los foros sobre tecnología.
5. A ti no _____ (importa / importan) cambiar tu contraseña.
6. A usted _____ (gusta / gustan) el nuevo programa antivirus.

The verb estar and the uses of ser and estar (p. 144)

2 Completa las oraciones con una forma de **ser** o **estar**.

1. Oye, Marcos, ¿_____ enojado?
2. Nosotros _____ en la biblioteca.
3. Yo _____ estudiante.
4. Ellos _____ altos y rubios.
5. ¡Tengo examen! _____ muy nervioso.
6. Ella no puede dormir. _____ cansada.
7. Hoy _____ miércoles.
8. El celular _____ de Marisa.
9. Mi computadora _____ en mi mochila.
10. Mis amigos _____ españoles.
11. La fiesta _____ en el café.
12. Los altoparlantes _____ en la mesa.

Stem-changing verbs in the present indicative (p. 149)

3 Haz oraciones completas con los sujetos y verbos indicados.

MODELO yo / soñar con una computadora nueva
Yo sueño con una computadora nueva.

1. tú / dormir mucho
2. yo / cerrar la computadora portátil
3. ella / entender las instrucciones
4. nosotras / jugar el juego interactivo
5. usted / repetir la contraseña
6. ellos / querer un monitor nuevo
7. yo / poder instalar el programa
8. nosotros / preferir ir a un café con wifi

Adverbs (p. 154)

4 Escoge un adjetivo de la lista, cámbialo a un adverbio con **-mente** y úsalo para completar una de las siguientes oraciones.

Adjetivos: fácil, general, lento, rápido

1. No me gusta escribir. Escribo muy _____.
2. ¡Esta computadora es fantástica! Funciona muy _____.
3. _____ me gusta navegar en Internet, pero no me gusta este sitio web.
4. Ella aprende a usar nuevos programas muy _____. No son difíciles para ella.

Preparación para el Capítulo 5

The present indicative of regular **-ar**, **-er**, and
-ir verbs (pp. 56 and 102)

5 Completa las oraciones del anuncio *(advertisement)* con la forma correcta del verbo indicado.

¡Superrápido, superligero!
Y esta semana, ¡una superoferta!

La Incre-Libre 2020
_____ **(deber) ser tu**
nueva computadora si tú...

- _____ (enviar) o _____ (recibir) archivos grandes por e-mail,
- _____ (grabar) muchos videos o _____ (instalar) programas de software
  que requieren mucha memoria,
- _____ (llevar) tu computadora portátil siempre contigo y _____ (trabajar) con
ella en muchos sitios,... esta es la computadora para ti.

Nuestros clientes _____ **(hablar) de su satisfacción con la Incre-Libre:**

"¡Esta computadora _____ (funcionar) muy rápidamente! Yo _____ (bajar) y _____
(subir) archivos a mi sitio web todos los días sin problema."
–Pilar Torres García, diseñadora de sitios web

"¡La Incre-Libre no _____ (pesar—*to weigh*) nada! Voy a un café, _____ (sacar) la
computadora de mi mochila, _____ (acceder) a Internet y _____ (leer) las noticias
del mundo. No importa dónde estoy."
–Javier Salazar Rojas, profesor

"Los altoparlantes son increíbles. Cuando mi hermanos y yo _____ (usar) la computadora
para mirar videos, ellos siempre _____ (comentar) la calidad del audio."
–Marcos Villarreal Barrios, estudiante

¡Esta semana, nosotros _____ (ofrecer) el Incre-Libre por solo 1.200 euros!
Es nuestra computadora portátil más popular: _____ (vender) casi 100 de ellas cada semana.
¡Si quieres una, _____ (deber) actuar AHORA! Nuestros expertos en computación
personal están listos para atenderte.

Complete these activities to check your understanding of the new grammar points in **Chapter 4** before you move on to **Chapter 5**.

Be sure to reread **Chapter 4: Gramática útil 2** and **3** before moving on to the new **Chapter 5** grammar sections.

The answers to the activities in this section can be found in **Appendix B**.

© Zia Soleil/Getty Images

RELACIONES FAMILIARES

En el mundo hispanohablante, las relaciones familiares son un aspecto muy importante de la identidad personal.

¿Es tu familia una parte importante de tu vida diaria? ¿Cuánto tiempo pasas con los miembros de tu familia en una semana? ¿Y en un mes?

Un viaje por El Salvador y Honduras

Estos países centroamericanos comparten frontera y la costa pacífica. Honduras también tiene costa atlántica. Los dos tienen un clima tropical.

País / Área	Tamaño y fronteras	Sitios de interés
El Salvador 20.720 km²	un poco más pequeño que Massachusetts; fronteras con Guatemala y Honduras	el bosque lluvioso *(rain forest)* del Parque Nacional Montecristo; los volcanes de Izalco, Santa Ana y San Vicente; las ruinas mayas de Joya de Cerén; las playas *(beaches)* del Pacífico
Honduras 111.890 km²	un poco más grande que Tennessee; fronteras con El Salvador, Guatemala y Nicaragua	las ruinas mayas de Copán, las Islas de la Bahía, la arquitectura colonial de Tegucigalpa y San Pedro Sula, el bosque tropical de la región de la Mosquitia

¿Qué sabes? Di si las siguientes oraciones son ciertas **(C)** o falsas **(F)**.

1. Estos dos países tienen más o menos el mismo *(same)* tamaño.
2. Hay ruinas mayas en Honduras, pero no en El Salvador.
3. El Salvador tiene muchos volcanes.
4. Hay ejemplos de arquitectura colonial en Honduras.

Lo que sé y lo que quiero aprender Completa la tabla del **Apéndice A**. Escribe algunos datos que **ya sabes** sobre estos países en la columna **Lo que sé**. Después, añade algunos temas que **quieres aprender** a la columna **Lo que quiero aprender**. Guarda la tabla para usarla otra vez en la sección **¡Explora y exprésate!** en la página 195.

COMMUNICATION

By the end of this chapter you will be able to

- talk about and describe your family
- talk about professions
- describe daily routines
- indicate ongoing actions

CULTURES

By the end of this chapter you will have explored

- facts about Honduras and El Salvador
- a unique course of study in Honduras
- a financial cooperative in El Salvador
- careers where knowledge of Spanish is helpful
- the Afro-Hispanic **garífuna** culture of Honduras

¡Imagínate!

▶ VOCABULARIO ÚTIL 1

Anilú: Son fotos de mi **familia**.

Dulce: ¿De veras? ¿En la computadora?

Anilú: Sí, mi **hermanito** Roberto tiene una cámara digital. Saca fotos de la familia y me las manda por Internet.

La familia nuclear *The nuclear family*

la madre (mamá) *mother (mom)*
el padre (papá) *father (dad)*
los padres *parents*
la esposa *wife*
el esposo *husband*
la hija *daughter*
el hijo *son*
la hermana (mayor) *(older) sister*
el hermano (menor) *(younger) brother*
la tía *aunt*

el tío *uncle*
la prima *female cousin*
el primo *male cousin*
la sobrina *niece*
el sobrino *nephew*
la abuela *grandmother*
el abuelo *grandfather*
la nieta *granddaughter*
el nieto *grandson*

La familia política *In-laws*

la suegra *mother-in-law*
el suegro *father-in-law*
la nuera *daughter-in-law*
el yerno *son-in-law*
la cuñada *sister-in-law*
el cuñado *brother-in-law*

la madrastra *stepmother*
el padrastro *stepfather*
la hermanastra *stepsister*
el hermanastro *stepbrother*
la media hermana *half-sister*
el medio hermano *half-brother*

ACTIVIDADES

1 **Los parientes** Completa las oraciones con la respuesta correcta para describir las relaciones entre los parientes de Anilú. Usa el árbol genealógico *(family tree)* de Anilú para identificar las relaciones.

1. Rodrigo es ____ de Adela.
   a. el esposo
   b. el suegro
   c. el tío
2. Tomás y Rafael son ____.
   a. hermanas
   b. primos
   c. hermanos
3. Sonia es ____ de Anilú.
   a. la tía
   b. la prima
   c. la hermanastra
4. Roberto es ____ de Rosa.
   a. el sobrino
   b. el nieto
   c. el yerno
5. Gloria es ____ de Rodrigo y Adela.
   a. la suegra
   b. la hija
   c. la nieta
6. Adela es ____ de Amelia.
   a. la madrastra
   b. la cuñada
   c. la suegra

Arturo Villa González y Beatriz Vega Chapa de Villa   Rodrigo Guzmán Corona y Adela Flores Romero de Guzmán

Carlos   Irene   Amelia   Pedro   Hernán   Rosa

Tomás   Rafael   Gloria   Anilú   Roberto   Alberto   Sonia

Notice that two surnames are given for Anilú's grandparents. In some Spanish-speaking countries, the first surname is the father's, and the second one is the mother's. Anilú's full name is Anilú Guzmán Villa.

2 **La familia de Anilú** Con un(a) compañero(a) de clase, háganse preguntas sobre el árbol genealógico *(family tree)* de Anilú de la **Actividad 1**. Túrnense nombrando la persona y diciendo cuál es su relación con Anilú.

MODELO **Compañero(a):** ¿Quién es Beatriz Vega Chapa?
Tú: *Es la abuela de Anilú.*

The masculine plural **hermanos** can mean both *brothers* (all males) and *brothers and sisters / siblings* (both males and females). In some communities, you may see amig@s instead of **amigos** y **amigas**. Using @ is a way to promote non-gender specific language.

3 **El árbol genealógico** Dibuja tu árbol genealógico. Empieza con tus abuelos y sigue con el resto de tu familia. Luego, en grupos de tres, intercambien sus árboles y háganse preguntas sobre sus familias.

MODELO **Tú:** *¿Tom es tu hermano?*
Compañero(a): *Sí, es mi hermano menor. Tiene quince años y es muy divertido.*
Tú: *¿Quién es Elisa?*
Compañero(a): *Es mi sobrina. Es la hija de mi hermana mayor.*

To refer to a couple, use **la pareja**: **Es una pareja muy elegante.** Also, you can say: **¿Quién es la pareja de Juan?** Or: **Su pareja es doctor.**

Remember that **los padres** is the correct term for parents. **Parientes** refers to family members in general.

4 **Mi familia** Escribe un párrafo corto sobre los miembros de tu familia nuclear. Di quién es cada uno(a), cómo se llama y cuántos años tiene. Incluye algunas características físicas y también de personalidad. Luego, lee tus descripciones a otros dos compañeros(as) y contesta sus preguntas.

In some countries, the **-astro(a)** ending might be viewed as pejorative, and speakers might refer to **la esposa de mi padre** instead of **mi madrastra**. Be conscious of these nuances.

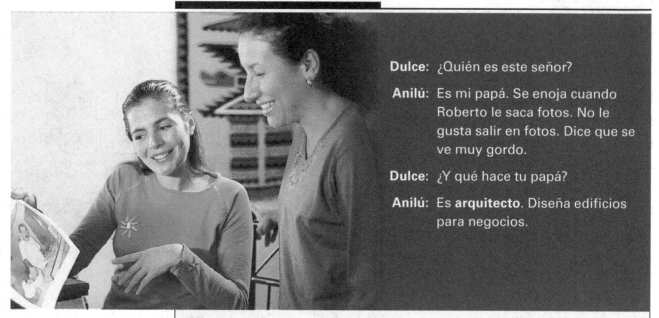

Dulce: ¿Quién es este señor?

Anilú: Es mi papá. Se enoja cuando Roberto le saca fotos. No le gusta salir en fotos. Dice que se ve muy gordo.

Dulce: ¿Y qué hace tu papá?

Anilú: Es **arquitecto**. Diseña edificios para negocios.

Las profesiones y las carreras *Professions and careers*

When describing someone's profession, don't use an article as we would in English: **Es abogada** translates as *She is a lawyer.*

El policía means a single policeman. **La policía** can mean a single policewoman or the entire police force. You have to extract the correct meaning from the context. Other professions whose meaning depends on the context and the article are: **el químico / la química, el físico / la física, el músico / la música, el matemático / la matemática, el guardia / la guardia.**

La mujer policía is also used for a single policewoman.

la abogada

el periodista

la médica

la artista

el bombero

la carpintera

la policía

el plomero

el arquitecto

Más profesiones *More professions*

el actor / la actriz *actor / actress*
el (la) asistente *assistant*
el (la) camarero(a) *waiter / waitress*
el (la) cocinero(a) *cook, chef*
el (la) contador(a) *accountant*
el (la) dentista *dentist*
el (la) dependiente *salesclerk*
el (la) director(a) de medios sociales
director of social media
el (la) diseñador(a) gráfico(a) *graphic designer*
el (la) dueño(a) de... *owner of . . .*
el (la) enfermero(a) *nurse*

el (la) gerente de... *manager of . . .*
el hombre / la mujer de negocios
businessman / businesswoman
el (la) ingeniero(a) *engineer*
el (la) maestro(a) *teacher*
el (la) mecánico(a) *mechanic*
el (la) peluquero(a) *barber / hairdresser*
el (la) programador(a) *programmer*
el (la) secretario(a) *secretary*
el (la) trabajador(a) *worker*
el (la) veterinario(a) *veterinarian*

ACTIVIDADES

5 **¿Qué hace?** Escoge la profesión más lógica para cada persona.

1. Alejandro trabaja en un hospital. Es…
2. Catalina trabaja en el teatro. Es…
3. Pedro trabaja en un restaurante. Es…
4. El señor Cortez trabaja en una escuela primaria *(primary school)*. Es…
5. Amelia trabaja en el centro de computación. Es…
6. Irene trabaja en un hospital para animales. Es…

  a. cocinero(a)
  b. veterinario(a)
  c. enfermero(a)
  d. actor / actriz
  e. maestro(a)
  f. programador(a)

6 **Quiere ser...** Tú y tu compañero(a) hablan de varios amigos. Tú le dices a tu compañero(a) qué es lo que estudia una persona y tu compañero(a) te dice qué quiere ser esa persona.

MODELO   medicina
    Tú: *Marcos estudia medicina.*
    Compañero(a): *Quiere ser médico.*

1. contabilidad
2. administración de empresas
3. ingeniería
4. informática
5. diseño gráfico
6. arte
7. pedagogía
8. periodismo

7 **Presentaciones** Estás en la fiesta de un amigo. Él te presenta a varios miembros de su familia. Lee sus presentaciones. Luego, para cada persona, indica cuál es su relación con tu amigo y su profesión.

MODELO Quiero presentarte a Antonio. Él es el hijo de mi tía Rosa. Antonio trabaja en el Hospital Garibaldi. Ayuda a las personas enfermas.

Nombre: *Antonio*   Relación: *primo*   Profesión: *enfermero / médico*

1. Te presento a Miranda. Miranda es la hija de mi tío Ricardo. Miranda enseña francés en el Colegio Del Valle.
Nombre: Miranda   Relación: _____   Profesión: _____

2. Mira, te presento a Olga. Olga trabaja para el periódico *El Universal*. Olga es la esposa de mi hermano.
Nombre: Olga   Relación: _____   Profesión: _____

3. Quiero presentarte a César. César es el hijo de mi hermano. César trabaja en una pizzería después del colegio.
Nombre: César   Relación: _____   Profesión: _____

4. Este es Raúl. Raúl es el hermano de mi padre. Él diseña casas y edificios.
Nombre: Raúl   Relación: _____   Profesión: _____

5. Te presento al señor Domínguez, el padre de mi esposa. Él escribe software para una compañía multinacional.
Nombre: señor Domínguez   Relación: _____   Profesión: _____

8 **¿Qué quieres ser?** En grupos de tres, hablen sobre sus planes para el futuro.

MODELO **Tú:** *¿Qué profesión te interesa?*
Compañero(a): *¿A mí? Yo quiero ser director de medios sociales.*
Tú: *¿Dónde quieres trabajar?*
Compañero(a): *Quiero trabajar aquí, en Los Ángeles.*

9 **El español y las profesiones** En Estados Unidos hay muchas oportunidades profesionales para personas que hablan español. Estas carreras son algunos ejemplos que lo necesitan.

- abogado(a)
- académico(a)
- enfermero(a)
- intérprete
- médico(a)

- periodista
- policía
- profesor(a) o maestro(a) de español
- secretario(a) bilingüe
- trabajador(a) social

Con un(a) compañero(a) de clase, contesta las siguientes preguntas.

1. ¿Te interesa alguna de estas carreras? ¿Por qué? ¿Crees que hablar español es importante para tu futuro?
2. En Europa los estudiantes de primaria aprenden inglés y muchas veces otro idioma además de su lengua nativa. ¿Crees que es buena idea? ¿Por qué? ¿Crees que los estadounidenses deben aprender otro idioma además del inglés? ¿Por qué?

¡FÍJATE!

Las profesiones y el mundo

Gracias a la tecnología, el mundo va cambiando *(is changing)* muy rápido. Hoy día hay muchas profesiones nuevas que no existían en el pasado. Antes, muchas profesiones eran locales, es decir, se limitaban a lo que se podía hacer dentro de *(were limited to what could be done within)* la comunidad: policía, bombero(a), dentista, doctor(a), profesor(a). Ahora es posible elegir una profesión con impacto global. ¿En qué campos existen profesiones con proyección internacional?

With some professions, there is a lot of confusion about how to specify gender, especially for traditionally male professions like **piloto, bombero, ingeniero, general, mecánico, plomero**. The ambiguity is also due to the number of options for specifying gender. Some professions change the ending, like **el actor** and **la actriz; el maestro** and **la maestra; el alcalde** *(mayor)* and **la alcaldesa**. Other professions simply change the article, with no change to the noun, like **el gerente** and **la gerente, el dentista** and **la dentista**. Sometimes, the word **mujer** or **señora** is used to specify the gender: **la mujer policía**.

© Bianda Ahmad Hisham / Shutterstock.com

Asistencia sanitaria internacional	*International health care*
Banca internacional	*International banking*
Consultoría de negocios	*Consulting*
Derecho internacional	*International law*
Ingeniería multinacional	*International engineering*
Mercadotecnia internacional	*International marketing*
Política exterior	*Foreign policy*
Programas de conservación ambiental	*Environmental programs*
Servicios financieros	*Financial services*
Tecnología ambiental	*"Green" technology*
Telecomunicaciones	*Telecommunications*

PRÁCTICA Busca en Internet tres profesiones con proyección internacional que te interesan. ¿De qué campo son? ¿Qué puedes hacer en tus estudios para empezar a prepararte para cada profesión?

© Javier Larrea/age fotostock

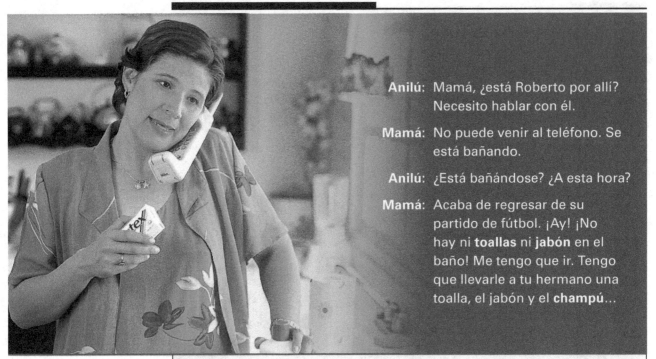

Anilú: Mamá, ¿está Roberto por allí? Necesito hablar con él.

Mamá: No puede venir al teléfono. Se está bañando.

Anilú: ¿Está bañándose? ¿A esta hora?

Mamá: Acaba de regresar de su partido de fútbol. ¡Ay! ¡No hay ni **toallas** ni **jabón** en el baño! Me tengo que ir. Tengo que llevarle a tu hermano una toalla, el jabón y el **champú**...

En el baño *In the bathroom*

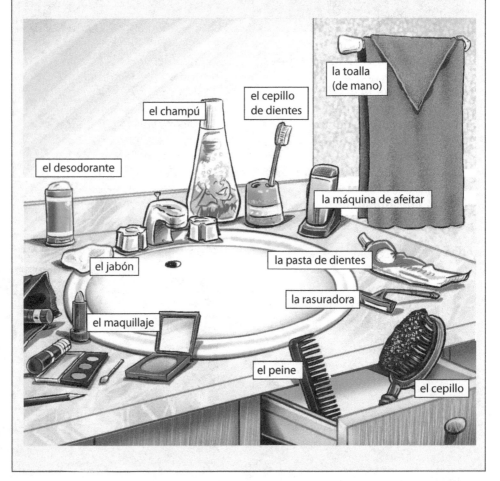

- la toalla (de mano)
- el cepillo de dientes
- el champú
- el desodorante
- la máquina de afeitar
- el jabón
- la pasta de dientes
- la rasuradora
- el maquillaje
- el peine
- el cepillo

ACTIVIDADES

10 **¿Qué necesitan comprar?** Según la situación, ¿qué necesita comprar cada persona?

MODELO   *Él necesita comprar champú.*

1.

2.

3.

4.

5.

6.

11 🔁 **El HiperMercado** Imagina que tú y tu hermano(a) ven un anuncio de HiperMercado en el periódico. Tú le dices qué quieres comprar y él/ella te dice cuánto dinero necesitas para comprar ese artículo.

(**¡OJO!** *Dollars* = **dólares** y *cents* = **centavos**.)

MODELO   **Tú:** *Quiero comprar un cepillo y un peine.*
Hermano(a): *Necesitas tres dólares y setenta y nueve centavos para comprar el cepillo y el peine.*

HiperMercado
¡Todo para la familia!
¡Los mejores precios de la ciudad!

Cepillo y peine "La Bella":
$4,39 **$3,79**

Jabón antibacterial "Sanitario":
$1,49 **$1,19**

Champú "Largo y limpio":
$3,39 **$2,79**

Máquina de afeitar "El Varonil":
$24,99 **$19,99**

Cepillo de dientes y pasta de dientes "Brillante":
$4,75 **$3,75**

Paquete de seis rasuradoras "Para ella":
$3,97 **$3,47**

Desodorante "Frescura":
$2,69 **$1,99**

Paquete de dos toallas de mano "Elegantes":
$4,99 **$3,99**

Unlike grocery stores, which focus mostly on food items, **hipermercados** in urban areas of many Spanish-speaking countries are similar to supermarkets, but tend to sell an even wider range of household products.

A ver

Listening for the main idea

A good way to organize your viewing of an authentic video is to focus on getting the main idea of the segment (or of each of its parts). Don't try to understand every word; just try to get the gist of each scene. Later, with the help of the textbook activities, some of the other details of the segment will emerge.

In the video, you hear Anilú refer to her **hermanito** Roberto. In Spanish, diminutives such as this are common. You form the diminutive by adding **-ito** or **-ita** to a noun: **hermano → hermanito.** (Other diminutives are formed by adding **-cito / -cita: coche → cochecito.**)

A diminutive is used 1) to indicate that something or someone is small, or younger (**una casita** is a small house; **una hermanita** is a younger sister) 2) to express love or fondness. For example, Anilú's mother uses the term **¡Hasta lueguito!** to indicate a very short amount of time.

To express affection, Spanish speakers also use nicknames. In the video, **Anilú** is a nickname for Ana Luisa, **Beto** for Roberto, and **Chela** for Graciela.

Antes de ver Conecta las fotos con los diálogos.

a   b   c

_____ **1.** Dulce: ¿Qué hace tu papá?

            Anilú: Es arquitecto. Diseña edificios para negocios.

_____ **2.** Mamá: Bueno, pero siempre hay que hacer tiempo para llamar a tu mamá.

            Anilú: Sí, mamá, está bien. Perdóname.

_____ **3.** Anilú: Mira, ven a ver.

            Dulce: ¿Qué es?

▶ **Ver** Ahora mira el video del **Capítulo 5**. Trata de entender la idea principal de cada escena.

Después de ver Conecta las escenas con las ideas principales.

1. _____ **Escena 1:** Anilú está mirando *(is looking at)* la computadora.

2. _____ **Escena 2:** Anilú habla con su mamá.

3. _____ **Escena 3:** Anilú y Dulce miran una foto en la impresora.

4. _____ **Escena 4:** Roberto llama a Anilú.

5. _____ **Escena 5:** Anilú mira la foto de la fiesta de cumpleaños del abuelo.

a. La mamá de Anilú dice que ella nunca la llama.

b. A Anilú no le gusta la foto pero Roberto cree que es muy cómica.

c. Roberto quiere saber *(to know)* si a Anilú le gustan las fotos.

d. Anilú dice *(says)* que tiene unas fotos digitales.

e. Ven una foto del papá de Anilú.

Voces de la comunidad

▶ Voces del mundo hispano

En el video de este capítulo, Mirna, José y Aura hablan de las profesiones y de sus familias. Lee las siguientes oraciones. Después mira el video una o más veces para decir si las oraciones son ciertas (**C**) o falsas (**F**).

1. Mirna estudia para ser diseñadora gráfica.
2. José ya es paralegal y estudia para ser abogado.
3. Una de las hermanas de Mirna trabaja en administración de empresas.
4. Aura tiene un hermano y dos hermanas.
5. Una hermana de Aura es contadora.
6. José tiene a seis miembros de su familia en Estados Unidos.

🔊 Voces de Estados Unidos

© Gloria Rodríguez

**Gloria G. Rodríguez,
fundadora de AVANCE**

❝ Essentially, to be Hispanic is to value children . . . Rarely are children as welcomed and visible with adults as in the Latino culture. Indeed, los hijos son la riqueza de los padres, son nuestro gran tesoro. ❞

La doctora Gloria G. Rodríguez es la fundadora de AVANCE y fue su presidenta desde 1973 hasta 2006. AVANCE es una organización nacional que ayuda a familias latinas pobres con niños pequeños. En su libro, *Raising Nuestros Niños: Bringing Up Latino Children in a Bicultural World*, Rodríguez explica la filosofía de Avance así:

Los padres tienen la esperanza y el deseo, hope and desire, that their children succeed, and that they feel un gran orgullo, a great sense of pride, when they do. Esta esperanza y orgullo de los padres, this hope and pride, become tremendous driving forces for Latino parents (page 3).

Esta mexicoamericana de orígenes muy pobres es ganadora de muchos premios y reconocimientos por su labor con familias hispanas.

21ST CENTURY SKILLS
Cross-cultural skills:
Hispanic families emphasize interdependence. Ask yourself: **¿Qué papel juega la familia para el estudiante en el momento de buscar empleo o decidir dónde estudiar?**

¿Y tú? **¿Es importante tu familia en tu vida estudiantil? ¿Qué papel juega la familia en la educación de los niños y jóvenes?**

¡Prepárate!

Describing daily activities: Irregular-**yo** verbs in the present indicative, **saber** vs. **conocer**, and the personal **a**

Cómo usarlo

1. You have already learned the present indicative tense of many verbs. These include regular **-ar, -er,** and **-ir** verbs (**hablar, comer, vivir,** etc.), some irregular verbs (**ser, tener, ir**), and some stem-changing verbs (**pensar, poder, dormir,** etc.).

2. Now you will learn some verbs that are regular in all forms of the present indicative except the **yo** form. Like other verbs in the present indicative tense, these verbs can be used to say what you routinely do, what you are doing at the moment, or what you plan to do in the future.

Todos los días **salgo** para la universidad a las ocho.	*Every day **I leave** for the university at 8:00.*
Ahora mismo, **pongo** mis libros en la mochila y **digo** "hasta luego" a mi compañera de cuarto.	*Right now, **I put / I'm putting** my books in my backpack and **I say / I'm saying**, "See you later" to my roommate.*
Esta noche, **traigo** mis libros a casa otra vez y **hago** la tarea.	*Tonight, **I bring / I'll bring** my books home again and **I do / I'll do** my homework.*

Cómo formarlo

Irregular-**yo** verbs

Many irregular-**yo** verbs in the present indicative fall into several recognizable categories. Others have to be learned individually.

1. **-go** endings:

hacer	*to make; to do*	**hago**, haces, hace, hacemos, hacéis, hacen
poner	*to put*	**pongo**, pones, pone, ponemos, ponéis, ponen
salir	*to leave, to go out (with)*	**salgo**, sales, sale, salimos, salís, salen
traer	*to bring*	**traigo**, traes, trae, traemos, traéis, traen

2. **-zco** endings:

conducir	*to drive; to conduct*	**conduzco**, conduces, conduce, conducimos, conducís, conducen
conocer	*to know a person; to be familiar with*	**conozco**, conoces, conoce, conocemos, conocéis, conocen
traducir	*to translate*	**traduzco**, traduces, traduce, traducimos, traducís, traducen

Conducir is used more frequently in Spain to talk about driving. In most of Latin America, the verbs **manejar** and **guiar** (both regular -ar verbs) are used.

3. Other irregular-**yo** verbs:

dar	*to give*	**doy**, das, da, damos, dais, dan
oír	*to hear*	**oigo**, oyes, oye, oímos, oís, oyen
saber	*to know a fact;* *to know how to*	**sé**, sabes, sabe, sabemos, sabéis, saben
ver	*to see*	**veo**, ves, ve, vemos, veis, ven

Note that **oír** requires a **y** in the **tú, él / ella / usted,** and **ellos / ellas / ustedes** forms.

4. Two irregular-**yo** verbs (**-go** verbs) with a stem change:

decir	*to say, to tell*	**digo**, dices, dice, decimos, decís, dicen
venir	*to come, to attend*	**vengo**, vienes, viene, venimos, venís, vienen

5. Remember that most of these verbs are irregular only in the **yo** form. Otherwise, they follow the rules for regular **-ar, -er,** and **-ir** verbs that you have already learned. **Oír** uses the regular endings but includes a spelling change: the addition of **y** to all forms except the **yo** form. **Decir** and **venir** also have a stem change in addition to the irregular-**yo** form, but they still use **-ir** present-tense endings.

Saber vs. conocer

Saber and **conocer** both mean *to know*. It's important to know when to use each one.

■ Use **saber** to say that you know a fact or information, or that you know how to do something.

Eduardo **sabe** hablar alemán, jugar tenis y bailar flamenco. Además **sabe** dónde están todos los restaurantes buenos de la ciudad.

*Eduardo **knows how** to speak German, play tennis, and dance flamenco. He also **knows** where all the good restaurants in the city are.*

Algún día vas a tener hijos y entonces vas a **saber** cómo es.

One way to remember the difference between **saber** and **conocer** is that **saber** is usually followed by either a verb or a phrase, while **conocer** is often followed by a noun and is never followed by an infinitive.

■ Use **conocer** to say that you know a person or are familiar with a thing.

—¿**Conocen** a Sandra?
—No, pero **conocemos** a su hermana.

*Do you **know** Sandra?*
*No, but we **know** her sister.*

—¿**Conoces** bien Tegucigalpa?
—Sí, pero no **conozco** las otras ciudades de Honduras.

*Do you **know** Tegucigalpa well?*
*Yes, but I don't **know** the other cities in Honduras.*

The personal **a** can also be used with pets: **Adoro a mi perro.**

21ST CENTURY SKILLS
Skills Map The personal **a** is likely to challenge your linguistic **flexibility & adaptability**. Being open-minded to different language structures is part of the language learning experience.

The personal a

When you use **conocer** to say that you know a person, notice that you use the preposition **a** before the noun referring to the person. This preposition is known as the personal **a** in Spanish and it must be used whenever a person, but not an inanimate object, receives the action of any verb (not just **conocer**): **Conozco a Juan. / Conozco ese libro.** It has no equivalent in English.

Conocemos **a** Nina y **a** Roberto.
¿Ves **a** tus amigos frecuentemente?

We know Nina and Roberto.
Do you see your friends frequently?

In **Chapter 3** you learned that **a** + **el** = **al**. The personal **a** is no exception: **Veo al profesor.**

ACTIVIDADES

1 **¿Sí o no?** Lee las oraciones y decide si requieren la **a** personal o no. Añade la **a** personal si es necesaria o marca con una X si no es necesaria.

MODELO   Conozco bien __X__ Buenos Aires.

1. Veo _____ mis hermanos todos los días.
2. Hago mi tarea con _____ ellos.
3. Les digo la verdad *(truth)* _____ ellos también.
4. Oigo _____ sus comentarios sobre la universidad.
5. Conozco _____ muchos de sus amigos.
6. Conduzco el auto cuando visito _____ mi familia.

2 **La mamá de Anilú** La mamá de Anilú le describe un día normal a una amiga. Usa el punto de vista *(viewpoint)* de ella para describir su día.

MODELO   salir del trabajo a las cinco
          Salgo del trabajo a las cinco.

1. generalmente, traer trabajo a casa
2. cuando llego a casa, venir muy cansada
3. hacer la cena *(dinner)* a las siete
4. poner la mesa *(set the table)* antes de hacer la cena
5. cuando la cena está preparada, decir "todo está listo"
6. conocer a mis hijos muy bien
7. saber que tengo que llamarlos varias veces
8. por fin, oír a los niños apagar la tele
9. ver un poco de mi programa favorito
10. dar las gracias por otro día más o menos normal

3 🔁 **¿Sabes...?** Con un(a) compañero(a), forma preguntas con las siguientes frases. Túrnense para hacerse las preguntas y contestarlas. Luego, háganse nuevas preguntas usando los verbos de las frases.

MODELO   conducir para llegar a la universidad
          Tú: *¿Conduces para llegar a la universidad?*
          Compañero(a): *No, no conduzco para llegar a la universidad.*
          Tú: *¿Conduces todos los días?*
          Compañero(a): *No, conduzco tres días a la semana.*

1. conocer al (a la) presidente(a) de la universidad
2. dar tu contraseña a tus amigos
3. decir siempre la verdad
4. hacer la tarea puntualmente
5. saber escribir programas para los teléfonos inteligentes
6. salir frecuentemente con amigos
7. traducir poemas del inglés al español
8. traer la computadora portátil a la clase
9. venir cansado(a) o aburrido(a) de las clases
10. ver televisión por la mañana, la tarde o la noche

4  **¿Saber o conocer?** Con un(a) compañero(a), túrnense para hacer las siguientes preguntas. La persona que hace las preguntas tiene que decidir entre los verbos **saber** o **conocer**.

MODELO ¿(Saber / Conocer / Conocer a) hablar español?
     Tú: *¿Sabes hablar español?*
     Compañero(a): *Sí, sé hablar español.*

1. ¿(Saber / Conocer / Conocer a) el (la) compañero(a) de cuarto de…?
2. ¿(Saber / Conocer / Conocer a) Nueva York, París o Buenos Aires?
3. ¿(Saber / Conocer / Conocer a) tocar el violín?
4. ¿(Saber / Conocer / Conocer a) Honduras?
5. ¿(Saber / Conocer / Conocer a) preparar comida hondureña o salvadoreña?

5  **Sé y conozco** Escribe cinco cosas que **sabes** hacer. Luego escribe el nombre de cinco personas o lugares que **conoces**. Intercambia tu lista con un(a) compañero(a). Tu compañero(a) tiene que informarle a la clase lo que tú **sabes** y **conoces**, y tú tienes que hacer lo mismo con la lista de tu compañero(a).

MODELO **Tu lista:** *Sé jugar tenis.*
     Conozco a muchas personas que juegan tenis.
     Tu compañero(a): *Javier sabe jugar tenis.*
     Conoce a muchas personas que juegan tenis.

6  **Cuestionario** Primero, contesta el siguiente cuestionario. Luego, en grupos de tres, háganse las preguntas. Si quieren, pueden añadir otras. Todos los miembros del grupo deben contestar todas las preguntas.

1. **Tu horario**
   ¿Cuándo haces ejercicio?
   ¿Cuándo haces la tarea?

2. **Tu vida social**
   ¿Sales por la noche? ¿Adónde vas?
   ¿Con quién sales los fines de semana?

3. **Tu medio de transporte preferido**
   ¿Tienes coche? ¿Conduces a la universidad?
   ¿Conduces todos los días o usas otro medio de transporte?

4. **Tu tiempo libre**
   ¿Sabes jugar algún deporte? ¿Cuál?
   ¿Sabes tocar un instrumento? ¿Cuál?

5. **Tus viajes**
   ¿Conoces algún país de Latinoamérica? ¿Cuál(es)?
   ¿Conoces África o Asia?

GRAMÁTICA ÚTIL 2

Describing daily activities: Reflexive verbs

Hotel Calidad Ejecutiva
www.calidadejecutiva.com   1-800-444-4444
7800 Avenida Norte, San Salvador 2901-8720

Ya es hora de
despertarse
a una nueva
clase de hotel
de negocios.

© Anton Prado Photo/Shutterstock.com

This ad for a business hotel in El Salvador uses a reflexive verb. What is it and what does it mean?

Cómo usarlo

1. So far, you have learned to use Spanish verbs to say what actions people are doing or to describe people and things.

Elena **habla** por teléfono.	*Elena **talks** on the phone.*
Tu hermano **está** cansado.	*Your brother **is** tired.*

2. Spanish has another category of verbs, called *reflexive* verbs, where the action of the verb *reflects back* on the person who is doing the action. When you use reflexive verbs in Spanish, they are often translated in English as *with* or *to myself, yourself, himself, herself, ourselves, yourselves, themselves.*

Lidia **se maquilla**.	*Lidia **puts makeup on (herself)**.*
Antes de ir a clase, yo **me ducho, me visto** y **me peino**.	*Before going to class, **I shower, get dressed**, and **comb my hair**.*

3. Notice how a reflexive verb is always used with a reflexive pronoun. These pronouns always match the subject of the sentence. The action of the verb *reflects back* on the person when the pronoun is used.

Yo me acuesto a las once.	*I go to bed (put myself to bed) at eleven.*
Tú te despiertas a las diez los fines de semana.	*You wake up (wake yourself up) at ten on the weekends.*
Nosotros nos bañamos antes de salir de casa.	*We bathe (ourselves) before we leave the house.*
Ellos se afeitan todos los días.	*They shave (themselves) every day.*

The reflexive pronoun and verb must always match the subject of the sentence: **Nosotros nos bañamos, Ellos se afeitan, Mateo se lava**, *etc.*

4. Most reflexive verbs can also be used without the reflexive pronoun to express non-reflexive actions, that is, actions that are performed on someone other than oneself.

Mateo **se baña** todos los días.	*Mateo **bathes** every day.*
Mateo **baña** a su perro.	*Mateo **bathes (washes)** his dog.*

5. Reflexive pronouns can also be used to indicate *reciprocal* actions.

Leo y Ali **se cortan** el pelo.	*Leo and Ali **cut each other's** hair.*

Cómo formarlo

Lo básico

■ A *reflexive verb* is one in which the action described reflects back on the subject.

■ A *reflexive pronoun* is a pronoun that refers back to the subject of the sentence. English reflexive pronouns are *myself, herself, ourselves,* etc.

1. You conjugate reflexive verbs the same way you would any other verb. The only difference is that you must always include the reflexive pronoun.

2. Here is the reflexive verb **lavarse** conjugated in the present indicative tense.

lavarse *(to wash oneself)*			
yo	**me lavo**	nosotros, nosotras	**nos lavamos**
tú	**te lavas**	vosotros, vosotras	**os laváis**
Ud. / él / ella	**se lava**	Uds. / ellos / ellas	**se lavan**

3. The only difference in the way that reflexive and non-reflexive verbs are conjugated is the addition of the reflexive pronoun to the verb form. Verbs that are irregular or stem-changing when used non-reflexively have the same irregularities or stem changes when used with a reflexive pronoun.

Me despierto a las seis y media.　*I wake (myself) up at 6:30.*
Despierto a mi esposo a las siete.　*I wake my husband up at 7:00.*

4. When you use a reflexive verb in its infinitive form, the reflexive pronoun may attach at the end of the infinitive (most commonly) or go at the beginning of the entire verb phrase.

Voy a acostarme a las once.　　OR: **Me voy a acostar** a las once.
Debo acostarme a las once.　　OR: **Me debo acostar** a las once.
Tengo que acostarme a las once.　OR: **Me tengo que acostar** a las once.

Notice that with **gustar** (and similar verbs), the reflexive pronoun *must* be attached at the end of the infinitive: **Me gusta acostarme a las once**.

Remember that when you use a reflexive verb as an infinitive, you still need to change the pronoun to match the subject of the sentence: **Voy a acostarme a las once, pero tú vas a acostarte a medianoche.**

5. Here are some common reflexive verbs, many of which refer to daily routines. Many reflexive verbs have a stem change, which is indicated in parenthesis.

acostarse (ue) *to go to bed*	**levantarse** *to get up*
afeitarse *to shave oneself*	**maquillarse** *to put on makeup*
bañarse *to take a bath*	**peinarse** *to brush / comb one's hair*
cepillarse el pelo *to brush one's hair*	**ponerse (la ropa)** *to put on (clothing)*
cepillarse los dientes *to brush one's teeth*	**prepararse** *to get ready*
despertarse (ie) *to wake up*	**quitarse (la ropa)** *to take off (clothing)*
ducharse *to take a shower*	**secarse el pelo** *to dry one's hair*
lavarse *to wash oneself*	**sentarse (ie)** *to sit down*
lavarse el pelo *to wash one's hair*	**vestirse (i)** *to get dressed*
lavarse los dientes *to brush one's teeth*	

6. Some Spanish verbs are used with reflexive pronouns to emphasize a change in state or emotion. Spanish has many more verbs that are used this way than English does. Note that some of these verbs (**casarse, comprometerse,** etc.) are usually used to express reciprocal actions, due to the nature of their meaning.

Reflexive actions always carry the meaning *to oneself*. Reciprocal actions always carry the meaning *to each other*.

casarse *to get married*	**irse** *to leave, to go away*
comprometerse *to get engaged*	**pelearse** *to have a fight*
despedirse (i) *to say goodbye*	**preocuparse** *to worry*
divertirse (ie) *to have fun*	**quejarse** *to complain*
divorciarse *to get divorced*	**reírse (i)** *to laugh*
dormirse (ue) *to fall asleep*	**relajarse** *to relax*
enamorarse *to fall in love*	**reunirse** *to meet, to get together*
enfermarse *to get sick*	**separarse** *to separate*

Reunirse carries an accent on the **u** when conjugated: **se reúnen**.

7. Here are some common words and phrases to use with these verbs.

a veces *sometimes*	**siempre** *always*
antes *before*	**todas las semanas** *every week*
después *after*	**todos los días** *every day*
luego *later*	**... veces al día /** *... times a day /*
nunca *never*	**por semana** *per week*

ACTIVIDADES

7 🔊 **Necesito...** Para vernos y sentirnos bien, todos tenemos que hacer ciertas cosas antes o después de participar en ciertas actividades. Escucha las descripciones y escoge el dibujo que le corresponde a cada una.

MODELO **Escuchas:** Necesito peinarme antes de fotografiarme.
Ves el dibujo a la derecha:
Escribes: la letra correspondiente

1. ____

2. ____

3. ____

4. ____

5. ____

6. ____

8 🔄 **De visita** Estás de visita en la casa de tu compañero(a) y quieres saber más de la rutina diaria de él/ella y de su familia. Hazle las preguntas de la lista y, si quieres, también inventa otras.

MODELO **Tú lees:** ¿A qué hora (acostarse) tus padres?
Tú preguntas: *¿A qué hora se acuestan tus padres?*
Compañero(a): *Mis padres se acuestan a las diez o las once de la noche.*

1. ¿Tú (lavarse) el pelo todos los días?
2. ¿Cuántas veces por semana (afeitarse) tu hermano?
3. ¿(Despertarse) tarde o temprano tu madre?
4. ¿(Ducharse) por la mañana o por la noche tu hermano?
5. ¿(Maquillarse) tu hermana antes de salir para la universidad?
6. ¿A qué hora (acostarse) tu compañero(a) de cuarto?
7. ¿A qué hora (levantarse) tu padre?
8. ¿Tú (peinarse) antes de salir de casa?
9. ¿Cuántas veces por día (lavarse) los dientes tú y tus hermanos?

9 **La telenovela** Miguel y Marta son los protagonistas de una telenovela famosa. Tú eres el (la) guionista *(script writer)* y tienes que describir el desarrollo de su relación. Sigue el modelo.

MODELO divertirse en la fiesta de unos amigos
Miguel y Marta se divierten en la fiesta de unos amigos.

1. enamorarse después de un mes
2. comprometerse después de un año
3. casarse en la casa de los padres de Marta
4. pelearse frecuentemente
5. quejarse mucho con sus amigos
6. separarse por seis meses
7. divorciarse después de dos años de matrimonio
8. irse a diferentes regiones del país

10 🔄 **Preguntas personales** Tú y tu compañero(a) quieren saber más sobre sus respectivas vidas. Háganse las siguientes preguntas. Luego, inventen cinco preguntas más con los verbos de la rutina diaria o los otros verbos reflexivos de las páginas 185–186.

1. ¿A qué hora te acuestas durante la semana? ¿Y los fines de semana?
2. ¿A qué hora te levantas durante la semana? ¿Y los fines de semana?
3. ¿Te preocupas mucho por tus estudios?
4. ¿Cuántas veces por semana te reúnes con tus amigos?
5.–9. ¿…?

Describing actions in progress:
The present progressive tense

Cómo usarlo

1. The present progressive tense is used in Spanish to describe actions that are in progress at the moment of speaking. It is equivalent to the *is / are +
-ing* structure in English.

En este momento **estamos
llamando** a los abuelos.

*Right now, **we are calling** the
(our) grandparents.*

Están comiendo ahora.

***They are eating** right now.*

¿**Estás viendo** las fotos?

2. Note that the present progressive tense is used *much* more frequently in English than it is in Spanish. Whereas in English it is used to describe future plans, in Spanish the present indicative or the **ir** + **a** + infinitive structure is used instead.

Salimos con la familia este
viernes.

***We are going out** with the family
this Friday.*

Vamos a salir con la familia
este viernes.

***We are going to go out** with the
family this Friday.*

3. Use the present progressive in Spanish only to describe actions in which people are engaged at the moment. Do not use it to describe routine ongoing activities (use the present indicative), to describe generalized action (use the infinitive), or to describe future actions.

Right now:
No puedo hablar.
    Estamos estudiando.

*I can't talk. **We're
    studying** (right now).*

BUT:

■ *Routine:*
    Estudio español, biología,
    historia e informática.

I am studying / I study
*Spanish, biology,
    history, and computer
    science.*

■ *Generalized action:*
    Estudiar es importante.

***Studying** is important.*

■ *Future:*
    Estudio con
    Mario el lunes.

***I will study** with Mario
    on Monday.*

Cómo formarlo

Lo básico

A *present participle* is the verb form that expresses a continuing or ongoing action. In English, present participles end in *-ing: laughing, reading.*

1. Form the present progressive tense by using the present indicative forms of the verb **estar** (which you learned in **Chapter 4**) and the present participle.

estoy / estás / está / estamos / estáis / están + present participle

2. Here's how to form the present participle of regular **-ar**, **-er**, and **-ir** verbs.

-ar verbs	-er / -ir verbs
Remove the **-ar** from the infinitive and add **-ando**.	Remove the **-er** / **-ir** from the infinitive and add **-iendo**.
caminar → **caminando**	ver → **viendo**
	escribir → **escribiendo**

Estamos caminando por la calle.　　**We're walking** down the street.
Estoy viendo la televisión.　　**I'm watching** television.
Chali **está escribiendo** su trabajo.　　Chali **is writing** her paper.

3. A few present participles are irregular: for example, **leer (leyendo), oír (oyendo).**

4. All **-ir** stem-changing verbs show a stem change in their present participle as well.

e → i			
despedirse	**despidiéndose**	reírse	**riéndose**
divertirse	**divirtiéndose**	repetir	**repitiendo**
pedir	**pidiendo**	servir	**sirviendo**
o → u			
dormir	**durmiendo**	morir	**muriendo**

5. As you may have noticed in the list above, to form the present participle of reflexive verbs, you may attach the reflexive pronoun to the end of the present participle or place it before the entire verb phrase, the same as when you use reflexive verbs in the infinitive. Note that when the pronoun is attached, the new present participle form requires an accent to maintain the correct pronunciation.

Lina **está levantándose** ahora mismo. /　　Lina **is getting up** right now.
Lina **se está levantando** ahora mismo.

Estoy divirtiéndome mucho. /　　**I'm having** a lot of **fun**.
Me estoy divirtiendo mucho.

ACTIVIDADES

11 🔊 **Preparaciones** La familia González va a una boda *(wedding)* y todos están preparándose. Escucha la conversación telefónica de un miembro de la familia y escoge la oración que dice qué está haciendo cada persona mencionada.

MODELO ___X___ La prima está peinándose. / _____ La prima está riéndose.

1. _____ El padre está vistiéndose. / _____ El padre está afeitándose.

2. _____ La madre está duchándose. / _____ La madre está bañándose.

3. _____ El hermano está lavándose los dientes. / _____ El hermano está lavándose las manos.

4. _____ La hermana está secándose el pelo. / _____ La hermana está sentándose.

5. _____ Los abuelos están vistiéndose. / _____ Los abuelos están bañándose.

6. _____ Las tías están cepillándose el pelo. / _____ Las tías están maquillándose.

12 🔄 **¿Qué están haciendo?** Pregúntale a un(a) compañero(a) qué está haciendo la persona del dibujo. Menciona la profesión de la persona también.

MODELO el camarero (servir la comida)
Tú: *¿Qué está haciendo el camarero?*
Compañero(a): *Está sirviendo la comida.*

1. la profesora (escribir en la pizarra)

2. la médica (hablar por teléfono)

3. la directora de medios sociales (usar Facebook)

4. el cocinero (preparar la cena)

5. la asistente (enviar un mensaje de texto)

6. la actriz (descansar)

13 🔄 **¡Imagínense!** Trabaja con un(a) compañero(a) de clase. Juntos hagan una lista de diez personas famosas. Luego, digan, en su opinión, qué están haciendo en este momento. Escriban por lo menos dos oraciones para cada persona. ¡Sean creativos!

MODELO ¿Qué está haciendo Shakira?
Ella está bailando y cantando.

14 ♻️ **¡Chismosos!** Ahora, intercambien sus oraciones de la **Actividad 13** con las de otra pareja. Juntos escriban una columna de chismes *(gossip)* para una revista semanal. Traten de escribir de una manera interesante y descriptiva. Pueden incluir dibujos o fotos de las personas, si quieren.

Expresión 🔄 Con un(a) compañero(a) de clase, imagina cómo es el día del (de la) presidente de una compañía internacional o, si lo prefieres, elige *(choose)* otra profesión. ¿Cómo es su rutina diaria? Hagan un horario de un día típico.

MODELO *Son las ocho de la mañana. Está preparándose para una reunión.*

¡Explora y exprésate!

Honduras

Consulta el mapa de Honduras en el **Apéndice D**.

▶ Información general

Nombre oficial: República de Honduras

Población: 8.098.000

Capital: Tegucigalpa (f. 1762) (1.332.000 hab.)

Otras ciudades importantes: San Pedro Sula (875.000 hab.), El Progreso (300.000 hab.)

Moneda: lempira

Idiomas: español (oficial), idiomas amerindios

A tener en cuenta

- Honduras tiene una gran historia de pueblos indígenas, entre ellos los lencas, los garífunas, los miskitos, los chortis, los pech, los tolupanes, los tawahkas y los mayas.

- Cristóbal Colón llega a las costas de Honduras en 1502, en su cuarto y último viaje al Nuevo Mundo. La conquista española de Honduras empieza dos décadas después, bajo las órdenes de Hernán Cortés, y termina en 1537, con la muerte *(death)* de Lempira, guerrero héroe de origen maya-lenca.

- Copán, un centro gubernamental y ceremonial de la antigua civilización maya, se encuentra a orillas *(is located on the shores)* del río Copán, cerca de la frontera con Guatemala. Es considerado uno de los sitios arqueológicos más importantes del Período Clásico.

- Honduras basa su economía en la agricultura, especialmente en las plantaciones de banana, cuya comercialización empezó *(began)* en 1889 con la fundación de Standard Fruit Company.

El Salvador

Información general

Nombre oficial: República de El Salvador

Población: 6.340.000

Capital: San Salvador (f. 1524) (1.860.000 hab.)

Otras ciudades importantes: San Miguel (247.000 hab.), Santa Ana (264.000 hab.)

Moneda: dólar estadounidense

Idiomas: español (oficial), náhuatl, otras lenguas amerindias

A tener en cuenta

- El Salvador es el país más pequeño de Centroamérica, pero el más denso en población.
- Durante la época precolombina, El Salvador fue habitado por los pipiles y los lencas.
- Joya de Cerén es un sitio precolombino de El Salvador, declarado Patrimonio de la Humanidad por la UNESCO. Es un pueblo *(town)* entero sepultado en el siglo VII por una erupción volcánica. Como una Pompeya americana, Joya de Cerén es de un inestimable valor arqueológico e histórico.
- Entre 1980 y 1990, El Salvador vivió en guerra civil. Durante esos años, muchos salvadoreños emigraron a Estados Unidos.

Consulta el mapa de El Salvador en el **Apéndice D**.

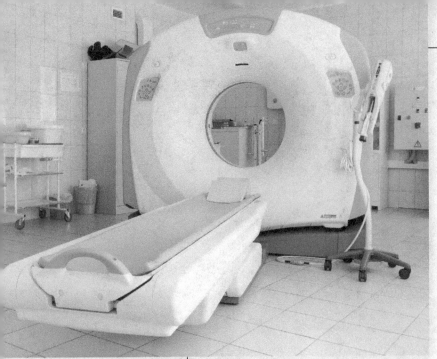

© AlexKh/iStock

La mecatrónica

En la Universidad Tecnológica Centroamericana (Unitec) de Honduras, puedes hacer la licenciatura en Mecatrónica, una carrera que combina la mecánica, la electrónica y la informática. ¿Qué aprendes si estudias mecatrónica? Aprendes a diseñar y construir productos mecatrónicos, como instrumentos médicos, cámaras fotográficas, chips que automatizan las máquinas, aparatos biomédicos y productos innovadores en varios campos como la bioingeniería. ¿Tienes aptitud para la mecatrónica?

COMEDICA, una cooperativa médica

Hace cuatro décadas *(four decades ago)*, once médicos salvadoreños deciden hacer algo revolucionario para pagar su educación. Con 100 colones de cada uno, abren una cooperativa para obtener crédito y ahorrar *(save)*. Hoy día, COMEDICA cuenta con $27.12 millones. Entre sus clientes hay médicos, odontólogos, psicólogos, químicos, farmacéuticos y enfermeros. Muchos médicos han adquirido *(have gotten)* sus casas, sus vehículos, equipos para sus clínicas y también han pagado sus estudios de posgrado con la ayuda de COMEDICA. Los once médicos ilustran el dicho "¡Sí se puede!".

© Jose Cabezas /AFP/Getty Images

EN RESUMEN

La información general Di a qué país o países se refiere cada oración.

1. Un sitio arqueológico muy importante se encuentra en este país.
2. Las plantaciones de banana son una parte importante de la economía de este país.
3. Es el país más pequeño de Centroamérica.
4. Lempira es un gran héroe de este país.
5. El pueblo indígena de los lencas habita este país.
6. Este país pasó por *(underwent)* una guerra civil que duró *(lasted)* diez años.

El tema de las profesiones

1. ¿Qué áreas de estudio combina la mecatrónica?
2. ¿Qué productos aprendes a diseñar y construir si estudias la mecatrónica?
3. ¿Quién creó *(created)* la cooperativa COMEDICA?
4. ¿Qué dicho ilustra las acciones de los once médicos salvadoreños?

¿Quieres saber más?

Revisa y completa la tabla que empezaste al principio del capítulo. Escoge uno o dos de los temas sobre los que escribiste en la columna **Lo que quiero aprender**, o uno o dos de los que figuran a continuación. Prepárate para compartir la información con la clase.

Palabras clave: Honduras los mayas, Lempira, los garífunas, los miskitos, José Antonio Velásquez; **El Salvador** Tazumal, Acuerdos de Paz de Chapultepec, Óscar Arnulfo Romero, Claribel Alegría

🌐 Para aprender más sobre El Salvador, mira los videos culturales en la mediateca *(Media Library)*.

© Zia Soleil/Getty Images

A leer

Antes de leer

1 Mira la información sobre la cultura garífuna y completa las oraciones a continuación.

Los garífunas son de ascendencia africana, arahuaca, e indio-caribe. Sus antepasados, exiliados de la isla de San Vicente en 1797, viajaron *(they traveled)* a la costa Atlántica de Belice y Honduras y a las islas de Barlovento de Nicaragua. Viven allí y en otras regiones cercanas *(close)* con la mayor parte de su cultura intacta, incluso su música y arte tradicionales.

1. La cultura garífuna tiene aproximadamente (150 / 220 / 250) años.
2. Los garífunas son de origen (africano / español / inglés).
3. Los garífunas todavía tienen su propio(a) (país / cultura / presidente).

2 Con un(a) compañero(a), conecta las frases de la lectura de la izquierda con sus equivalentes en inglés de la derecha. Usen los cognados en negrilla *(boldface)* como guía.

1. _____ a las **culturas** que los rodeaban
2. _____ querían que los dejaran en **paz**
3. _____ están **separados** por fronteras **nacionales**
4. _____ se mantienen… **unidos**
5. _____ los **antecesores** han legado
6. _____ han permanecido fieles a su **pasado**

a. the **ancestors** have left to them
b. they maintain themselves **united**
c. they are **separated** by **national** borders
d. have remained faithful to their **past**
e. to the **cultures** that surrounded them
f. they wanted to be left in **peace**

3 Ahora lee rápidamente el siguiente artículo sobre la cultura garífuna de Centroamérica. Presta atención en particular a las frases en negrilla. Estas son importantes para entender la sección. Después de cada sección, vas a tener la oportunidad de ver si entiendes bien las ideas principales.

La cultura garífuna

Durante siglos[1] los garífunas, que constituyen un **grupo étnico disperso a lo largo de las costas de cinco países, se han mantenido apartados**[2] de los demás pueblos[3]. Desde el principio, sus antepasados **no buscaron**[4] **conquistar ni asimilarse a las culturas** que los rodeaban. Solo querían que los dejaran en paz.

Aunque están separados por fronteras nacionales, los garífunas se mantienen no obstante unidos en su determinación por preservar su cultura, rica en influencias africanas y americanas.

¿Cierto o falso?

1. Los garífunas querían *(wanted to)* asimilarse a otras culturas.
2. La cultura garífuna es rica en influencias europeas.

Las comunidades garífunas **conservan celosamente**[5] **su arte, su música, sus artesanías y sus creencias religiosas**, que en conjunto[6] constituyen una forma de vida muy particular. Los antecesores han legado a los garífunas su **música característica, que incorpora canciones y ritmos africanos y americanos**, y un **expresivo lenguaje** que contiene elementos arahuacos y caribes —los idiomas originales de los indios caribes— y yorubas, una lengua proveniente de África Occidental. Los garífunas **han permanecido fieles a su pasado**.

¿Cierto o falso?

3. Mantener las tradiciones del arte, de la música y de las creencias religiosas es muy importante para los garífunas.
4. La música garífuna tiene elementos africanos y europeos.
5. La lengua garífuna tiene elementos de lenguas caribes y de una lengua africana.

A través de[7] los siglos, los garífunas sin duda han mantenido el fuego[8] de su vida cultural. En la actualidad, **la libre práctica de sus antiguas tradiciones asegura el conocimiento de su singular historia** y contribuye a acrecentar[9] la riqueza cultural de los países que los albergan[10], compartiendo las sagradas creencias y las ricas expresiones artísticas de sus orgullosos[11] antepasados.

¿Cierto o falso?

6. En realidad, los garífunas no pueden conservar sus tradiciones antiguas.
7. Los garífunas hacen contribuciones culturales a los países donde viven.

Check yourself: 1. F 2. F 3. C 4. F 5. C 6. F 7. C

© Esteban Felix/AP Images

[1] *centuries* [2] **se...:** *they kept themselves separate* [3] *grupos étnicos* [4] **no...:** *did not seek to* [5] *jealously* [6] **en...:** *como un grupo* [7] **A...:** *Across, Throughout* [8] *fire* [9] *to strengthen, increase* [10] **los...:** *shelter them* [11] *proud*

Excerpt from "Los fuertes lazos ancestrales," from Américas, Vol. 43, No. 1, 1991. Reprinted from Américas magazine, the official publication of the Organization of American States (OAS), published bimonthly in identical English and Spanish editions. Used with permission.

Después de leer

4 ⟳ Ahora que entiendes las ideas principales de las secciones del artículo, trabaja con un(a) compañero(a) de clase. Lean los párrafos otra vez y luego contesten las siguientes preguntas.

1. ¿Dónde viven los garífunas?
2. ¿Cómo es la lengua garífuna?
3. ¿Cómo es la música garífuna?

5 ⟳ Lee rápidamente la siguiente información sobre los garífunas en Estados Unidos y, con un(a) compañero(a), contesta las preguntas a continuación.

Poster: © B Christopher / Alamy

En Estados Unidos también hay comunidades garífunas. Una de las más grandes y activas está en la ciudad de Nueva York y es la población más grande de garífunas fuera de Centroamérica. La organización Garifuna Coalition USA, Inc. promueve la cultura garífuna de Nueva York y sirve como centro de información sobre sus eventos, noticias y celebraciones.

Todos los años la coalición organiza el Mes de la Herencia Garífuna y entrega premios (*awards*) a las personas que han promovido (*have promoted*) la cultura garífuna y sus intereses en Estados Unidos.

1. ¿Dónde hay una población grande de garífunas en Estados Unidos?
2. ¿Qué hace la coalición?
3. ¿Qué organiza todos los años la coalición?

6 ♻ En grupos de tres o cuatro estudiantes, identifiquen uno o dos grupos culturales de Estados Unidos o de otros países que mantienen sus tradiciones y costumbres diferentes de las de sus países de residencia. En su opinión, ¿es la preservación de tradiciones y costumbres una consecuencia del aislamiento? ¿Cuáles son los beneficios de mantenerse aislados? ¿Y las desventajas (*disadvantages*)?

A escribir

Antes de escribir

ESTRATEGIA

Writing—Creating a topic sentence

On page 197, you looked for the main idea, which is usually expressed by the topic sentence. A good paragraph contains a topic sentence and supporting details. When you write, focus on the information you want to convey and write a topic sentence for each paragraph that summarizes its key idea.

1 Con un(a) compañero(a) de clase, mira el artículo en la página 197. Analicen cada párrafo para identificar la oración que mejor presente la idea principal del párrafo. Esta es la **oración temática** (topic sentence).

MODELO **Párrafo 1:** *Durante siglos los garífunas, que constituyen un grupo étnico disperso a lo largo de las costas de cinco países, se han mantenido apartados de los demás pueblos.*

2 Vas a escribir las oraciones temáticas de una composición de tres párrafos sobre tu futura profesión. Piensa en los tres párrafos que vas a crear y escribe una oración temática para cada uno.

MODELO **Tema:** *Las profesiones*
Aspecto específico del tema: *Mi profesión del futuro*
Párrafo 1: (Description of the profession)
Oración temática: *Me interesa el diseño gráfico.*
Párrafo 2: (Reason you want to have this profession)
Oración temática: *Me gusta dibujar y trabajar en la computadora.*
Párrafo 3: (What you need to do to prepare yourself for this profession)
Oración temática: *Para prepararme, necesito tomar una combinación de cursos de diseño gráfico, de arte y de computación.*

For extra help narrowing your topic, refer to the **A escribir** section in **Chapter 4**.

Composición

3 Ahora, usa las tres oraciones temáticas que escribiste en la **Actividad 2** para escribir una composición de tres párrafos sobre tu futura profesión.

Después de escribir

4 Mira tu borrador otra vez. Usa la siguiente lista para revisarlo.

- ¿Tienen tus oraciones temáticas toda la información necesaria?
- ¿Corresponden los sujetos de las oraciones a los verbos correctos?
- ¿Corresponden las formas de los artículos, los sustantivos y los adjetivos?
- ¿Usas correctamente los verbos reflexivos y los verbos irregulares?
- ¿Hay errores de puntuación o de ortografía?

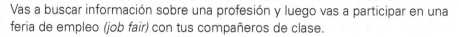

¡Vívelo!

Vas a buscar información sobre una profesión y luego vas a participar en una feria de empleo *(job fair)* con tus compañeros de clase.

Antes de clase

Paso 1 Vas a hacer una investigación sobre una de estas profesiones o, si prefieres, otra de tu propia elección. Escoge una y busca información: ¿Es una profesión que va a tener gran demanda en el futuro? ¿Ganan *(Do they earn)* mucho o poco dinero *(money)* las personas que tienen esa profesión? Si ya sabes o si encuentras otra información interesante, apúntala *(write it down)* para usarla en la feria.

- contador(a)
- diseñador(a) gráfico(a)
- programador(a)
- veterinario(a)
- ingeniero(a)
- enfermero(a)

Paso 2 Si conoces a alguien que trabaja en esta profesión, hazle unas preguntas sobre sus experiencias. ¿Le gusta su trabajo? ¿Está satisfecho(a) con su profesión? ¿Qué hace durante un día típico? ¿Conoce a muchas personas interesantes? ¿Qué actividades profesionales sabe hacer?

Durante la clase ♻

Paso 1 Formen grupos según la profesión que escogieron *(you chose)*. Trabajen juntos para comparar los datos y la información que tienen. Luego, preparen una presentación corta sobre esa profesión para compartir con la clase entera.

MODELO *Hay mucha demanda de contadores. Los expertos dicen que la demanda va a crecer* (grow) *un trece por ciento cada año.*
Los contadores solamente (only) *necesitan un título de licenciatura* (bachelor's degree) *para trabajar, pero pueden obtener otros títulos para ganar más dinero.*
Mi tía es contadora y le gusta su profesión. Gana mucho dinero, pero dice que el trabajo es un poco aburrido. No tiene la oportunidad de conocer a muchas personas durante el día, pero sabe trabajar con números y preparar informes (reports).

Paso 2 Todos los grupos van a participar en una feria de empleo con la clase entera. Primero, cada grupo hace su presentación sobre la profesión que escogieron. Luego, los miembros del grupo contestan las preguntas de sus compañeros sobre esa profesión.

Paso 3 Con la clase entera, hagan una encuesta sobre las profesiones más populares de la feria de empleo. Luego, hagan otra encuesta sobre las profesiones más populares que no aparecen en la lista de **Antes de clase**. ¿Cuáles son las cinco profesiones más populares entre tus compañeros?

Fuera de clase ♻

Trabaja con los miembros de tu grupo para hacer una descripción de un día imaginario en la vida de una persona que tiene el trabajo sobre el que investigaron *(you researched)*. Puede ser una descripción escrita *(written)* o audiovisual. Sean creativos y traten de incluir tantos *(as many)* detalles interesantes como puedan.

MODELO   *Rebeca es veterinaria. Ella trabaja en un pequeño grupo de veterinarios. Todos los días se levanta a las siete de la mañana. No se ducha por la mañana porque después de pasar todo el día con muchos animales, ¡prefiere ducharse por la noche! Un día, Rebeca llega a la oficina a las ocho de la mañana. Cuando llega, hay un perro que tiene un problema en sus dientes…*

¡Compártelo! ◄

Pongan su descripción (texto, audio o video) en el foro en línea de *Nexos*. Luego, busquen las descripciones de los otros grupos y coméntenlas.

© Didecs/ Shutterstock.com

Vocabulario

La familia   *The family*

La familia nuclear   *The nuclear family*
la madre (mamá)   *mother (mom)*
el padre (papá)   *father (dad)*
los padres   *parents*
la esposa   *wife*
el esposo   *husband*
la hija   *daughter*
el hijo   *son*
la hermana (mayor)   *(older) sister*
el hermano (menor)   *(younger) brother*
la tía   *aunt*
el tío   *uncle*
la prima   *female cousin*
el primo   *male cousin*
la sobrina   *niece*
el sobrino   *nephew*
la abuela   *grandmother*

el abuelo   *grandfather*
la nieta   *granddaughter*
el nieto   *grandson*

La familia política   *In-laws*
la suegra   *mother-in-law*
el suegro   *father-in-law*
la nuera   *daughter-in-law*
el yerno   *son-in-law*
la cuñada   *sister-in-law*
el cuñado   *brother-in-law*

Otros parientes   *Other relatives*
la madrastra   *stepmother*
el padrastro   *stepfather*
la hermanastra   *stepsister*
el hermanastro   *stepbrother*
la media hermana   *half-sister*
el medio hermano   *half-brother*

Las profesiones y carreras   *Professions and careers*

el (la) abogado(a)   *lawyer*
el (la) asistente   *assistant*
el actor / la actriz   *actor / actress*
el (la) arquitecto(a)   *architect*
el (la) artista   *artist*
el (la) bombero(a)   *firefighter*
el (la) camarero(a)   *waiter / waitress*
el (la) carpintero(a)   *carpenter*
el (la) cocinero(a)   *cook, chef*
el (la) contador(a)   *accountant*
el (la) dentista   *dentist*
el (la) dependiente   *salesclerk*
el (la) director(a) de medios sociales
   director of social media
el (la) diseñador(a) gráfico(a)   *graphic designer*
el (la) dueño(a) de...   *owner of . . .*

el (la) enfermero(a)   *nurse*
el (la) gerente de...   *manager of . . .*
el hombre / la mujer de negocios   *businessman / businesswoman*
el (la) ingeniero(a)   *engineer*
el (la) maestro(a)   *teacher*
el (la) mecánico(a)   *mechanic*
el (la) médico(a)   *doctor*
el (la) peluquero(a)   *barber / hairdresser*
el (la) periodista   *journalist*
el (la) plomero(a)   *plumber*
el (la) policía   *policeman / policewoman*
el (la) programador(a)   *programmer*
el (la) secretario(a)   *secretary*
el (la) trabajador(a)   *worker*
el (la) veterinario(a)   *veterinarian*

En el baño   *In the bathroom*

el cepillo   *hairbrush*
el cepillo de dientes   *toothbrush*
el champú   *shampoo*
el desodorante   *deodorant*
el jabón   *soap*
el maquillaje   *makeup, cosmetics*

la máquina de afeitar   *electric razor*
la pasta de dientes   *toothpaste*
el peine   *comb*
la rasuradora   *razor*
la toalla   *towel*
la toalla de mano   *hand towel*

Verbos con la forma *yo* irregular   *Irregular-yo verbs*

conducir (-zc) *to drive; to conduct*
conocer (-zc) *to know a person; to be familiar with*
dar (doy) *to give*
decir (-g) (i) *to say, to tell*
hacer (-g) *to make; to do*
oír (oigo) *to hear*

poner (-g) *to put*
saber (sé) *to know a fact; to know how to*
salir (-g) *to leave; to go out (with)*
traducir (-zc) *to translate*
traer (-go) *to bring*
venir (-g) (ie) *to come*
ver (veo) *to see*

Verbos reflexivos   *Reflexive verbs*

Acciones físicas   *Physical actions*
acostarse (ue) *to go to bed*
afeitarse *to shave oneself*
bañarse *to take a bath*
cepillarse el pelo *to brush one's hair*
cepillarse los dientes *to brush one's teeth*
despertarse (ie) *to wake up*
dormirse (ue) *to fall asleep*
ducharse *to take a shower*
lavarse *to wash oneself*
lavarse el pelo *to wash one's hair*
lavarse los dientes *to brush one's teeth*
levantarse *to get up*
maquillarse *to put on makeup*
peinarse *to brush / comb one's hair*
ponerse (la ropa) *to put on (clothing)*
prepararse *to get ready*
quitarse (la ropa) *to take off (clothing)*
secarse el pelo *to dry one's hair*
sentarse (ie) *to sit down*
vestirse (i) *to get dressed*

Estados / Emociones   *States / Emotions*
casarse *to get married*
comprometerse *to get engaged*
despedirse (i) *to say goodbye*
divertirse (ie) *to have fun*
divorciarse *to get divorced*
enamorarse *to fall in love*
enfermarse *to get sick*
irse *to leave, to go away*
pelearse *to have a fight*
preocuparse *to worry*
quejarse *to complain*
reírse (i) *to laugh*
relajarse *to relax*
reunirse *to meet, to get together*
separarse *to get separated*

Otros verbos   *Other verbs*

bañar *to bathe, to wash; to give someone a bath*
despertar (ie) *to wake someone up*
lavar *to wash*
levantar *to raise, to lift*

manejar *to drive*
quitar *to take off*
secar *to dry something*
vestir (i) *to dress someone*

Otras palabras y expresiones   *Other words and expressions*

a veces *sometimes*
antes *before*
después *after*
luego *later*
nunca *never*

siempre *always*
todas las semanas *every week*
... veces al día / por semana
    . . . times a day / per week

Repaso del Capítulo 5

Complete these activities to check your understanding of the new grammar points in **Chapter 5** before you move on to **Chapter 6**.

The answers to the activities in this section can be found in **Appendix B**.

Irregular-**yo** verbs (p. 180)

1 Completa la encuesta con las formas correctas de los verbos indicados. Después indica si las oraciones son ciertas (**Sí**) o falsas (**No**) para ti.

Yo...	Sí	No
1. _____ (saber) hablar francés.		
2. _____ (conocer) a una persona famosa.		
3. _____ (conducir) todos los días.		

Yo...	Sí	No
4. _____ (hacer) mi tarea todos los días.		
5. _____ (salir) todas las noches.		
6. _____ (ver) a mi familia todas las semanas.		

Saber vs. **conocer** (p. 181)

2 Mira cada lugar, idea, persona o actividad y di si la persona indicada a la izquierda **sabe** o **conoce** cada una. Escribe oraciones completas y no olvides usar la **a** personal cuando sea necesario.

1. tú / Buenos Aires
2. ellos / jugar golf
3. yo / todas las respuestas
4. usted / mis primos
5. nosotras / el chef
6. ella / cocinar bien

Reflexive verbs (p. 184)

3 Completa las oraciones con las formas correctas de los verbos indicados.

1. Martina _____ (maquillarse) todos los días.
2. Normalmente yo _____ (acostarse) muy tarde.
3. Ustedes _____ (reunirse) todos los miércoles.
4. ¿Tú _____ (levantarse) temprano o tarde?
5. Nosotros nunca _____ (enfermarse).
6. Ellos _____ (pelearse) casi todos los días.

The present progressive tense (p. 188)

4 Escribe una oración para decir qué está haciendo cada persona en este momento. Usa las actividades de la lista solamente una vez y sigue el modelo.

MODELO   Tú eres actriz.
         Estás maquillándote.

Actividades: escribir un artículo, hablar con un paciente, maquillarse, pintar, preparar la comida, servir la comida, trabajar en la computadora

1. Ella es médica.
2. Yo soy periodista.
3. Ellos son cocineros.
4. Nosotros somos artistas.
5. Usted es camarera.
6. Él es secretario.

Preparación para el Capítulo 6

Complete these activities to review some previously learned grammatical structures that will be helpful when you learn the new grammar in **Chapter 6**.

Be sure to reread **Chapter 5: Gramática útil 1** before moving on to the new **Chapter 6** grammar sections.

The answers to the activities in this section can be found in **Appendix B**.

Adjective agreement (p. 64)

5 **Tu amigo habla de su familia.** Completa sus comentarios con las formas correctas de los adjetivos indicados.

Tengo una familia (1) _____ (grande). Todas las personas son muy

(2) _____ (extrovertido). Mis hermanas son bastante (3) _____

(simpático) pero mi hermanito es un poco (4) _____ (tonto). Mis primos

normalmente están (5) _____ (contento) pero hoy están muy

(6) _____ (nervioso). Mis abuelos son (7) _____ (viejo) y muy

(8) _____ (divertido). Me gusta mucho mi familia y estoy (9) _____

(triste) porque no puedo ver a mis familiares más frecuentemente.

The present indicative of regular -**ar** verbs (p. 56), regular -**er** and -**ir** verbs (p. 102), and stem-changing verbs (p. 149)

6 Escribe oraciones completas con las formas correctas de los verbos indicados.

1. mi tío / lavar su auto todas las semanas
2. mis abuelos / no dormir mucho
3. mis primas / preferir estudiar en la residencia estudiantil
4. mi hermano y yo / correr en el parque los sábados
5. tú / manejar todos los días
6. mi madre / vestir a mi hermanita por las mañanas
7. yo / mirar una película
8. mi madre y yo / vivir en un apartamento grande

The verb **estar** (p. 144)

7 Di dónde están las personas indicadas.

MODELO   yo / café
         Yo estoy en el café.

1. la mujer de negocios / oficina
2. tú y yo / salón de clase
3. el doctor Méndez / hospital
4. los programadores / centro de computación
5. la policía / parque
6. yo / biblioteca
7. los cocineros / restaurante
8. tú / gimnasio

© Yuri/iStock

COMUNIDADES LOCALES

Los barrios y comunidades tienen identidades propias que influyen en la vida diaria de sus residentes.

¿Crees que los vecinos *(neighbors)*, los barrios y los centros comerciales de nuestras comunidades son tan importantes hoy día como en el pasado? ¿Por qué?

Un viaje por México

México es el segundo país más grande de habla española y el que tiene el mayor número de hispanohablantes del mundo. Su nombre oficial es Estados Unidos Mexicanos.

País / Área	Tamaño y fronteras	Sitios de interés
México 1.923.040 km^2	casi tres veces el área de Texas; fronteras con Estados Unidos, Guatemala y Belice	la arquitectura precolombina (las pirámides aztecas, las ruinas mayas), el parque Barrancas del Cobre, el volcán Popocatépetl, el parque nacional Lagunas de Montebello, la sierra Tarahumara

¿Qué sabes? Di si las siguientes oraciones son ciertas **(C)** o falsas **(F)**.

1. México es mucho más grande que Texas.
2. Hay ruinas de al menos dos civilizaciones en México.
3. México es un país sin *(without)* mucha diversidad geográfica.
4. México tiene la segunda población de hispanohablantes más grande del mundo.

Lo que sé y lo que quiero aprender Completa la tabla del **Apéndice A**. Escribe algunos datos que **ya sabes** sobre México en la columna **Lo que sé**. Después, añade algunos temas que **quieres aprender** a la columna **Lo que quiero aprender**. Guarda la tabla para usarla otra vez en la sección **¡Explora y exprésate!** en la página 231.

COMMUNICATION

By the end of this chapter you will be able to

- talk about places in town and the university
- talk about means of transportation and food shopping
- talk about locations and give directions
- make polite requests and commands
- agree and disagree
- refer to locations of objects

CULTURES

By the end of this chapter you will have explored

- ancient civilizations and indigenous populations of Mexico
- the Spanish conquest and the Mexican Revolution
- linguistic diversity in the Spanish-speaking world
- **el tianguis**, a special kind of open-air market
- Mexico City teens and where they go for fun

¡Imagínate!

Sergio: Oye, ¿adónde vas con tanta prisa?

Javier: Primero tengo que ir al gimnasio y después al **centro estudiantil**.

Sergio: Pero, ¿por qué la prisa, hombre?

Javier: Después del centro estudiantil, tengo que ir al **banco** a sacar dinero y después al **súper** para comprar la comida para la cena.

En la universidad *At the university*

las canchas de tenis

la piscina

la pista de atletismo

la cancha / el campo de fútbol

el centro estudiantil

el auditorio

el estadio

el dormitorio / la residencia estudiantil

el edificio

En la ciudad o en el pueblo *In the city or in the town*

el aeropuerto *airport*
el almacén *department store*
el apartamento *apartment*
el banco *bank*
el barrio *neighborhood*
el cajero automático *automated teller machine (ATM)*
la casa *house*
el centro comercial *mall*
el cine *cinema*
el cuarto *room*
la estación de trenes / autobuses *train/bus station*
el estacionamiento *parking lot*
la farmacia *pharmacy*
el hospital *hospital*
la iglesia *church*
la joyería *jewelry store*
el mercado... *market*
   ... al aire libre *open air-market; farmer's market*

el museo *museum*
la oficina *office*
la oficina de correos *post office*
la papelería *stationery store*
el parque *park*
la pizzería *pizzeria*
la plaza *plaza*
el restaurante *restaurant*
el supermercado *supermarket*
el teatro *theater*
la tienda... *store*
   ... de equipo deportivo *sporting goods store*
   ... de juegos electrónicos *electronic games store*
   ... de ropa *clothing store*
el (la) vecino(a) *neighbor*

The names of many places in the city are cognates. With a partner, take turns reading each other as many of the cognates as you can while the other guesses the English translation.

Other places of worship besides **la iglesia** are: **la mezquita** *(mosque)*, **la sinagoga**, **el templo**.

ACTIVIDADES

1 **¿Dónde está Javier?** Javier necesita varias cosas. ¿Dónde está él? Escoge entre los lugares de la tercera columna.

1.

2.
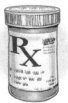

a. la joyería
b. el cajero automático
c. el supermercado
d. la farmacia
c. la oficina de correos
f. la tienda de ropa

3.

4.

5.

6.

2 **En la ciudad** Usa el vocabulario de la página 209 para indicar adónde debe ir cada persona, según lo que quiere hacer o comprar. ¡No te preocupes si no entiendes todas las palabras!

MODELO   Voy a visitar a Mariana y para llegar a su casa tengo que tomar el autobús.
estación de autobuses

1. —Es hora de comer. Tengo muchas ganas de comer pizza.
2. —Tengo que estudiar las pinturas de Picasso para mi clase de arte.
3. —No puedo hacer las compras todavía. Primero necesito ir a sacar dinero.
4. —El doctor dice que necesito esta medicina para controlar mi alergia.
5. —No quiero cocinar. Quiero salir a comer.
6. —Necesito comprar muchas cosas y después de hacer las compras, podemos ir al cine.

3 **¿Adónde van?** Habla con varios compañeros. ¿Adónde van después de clase? ¿Qué van a hacer en ese sitio? También diles adónde vas tú y por qué vas allí.

MODELO   **Tú:** *¿Adónde vas después de clase?*
Compañero(a): *Voy al dormitorio.*
Tú: *¿Qué vas a hacer allí?*
Compañero(a): *Estoy cansado(a). Voy a descansar.*

Opciones: cenar, cocinar, correr, dormir, estudiar, hacer la tarea, jugar (al) tenis / fútbol, levantar pesas, mirar televisión, nadar, trabajar

In some varieties of Spanish, to indicate playing a sport, **jugar** is used with the preposition **a: jugar al tenis, jugar al fútbol**. Usage of **a** with **jugar** varies from region to region.

21ST CENTURY SKILLS

Flexibility & Adaptability: As you learn about all of the different varieties of Spanish, you will need to adapt to different dialects. Keep an open mind and know that your ear and eye will adjust to these differences **poco a poco.** Eventually it will be fun to hear native speakers and guess where they are from!

¡FÍJATE!

La diversidad lingüística en el mundo de habla hispana

Todas las lenguas exhiben variaciones geográficas. El español de México no es exactamente igual al español de Puerto Rico ni al español de España. Estas variantes regionales de una lengua se llaman **dialectos**.

En general, el léxico o vocabulario es lo que más varía de una zona dialectal a otra en el mundo hispano. Por ejemplo, algunas de las palabras referentes a los medios de transporte exhiben variación dialectal: **carro, máquina, auto, automóvil** y **coche** se usan en diferentes zonas del mundo hispano. De la misma manera, **autobús, bus, guagua, colectivo, camión, ómnibus** y **micro** son diferentes maneras de referirse a *bus.*

La fonología o pronunciación del español también varía de una zona dialectal a otra. Por ejemplo, en algunos lugares del mundo hispano, la letra **s** se puede pronunciar con aspiración, como el sonido inicial de la palabra *hand.* En los dialectos que aspiran, la palabra **español** se pronuncia frecuentemente como [ehpañol].

Es importante recordar que las diferencias entre los dialectos del español son relativamente pocas. Por esta razón, dos hablantes del español de zonas dialectales muy distantes generalmente pueden comunicarse con facilidad.

PRÁCTICA ¿Puedes dar unos ejemplos de variación léxica dentro de EEUU o entre los países de habla inglesa del mundo?

▶ VOCABULARIO ÚTIL 2

Sergio: ¿Vas **en bicicleta**?

Javier: No, voy **a pie**. Mi bici se desinfló. Bueno, adiós, ¡me tengo que ir!

Medios de transporte *Means of transportation*

a pie *on foot, walking*
en autobús *by bus*
en bicicleta *on bicycle*
en carro / coche / automóvil *by car*

en metro *on the subway*
en tren *by train*
en / por avión *by plane*

In Mexico, **carro** is more commonly used than **coche**, and **camión** is more common for *bus* than **autobús**.

ACTIVIDADES

4 **Para llegar...** Quieres ir de un sitio a otro. ¿Cuál es la forma más lógica de llegar?

1. Estoy en el dormitorio y quiero ir a la biblioteca. Voy...
   a. en avión. **b.** a pie. **c.** en tren.
2. Estoy en Los Ángeles y quiero ir a Nueva York. Voy...
   a. en bicicleta. **b.** a pie. **c.** en avión.
3. Estoy en casa y quiero ir al parque que está a dos millas de mi casa. Quiero hacer ejercicio. Voy...
   a. en bicicleta. **b.** en tren. **c.** en autobús.
4. Estoy en la calle 16 y quiero llegar a la calle 112. Voy...
   a. en metro. **b.** en avión. **c.** a pie.
5. Estoy en la universidad y quiero visitar a mis padres. Tengo muchas cosas que llevar y quiero hacer muchas paradas *(make many stops)* en el camino. Voy...
   a. en bicicleta. **b.** a pie. **c.** en carro.

5 **¿Vas a pie?** Tu compañero(a) tiene que ir a varios sitios. Pregúntale cómo piensa llegar a esos sitios. Inventa destinos lógicos para cada forma de transporte.

MODELO **Tú:** *¿Cómo piensas ir a la fiesta de Carmen?*
Compañero(a): *Voy a ir en autobús.*

1.   **2.**   **3.**   **4.**   **5.**   **6.**

Dulce: Pero, mujer, ¿adónde vas con tanta prisa?

Chela: Quiero ir al gimnasio antes de **hacer las compras** en el supermercado.

Dulce: Pero si no es tarde, son solo las tres.

Chela: Ya sé, pero si me da tiempo, quiero ir a la **carnicería** para comprar unos **bistecs**.

In Spanish-speaking countries, the ending **-ía** indicates a store that specializes in a certain product. It is clear what the store specializes in because the name of the store contains the product. Notice the names of stores that end in **-ía** in **Vocabulario útil 1**. Note that the **í** always carries an accent. Can you name any other specialty stores that end this way?

Hacer las compras... *Shopping . . .*

En la carnicería *At the butcher shop*

CARNICERÍA

la salchicha

el jamón

el pavo

el bistec

la chuleta de puerco

el pollo

En el supermercado *At the supermarket*

La comida *Food*

el queso

el pan

los huevos

la leche

los vegetales

las papitas fritas

los refrescos

las frutas

el yogur

ACTIVIDADES

6  **En el barrio** Hoy en día, las tiendas especializadas como las carnicerías y las panaderías no son tan comunes como en el pasado. En las ciudades grandes es más típico ir a un supermercado grande para comprar todos los comestibles en un solo sitio. El movimiento "verde", bajo el lema "Piensa globalmente, actúa localmente" ha generado mercados al aire libre donde uno puede comprar productos locales y orgánicos. Los mercados al aire libre y las tiendas especializadas no pueden competir con los precios de los supermercados más grandes, pero sí ofrecen la oportunidad de hablar con los vecinos y los vendedores en un ambiente agradable e íntimo. Formen grupos de cuatro. Túrnense para hacerse estas preguntas y presenten sus respuestas a la clase.

1. ¿Dónde prefieres hacer las compras, en un supermercado, en pequeñas tiendas especializadas o en mercados al aire libre? ¿Por qué?
2. ¿Cuál es el mejor lugar cerca de la universidad para comprar pan? ¿carne? ¿fruta? ¿vegetales?
3. ¿Comes carne? ¿Cuántas veces a la semana comes carne? ¿Dónde?
4. ¿Comes mucha fruta y vegetales? ¿Dónde compras la fruta y los vegetales?
5. ¿Qué te importa más cuando haces las compras, el precio de los productos, su calidad *(quality)*, si son orgánicos o productos locales, la comodidad de comprar todo en un mismo lugar o la amabilidad *(friendliness)* de las personas que trabajan en la tienda?
6. ¿Crees que la idea de ir de compras a varias tiendas especializadas es más común en Estados Unidos o en Europa y otros países? ¿Y la idea de los mercados al aire libre? ¿Y la de los productos locales y orgánicos?

7  **Las compras** Formen grupos de cuatro. Cada persona en el grupo debe preparar una lista de las compras que tiene que hacer. Intercambien *(Exchange)* las listas entre los miembros del grupo. Túrnense para describir lo que cada persona quiere comprar. Después preparen recomendaciones para cada persona sobre dónde ir de compras.

MODELO *Mark necesita comprar unas salchichas y unos vegetales. Debe ir a la carnicería para comprar las salchichas y al mercado al aire libre para comprar los vegetales.*

8  **El día de hoy** Formen grupos de tres. Cada persona debe preparar una descripción de sus hábitos de consumidor. Intercambien las descripciones y túrnense para leerlas en voz alta. El grupo tiene que adivinar a quién se refiere cada descripción.

MODELO **Descripción:** *Nunca voy al supermercado porque prefiero comer en restaurantes de comida rápida* (fast food). *Cuando invito a amigos a comer en casa, voy a una pizzería y compro todo lo que necesito.*
Grupo: *¡Es Julio!*

A ver

ESTRATEGIA

Watching facial expressions

As you learned in **Chapter 3**, watching body language aids comprehension. The same is true of watching facial expressions: a smile, a frown, a raised eyebrow, or a laugh. These gestures can give you a better understanding of what the character means.

Antes de ver Estudia las palabras y frases que se usan en el video.

prisa	*hurry*
suerte	*luck*
sueños	*dreams*
Siga derecho...	*Continue straight . . .*
esquina	*corner*
Doble a la derecha...	*Turn to the right . . .*
cuadras	*blocks*

▶ **Ver** Mira el video sin sonido *(without sound)* y pon atención en las expresiones faciales.

Después de ver 1 Ahora, mira el video de nuevo con el sonido puesto *(sound on)* y di si las expresiones faciales de estas personas contribuyen al sentido de lo que dicen **(sí** o **no)**.

1. **Javier:** Primero tengo que ir al gimnasio y después al centro estudiantil.
2. **Sergio:** Dicen que el supermercado es el lugar ideal para conocer a la mujer ideal.
3. **Dulce:** ¿A la carnicería? ¿Viene alguna persona especial a cenar?
4. **Chela:** Gracias. Nos vemos luego.
5. **Javier:** Siga derecho hasta aquella esquina.
6. **Sergio:** Algún día, mi amigo, algún día.

Después de ver 2 Mira el video una vez más y pon las actividades de Javier y Chela en el orden correcto.

Javier: _____ ir al banco, _____ ir al gimnasio, _____ ir al centro estudiantil, _____ ir al supermercado

Chela: _____ ir al gimnasio, _____ ir a la carnicería, _____ ir al supermercado

▶ Voces del mundo hispano

En el video de este capítulo, Verónica, Ricardo y Paola hablan de sus barrios, los medios de transporte y los lugares adonde van frecuentemente. Lee las siguientes oraciones. Después mira el video una o más veces para decir si las oraciones son ciertas **(C)** o falsas **(F)**.

1. Hay muchos restaurantes y supermercados en el barrio de Ricardo.
2. Hay un mercado al aire libre en el barrio de Paola.
3. Verónica frecuentemente usa auto y tren para transportarse.
4. A Ricardo le gusta usar su patineta *(skateboard)* para ir a todas partes.
5. Cuando Verónica usa transporte público es para ir al trabajo.
6. Paola va al centro de la Ciudad de México para comer, caminar y ver películas.

◀ Voces de Estados Unidos

© Slaven Vlasic /Getty Images

Enrique Acevedo, periodista

❝ . . . yo lo que siempre he sido es observador, siempre me ha gustado estar en una esquina, observar las cosas que están pasando y tomar nota que estar en medio del relajo, eso sí, siempre he tenido esa necesidad por informar. . . ❞

Enrique Acevedo, presentador del Noticiero Univisión Edición Nocturna, es uno de los periodistas bilingües con más futuro del panorama televisivo estadounidense. Nacido en Ciudad de México en 1978, tiene una formación académica bicultural pues estudió Relaciones Internacionales en El Tec de Monterrey, Campus Monterrey y un Máster de Periodismo en Columbia University en Nueva York.

Ha trabajado en NBC Telemundo como corresponsal y presentador en inglés y en español y en Televisa, donde ha colaborado en los programas informativos *Los Reporteros* y *La Otra Agenda*, como parte de la unidad de investigaciones especiales. A lo largo de su carrera, se ha destacado por sus coberturas de temas internacionales, como el terremoto y tsunami de Japón, la epidemia del SIDA en África, la crisis humanitaria en Haití y, en 2012 entrevistó al presidente Barak Obama durante la Cumbre *(Summit)* de las Américas de Cartagena, Colombia.

Acevedo ha obtenido el Premio Nacional de Periodismo por el Club de Periodistas de México en dos ocasiones y el Premio Nacional José Pagés Llergo, por sus reportajes para Noticieros Televisa.

¿Y tú? | **¿Cómo prefieres informarte de lo que está pasando en el mundo? ¿Leyendo el periódico? ¿Viendo la televisión? ¿Escuchando la radio? ¿Por qué prefieres hacerlo así?**

¡Prepárate!

GRAMÁTICA ÚTIL 1

Indicating location: Prepositions of location

Cómo usarlo

Use prepositions of location to say where something is positioned in relation to other objects, or where it is located in general.

El restaurante está **frente a** la iglesia.	The restaurant is **facing** the church.
El café está **dentro del** almacén.	The café is **inside** the department store.

En la última cuadra, **frente al** banco, va a ver el centro comercial.

Usage of **enfrente de, delante de,** and **frente a** varies from country to country. However, they are more or less equivalent to each other. Some of these prepositions can be used without the **de** as adverbs. For example, **El museo está cerca.** Remember that when **de** and **a** follow a preposition of location, they combine with **el** to form **del** and **al: frente al hotel, dentro del refrigerador.**

Cómo formarlo

1. Commonly used prepositions of location include the following.

al lado de	next to, on the side of	La farmacia está **al lado del** hospital.
entre	between	La farmacia está **entre el** hospital y la oficina de correos.
delante de	in front of	La joyería está **delante del** hotel.
enfrente de	in front of, opposite	La joyería está **enfrente del** hotel.
frente a	in front of, facing, opposite	La joyería está **frente al** hotel.
detrás de	behind	El hotel está **detrás de** la joyería.
debajo de	below, underneath	Los libros están **debajo de** la mesa.
encima de	on top of, on	El cuaderno está **encima de** los libros.
sobre	on, above	La comida está **sobre** la mesa.
dentro de	inside of	El libro está **dentro de** la mochila.
fuera de	outside of	El pan está **fuera del** refrigerador.
lejos de	far from	El súper está lejos de la universidad.
cerca de	close to	La panadería está **cerca del** hotel.

2. Since these prepositions provide information about *location,* they are frequently used with the verb **estar**, which, as you learned in **Chapter 4**, is used to say where something is located.

El Zócalo (también conocido como la Plaza de la Constitución) está **enfrente de** la Catedral Metropolitana de la Ciudad de México.

ACTIVIDADES

1 🔁 **¿Dónde está...?** Di dónde están las siguientes cosas. Usa estas preposiciones: **al lado de, debajo de, enfrente de, encima de**. También debes escribir el artículo definido del segundo objeto, según el modelo.

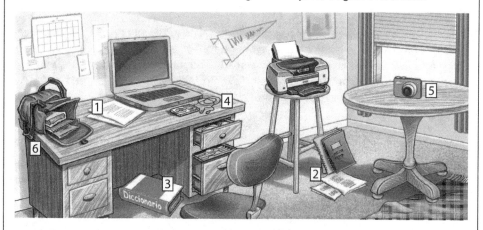

MODELO   La impresora está _al lado del_ escritorio.

1. Los apuntes están _____ computadora portátil.

2. Los cuadernos están _____ impresora.

3. El diccionario de español está _____ escritorio.

4. El MP3 portátil está _____ computadora portátil.

5. La cámera digital está _____ mesa.

6. La mochila está _____ escritorio.

2 ♻ **Treviño** En grupos de tres, estudien el mapa de Treviño. Luego, túrnense para describir dónde están situados por lo menos diez edificios o sitios. Usen las preposiciones de la página 216.

MODELO   *La cancha de tenis está detrás del teatro.*

3 ♻ **Nuestro salón de clase** En grupos de tres, describan dónde están varios objetos en su salón de clase. Usen las preposiciones de la página 216.

MODELO   *El reloj está al lado de la ventana.*

4 ♻ **Nuestra universidad** Ahora, trabajen en grupos de tres a cinco compañeros para dibujar un mapa de su universidad. Incluyan por lo menos seis edificios principales. Luego, túrnense para describir la posición de cada uno de los edificios. El resto del grupo tiene que adivinar qué edificio se describe.

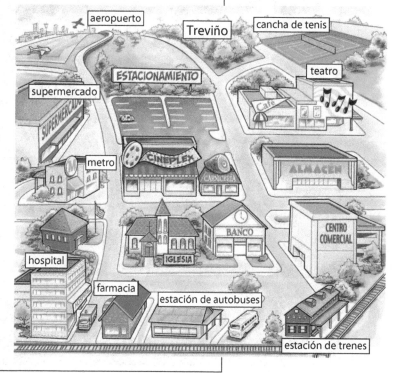

Telling others what to do: Commands with **usted** and **ustedes**

Cómo usarlo

1. You have already been seeing command forms in direction lines. In Spanish, there are two sets of singular command forms, since there are two ways to address people directly (**tú** and **usted**). The informal commands, which you will learn in **Chapter 7**, are used with people you would address as **tú**. In this chapter you will learn formal commands as well as plural commands with **ustedes**.

2. Command forms are not used as frequently in Spanish as they are in English. For example, in **Chapter 4** you learned that courteous, softening expressions are often used instead of commands: **¿Le importa si uso la computadora?** instead of **Déjeme** *(Let me)* **usar la computadora.**

3. However, one situation in which command forms are almost always used is in giving instructions to someone, such as directions to a specific location.

Siga derecho hasta la esquina. Allí **doble** a la izquierda.	**Continue** *straight ahead until the corner.* **Turn** *left there.*
Camine tres cuadras hasta llegar a la farmacia. Allí **doble** a la derecha y **cruce** la calle. La carnicería está al lado del banco.	**Walk** *three blocks until you arrive at the pharmacy. There,* **turn** *right and* **cross** *the street. The butcher shop is next to the bank.*

There are three **usted** command forms in this postcard advertising a tour of historic Mexican theaters. What are they?

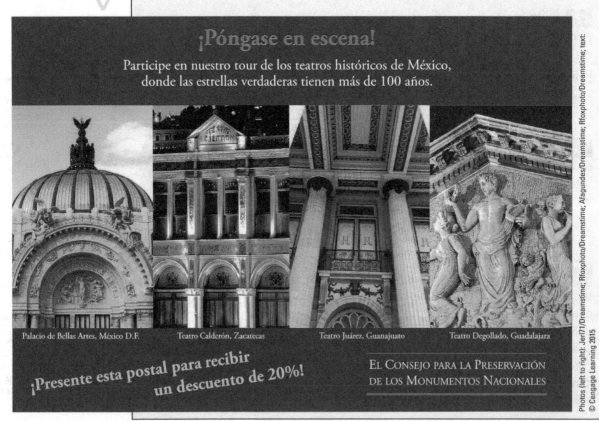

¡Póngase en escena!

Participe en nuestro tour de los teatros históricos de México, donde las estrellas verdaderas tienen más de 100 años.

Palacio de Bellas Artes, México D.F.   Teatro Calderón, Zacatecas   Teatro Juárez, Guanajuato   Teatro Degollado, Guadalajara

¡Presente esta postal para recibir un descuento de 20%!

EL CONSEJO PARA LA PRESERVACIÓN DE LOS MONUMENTOS NACIONALES

Photos (left to right): Jeri71/Dreamstime; Rfoxphoto/Dreamstime; Afagundes/Dreamstime; Rfoxphoto/Dreamstime; text: © Cengage Learning 2015

Cómo formarlo

Lo básico

A *command* form, also known as an *imperative* form, is used to issue a direct order to someone you are addressing: <u>**Vaya**</u> **a la esquina y** <u>**doble**</u> **a la derecha.** (<u>***Go***</u> *to the corner and* <u>***turn***</u> *right.*)

1. The chart below shows the singular formal (**usted**) and plural (**ustedes**) command forms of the verb **seguir** *(to go, to follow).*

	Singular	Plural
affirmative	siga	sigan
negative	no siga	no sigan

2. Here are the rules for forming the **usted** and **ustedes** command forms of most verbs. These are true for the affirmative and negative commands.

   - Take the **yo** form of the verb in the present indicative. Remove the **o** and add **e** for **-ar** verbs or **a** for **-er / -ir** verbs, to create the **usted** command.

   poner: → pongo → pong- + a → **ponga**

   - Add an **n** to the **usted** command form to create the **ustedes** command.

   ponga → **pongan**

By using the **yo** form of the present indicative, you have already incorporated any irregularities in the verb. Now they automatically carry over into the command form.

infinitive	yo form minus the -o ending	plus e / en for -ar verbs OR a / an for -er / -ir verbs	usted / ustedes command forms
hablar	habl-	+ e / en	**hable / hablen**
pensar	piens-	+ e / en	**piense / piensen**
tener	teng-	+ a / an	**tenga / tengan**
decir	dig-	+ a / an	**diga / digan**
escribir	escrib-	+ a / an	**escriba / escriban**
servir	sirv-	+ a / an	**sirva / sirvan**

3. A few command forms require spelling changes to maintain the original pronunciation of the verb.

   - verbs ending in **-car,** change the **c → qu:**

   buscar: → **busco** → **busque / busquen**

   - verbs ending in **-zar,** change the **z → c:**

   empezar: → **empiezo** → **empiece / empiecen**

   - verbs ending in **-gar,** change the **g → gu:**

   pagar: → **pago** → **pague / paguen**

4. A few verbs have irregular **usted** and **ustedes** command forms: **dar (dé / den), estar (esté / estén), ir (vaya / vayan), saber (sepa / sepan)**, and **ser (sea / sean)**.

5. For the command forms of reflexive verbs, attach the reflexive pronoun to the *end* of *affirmative* **usted / ustedes** commands and place it *before negative* **usted / ustedes** commands.

Prepárese para una sorpresa.	*Prepare yourself* for a surprise.
No se ponga nervioso.	*Don't get* nervous.

6. Here are words and phrases for giving directions.

¿Me puede decir cómo llegar a...?	*Can you tell me how to get to. . .?*
¿Me puede decir dónde queda...?	*Can you tell me where . . . is located?*
Cómo no. Vaya...	*Of course. Go . . .*
...a la avenida...	. . . to the avenue . . .
...a la calle...	. . . to the street . . .
...a la derecha.	. . . to the right.
...a la esquina.	. . . to the corner.
...a la izquierda.	. . . to the left.
...(dos) cuadras.	. . . (two) blocks.
...(todo) derecho.	. . . (straight) ahead.
bajar (baje)	to get down from, to get off of (a bus, etc.)
caminar (camine)	to walk
cruzar (cruce)	to cross
doblar (doble)	to turn
seguir (i) (siga)	to continue
subir (suba)	to go up, to get on

7. You may soften commands by adding **por favor** or by using these phrases.

Me gustaría / Quisiera (+ infinitive)...	*I'd like* (+ infinitive) . . .
Por favor, ¿**(me) puede** (+ infinitive)?	*Please, **can you** (+ infinitive) **(me)?***
¿Pudiera / Podría usted (+ infinitive)?	***Could you** (+ infinitive)?*

—**Me gustaría** comer bien. ¿**Pudiera** recomendarme un restaurante?
—Cómo no. El Farol del Mar es buenísimo.
—¿**Me puede** decir si está lejos?
—Está muy cerca. ¿**Quisiera** saber cómo llegar?
—Sí. ¡Muchas gracias! Y también **me gustaría** tener la dirección.

ACTIVIDADES

5 **¿Cómo llego...?** Indica el mandato correcto para completar cada oracón.

1. _____ (seguir) usted todo derecho hasta la plaza de la iglesia.
2. _____ (doblar) ustedes aquí en la calle Federal.
3. _____ (subir) ustedes esta calle todo derecho hasta la esquina con Quinteros.
4. _____ (cruzar) usted aquí y _____ (caminar) dos cuadras.
5. No _____ (ir) ustedes hasta el parque.
6. No _____ (preocuparse) si no llegan inmediatamente. Está un poco lejos.

6 **Los anuncios** El campo de la publicidad hace uso frecuente de los mandatos formales para tratar de convencer al público de que compre o use un determinado producto. Completa los anuncios con mandatos, usando la forma de **usted** de los verbos entre paréntesis.

1. (abrir, poner, tener)

BANCO MUNDIAL $

___ una cuenta en Banco Mundial.

___ su dinero en nuestras manos.

___ confianza en nuestros profesionales.

2. (venir, cocinar, comprar)

SUPERMERCADO CENTRAL

___ al Supermercado Central para hacer las compras.

___ con los productos más frescos y más naturales de la ciudad.

___ las comidas favoritas de sus hijos.

3. (esperar, llamar, servir)

PIZZERÍA ITALIA

No ___ .

___ al 555-6677 para ordenar su pizza.

___ la pizza más deliciosa en su propia casa en menos de treinta minutos.

4. (trabajar, venir, descubrir)

RESTAURANTE EL INTI

Esta noche, no ___ en la cocina.

_____ al Restaurante El Inti para disfrutar de nuestro ambiente relajante y nuestro excelente servicio.

_____ nuestra riquísima cocina peruana.

5. (levantar, hacer, recibir)

GIMNASIO LA SALUD

___ pesas en un ambiente agradable.

___ ejercicio todos los días para mantenerse en forma.

___ un relajante masaje después de su sesión de ejercicios.

6. (usar, navegar, visitar, tomar)

CAFÉ CAFÉ

¡___ nuestro wifi gratis!

___ por Internet.

___ con amigos.

___ un café.

7 **¡Niños!** Los padres también usan con frecuencia los mandatos al hablar con sus hijos. La señora Díaz tiene que salir esta noche. ¿Qué les dice a sus hijos? Indica sus mandatos con la forma de **ustedes**.

MODELO   venir directamente a casa después de la escuela
Vengan directamente a casa después de la escuela.

1. empezar la tarea al llegar a casa
2. apagar la computadora después de terminar la tarea
3. ser pacientes con la niñera *(babysitter)*
4. no abrir la puerta
5. no jugar fútbol dentro de la casa
6. no salir de la casa
7. no ir a visitar a sus amigos
8. no comer papitas fritas antes de cenar
9. acostarse a las diez
10. cepillarse los dientes antes de acostarse
11. dormir bien
12. estar tranquilos

8 **¡Compre, compre, compre!** Ahora, con un(a) compañero(a), escribe un anuncio comercial para la televisión. Usen el mandato formal con **usted** para convencer a su público. Presenten el anuncio a la clase.

9 **¿Cómo llego?** Tu compañero(a) es turista y te pregunta cómo llegar a varios sitios. Dile cómo llegar y qué medio de transporte debe usar. Luego, haz tú el papel *(role)* del (de la) turista; tu compañero(a) te va a dar instrucciones. Pueden usar el mapa de la página 217 y añadir sitios que no están, o pueden indicar cómo llegar a sitios en su comunidad.

1. el supermercado
2. el centro comercial
3. el metro
4. la estación de trenes
5. la estación de autobuses
6. la cancha de tenis
7. la oficina de correos
8. el banco

10 **La oficina de correos** Escucha la conversación entre un señor y una señorita. La primera vez que escuches la conversación, apunta la información que vas a necesitar. Luego, escribe las instrucciones que le da la señorita al señor para llegar a la oficina de correos. Usa los siguientes verbos en tus oraciones.

1. caminar
2. doblar
3. seguir
4. cruzar
5. doblar
6. caminar

SONRISAS

Expresión 🔄 En grupos de tres o cuatro personas, piensen en las órdenes que les gustaría dar a los profesores de la universidad. Luego, escriban una lista con sus ideas.

MODELO   *No den tarea para los fines de semana.*

Affirming and negating: Affirmative and negative expressions

Cómo usarlo

1. There are a number of words and expressions that are used to express affirmatives and negatives in Spanish. Notice that a double negative form is often used in Spanish, where as it is hardly ever used in English.

No conozco a **nadie** aquí.	*I don't know anyone* here.
¿Conoces **a alguien** aquí?	*Do you know* **anyone** *here?*
No quiero ni este libro **ni** ese.	*I don't want* this book **or** that one.

2. Remember to use the personal **a** that you learned in **Chapter 5** when you refer to people: **No conozco <u>a</u> nadie aquí.**

Cómo formarlo

1. Here are some frequently used affirmative and negative words in Spanish. You have already learned some of these, such as **también, siempre**, and **nunca**.

alguien	*someone*	**nadie**	*no one, nobody*
algo	*something*	**nada**	*nothing*
algún / alguno (a, os, as)	*some, any*	**ningún / ninguno(a)**	*none, no, not any*
siempre	*always*	**nunca / jamás**	*never*
también	*also*	**tampoco**	*neither, not either*
o... o...	*either / or*	**ni... ni...**	*neither / nor*

2. Most of these words do not change, regardless of the number or gender of the words they modify. However, the words **alguno** and **ninguno** can also be used as *adjectives*. In this case, they must change to agree with the nouns they modify. Additionally, when they are used before a masculine noun they shorten to **algún** and **ningún**.

—¿Tienes **algún** libro de informática?	*Do you have **a (any)** book on computer science?*
—No, no tengo **ningún** libro sobre ese tema. Pero tenemos **algunos** libros muy interesantes sobre las redes sociales.	*No, I don't have **a (any)** book on that subject. But we do have **some** very interesting books about social networks.*
—No, gracias, ya tengo **algunas** revistas. ¿No tienes **ninguna** sugerencia sobre otros libros?	*No, thanks, I already have **some** magazines. You don't have **any** suggestions for other books?*

¿Viene **alguna** persona especial a cenar?

3. **Alguno** and **ninguno** can also be used as *pronouns* to replace a noun already referred to. In this case, they match the number and gender of that noun.

—¿Quieres estos **libros**?	*Do you want these **books**?*
—No, gracias, ya tengo **algunos**.	*No, thanks, I already have **some**.*
—¿No quieres una **revista**?	*Don't you want a **magazine**?*
—No, no necesito **ninguna**.	*No, I don't need **any (one)**.*

The plural forms of **ninguno** and **ninguna**—**ningunos** and **ningunas**—are not frequently used.

4. Notice how in Spanish, unlike English, even when more than one negative expression is used in a sentence, the meaning remains negative.

Nunca hay **nadie** aquí.	*There's **never anyone** here.*
No está **ni** Leo **ni** Ana **tampoco**.	***Neither** Leo **nor** Ana is here **either**.*

Notice that when a negative word precedes the verb, the word **no** is not used: **Nadie viene.** When the negative word comes after the verb, however, you must use **no** directly before the verb: **No viene nadie.**

ACTIVIDADES

11 **¿Qué pasa?** Escoge la palabra o palabras correctas para completar cada oración.

1. ¡Me encanta el café! (Nunca / Siempre) tomo una taza *(cup)* por la mañana.
2. No tengo (algo / nada) para comer. Voy a ir a mi restaurante favorito.
3. A mis amigos les gusta ese almacén y a mí (también / tampoco).
4. (Alguien / Nadie) hace las compras en ese mercado. Los precios son muy altos.
5. Yo no como carne y mis amigos (también / tampoco).
6. Necesito vegetales. ¿Tienes (algunos / ningunos)?

12 **¡Yo también!** Un(a) amigo(a) está en tu casa y tú le explicas algunas cosas sobre los hábitos de tu familia. Él (Ella) dice que su familia es igual. Con un(a) compañero(a), improvisa esta situación. El (La) amigo(a) siempre usa **también** o **tampoco** en su respuesta.

MODELO **Tú:** *Mis tíos nunca cenan antes de las ocho de la noche.*
Compañero(a): *Mis tíos tampoco.*

1. Mis primos siempre se levantan temprano.
2. Mi abuelo nunca se viste informalmente.
3. Mi abuela siempre se viste elegantemente.
4. A mis padres les encanta salir a comer.
5. Mi hermana es fanática de la música rap.
6. A mis hermanos no les gusta levantarse temprano.
7. Yo siempre me baño y me visto elegantemente si voy a una fiesta.

Ahora describe los hábitos verdaderos de tu familia. Tu compañero(a) te dice si su familia es igual o no.

13 🔊 **El visitante** Un visitante pasa el fin de semana en tu casa. Te hace preguntas sobre tu barrio. Contesta negativamente sus preguntas

MODELO **Escuchas:** ¿Hay alguna estación de trenes en el barrio?
Escribes: *No, no hay ninguna estación de trenes en el barrio.*

14 🔄 **Encuesta** En parejas, túrnense para hacer y contestar las siguientes preguntas. Contesten primero en afirmativo y luego en negativo. Usen las palabras entre paréntesis en sus respuestas.

MODELO ¿Comes en la cafetería de la universidad? (siempre / nunca)
Sí, siempre como en la cafetería de la universidad.
No, nunca como en la cafetería de la universidad.

1. ¿Algunos de los estudiantes van a la biblioteca? (algunos / nadie)
2. ¿Te gusta comer algo antes de clase? (algo / nada)
3. ¿Hay algún cajero automático en la universidad? (algunos / ningún)
4. ¿Vas en metro a la universidad? (siempre / nunca)
5. ¿Hay alguna tienda de video cerca de la universidad? (algunas / ninguna)
6. ¿Estudias antes de clase o después de clase? (o… o… / ni… ni…)

15 🔄 **El fin de semana** Vas a pasar el fin de semana en casa de tu compañero(a). Le haces varias preguntas para determinar cómo vas a pasar esos días. Escoge *(Choose)* ideas de la lista o inventa otras. Luego, cambia de papel *(role)* con tu compañero(a). Usa las palabras afirmativas y negativas que acabas de aprender en tus preguntas y tus respuestas.

Ideas posibles: divertido en la tele, comer en el refrigerador, libro de cocina mexicana, escritora mexicana preferida, revista de música popular, juego interactivo, disco compacto de Paulina Rubio, ¿…?

MODELO **Tú:** *¿Hay algo divertido en la tele?*
Compañero(a): *No, no hay nada divertido en la tele.*

16 🔶 **Aquí…** En grupos de tres o cuatro, hagan una lista de las preferencias de los estudiantes de su universidad. Usen palabras y expresiones de las tres columnas. Luego, trabajen juntos para escribir un resumen de sus opiniones.

MODELO *Todo el mundo siempre come en el restaurante La Jarra.*

A	B	C
todo el mundo	nunca	comer en…
algunas personas	siempre	comprar algo / nada en…
nadie	jamás	ir a…
		¿…?

Indicating relative position of objects: Demonstrative adjectives and pronouns

Cómo usarlo

Demonstrative adjectives and pronouns indicate *relative distance* from the speaker. **Este** is something very close to the speaker, **ese** is something *a little farther away*, and **aquel** is something at a distance *(over there)*.

Derecho hasta **aquella** esquina…

1. Demonstrative adjectives:

Esta casa es bonita. También me gusta **esa** casa, pero **aquella** casa es fea.	***This*** *house is pretty. I also like* ***that*** *house but* ***that*** *house* ***(over there)*** *is ugly.*

2. Demonstrative pronouns:

De los autos me gusta **este**, pero **ese** también es bueno. **Aquel** no me gusta.	*Of the cars I like* ***this one****, but* ***that one*** *is also good. I don't like* ***that one (over there)****.*

In everyday speech **ese** and **aquel** are often used interchangeably.

Cómo formarlo

Lo básico

A demonstrative adjective modifies a noun. A demonstrative pronoun is used instead of a noun.

The only spelling difference between demonstrative adjectives and pronouns is that the pronouns are sometimes written with an accent.

1. Demonstrative adjectives and pronouns change to reflect gender and number. Demonstrative *adjectives* reflect the gender and number of the nouns they *modify*. Demonstrative *pronouns* reflect the gender and number of the nouns they *replace*.

	Demonstrative adjectives and pronouns
this; these *(close)*	este, esta; estos, estas
that; those *(farther)*	ese, esa; esos, esas
that; those *(at a distance)*	aquel, aquella; aquellos, aquellas

2. Use these words with demonstrative adjectives and pronouns: **aquí** (*here*, often used with **este**), **allí** (*there*, often used with **ese**), and **allá** (*over there*, often used with **aquel**).

3. **Esto** and **eso** are neutral pronouns that refer to a concept or something that has already been said: **Eso es lo que dijo la profesora. Todo esto es muy interesante.**

Esto and **eso** do not change their forms; they are invariable forms.

ACTIVIDADES

17 **¡Ayuda, por favor!** Completa las siguientes conversaciones con el pronombre o adjetivo demostrativo apropiado.

1.   TÚ: Hola, ¿pudiera usted decirme cómo llegar a las canchas de tenis?

HOMBRE: Cómo no. Siga usted (esta / aquella) calle aquí hasta (esta / esa) esquina allí, la esquina con la avenida Quintana. Crúcela y luego vaya todo derecho hasta llegar a un parque muy grande. Las canchas de tenis están en (aquel / este) parque.

2.   TÚ: Buenos días. Por favor, ¿pudiera usted decirme cómo ir al aeropuerto?

MUJER: Claro. Usted debe tomar (ese / aquel) autobús allí en la calle Francisco. A ver, tengo la ruta aquí en (aquella / esta) guía.

TÚ: Muy bien. Entonces, ¿(ese / este) autobús es el que necesito tomar?

MUJER: Sí. (Este / Ese) autobús lo lleva directamente al aeropuerto.

3.   TÚ: Perdón. ¿Me puede usted recomendar un buen restaurante?

HOMBRE: Seguro. (Este / Aquel) que está aquí cerca es bastante bueno. Pero hay otro allí, mire, al otro lado de la calle, La Criolla. (Ese / Este) sirve comida muy rica. Creo que (ese, aquel), La Criolla, es mi favorito.

4.   TÚ: Hola, busco la sección de literatura latinoamericana.

MUJER: Muy bien. (Esos / Estos) libros aquí son de autores cubanos. Allí, en la próxima sección, (esos / estos) libros son de autores mexicanos. Y allá, (estos / aquellos) libros son de otros autores latinamericanos.

TÚ: ¿Y (esos / estos) libros aquí en la mesa?

MUJER: ¿(Estos / Aquellos) aquí? (Estos / Esos) libros son de autores españoles.

18 **¿Qué pasa aquí?** Completa las oraciones con el adjetivo o pronombre demostrativo correcto.

1. En el cine: ¿Podría ver _____ horario de películas, allí?

2. En el dormitorio: ¿Me puedes pasar _____ libro, allá?

3. En el mercado: No me gustan esos bistecs. Prefiero _____ aquí.

4. En la pizzería: No quiero una pizza con salchicha. Me gusta más _____ allí con vegetales.

5. En la papelería: Necesito un cuaderno grande. Ese cuaderno es bueno pero _____ que está allá es aún mejor.

6. En casa: ¿Dónde pongo _____ silla que tengo aquí: al lado del sofá o al lado de la mesa?

7. En la estación de trenes: ¡_____ es terrible! ¡Nuestro tren llega muy tarde!

19 🔄 **En el mercado** Con un(a) compañero(a) de clase, mira el dibujo de un mercado en México. ¿Qué quieren comprar para la cena? Escojan tres platos para preparar y hablen de las cosas que necesitan, usando los adjetivos y pronombres demostrativos correctos.

MODELO **Tú:** *¿Qué quieres comprar? ¿Compramos ese queso?*
Compañero(a): *Sí, y también estas salchichas. ¿Qué más?*
Tú: *Aquellos huevos, ¿no crees?*

20 🔄 **¿Adónde vamos?** Trabaja con un(a) compañero(a) de clase para hacer una lista de cinco de los siguientes lugares de su comunidad u otros que prefieran. Incluyan sitios que estén muy cerca de la universidad, un poco lejos y muy lejos.

restaurantes   museos   tiendas de música
cafés   tiendas de ropa   pizzerías

Ahora, hablen de los sitios de su lista, usando adjetivos y pronombres demostrativos.

MODELO **Tú:** *¿Quieres ir al restaurante El Churrasco? Sirven comida argentina.*
Compañero(a): *No, no me gusta ese restaurante. ¿Por qué no vamos a este, Chimichangas? Sirven comida mexicana.*

¡Explora y exprésate!

México

© shipfactory/Shutterstock.com

▶ Información general

Nombre oficial: Estados Unidos Mexicanos

Población: 122.300.000

Capital: México, D.F. (f. 1521) (8.851.000 hab.)

Otras ciudades importantes: Guadalajara (1.495.000 hab.), Monterrey (1.136.000 hab.), Puebla (1.560.000 hab.)

Moneda: peso

Idiomas: español (oficial), náhuatl, maya, zapoteco, mixteco, otomí, totonaca (se hablan aproximadamente 68 idiomas con muchas variaciones)

Consulta el mapa de México en el **Apéndice D**.

A tener en cuenta

- Hay tres grandes civilizaciones en la historia de México: los olmecas, la primera civilización mesoamericana; los mayas, conocidos por sus avances en las matemáticas, la astronomía, la escritura jeroglífica y también por sus grandes templos y pirámides; y los mexicas (o aztecas), el pueblo que forma la capital de su imperio en Tenochtitlán, ahora la Ciudad de México.

- La conquista española de México se refiere a la conquista de los mexicas por Hernán Cortés en México-Tenochtitlán en 1521. México gana la independencia de España en 1810.

- La Revolución mexicana se considera el conflicto político y social más importante del siglo XX en México.

- México tiene una gran diversidad de grupos indígenas: los nahuas, los mayas, los zapotecos, los mixtecos, los otomíes, los totonacas y los tzotziles, entre muchos otros.

El mercado del pueblo, el tianguis

En Estados Unidos, los *"farmers' markets"* son populares en las ciudades desde hace poco *(recently)*. Pero en México, los tianguis existen desde la época prehispánica. La palabra **tianguis** viene del náhuatl *tianquiztli,* que quiere decir **mercado**. Son mercados al aire libre que se instalan en todas

partes de la ciudad para vender frutas y verduras orgánicas, pan, maíz, frijoles, aves *(birds)*, peces *(fish)*, carne, hierbas medicinales, especias *(spices)*, artesanía y mucho más. Hacer las compras en un tianguis es mucho más divertido que hacerlas en los supermercados: hay de todo, y es común escuchar la música de grupos tradicionales. Aunque se hayan adaptado *(they have adapted)* a los tiempos modernos, los tianguis siguen siendo *(continue being)* el mercado preferido de la gente del pueblo.

© Kathrin Ziegler/Getty Images

EN RESUMEN

La información general

1. ¿Cuáles son tres grandes civilizaciones antiguas de México?
2. ¿Qué gran civilización antigua forma su capital en lo que hoy es la Ciudad de México?
3. ¿En qué año y qué ciudad se realiza *(occurs)* la conquista española?
4. ¿En qué año gana México la independencia de España?
5. ¿Qué conflicto en México se considera el más importante del siglo XX?
6. ¿Cuáles son tres pueblos indígenas de México de hoy?

El tema de la comunidad

1. ¿Qué son los tianguis?
2. ¿Desde cuando existen los tianguis en México?
3. ¿De qué lengua indígena viene la palabra **tianguis**?
4. ¿En qué se diferencian los tianguis de los supermercados?

¿Quieres saber más?

Revisa y completa la tabla que empezaste al principio del capítulo. Escoge uno o dos de los temas sobre los que escribiste en la columna **Lo que quiero aprender**, o uno o dos de los que figuran a continuación. Prepárate para compartir la información con la clase.

Palabras clave: Mesoamérica, la conquista española, Emiliano Zapata, Pancho Villa, la Revolución mexicana de 1910, Octavio Paz, Diego Rivera, Frida Kahlo, Gael García Bernal

🌐 Para aprender más sobre México, mira el video cultural en la mediateca (*Media Library*).

A leer

Antes de leer

ESTRATEGIA

Working with unknown grammatical structures

When you read texts written for native Spanish speakers, you will frequently come across grammatical structures you haven't learned yet. Seeing grammatical endings you don't recognize can be intimidating, but if you focus just on the meaning of the infinitive of the verb, you can usually get its general meaning. Often you can guess the tense (present, past, future, etc.) by looking at the rest of the sentence. If you don't let unknown grammatical structures hold you back, you'll make a great leap forward in understanding authentic Spanish.

It's not necessary to understand all the unknown words in the article to do the activities on page 234.

1 Aquí hay algunas estructuras gramaticales de la lectura que no conoces. Mira el significado general del verbo para conectar las palabras en español con las palabras en inglés.

1. _____ es necesario que **conozca**
2. _____ **podrá** descifrar
3. _____ **esté** todo el día **conectado** al monitor
4. _____ que **se encuentre** ahí
5. _____ **acuda** la gente más "nice"
6. _____ **estar vestido** perfectamente
7. _____ el restaurante que **ofrezca**

a. *you will be able to decipher*
b. *that may be found there*
c. *it's necessary that you know*
d. *the restaurant that offers*
e. *to be dressed perfectly*
f. *he is glued to the screen all day*
g. *the nicest people gather*

2 🔄 Ahora, mira las frases de la **Actividad 1**. ¿Cuáles son las formas gramaticales que no sabes? Con un(a) compañero(a), anota las siete formas gramaticales de la lista. ¿Son del tiempo presente o futuro? Luego hagan una lista de esos tiempos y formas.

3 Vas a leer un artículo sobre los jóvenes de la Ciudad de México y adónde van para divertirse. Mientras lees, trata de entender los verbos sin pensar demasiado en las estructuras gramaticales que no conoces. Céntrate en las ideas principales del artículo.

Los jóvenes mexicanos se divierten

Alejandro Esquivel

© Maksim Shmeljov/Shutterstock.com

¿Usted sabe cómo se divierten los "teens"? Las maneras de entretenerse en estos tiempos de revolución electrónica, videojuegos… y antros son tan heterogéneas como la población que ocupa[1] solamente el Distrito Federal… Es necesario que conozca ciertos perfiles de los jóvenes contemporáneos para entender más su manera de ir por la vida. Es así como podrá descifrar algunos de los códigos[2] de la juventud para saber adónde van y qué hacen…

El telemaníaco

Una de las formas de entretenimiento más "ancestrales" es el observar televisión por más de cuatro horas seguidas[3]. A esta joven especie[4] no le interesa ni en lo más mínimo la vida social, pues prefiere observar un maratón entero de *Los Simpson* a tomar un buen café con sus cuates[5]… Algunos padres prefieren que su "hijito" esté todo el día conectado al monitor, argumentando que es preferible que se encuentre ahí a estar vagabundeando en las calles.

El "peace & love"

En cuanto a este tipo de jóvenes, les preocupa más lo natural, el amor y la fraternidad entre razas. A diferencia del telemaníaco, este trata de[6] pasar el menor tiempo posible frente a un televisor. Dentro de sus principales maneras de divertirse está el acudir[7] todos los domingos a la plaza de Coyoacán, para buscar algún libro y observar los espectáculos culturales que semana a semana ahí se presentan.

El fresa[8]

Este "teen modelo" gusta de asistir a lugares a los cuales acuda la gente más "nice" de la ciudad. Otra forma de diversión son las cenas y los cafés que regularmente se realizan[9] en restaurantes y cafeterías ubicadas[10] en la zona de Bosques de las Lomas y Santa Fe. Al fresa le late[11] bastante asistir a "antros"[12] donde la música comercial sea el hit.

El "raver"

Los ravers son los encargados de llenar[13] los festivales de música electrónica o "raves", ya que estos solo son posibles gracias a la asistencia de más de tres mil personas… La música que se toca es la electrónica y durante los raves se baila sin parar[14] por más de nueve horas continuas y solo bebiendo agua embotellada. El raver también acude a antros donde solamente se toque electrónica.

El "fashion"

Otro espécimen fácil de identificar, ya que su preocupación más grande es estar vestido perfectamente. Entre sus grandes pasatiempos está leer revistas de moda[15], pero a la hora de salir trata siempre de asistir al lugar que acaban de inaugurar o al lugar más "fashion". También prefiere las cenas en compañía de sus amigos en el restaurante que ofrezca lo último[16] en cocina.

¿Eres telemaníaco(a)…
… fresa… u otro tipo?

© Ken Kaminesky/Getty Images

---

[1] vive en [2] codes [3] continuas [4] *species* [5] amigos [6] **trata…:** *tries to* [7] ir [8] *affluent youth* [9] **se…:** *take place* [10] *located* [11] **le…:** le gusta
[12] *bars or clubs, the "in" places* [13] **encargados…:** *in charge of filling* [14] **sin…:** *without stopping* [15] **revistas…:** *fashion magazines* [16] **lo…:** *the latest*

Adapted from Alejandro Esquivel, "Los Jovenes se divierten," *El Universal*, 12 March 2002. Used with permission.

Después de leer

4 Con un(a) compañero(a), escribe el nombre del grupo de jóvenes que va a cada lugar indicado. En algunos casos, más de un grupo va a ese lugar.

Lugar	Grupo
1. antros	
2. raves	
3. la plaza de Coyoacán	
4. festivales de música electrónica	
5. la zona de Bosques de las Lomas	
6. casa	
7. los lugares más "fashion"	
8. restaurantes	
9. cafés	

5 En el **Capítulo 4** hay una nota sobre los préstamos del inglés al español. Este artículo tiene muchos ejemplos de este tipo de palabras. Trabaja con un(a) compañero(a) de clase. ¿Pueden encontrar seis préstamos del inglés al español?

6 Trabaja en un grupo de tres o cuatro estudiantes. ¿Pueden identificar cinco "tipos" de jóvenes estadounidenses? Hagan una lista de los grupos, algunas de sus características y adónde van para divertirse. Luego, compartan su lista con la clase.

© diane39/iStock

A escribir

Antes de escribir

ESTRATEGIA

Writing—Adding supporting detail

In **Chapter 5** you wrote topic sentences for paragraphs. Once you have a topic sentence, you have the main idea of your paragraph. But the topic sentence is not enough. You need to include supporting detail—additional information or examples that give your paragraph life and help make it more interesting. If you think of it in terms of a photo, supporting detail is similar to the other items in the photo that are not its focal point—what else can you see and understand from the background?

1 Vas a escribir un párrafo sobre un sitio importante para ti y lo que haces allí. ¿Cuáles son algunos sitios y actividades que puedes describir? Haz una lista con tus ideas.

2 Usa tu lista de la **Actividad 1** y escoge un sitio para describir. Tu oración temática debe identificar el sitio. Después tienes que añadir unos detalles *(details)* para dar interés a tu descripción. Sigue el modelo a continuación para escribir tu oración temática y unos detalles sobre el sitio.

MODELO **Oración temática:** *Para mí, el centro de mi comunidad es el café donde tomo café todos los días.*
Detalles: *el café es bueno, la música es interesante, los empleados son muy amables, tengo wifi, veo a muchas personas y vecinos allí, hablo con todos, conozco a gente nueva, me siento, me relajo, trabajo en la computadora...*

Composición

3 Usa la oración temática y los detalles de la **Actividad 2** para describir, en un párrafo breve, cómo es el sitio y qué haces allí. Si es posible, incluye una foto o un dibujo del sitio que describes.

Después de escribir

4 Mira tu borrador otra vez. Usa la siguiente lista para revisarlo.

- ¿Tiene toda la información necesaria?
- ¿Los detalles se relacionan bien con la oración temática?
- ¿Corresponden los sustantivos y adjetivos?
- ¿Corresponden las formas de los verbos y los sustantivos?
- ¿Hay errores de puntuación o de ortografía?

¡Vívelo!

Vas a crear un nuevo negocio *(business)* para el centro de tu ciudad o pueblo. Luego, vas a trabajar con un grupo de compañeros para elaborar un anuncio para ese negocio.

Antes de clase

Paso 1 Haz una lista de los diez lugares de tu ciudad o pueblo adonde vas con más frecuencia. (Si quieres, puedes consultar tus respuestas a la **Actividad 8** de la página 213 y a la **Actividad 20** de la página 229).

Paso 2 Ahora, mira tu lista y trata de pensar en cinco negocios o servicios que hacen falta *(are missing)* en esos lugares. ¿Qué más te gustaría *(would you like)* tener allí? Haz una lista con tus ideas.

MODELOS   *una lavandería* (laundromat) *con Netflix*
           un centro comercial con una cancha de tenis

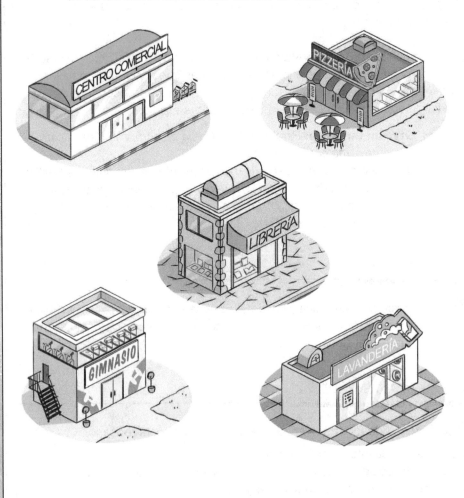

Durante la clase

Paso 1 Formen grupos de tres o cuatro estudiantes. Primero, comparen sus listas de lugares populares del centro. Luego, comparen sus ideas para nuevos negocios o servicios.

Paso 2 Hablen de sus ideas y pónganse de acuerdo sobre *(agree upon)* una idea para un nuevo negocio para el centro comercial de su pueblo o ciudad. Ese negocio debe ofrecer algunos de los servicios que ustedes creen que hacen falta en su comunidad. Sean creativos: puede ser un cajero automático que también dispensa pizza, un banco donde es posible jugar juegos electrónicos mientras esperas, etc.

Paso 3 Denle un nombre creativo a su negocio y preséntenlo a la clase. La clase va a votar por las tres ideas más populares.

MODELO *Nuestro negocio se llama* Con Calma. *Es un café que sirve diferentes tipos de té de hierbas para calmar los nervios de los estudiantes durante la época de los exámenes. También ofrece servicios de acupuntura y masaje, y tiene sitios para los estudiantes que quieren tomar una siesta después de estudiar toda la noche…*

Fuera de clase

Trabaja con los miembros de tu grupo para hacer un anuncio para uno de los tres negocios escogidos *(chosen)* por la clase. Puede ser un anuncio escrito o un anuncio de radio, televisión o Internet. El anuncio debe incluir los beneficios de ir a ese negocio, su dirección, el número de teléfono y un lema *(slogan)* interesante y divertido para atraer a los estudiantes universitarios.

¡Compártelo!

Pongan su anuncio en el foro en línea de *Nexos*. Luego, busquen los anuncios de los otros grupos y coméntenlos. Al final, voten por su anuncio favorito.

Vocabulario

En la universidad   *At the university*

el apartamento *apartment*
el auditorio *auditorium*
la cancha / el campo de fútbol *soccer field*
la cancha de tenis *tennis court*
el centro estudiantil *student center*
el cuarto *room*

el dormitorio / la residencia estudiantil *dormitory*
el edificio *building*
el estadio *stadium*
la oficina *office*
la piscina *swimming pool*
la pista de atletismo *athletics track*

En la ciudad o en el pueblo   *In the city or in the town*

el aeropuerto *airport*
el almacén *store*
el banco *bank*
el barrio *neighborhood*
el cajero automático *automated teller machine (ATM)*
la casa *house*
el centro comercial *mall*
el cine *cinema*
la estación de trenes / autobuses *train / bus station*
el estacionamiento *parking lot*
la farmacia *pharmacy*
el hospital *hospital*
la iglesia *church*
la joyería *jewelry store*

el mercado... *market*
　　... al aire libre *open-air market; farmer's market*
el museo *museum*
la oficina de correos *post office*
la papelería *stationery store*
el parque *park*
la pizzería *pizzeria*
la plaza *plaza*
el restaurante *restaurant*
el supermercado *supermarket*
el teatro *theater*
la tienda... *store*
　　... de equipo deportivo *sporting goods store*
　　... de juegos electrónicos *electronic games store*
　　... de ropa *clothing store*
el (la) vecino(a) *neighbor*

Hacer las compras...   *Shopping . . .*

En la carnicería   *At the butcher shop*
el bistec *steak*
la chuleta de puerco *pork chop*
el jamón *ham*
el pavo *turkey*
el pollo *chicken*
la salchicha *sausage*

En el supermercado   *At the supermarket*
la comida *food*

las frutas *fruits*
los huevos *eggs*
la leche *milk*
el pan *bread*
las papitas fritas *potato chips*
el queso *cheese*
los refrescos *soft drinks*
los vegetales *vegetables*
el yogur *yogurt*

Medios de transporte   *Means of transportation*

a pie *on foot, walking*
en autobús *by bus*
en bicicleta *on bicycle*
en carro / coche / automóvil *by car*

en metro *on the subway*
en tren *by train*
en / por avión *by plane*

Para decir cómo llegar   *Giving directions*

¿Me puede decir cómo llegar a...? *Can you tell me how to get to . . .?*

¿Me puede decir dónde queda...? *Can you tell me where . . . is located?*

Cómo no. Vaya... *Of course. Go . . .*

   ... a la avenida... *. . . to the avenue . . .*

   ... a la calle... *. . . to the street . . .*

   ... a la derecha *. . . to the right*

   ... a la esquina *. . . to the corner*

   ... a la izquierda *. . . to the left*

   ... (dos) cuadras *. . . (two) blocks*

   ... (todo) derecho *. . . (straight) ahead*

bajar *to get down from, to get off of (a bus, etc.)*

cruzar *to cross*

doblar *to turn*

seguir (i) *to continue*

subir *to go up, to get on*

Expresiones de cortesía   *Expressions of courtesy*

Me gustaría (+ infinitive)**...** *I'd like (+ infinitive) . . .*

¿Por favor, me puede decir...? *Please, can you tell me . . .?*

¿Pudiera / Podría usted (+ infinitive)**...?** *Could you (+ infinitive) . . .?*

Quisiera (+ infinitive)**...** *I'd like (+ infinitive) . . .*

Expresiones afirmativas y negativas   *Affirmative and negative expressions*

algo *something*

alguien *someone*

algún, alguno(a, os, as) *some, any*

jamás *never*

nada *nothing*

nadie *no one, nobody*

ni... ni... *neither / nor*

ningún, ninguno(a) *none, no, not any*

nunca *never*

o... o... *either / or*

siempre *always*

también *also*

tampoco *neither, not either*

Preposiciones   *Prepositions*

al lado de *next to, on the side of*

cerca de *close to*

debajo de *below, underneath*

delante de *in front of*

dentro de *inside of*

detrás de *behind*

encima de *on top of, on*

enfrente de *in front of, opposite*

entre *between*

frente a *in front of, facing, opposite*

fuera de *outside of*

lejos de *far from*

sobre *on, above*

Adjetivos demostrativos   *Demonstrative adjectives*

aquel, aquella; aquellos, aquellas *that; those (over there)*

ese, esa; esos, esas *that; those*

este, esta; estos, estas *this; these*

Pronombres demostrativos   *Demonstrative pronouns*

aquel, aquella; aquellos, aquellas *that one; those (over there)*

ese, esa; esos, esas *that one; those*

eso *that*

este, esta; estos, estas *this one; these*

esto *this*

Otras palabras y expresiones   *Other words and expressions*

allá *over there*

allí *there*

aquí *here*

Repaso y preparación

Repaso del Capítulo 6

Complete these activities to check your understanding of the new grammar points in **Chapter 6** before you move on to **Chapter 7**.

The answers to the activities in this section can be found in **Appendix B**.

Prepositions of location (p. 216)

1 Di dónde está el perro, según las ilustraciones.

Preposiciones: debajo de, delante de, dentro de, detrás de, entre, lejos de, sobre

MODELO   *El perro está sobre el auto.*

Commands with **usted** and **ustedes** (p. 218)

2 Completa el texto de los anuncios *(ads)* con mandatos con **usted** y **ustedes**.

1. _____ (venir) ustedes al Almacén Novomoda. ¡No _____ (perder) esta oportunidad!

2. _____ (poner) usted su confianza en la Farmacia Benéfica. _____ (hablar) con nuestros farmacéuticos para hacer una consulta gratis sobre su salud.

3. _____ (hacer) su reservación en el Restaurante MundiCultura. _____ (llamar) ahora para recibir un aperitivo gratis.

Affirmative and negative expressions (p. 224)

3 Completa la narración con palabras afirmativas y negativas de la lista.

Palabras afirmativas y negativas: algo, alguien, alguno(a, os, as), nada, nadie, ningún, nunca, siempre, también, tampoco

(1) _____ voy al Café Milano para tomar un café con leche. (2) _____ como pastel y hablo con (3) _____ de los clientes. Después, si no tengo (4) _____ urgente que hacer, voy al mercado porque normalmente necesito comprar (5) _____. Si no veo a (6) _____ que conozco, hago las compras y salgo rápidamente para el parque.

Demonstrative adjectives and pronouns (p. 227)

4 Usa adjetivos y pronombres demostrativos para completar las oraciones.

1. No quiero _____ huevos que están aquí. Prefiero _____ de allí.
2. No quiero _____ leche que está allá. Prefiero _____ de aquí.
3. No quiero _____ vegetales que están allí. Prefiero _____ de allá.
4. No quiero _____ pizza que está aquí. Prefiero _____ de allí.
5. No quiero _____ frutas que están allá. Prefiero _____ de aquí.
6. No quiero _____ yogur que está aquí. Prefiero _____ de allá.

Preparación para el Capítulo 7

Irregular-**yo** verbs in the present indicative (p. 180)

5 Tu amiga habla de su rutina diaria. Completa sus comentarios con las formas de **yo** correctas de los verbos indicados.

Siempre (1) _____ (salir) temprano de casa y (2) _____ (traer) el almuerzo *(lunch)* conmigo. (3) _____ (poner) todo en mi mochila y (4) _____ (conducir) hasta la universidad. Allí (5) _____ (ver) a algunos de mis amigos y hablamos un rato. Como (6) _____ (conocer) a mucha gente, a veces paso media hora hablando. (7) _____ (oír) sus noticias y también (8) _____ (hacer) planes con algunos de ellos para reunirnos después de las clases. Luego, ¡a trabajar! Si (9) _____ (decir) la verdad, (10) ¡_____ (saber) que debo estudiar más y hablar menos!

Reflexive verbs (p. 184)

6 Completa las oraciones con las formas correctas de los verbos reflexivos. Presta atención al tiempo verbal que requiere cada una.

1. Tú _____ (prepararse: *present indicative*) para ir al cine.
2. Yo _____ (acostarse: *present indicative*) tarde después de ir al teatro.
3. Nosotros _____ (preocuparse: *present indicative*) porque el tren llega tarde.
4. Mis amigos _____ (divertirse: *present progressive*) en el parque.
5. Sé que a ustedes no les gusta ir al museo, ¡pero no _____ (quejarse: *command*) tanto, por favor!
6. _____ (sentarse: *command*) usted aquí y _____ (relajarse: *command*) un poco.

Complete these activities to review some previously learned grammatical structures that will be helpful when you learn the new grammar in **Chapter 7**.

Be sure to reread **Chapter 6: Gramática útil 2** before moving on to the new **Chapter 7** grammar sections.

The answers to the activities in this section can be found in **Appendix B**.

TIEMPO PERSONAL

A muchas personas les gusta estar siempre ocupadas y trabajando. Para otras, el tiempo *(free time)* es muy importante.

¿Trabajas para vivir o vives para trabajar? ¿Qué es más importante para ti, disfrutar del tiempo libre o conseguir tus objetivos profesionales?

Un viaje por Costa Rica y Panamá

Costa Rica y Panamá comparten frontera y tienen costas en el mar Caribe y en el océano Pacífico. Costa Rica tiene una geografía más variada que Panamá.

País / Área	Tamaño y fronteras	Sitios de interés
Costa Rica 50.660 km²	un poco más pequeño que Virginia Occidental; fronteras con Nicaragua y Panamá	sistema grande de parques nacionales, el Teatro Nacional en San José, las plantaciones de café, algunos de los mejores sitios del mundo para navegar en rápidos
Panamá 75.990 km²	un poco más pequeño que Carolina del Sur; fronteras con Costa Rica y Colombia	el canal de Panamá; las islas de Kuna Yala (antes San Blas) con los kuna, una población indígena; el Parque Nacional de Darién; algunas de las mejores playas centroamericanas para el surfing

¿Qué sabes? Di si las siguientes oraciones son ciertas **(C)** o falsas **(F)**.

1. Costa Rica es un país más pequeño que Virginia Occidental y Carolina del Sur.
2. Panamá es un lugar ideal para navegar en rápidos y hacer surfing.
3. Costa Rica y Panamá son países vecinos porque comparten una frontera.
4. El café es un producto importante para Costa Rica.

Lo que sé y lo que quiero aprender Completa la tabla del **Apéndice A**. Escribe algunos datos que **ya sabes** sobre estos países en la columna **Lo que sé**. Después, añade algunos temas que **quieres aprender** a la columna **Lo que quiero aprender**. Guarda la tabla para usarla otra vez en la sección **¡Explora y exprésate!** en la página 268.

COMMUNICATION

By the end of this chapter you will be able to

- talk about sports and leisure activities
- talk about seasons and the weather
- say how you feel using **tener** expressions
- describe your recent leisure activities
- suggest activities and plans to friends

CULTURES

By the end of this chapter you will have explored

- facts about Costa Rica and Panama
- a special boat race from the Atlantic to the Pacific
- why Costa Rica is a paradise for ecotourism
- white-water rafting in Costa Rica
- Fahrenheit and Celsius temperatures; seasons and the equator

243

¡Imagínate!

▶ VOCABULARIO ÚTIL 1

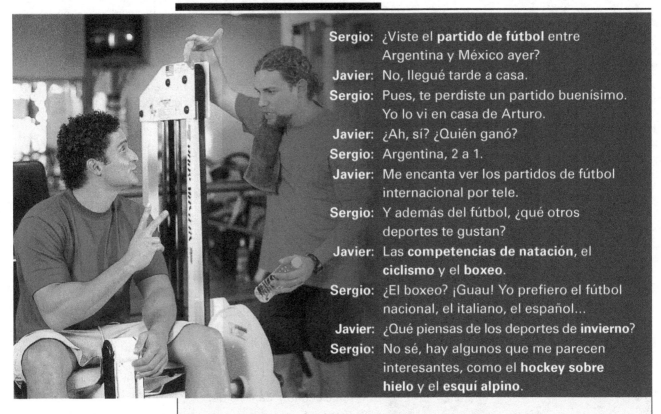

Sergio: ¿Viste el **partido de fútbol** entre Argentina y México ayer?

Javier: No, llegué tarde a casa.

Sergio: Pues, te perdiste un partido buenísimo. Yo lo vi en casa de Arturo.

Javier: ¿Ah, sí? ¿Quién ganó?

Sergio: Argentina, 2 a 1.

Javier: Me encanta ver los partidos de fútbol internacional por tele.

Sergio: Y además del fútbol, ¿qué otros deportes te gustan?

Javier: Las **competencias de natación**, el **ciclismo** y el **boxeo**.

Sergio: ¿El boxeo? ¡Guau! Yo prefiero el fútbol nacional, el italiano, el español...

Javier: ¿Qué piensas de los deportes de **invierno**?

Sergio: No sé, hay algunos que me parecen interesantes, como el **hockey sobre hielo** y el **esquí alpino**.

Remember, as you learned in **Chapter 6, jugar** is used with the preposition **a** in a number of Spanish-speaking countries: **jugar al tenis, jugar al fútbol.** Usage of **a** varies from region to region.

In South America, **correr olas**, literally, *to run waves*, is used for *surfing*.

Actividades deportivas *Sport activities*

entrenarse *to train*
esquiar *to ski*
jugar (al) tenis / (al) béisbol / etc. *to play tennis / baseball / etc.*
levantar pesas *to lift weights*
nadar *to swim*

navegar en rápidos *to go white-water rafting*
patinar sobre hielo *to ice skate*
practicar / hacer alpinismo *to (mountain) climb, hike*
practicar / hacer surfing *to surf*

Los deportes *Sports*

el boxeo *boxing*
el esquí acuático *water skiing*
el esquí alpino *downhill skiing*
el golf *golf*

el hockey sobre hielo *ice hockey*
la natación *swimming*
el snowboarding *snowboarding*

Más palabras sobre los deportes *More sports words*

la competencia *competition*
el equipo *team*
ganar *to win*
el lago *lake*
el partido *game, match*
el peligro *danger*

peligroso(a) *dangerous*
la pelota *ball*
la piscina *pool*
el río *river*
seguro(a) *safe*
la tabla de snowboard *snowboard*

Otros deportes *Other sports*

el fútbol

el tenis

el béisbol

el hockey sobre hierba

el volibol

el fútbol americano

el básquetbol

el ciclismo

Sports vocabulary in Spanish contains a lot of words that come from English, for example, **jonrón, gol, béisbol, bate, derbi,** and **fútbol.** It is important to remember that the spelling, pronunciation, and grammatical use of these borrowed words follow the rules of Spanish. All the vowels and consonants of *homerun* are adapted to create **jonrón**; it is pronounced with the rolling **r (la erre)**, and its plural is **jonrones**.

remar

pescar

montar a caballo

montar en bicicleta

hacer ejercicio

patinar en línea

There are pastimes other than sports that you might be interested in: **el póker en línea** *(online poker)*, **jugar a las cartas** *(to play cards)*, **los juegos de mesa** *(board games)*, **el bridge** *(bridge)*, **el ajedrez** *(chess)*, **las damas** *(checkers)*, **el billar americano** *(pool)*, **el billar inglés** *(snooker)*, **el solitario** *(solitaire)*, **el dominó** *(dominoes),* and **los juegos interactivos** *(interactive games)*. If there are other games that you would like to know how to say in Spanish, go to an online word reference forum or a dictionary app and find out their Spanish equivalent.

21ST CENTURY SKILLS
Media Literacy:
Think about games you know of or play (e.g., *Angry Birds, Stupid Zombies, Empire,* etc.) and list them, then sort them into categories (**fantasía, misterio, acción…**). Ask yourself: **¿Son positivos o negativos para la sociedad / para los individuos? ¿Los juegos son para niños o adultos?** Draw conclusions (and defend them) to practice your **Critical Thinking** skills.

Las estaciones *Seasons*

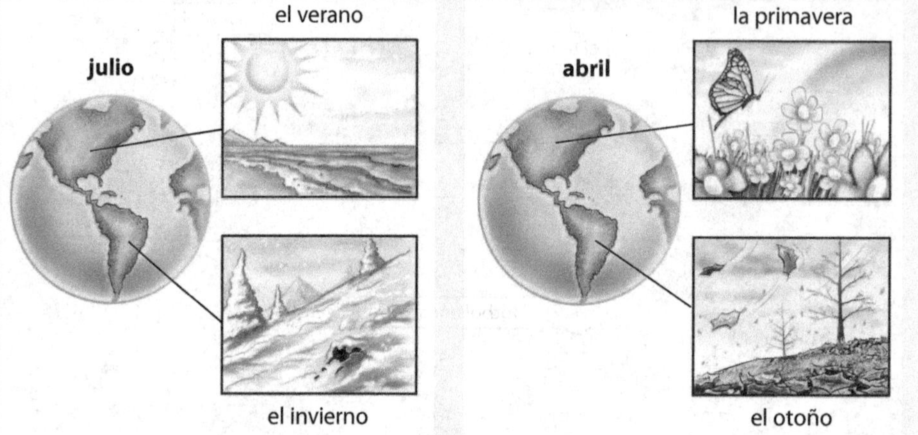

el verano

julio

el invierno

la primavera

abril

el otoño

ACTIVIDADES

1 **En las montañas** Mira la siguiente tabla. Luego, indica qué deportes se pueden practicar en cada lugar. En algunos casos, puede haber varias posibilidades. Limita tus respuestas a un máximo de tres actividades o deportes por cada lugar.

el parque	el océano	el lago
el béisbol		

la cancha	las montañas	el gimnasio

la piscina	el río

2 🔁 **Atletas famosos** Con un(a) compañero(a) de clase, haz una lista de atletas y otros jugadores famosos. Luego, digan con qué deporte o juego se asocia a cada persona.

MODELOS   Megan Rapinoe
Megan Rapinoe juega fútbol.
Bode Merrill
Bode Merrill practica el snowboarding.

3  **¡Peligro!** Con un(a) compañero(a), di qué deportes crees que son peligrosos y cuáles no lo son. Hagan una lista. Luego, intercambien su lista con la de otra pareja. ¿Tienen las mismas opiniones?

4 **El deporte o juego preferido** En grupos de tres o cuatro estudiantes, hagan una lista de sus tres actividades o deportes preferidos. Luego hagan una lista de los tres deportes o actividades que menos les gustan. Cada grupo tiene que compartir sus resultados con la clase.

MODELOS   *En nuestro grupo, el fútbol, el snowboarding y el surfing son los deportes preferidos.*
En nuestro grupo, el golf, la natación y el béisbol son los deportes que menos nos gustan.

5 **Las estaciones** ¿Sabes que los hemisferios norte y sur están en estaciones opuestas durante todo el año? Durante el verano en el hemisferio norte, es invierno en el hemisferio sur. Con un(a) compañero(a) de clase, mira la tabla e indica la estación que corresponde a cada país y mes.

País / mes	Estación
1. Argentina, julio	*invierno*
2. España, febrero	
3. México, octubre	
4. Uruguay, septiembre	
5. Paraguay, diciembre	
6. Cuba, octubre	
7. Panamá, agosto	
8. Bolivia, octubre	

6 **En el otoño...** Trabaja con un(a) compañero(a) de clase. Digan qué deportes y actividades les gusta hacer en cada estación.

MODELO   *En la primavera, nos gusta nadar.*

1. en la primavera
2. en el verano
3. en el otoño
4. en el invierno

Javier: Hola, Beto. Qué milagro verte por aquí.

Beto: Ya sé. ¡Odio el gimnasio! No **tengo ganas** de hacer ejercicio en estas malditas máquinas.

Sergio: ¡Pobre Beto!... ¿Les **tienes miedo** a las "maquinitas"?

Beto: No, ¡no seas ridículo!

Expresiones con *tener* Tener *expressions*

tener cuidado *to be careful*
tener ganas de *to feel like (doing)*
tener miedo (de, a) *to be afraid (of)*
tener razón *to be right, correct*
tener vergüenza *to be embarrassed*

ACTIVIDADES

7 **¡Tengo sueño!** Indica cómo te sientes en las siguientes situaciones. En algunos casos hay más de una respuesta posible.

MODELO Ya son las diez y tu clase de cálculo empieza a las 9:40.
Tengo prisa.

1. Tienes un examen muy difícil.
2. Es verano y no tienes aire acondicionado.
3. Tienes una raqueta de tenis nueva.
4. Ya son las ocho de la noche y todavía no has cenado *(haven't eaten dinner).*
5. Acabas de jugar básquetbol por tres horas.
6. Ves una película de terror.
7. Son las tres de la mañana y acabas de estudiar.
8. Es invierno y no llevas chaqueta.
9. Sabes las respuestas correctas a todas las preguntas.

8 **¿Qué tienes?** Usa la siguiente lista. Pasea por la clase y busca a un estudiante que tenga una de las emociones o estados físicos que se describen en la lista y escribe su nombre al lado. Luego escribe un resumen de tu encuesta. (¡Es posible que no encuentres nombres para todas las categorías!)

MODELO *Kelly y Sandra siempre tienen calor. Y Jessie...*

	Nombre
Siempre tiene calor:	
Tiene miedo de las serpientes:	
Tiene ganas de viajar a Nepal:	
Tiene vergüenza cuando habla enfrente de mucha gente:	
Nunca tiene sueño:	
Siempre tiene razón:	
Nunca tiene prisa:	
Tiene ganas de hacer surfing:	

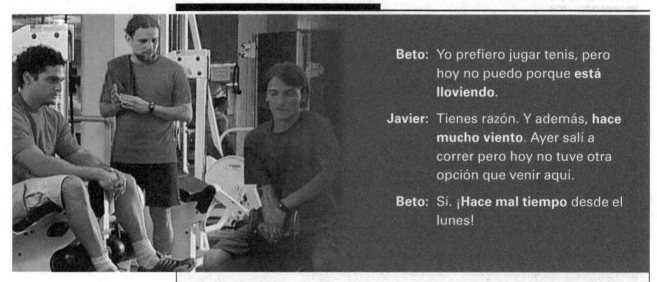

Beto: Yo prefiero jugar tenis, pero hoy no puedo porque **está lloviendo**.

Javier: Tienes razón. Y además, **hace mucho viento**. Ayer salí a correr pero hoy no tuve otra opción que venir aquí.

Beto: Sí. ¡**Hace mal tiempo** desde el lunes!

Note that **grados Celsius** and **centígrados** both refer to measurements on the Celsius scale. **Centígrados** is an older term that has been replaced by **Celsius**. Also notice that whether the plural form of **Celsius** is used varies from country to country.

To convert between Fahrenheit and Celsius:

Grados C → Grados F: $(°C × 1{,}8) + 32 = °F$
Ejemplo: $(30 °C × 1{,}8) + 32 = 86 °F$
Grados F → Grados C: $(°F − 32) ÷ 1{,}8 = °C$
Ejemplo: $(86 °F − 32) ÷ 1{,}8 = 30 °C$

El tiempo *Weather*

¿Qué tiempo hace? *What's the weather like?*
Hace buen tiempo. *It's nice weather.*
Hace mal tiempo. *It's bad weather.*
Hace fresco. *It's cool.*
Hace sol. *It's sunny.*

La temperatura *Temperature*

grados Celsius / centígrados *degrees Celsius*
grados Fahrenheit *degrees Fahrenheit*
La temperatura está a 20 grados Celsius / centígrados. *It's 20 degrees Celsius.*
La temperatura está a 70 grados Fahrenheit. *It's 70 degrees Fahrenheit.*

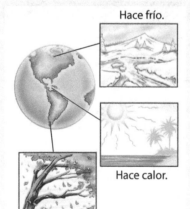

Hace frío.

Hace calor.

Hace viento.

Está nevando. Nieva.

Está nublado.

Está lloviendo. Llueve.

ACTIVIDADES

9 **El tiempo** Di qué tiempo hace por lo general durante las estaciones o meses indicados.

1. el mes de marzo en tu ciudad
2. el mes de agosto en tu ciudad
3. el mes de enero en tu ciudad
4. el mes de octubre en tu ciudad
5. en invierno en Buenos Aires
6. en invierno en Seattle
7. en verano en Miami
8. en invierno en Chicago

10 🔄 **Prefiero...** Trabaja con un(a) compañero(a) de clase. Identifiquen por lo menos dos actividades que les gusta hacer y dos que no les gusta hacer cuando hace el tiempo indicado. Luego, escriban oraciones completas para hacer un resumen de sus preferencias.

1. cuando hace calor
2. cuando hace frío
3. cuando hace mucho viento
4. cuando nieva
5. cuando llueve

¡FÍJATE!

¿Qué tiempo hace?

Cuando hablas del tiempo y de la temperatura en español, hay varias cosas importantes que debes saber. Primero, como viste en la **Actividad 5**, los países al norte y al sur del ecuador están en estaciones opuestas. Es decir, cuando en el norte estamos en invierno, los países del sur están en verano. Cuando es otoño en EEUU, allá es primavera.

Segundo, EEUU y los países de habla española usan dos sistemas diferentes para medir *(to measure)* la temperatura. Aquí usamos el sistema Fahrenheit, mientras que en Latinoamérica y España usan el sistema Celsius.

Finalmente, México, los países del Caribe y varios países de Centroamérica y Sudamérica tienen temporadas de lluvias y temporadas secas *(dry)*. Aunque esto es más común en los países que están más cerca del ecuador, también puede ocurrir cuando las corrientes del océano crean condiciones especiales, como en la costa noroeste de EEUU y en la costa sur de Perú.

PRÁCTICA 🔄 En parejas, miren las siguientes tablas y contesten las preguntas sobre el tiempo en las dos ciudades. (**tormenta** = *thunderstorm*, **chaparrón** = *cloudburst, downpour*)

1. ¿Cuál es la temperatura máxima en San José? ¿Y la temperatura mínima?
2. ¿Crees que se dan estas temperaturas en grados Celsius o Fahrenheit?
3. ¿Qué tiempo hace en San José el martes 28 de agosto? ¿Qué tiempo va a hacer el miércoles? ¿Y el sábado?
4. ¿Cuál es la temperatura máxima en la Ciudad de Panamá? ¿Y la temperatura mínima?
5. ¿Hace más calor en la Ciudad de Panamá o en San José?
6. ¿Cuál es el pronóstico para el jueves, el viernes y el sábado en la Ciudad de Panamá?
7. ¿Cuándo es la temporada de lluvias en cada país?

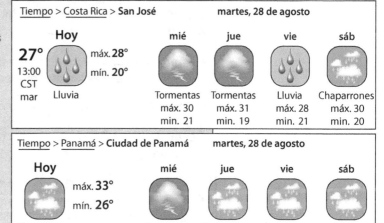

A ver

Antes de ver 1 Mira las fotos y el texto en las páginas 244, 248 y 250 del **Vocabulario útil**. Luego, completa las siguientes oraciones sobre las personas de las fotos.

1. Javier y Sergio hablan de (los cursos / los deportes).
2. Sergio prefiere (el fútbol nacional / el hockey sobre hielo) al boxeo.
3. Según Beto, él no les tiene (sueño / miedo) a las máquinas del gimnasio.
4. Además, Beto no tiene (ganas / vergüenza) de hacer ejercicio en el gimnasio.
5. Beto no puede jugar tenis porque está (lloviendo / nevando).
6. Hoy también hace mucho (frío / viento).

Antes de ver 2 Ahora mira la siguiente tabla y fíjate en la información que necesitas del video para completarla.

	A Javier	A Sergio	A Beto	A Dulce
le gusta…				
no le gusta…				

▶ **Ver** Mira el video del **Capítulo 7** y completa la tabla en **Antes de ver 2**. Si el video no tiene la información necesaria, pon una X.

Después de ver 1 Escribe oraciones completas para indicar qué le gusta hacer a cada persona que se menciona en **Antes de ver 2**.

MODELO *A Dulce le gusta jugar tenis, pero no le gusta…*

Después de ver 2 🔁 Con un(a) compañero(a) de clase, contesta las siguientes preguntas sobre el video.

1. ¿De qué hablan Javier y Sergio al principio de la escena?
2. ¿Va Beto al gimnasio con frecuencia?
3. ¿Qué dice Sergio sobre la condición física de Beto?
4. ¿Por qué empieza Beto a hacer ejercicio con mucho entusiasmo?
5. ¿Qué le dice Beto a Dulce sobre su rutina diaria? ¿Es cierto o falso?
6. ¿Qué hace Dulce cuando hace ejercicio?

Voces de la comunidad

▶ Voces del mundo hispano

En el video de este capítulo, Essdras, Nicole y Andrés hablan de sus pasatiempos y las estaciones del año. Lee las siguientes oraciones. Después mira el video una o más veces para decir si las oraciones son ciertas (**C**) o falsas (**F**).

1. A Essdras le gusta el invierno porque todo es muy oscuro.
2. Nicole prefiere el otoño porque le gusta el cambio de las hojas *(leaves)*.
3. A Andrés no le gusta la estación lluviosa porque es difícil salir afuera.
4. A Essdras le gusta hacer yoga y levantar pesas.
5. Nicole prefiere bailar y acampar.
6. Andrés no practica ningún deporte.

◀ Voces de Estados Unidos

© Cameron Spencer/Getty Images

Brenda Villa, waterpolista

❝ Los medios de comunicación hispanos deben poner de su parte *(do their part)* para dar publicidad a los atletas hispanos en deportes no tradicionales. Así los padres pueden conocer todas las opciones que hay para sus hijos ❞ .

Brenda Villa **es la** mejor waterpolista femenina de la década 2000–2009, según la Federación Internacional de Natación. Nacida *(Born)* en East L.A. de padres mexicanos, Villa **aprendió** a jugar polo a los seis años con sus dos hermanos. Después, en Bell Gardens High School, **jugó** para el equipo masculino porque la escuela no tenía equipo femenino. Villa es graduada de Stanford, donde **se especializó** en ciencias políticas. En 2011, **participó** en la fundación de Project 2020, una organización sin fines de lucro que promueve la práctica de deportes acuáticos entre los jóvenes del área de San Francisco. Esta gran atleta tiene la distinción de ser la primera latina en el equipo de waterpolo de los EEUU. Entre sus honores se incluyen varias medallas olímpicas y de campeonatos mundiales y también el Trofeo Peter J. Cutino del National Collegiate Athletic Association (NCAA), el más prestigioso honor a nivel *(level)* individual en el waterpolo universitario estadounidense.

The forms **aprendió, jugó, se especializó,** and **participó** are all past-tense forms. You'll learn more about them on page 254.

¿Y tú? En tu opinión, ¿cuáles son algunos deportes que no reciben la atención o el interés público que merecen *(they deserve)*? ¿Crees que los medios de comunicación deben hacer un esfuerzo para promocionarlos?

¡Prepárate!

GRAMÁTICA ÚTIL 1

¿Quién ganó?

Spanish uses another past tense called the *imperfect* to talk about past actions that were routine or ongoing. You will learn more about this tense in **Chapter 9**.

Note that reflexive verbs use the same endings: **(lavarse) me lavé, te lavaste, se lavó, nos lavamos, se lavaron; (reunirse) me reuní, te reuniste, se reunió, nos reunimos, se reunieron.**

Talking about what you did:
The preterite tense of regular verbs

Cómo usarlo

Lo básico

A *verb tense* is a form of a verb that indicates the time of an action: the past, present, or future. You have already been using the present indicative **(Estudio en la biblioteca.)** and the present progressive **(Estoy hablando por teléfono.)** tenses.

When you want to talk in Spanish about actions that occurred and were completed in the past, you use the *preterite tense*. The preterite is used to describe

- actions that began and ended in the past;
- conditions or states that existed completely within the past.

Me desperté, leí el periódico y **salí** para el gimnasio.	*I woke up, I read the newspaper, and I left for the gym.*
Fui secretario bilingüe por dos años.	*I was a bilingual secretary for two years.*
Estuve muy cansada ayer.	*I was very tired yesterday.*

Cómo formarlo

1. To form the preterite tense of regular **-ar, -er,** and **-ir** verbs, you remove that ending from the infinitive and add the following endings to the verb stem.

	-ar verb: **bailar**		-er and -ir verbs: **comer / escribir**		
yo	**-é**	bail**é**	**-í**	com**í**	escrib**í**
tú	**-aste**	bail**aste**	**-iste**	com**iste**	escrib**iste**
Ud. / él / ella	**-ó**	bail**ó**	**-ió**	com**ió**	escrib**ió**
nosotros / nosotras	**-amos**	bail**amos**	**-imos**	com**imos**	escrib**imos**
vosotros / vosotras	**-asteis**	bail**asteis**	**-isteis**	com**isteis**	escrib**isteis**
Uds. / ellos / ellas	**-aron**	bail**aron**	**-ieron**	com**ieron**	escrib**ieron**

2. Notice that the preterite forms of **-er** and **-ir** verbs are the same.

3. Notice that only the **yo** and **Ud. / él / ella** forms are accented.

4. The **nosotros** forms of the preterite and the present indicative of **-ar** and **-ir** verbs are the same. You can tell which is being used by context.

Bailamos todos los fines de semana.   *(present)*
Bailamos salsa con Mario ayer.   *(past)*

5. All stem-changing verbs that end in **-ar** or **-er** are regular in the preterite.

Me desperté a las ocho cuando **sonó** el teléfono.	*I woke up at 8:00 when the telephone rang.*
Volví temprano de mis vacaciones porque **perdí** mi pasaporte.	*I returned early from my vacation because I lost my passport.*

Stem-changing verbs that end in **-ir** also have stem changes in the preterite. You will learn these forms in **Chapter 8**.

6. Many of the verbs you have already learned are regular in the preterite tense. A few have some minor changes.

■ Verbs that end in **-car, -gar,** and **-zar** have a spelling change in the **yo** form to maintain the correct pronunciation.

-car:	c → qu	sacar: **saqué**, sacaste, sacó, sacamos, sacasteis, sacaron
-gar:	g → gu	llegar: **llegué**, llegaste, llegó, llegamos, llegasteis, llegaron
-zar:	z → c	cruzar: **crucé**, cruzaste, cruzó, cruzamos, cruzasteis, cruzaron

■ Verbs that end in **-eer**, as well as the verb **oír**, change **i** to **y** in the two third-person forms. Note the accent on the **-íste, -ímos,** and **-ísteis** endings.

leer:	leí, leíste, leyó, leímos, leísteis, leyeron
creer:	creí, creíste, creyó, creímos, creísteis, creyeron
oír:	oí, oíste, oyó, oímos, oísteis, oyeron

7. You have already learned the word **ayer**. Here are some other useful time expressions to use with the preterite tense: **anoche** *(last night)*, **anteayer** *(the day before yesterday)*, **la semana pasada** *(last week)*, **el mes pasado** *(last month)*, **el año pasado** *(last year)*.

ACTIVIDADES

1 🔊 **¿Presente o pasado?** Escucha las oraciones e indica si las actividades que se describen ocurren en el presente o el pasado.

	Presente	Pasado
1. Javier y Lidia / esquiar	_____	_____
2. Susana / entrenarse	_____	_____
3. yo / navegar en rápidos	_____	_____
4. mi padre / pescar	_____	_____
5. tú / remar	_____	_____
6. tú / jugar golf	_____	_____
7. yo / patinar sobre hielo	_____	_____
8. yo / nadar	_____	_____

2 **El calendario de Rosario** Usa el siguiente calendario para decir qué hizo *(did)* Rosario la semana pasada.

lunes 17	martes 18	miércoles 19	jueves 20	viernes 21	sábado 22	domingo 23
A.M.: estudiar con Lalo	A.M.: trabajar en la biblioteca	A.M.: almorzar con Neti	A.M.: leer en la biblioteca	A.M.: correr dos millas	A.M.: desayunar con Sergio	A.M.: ¡descansar!
P.M.: jugar tenis con Fernando	P.M.: salir con Lalo	P.M.: sacar la basura	P.M.: escribir el ensayo para la clase de literatura	P.M.: ¡bailar en la discoteca!	P.M.: entrenarse en el gimnasio	P.M.: comer con Lalo

MODELO *El lunes por la mañana Rosario estudió con Lalo.*
O: *El lunes por la mañana Rosario y Lalo estudiaron.*

3 **Ayer** Di qué hicieron *(did)* las siguientes personas ayer.

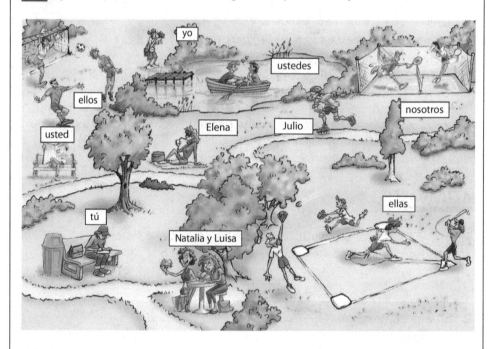

4 **La semana pasada** Ahora, usa el horario de la **Actividad 2** como modelo y complétalo con tu propia información sobre la semana pasada. Luego, trabaja con un(a) compañero(a) de clase para hablar de sus actividades de la semana pasada.

MODELO **Tú:** *¿Qué hiciste* (What did you do) *el lunes por la mañana?*
Compañero(a): *Jugué golf. ¿Y tú? ¿Qué hiciste el miércoles por la tarde?*

GRAMÁTICA ÚTIL 2

Talking about what you did: The preterite tense of some common irregular verbs

Cómo usarlo

As you learned in **Gramática útil 1**, the preterite is a Spanish past-tense form that is used to talk about actions that occurred and were completed in the past. It describes actions that began and ended in the past and refers to things that happened and are over with, whether they happened just once or over time.

Fuimos al restaurante.

Hicimos deporte todo el día.

¡Estuvimos bien cansados!

We went to the restaurant.

We played sports all day.

We were really tired!

¿**Viste** el partido de fútbol entre Argentina y México ayer?

Cómo formarlo

1. Here are the irregular preterite forms of some frequently used verbs.

	estar	hacer	ir	ser
yo	estuve	hice	fui	fui
tú	estuviste	hiciste	fuiste	fuiste
Ud. / él / ella	estuvo	hizo	fue	fue
nosotros / nosotras	estuvimos	hicimos	fuimos	fuimos
vosotros / vosotras	estuvisteis	hicisteis	fuisteis	fuisteis
Uds. / ellos / ellas	estuvieron	hicieron	fueron	fueron

	der	ver	decir	traer
yo	di	vi	dije	traje
tú	diste	viste	dijiste	trajiste
Ud. / él / ella	dio	vio	dijo	trajo
nosotros / nosotras	dimos	vimos	dijimos	trajimos
vosotros / vosotras	disteis	visteis	dijisteis	trajisteis
Uds. / ellos / ellas	dieron	vieron	dijeron	trajeron

Ver is irregular only because it does not carry accents in the **yo** and **Ud. / él / ella** forms. **Dar** is irregular because it uses the regular **-er / -ir** endings rather than the **-ar** endings.

2. Verbs that end in **-cir** follow the same pattern as **traer** and **decir**.

> **conducir:** conduje, condujiste, condujo, condujimos, condujisteis, condujeron
>
> **producir:** produje, produjiste, produjo, produjimos, produjisteis, produjeron
>
> **traducir:** traduje, tradujiste, tradujo, tradujimos, tradujisteis, tradujeron

3. Notice that although these irregular verbs do for the most part use the regular endings, they have internal changes to the stem that must be memorized.

4. Notice that none of these verbs requires accents in the preterite.

5. Notice that **ser** and **ir** have the same forms in the preterite. But because the verbs have such different meanings, it is usually fairly easy to tell which one is being used.

Fuimos estudiantes durante esos años.

Todos **fuimos** a una fiesta muy divertida.

We were students during those years.

We all *went* to a really fun party.

ACTIVIDADES

5 **¿Qué hicieron?** Haz oraciones completas para decir qué pasó la semana pasada.

MODELO **ir**

ellos / al parque a jugar tenis
Ellos fueron al parque a jugar tenis.

estar

1. tú y yo / en las montañas para hacer alpinismo
2. Mónica y Sara / en el gimnasio todos los días
3. usted / en la costa para hacer surfing

ir

4. ustedes / al gimnasio a entrenarse
5. yo / a la biblioteca a estudiar
6. Jorge / al parque a jugar básquetbol

ver

7. yo / una película muy buena
8. nosotros / a Mónica y a Sara en el gimnasio
9. tú / una serpiente en el parque

traer

10. Luis / su pelota de béisbol a mi casa para jugar
11. ellos / su equipo *(equipment)* para jugar hockey sobre hierba
12. tú / tus pesas para entrenarte

6 ♻ **¿Quién fue?** Con un(a) compañero(a) de clase, di quiénes fueron las personas indicadas. (En algunos casos, hay más de una respuesta posible).

MODELO Abraham Lincoln

Tú: *¿Quién fue Abraham Lincoln?*
Compañero(a): *Fue presidente de Estados Unidos.*

Respuestas posibles: presidente(a), futbolista, novelista, actor / actriz, cantante, científico(a), político(a), revolucionario(a)

1. Monsieur y Madame Curie
2. Albert Einstein
3. Marilyn Monroe y Robin Williams
4. Bill Clinton y George W. Bush
5. Virginia Woolf
6. Che Guevara
7. Michael Jackson
8. Diego Maradona

7 🔄 **Las vacaciones** Averigua qué hizo tu compañero(a) de clase durante sus vacaciones del año pasado. Pregúntale si hizo las siguientes actividades y cuántas veces las hizo.

MODELO ir al cine *(¿cuántas veces?)*

> **Tú:** *¿Cuántas veces fuiste al cine durante tus vacaciones?*
> **Compañero(a):** *Fui una vez a la semana, más o menos.*

1. hacer viajes *(trips)* (¿cuántos?)
2. conducir lejos (¿cuántas millas?)
3. ir a la playa (¿cuántas veces?)
4. ver un partido de fútbol americano (¿cuántas veces?)
5. hacer ejercicio (¿cuántas veces?)

Luego, tu compañero(a) te hace las mismas preguntas. Juntos, determinen la siguiente información.

1. ¿Quién hizo más viajes?
2. ¿Quién condujo más kilómetros?
3. ¿Quién fue más a la playa?
4. ¿Quién vio más partidos de fútbol americano?
5. ¿Quién hizo más ejercicio?

8 🔊 **La reunión** Escucha mientras Cecilia describe qué pasó la semana pasada en la reunión de exalumnos de su colegio. Primero, completa la tabla con la información necesaria. Luego, escribe oraciones completas según el modelo.

Persona	¿Qué dijo?
yo (Cecilia)	
tú (Rosa Carmen)	
José María	
Marcos	*Es periodista.*
Laura y Sebastián	
Leticia	
Pilar y Antonio	

MODELO **Lees:** Marcos
Escuchas: Es periodista.
Escribes: *Marcos dijo que es periodista.*

1. yo
2. tú
3. José María
4. Laura y Sebastián
5. Leticia
6. Pilar y Antonio

Pues, te perdiste un partido buenísimo. Yo **lo** vi en casa de Arturo.

Referring to something already mentioned: Direct object pronouns

Cómo usarlo

Lo básico

A *direct object* is a noun or noun phrase that receives the action of a verb: I buy *a book*. We invite *our friends*. *Direct object pronouns* are pronouns that replace direct object nouns or phrases: I buy *it*. We invite *them*. Often you can identify the direct object of the sentence by asking *what?* or *whom?*: We buy *what?* (*a book / it*) / We invite *whom?* (*our friends / them*).

You use direct object pronouns in both Spanish and English to avoid repetition and to refer to things or people that have already been mentioned. Look at the following passage in Spanish and notice how much repetition there is.

> **Quiero hablar con María. Llamo a María por teléfono e invito a María a visitar a mis padres. Visito a mis padres casi todos los fines de semana.**

Now read the passage after it's been rewritten using direct object pronouns to replace some of the occasions when the nouns **María** and **padres** were used previously. (The direct object pronouns appear underlined.)

> **Quiero hablar con María. <u>La</u> llamo por teléfono y <u>la</u> invito a visitar a mis padres. <u>Los</u> visito casi todos los fines de semana.**

Cómo formarlo

1. Here are the direct object pronouns in Spanish.

Singular		Plural	
me	*me*	**nos**	*us*
te	*you (fam.)*	**os**	*you (fam.)*
lo	*you (form. masc.), him, it*	**los**	*you (form. masc.), them, it*
la	*you (form. fem.), she, it*	**las**	*you (form. fem.), them, it*

2. The third-person direct object pronouns in Spanish must agree in gender and number with the noun they replace.

Compramos **el libro**.	→	**Lo** compramos.
Compramos **la raqueta**.	→	**La** compramos.
Compramos **los libros**.	→	**Los** compramos.
Compramos **las raquetas**.	→	**Las** compramos.

3. Pay particular attention to the **lo / la** and **los / las** forms, because they can have a variety of meanings. For example, **Lo llamo** can mean *I call **you*** (formal, male) or *I call **him***. **La llamo** can mean *I call **you*** (formal, female) or *I call **her***. Look at the possible meanings for the **los** and **las** forms.

Los llamo. → *I call **them**. (at least two men, or a man and a woman)*
*I call **you**. (formal, at least two people, at least one male)*

Las llamo. → *I call **them**. (at least two women)*
*I call **you**. (formal, at least two women)*

4. Direct object pronouns always come *before* a *conjugated verb* used by itself.

Me llamas el viernes, ¿no?   *You'll call **me** on Friday, right?*
Te invito a la fiesta.   *I'm inviting **you** to the party.*

5. When a direct object pronoun is used with an *infinitive* or with the *present progressive*, it may come *before* the conjugated verb or it may be *attached* to the infinitive or to the present participle.

Te voy a llamar.   OR: Voy a llamar**te**.

Te estoy llamando.   OR: Estoy llamándo**te**.

6. When a direct object pronoun is used with a *command form*, it *attaches to the end of the affirmative command* but *comes before the negative command* form.

Hágalo ahora, por favor.   BUT: **No lo haga** ahora, por favor.

7. When you use direct object pronouns with *reflexive pronouns*, the *reflexive pronouns come before the direct object pronouns*.

Me estoy lavando **la cara** con jabón.   *I am washing **my face** with soap.*
Me **la** estoy lavando con jabón.   *I am washing **it** with soap.*

Estoy lavándome **la cara** con jabón.   *I am washing **my face** with soap.*
Estoy lavándome**la** con jabón.   *I am washing **it** with soap.*

Notice that when the direct object pronoun attaches to the present participle, you must add an accent to the next-to-last syllable of the present participle to maintain the correct pronunciation: **llamándote**. Other examples include: **viéndome**, **hablándonos**, **invitándolo**.

Again, notice that when the direct object pronoun attaches to the command form, you must add an accent to the next-to-last syllable of command forms of two or more syllables in order to maintain the correct pronunciation: **hágalo**.

ACTIVIDADES

9 **El domingo por la tarde** Tu familia tuvo una reunión en casa el domingo por la tarde y todos(as) hicieron algo para ayudar. Escribe lo que hicieron usando los pronombres de objeto directo correctos. Sigue el modelo.

MODELO   Mi mamá y yo compramos <u>la comida</u>.
          <u>La</u> compramos.

1. Mi hermana y yo limpiamos *(cleaned)* <u>la casa</u>.
   _____ limpiamos.
2. Mi papá invitó a <u>los primos</u>.
   _____ invitó.
3. Yo compré <u>los refrescos</u>.
   _____ compré.

4. Mi hermano trajo <u>la música</u>.
   _____ trajo.
5. Mis tíos prepararon <u>la ensalada</u>.
   _____ prepararon.
6. Mi tía hizo <u>las tortillas</u>.
   _____ hizo.

10 **El día horrible** Lee sobre el día horrible de Manuel. Sustituye las palabras **en negrilla** *(boldface)* con pronombres de objeto directo, según el modelo.

MODELO   Compré **los libros**.
Los compré.

Un día horrible

¡Ayer estuve muy ocupado! Empezaron las clases y tuve que comprar los libros. Compré **los libros** en la librería de la universidad. Pero no encontré el libro para mi clase de cálculo. Tuve que ir a otra librería. Busqué **la librería**, pero, como no me dieron buenas indicaciones para llegar, ¡no encontré **la librería** hasta después de dos horas! Por fin, vi el libro de clase y compré **el libro**.

   Después fui al supermercado para comprar algunos comestibles, pero no pude comprar **los comestibles** porque no encontré mi tarjeta de crédito *(credit card)*. Volví a la librería para buscar mi tarjeta, pero no encontré **la tarjeta** allí.

   Decidí ir a la residencia estudiantil para descansar un poco y hacer un poco de trabajo. Vi a mi compañero de cuarto en la entrada. Saludé a **mi compañero de cuarto**. Él me dijo que me envió un mensaje. Envió **el mensaje** para decirme que la computadora no funciona bien. Examiné **la computadora**, pero no pude *(I couldn't)* reparar **la computadora**. Tenemos que llevar **la computadora** al centro de computación para hacerle reparaciones. ¡Otra cosa que tengo que hacer!

---

11 **Pobre Manuel** Contesta las preguntas sobre el día horrible de Manuel (**Actividad 10**). Usa pronombres de objeto directo en tus respuestas.

MODELO   ¿Encontró Manuel el libro en la librería de la universidad?
No, no lo encontró.

1. ¿Encontró Manuel la otra librería?
2. ¿Compró los comestibles?
3. ¿Encontró su tarjeta de crédito?
4. ¿Vio a su compañero de cuarto en la residencia estudiantil?
5. Cuando por fin llegó a la residencia estudiantil, ¿pudo hacer su trabajo?
6. ¿Usó la computadora de su cuarto?
7. ¿Tuvo que llevar la computadora al centro de computación?
8. ¿Tuvo un día tranquilo?

12 **Natalia** El padre de Natalia y Nico es muy exigente (demanding). Les hace muchas preguntas. Haz el papel de Natalia y contesta las preguntas de su padre.

MODELOS **Padre:** ¿Limpiaron el baño? (sí)
Natalia: *Sí, lo limpiamos.*
Padre: ¿Limpiaste tu cuarto? (no)
Natalia: *No, pero estoy limpiándolo ahora mismo.*

1. ¿Hiciste la tarea? (sí)

2. ¿Prepararon el almuerzo? (no)

3. ¿Hicieron los planes para la fiesta? (no)

4. ¿Leíste la nota de tu mamá? (sí)

5. ¿Viste la lista de productos que debes comprar en el supermercado? (sí)

6. ¿Llamaste a tu abuela? (sí)

13 🔁 **¿Lo leíste?** Trabaja con un(a) compañero(a) de clase. Háganse preguntas y contéstenlas usando pronombres de objeto directo. Sigan el modelo.

MODELO leer / el nuevo libro de James Patterson
Compañero(a): *¿Leíste el nuevo libro de James Patterson?*
Tú: *Sí, lo leí. O: No, no lo leí.*

1. ver / la nueva película de Pedro Almodóvar

2. leer / el nuevo libro de Gillian Flynn

3. ver / los partidos de básquetbol de la WNBA

4. traer / computadora portátil a clase

5. entender / la tarea de la clase de español

6. comprar / las pelotas de tenis

7. descargar / la nueva canción de Calle 13

8. ver / el nuevo episodio de *Modern Family*

9. ¿...?

14 🔺 **¿Lo tienes?** En grupos de tres, túrnense para hacer y contestar preguntas sobre sus actividades recientes. Cuando hagan las preguntas, usen **cuándo** o **dónde** con las palabras indicadas. Cuando contesten, usen un pronombre de objeto directo.

MODELOS comprar tu mochila
Tú: *¿Dónde compraste tu mochila?*
Compañero(a): *La compré en la librería de la universidad.*

hacer la tarea para la clase de español
Compañero(a): *¿Cuándo hiciste la tarea para la clase de español?*
Tú: *¡No la hice!*

1. comprar tu computadora

2. hacer la tarea para la clase de ¿...?

3. mirar tus programas favoritos

4. escuchar tu canción favorita

5. llamar a tus padres

6. comer una hamburguesa

7. leer el libro para la clase de ¿...?

8. tomar el café hoy

9. ver a tus amigos

10. lavar la ropa

Expresión 🔅 En grupos de tres o cuatro estudiantes, hagan una lista de las reglas *(rules)* de cortesía para el teléfono y el correo electrónico. ¿Qué se debe y qué no se debe hacer?

MODELOS   Cuando llamas por teléfono…
No debes llamar muy temprano por la mañana.
Cuando escribes correos electrónicos…
Debes escribir mensajes cortos.

Telling friends what to do: **Tú** command forms

¡No lo intentes en casa!

Haz los saltos y trucos más chéveres – habla con nuestros bicilocos profesionales para elegir la mejor bicicleta BMX para ti.

Calle Eloy Alfaro 27
Casco Antiguo
Ciudad de Panamá
507-516-9997
www.ciclocura.com

CICLOLOCURA

Photo: (left to right) © Rihardzz/Dreamstime; © Peter Spirer/Dreamstime; Text: © Cengage Learning 2015

What are the three tú command forms used in this ad for a bike shop in Panamá? Which one is a negative form?

Cómo usarlo

1. You have already learned the formal and plural (**usted** and **ustedes**) command forms in **Chapter 6**. Now you will learn the informal command form that you use with people you address as **tú**. (You see these forms in activity direction lines.)

Habla con Claudia.   *Talk to Claudia.*
Pero **no hables** con Leo.   *But don't talk to Leo.*

2. Remember that when you are addressing more than one person informally you use **ustedes** forms, just as you do when you address more than one person formally.

The **vosotros** command forms, which are the plural informal command forms used in Spain, are not provided in this textbook because **ustedes** forms are used more universally.

3. You typically use informal commands to address friends, small children, or animals. If those commands still sound too abrupt, you can use these other expressions as a way of avoiding a direct command completely.

¿Me puedes decir / Me dices...?	*Can you tell me . . . ?*
¿Puedes + *infinitive...?*	*Can you* + infinitive . . . ?
¿Quieres / Quisieras + *infinitive...?*	*Would you like to* + infinitive . . . ?
¿Te importa...?	*Would/Does it matter to you . . . ?*
¿Te molesta...?	*Would/Does it bother you . . . ?*

Cómo formarlo

1. Unlike the **usted** and **ustedes** forms that you learned in **Chapter 6, tú** commands have one form for affirmative commands and one form for negative commands.

2. To form the affirmative **tú** command form, simply use the **usted / él / ella** present-indicative form of the verb.

Affirmative **tú** command forms		
-ar verb	**-er** verb	**-ir** verb
tomar → **toma**	beber → **bebe**	escribir → **escribe**

3. To form the negative **tú** command form, take the affirmative **tú** command, and replace the final vowel with **es** for **-ar** verbs and with **as** for **-er** / **-ir** verbs.

Notice that the negative **tú** commands are the same as the **usted** command forms, but with an **s** added. **Usted** command: **hable;** negative **tú** command: **no hables.**

Negative **tú** command forms		
	-ar verb **hablar**	**-er** verb **beber**	**-ir** verb **escribir**
affirmative **tú** command	habla	bebe	escribe
negative **tú** command	no **hables**	no **bebas**	no **escribas**

4. These **tú** command forms are irregular and must be memorized.

Irregular **tú** commands		
	Affirmative	Negative
decir	di	no digas
hacer	haz	no hagas
ir	ve	no vayas
poner	pon	no pongas
salir	sal	no salgas
ser	sé	no seas
tener	ten	no tengas
venir	ven	no vengas

Notice that the **tú** command for **ser (sé)** is the same as the first person of **saber (sé)**. Context will clarify which is meant: **¡Sé bueno!** vs. **Sé que Manuel es bueno.** The same is true for the command forms of **ir (ve)** and **ver (ve): Ve a clase.** vs. **Ve ese programa.**

5. As with **usted** command forms, *reflexive pronouns* and *direct object pronouns* attach to affirmative **tú** commands and come before negative **tú** commands. Note that you need to add an accent to the next-to-last syllable of the command form when attaching pronouns.

¡Despiértate, ya es tarde!	*Wake up, it's late!*
¡No te acuestes ahora!	*Don't go to bed now!*
Llámame.	*Call me.*
No me llames después de las once.	*Don't call me after 11:00.*

ACTIVIDADES

15 **El campamento** Tu hermanito va a ir a un campamento de verano. Dale cuatro consejos usando la forma afirmativa y luego cuatro consejos usando la forma negativa.

MODELOS   (Acostarse temprano)
Acuéstate temprano.
No (nadar) solo.
No nades solo.

Afirmativo
1. (Usar) tu casco *(helmet)*.
2. (Jugar) con los otros niños.
3. (Ducharse) después de nadar.
4. (Tener) cuidado al nadar.

Negativo
5. No (correr) en la calle.
6. No (caminar) por la noche.
7. No (hacer) deportes peligrosos.
8. No (salir) solo por la noche.

16 **¡Primo!** Vas a quedarte en la casa de tu primo. Le haces preguntas sobre la casa y tus quehaceres. Escribe sus respuestas según el modelo.

MODELO   ¿Apago las luces antes de acostarme?
Sí, apágalas, por favor.

1. ¿Cierro la puerta del garaje por la noche?
2. ¿Abro las ventanas si hace calor?
3. ¿Pongo los comestibles en el refrigerador?
4. ¿Contesto el teléfono cuando no estás en casa?
5. ¿Apago la computadora antes de acostarme?
6. ¿Saco la basura los lunes por la noche?

Ahora, contesta las preguntas de arriba con un mandato informal negativo.

17 **Los consejos** Da un consejo (afirmativo o negativo) para cada situación.

MODELO   Juan quiere desarrollar sus músculos.
Levanta pesas dos veces por semana.

1. María desea perder cinco kilos.
2. Pedro quiere entrenarse para un maratón.
3. Pablo quiere mejorar su capacidad aeróbica.
4. Margarita quiere correr más rápido.
5. Francisco quiere ponerse en forma pero no tiene mucho tiempo para hacer ejercicio.

18 **En la residencia** Trabajen en grupos de tres o cuatro personas. Imagínense que un(a) estudiante nuevo(a) acaba de llegar a su residencia estudiantil. Denle consejos para no tener problemas con sus compañeros. Sigan el modelo.

MODELO   *No toques música después de las once de la noche.*

¡Explora y exprésate!

Panamá

▶ Información general

Nombre oficial: República de Panamá

Población: 3.706.596

Capital: Ciudad de Panamá (f. 1519) (1.446.792 hab.)

Otras ciudades importantes: San Miguelito (315.000 hab.), David (140.000 hab.)

Moneda: balboa

Idiomas: español (oficial), inglés

Consulta el mapa de Panamá en el **Apéndice D**.

A tener en cuenta

- Vasco Núñez de Balboa y Cristóbal Colón exploraron el país en 1501 y 1502. Balboa fue el primer europeo en llegar a la costa del Pacífico en 1513. Buscaba *(was looking for)* el oro y las riquezas de una civilización indígena legendaria.

- Las colonias españolas sufrieron ataques de piratas ingleses y holandeses durante el siglo XVII. En 1671 el pirata inglés Henry Morgan destruyó la Ciudad de Panamá y confiscó todos sus bienes y tesoros *(treasures)*.

- Después de ganar la independencia de España en 1821, Panamá padeció *(underwent)* muchas turbulencias políticas. En 1904, Estados Unidos empezó la construcción del canal de Panamá. En 1999, EEUU cedió el canal al Estado panameño.

- Los kunas son probablemente la tribu más famosa de Panamá. Son conocidos por la fabricación *(creation)* de sus tradicionales molas de colores vivos, que actualmente se venden en todo el mundo.

Costa Rica

© Roberto A Sanchez/iStock

▶ **Información general**

Nombre oficial: República de Costa Rica

Población: 4.832.234

Capital: San José (f. 1521) (1.593.000 hab.)

Otras ciudades importantes: Alajuela (960.748 hab.), Cartago (262.503 hab.)

Moneda: colón

Idiomas: español (oficial), inglés

A tener en cuenta

- Cristobal Colón llegó a esta región en 1502, con la esperanza de encontrar metales preciosos y otras riquezas naturales. Observó los adornos de oro de los indígenas y dio el nombre de Costa Rica a la región.

- Costa Rica ganó la independencia de España en 1821 y, después de algunos conflictos políticos, llegó a ser una democracia en 1889.

- La gran mayoría de la población es criolla: mestizos de ascendencia española e indígena. Los grupos indígenas componen menos del uno por ciento de la población y se distinguen en tres etnias: chorotega, huetar y brunca.

- Costa Rica es famosa por no tener ejército *(army)*, por el café que se vende a nivel mundial *(worldwide)* y por su diversidad biológica.

Consulta el mapa de Costa Rica en el **Apéndice D**.

© McPHOTO/age fotostock

© Arnulfo Franco/AP Images

Regata de Cayucos (canoes) de Océano a Océano

¡En Panamá, puedes remar del océano Atlántico al océano Pacífico a través del canal de Panamá en cayuco! En 1954, un líder de los Boy Scouts que trabajaba para la Compañía del Canal de Panamá quiso mostrar a un grupo de niños exploradores las tradiciones y cultura de los indígenas panameños que vivían a las orillas *(lived on the shores)* del río Chagres. El principal medio de transporte de los indígenas era el cayuco, una canoa hecha de un tronco del árbol *(tree)* nacional. Pronto, las competencias de cayuco entre los niños exploradores se convierten en una regata oficial, la Regata de Cayucos de Océano a Océano, tradición que ya lleva 54 años sin interrupción. Hoy día la regata es organizada por el Club de Remos de Balboa (CREBA). Hay dos categorías: la categoría juvenil (14–21 años) y la categoría abierta (mayores de 22 años), y tres subcategorías: masculina, femenina y mixta. Cada equipo de cuatro deportistas tiene que remar 50 millas en tres días. Maniobrar *(Maneuvering)* un cayuco es un deporte extremo que requiere de los atletas una perseverancia y una exigente *(demanding)* preparación física. ¡Rema de océano a océano! Solo en Panamá.

El ecoturismo en Costa Rica

Costa Rica tiene la reputación de practicar una conservación inteligente que atrae *(attracts)* a turistas de todo el mundo. El gobierno ha convertido *(has converted)* los parques nacionales, los bosques y las reservas indígenas en zonas protegidas que cubren 30% del país. El ecoturista puede disfrutar de *(enjoy)* la naturaleza con un impacto mínimo.

© DreamPictures/Getty Images

En los bosques tropicales puedes observar 850 especies de aves *(birds)*, monos *(monkeys)*, armadillos, jaguares, tapires y diversas especies de mariposas *(butterflies)*. También puedes acampar, hacer alpinismo, montar en bicicleta de montaña o montar a caballo en parques nacionales como el Poás, el Arenal y el Irazú. Si eres deportista, en las playas y ríos puedes practicar todos los deportes acuáticos: el surfing, la navegación en rápidos, la natación, la pesca, y el paseo en bote o en kayak.

Anímate. Transfórmate en ecoturista en Costa Rica, el paraíso del ecoturismo.

EN RESUMEN

La información general

1. ¿Quién fue el primer europeo en llegar al océano Pacífico? ¿En qué año?
2. ¿Quién destruye la Ciudad de Panamá?
3. ¿En qué año empieza la construcción del canal de Panamá? ¿Cuándo pasa a estar bajo el control del Estado panameño?
4. ¿Quién llegó a Costa Rica en 1502?
5. ¿De qué país gana Costa Rica la independencia? ¿Cuándo llega a ser democracia?
6. ¿Por qué es popular Costa Rica?

El tema de los deportes

1. ¿Qué es un cayuco?
2. ¿Qué tienen que hacer los deportistas en la Regata de Cayucos de Océano a Océano?
3. ¿Por qué tiene Costa Rica la reputación de practicar una conservación inteligente que atrae a turistas de todo el mundo?
4. ¿Por qué Costa Rica se puede considerar el paraíso del ecoturismo?

¿Quieres saber más?

Revisa y completa la tabla que empezaste al principio del capítulo. Escoge uno o dos de los temas sobre los que escribiste en la columna **Lo que quiero aprender**, o uno o dos de los que figuran a continuación. Prepárate para compartir la información con la clase.

Palabras clave: Panamá Balboa, los kunas, la construcción del canal de Panamá, la dictadura de Manuel Noriega, Rubén Blades; **Costa Rica** las plantaciones de café, Juan Mora Fernández, los ticos, por qué Costa Rica decidió abolir las fuerzas armadas, Óscar Arias

⊕ Para aprender más sobre Panamá y Costa Rica, mira los videos culturales en la mediateca *(Media Library)*.

© Silvrshootr/iStock

A leer

Antes de leer

1 Mira el artículo y la foto sobre la navegación en rápidos en Costa Rica y ojea *(scan)* el artículo rápidamente para encontrar la siguiente información.

1. cuántos ríos costarricenses se mencionan
2. los niveles *(levels)* de dificultad que se usan para describir los rápidos de los ríos

2 Las siguientes palabras aparecen *(appear)* en el artículo. Aunque estas palabras no son cognados, tienen una relación semántica con sus equivalentes en inglés. A ver si puedes identificar el equivalente en inglés de cada palabra de la izquierda.

1. _____ media docena
2. _____ principiantes
3. _____ codueño
4. _____ haber pasado
5. _____ poblado
6. _____ trechos
7. _____ apacible

   a. *co-owner*
   b. *peaceful*
   c. *half dozen*
   d. *beginners*
   e. *stretches*
   f. *to have passed (navigated)*
   g. *town, village*

3 Ahora, lee el artículo rápidamente para buscar la idea principal. Luego mira la **Actividad 4** en la página 274 para ver qué información necesitas para completarla. Vuelve al artículo y busca esa información. No es necesario entender todas las palabras para hacer las **Actividades 4** y **5**.

Costa Rica: Aventuras en los rápidos

© Michael DeYoung/age fotostock

Pocos países pueden contar con tan excelentes condiciones para la navegación en rápidos como Costa Rica, donde los retos de este conocido deporte se complementan con la belleza y diversidad de los bosques tropicales.

Quizás[1] las aguas más bravas del país sean aptas solo para expertos remeros —media docena de equipos olímpicos de kayaks utilizan a Costa Rica como base de entrenamiento— pero la mayoría de sus ríos rápidos ofrecen condiciones perfectas también para principiantes.

Los navegantes de balsas y kayaks poseen un sistema para evaluar el grado de dificultad de los rápidos y ríos individuales, en una escala que va de la Clase I a la Clase VI —donde el 0 es similar a una piscina y el VI, a las Cataratas del Niágara. Los rápidos de Clase II y III son, por lo general, suficientes para acelerar el ritmo cardíaco. Los de Clase IV pueden ser un poco más peligrosos, mientras que los de Clase V están ya cerca de lo imposible. Los ríos de Clase II y III son magníficos para principiantes. No obstante, resulta recomendable haber pasado, al menos, por un río antes de intentar lanzarse[2] en los de Clase II–IV. Los de Clase IV–V requieren una buena condición física y más experiencia con las balsas.

Las rutas de navegación

El río **Reventazón** posee numerosos tramos[3] navegables. El más popular es la sección Tucurrique (Clase III), que ofrece una excursión segura y emocionante, lo suficientemente fácil para un viaje de primera vez. La sección Peralta (Clase V) es la ruta más difícil de Costa Rica para este tipo de navegación, con rápidos indetenibles y bastante peligros, razón por la cual solo está abierta para expertos.

El río **Pacuare** (Clase III–IV) es una de las maravillas naturales más impresionantes de Costa Rica. Es un río emocionante de navegar, con numerosos y provocadores rápidos de Clase IV. El Pacuare se navega mejor en un viaje de dos o tres días, lo cual permite un contacto más cercano con el bosque[4] tropical —un área excelente para la observación de pájaros[5].

El **Sarapiquí** (Clase III) es un río hermoso que fluye por el norte de la Cordillera Montañosa Central. La sección de rápidos entre La Virgen y Chilamae proporciona una aventura de navegación en balsa de Clase III, que pasa a través de muchos bosques tropicales y cataratas. La parte más baja del Sarapiquí es un flotador suave que resulta perfecto para niños pequeños.

El **Naranjo** (Clase III–IV) es un río emocionante y provocador que exige[6] cierta experiencia de navegación en balsa. Puede navegarse solo en meses lluviosos. Queda[7] a un día desde Manuel Antonio y Quepos.

El **Corobicí** (Clase I–II) es un río completamente apacible. Es excelente para los amantes[8] de la naturaleza y puede ser navegado por personas de cualquier edad. En el bosque que viste sus orillas[9] se pueden ver iguanas, monos[10] y una rica variedad de pájaros.

---

[1] *Perhaps* [2] **intentar…:** *to try to throw oneself* [3] *sections* [4] *forest* [5] *birds* [6] *demands* [7] *It is located* [8] *lovers* [9] *shores* [10] *monkeys*

Después de leer

4 Completa la siguiente tabla con información del artículo. Si te es necesario, vuelve al artículo para buscarla.

Río	Clase	Una cosa interesante
Reventazón	III–V	
	I–II	
		Una parte es perfecta para los niños pequeños.
Naranjo		
		Se navega mejor en un viaje de dos o tres días.

5 Trabajen en grupos de tres o cuatro estudiantes para hablar de los cinco ríos que se describen en el artículo. ¿Cuál les interesa más? Escojan *(Choose)* un lugar de los mencionados en el artículo para ir de vacaciones con el grupo. Antes de tomar una decisión, contesten las siguientes preguntas.

1. ¿Cuánta experiencia con la navegación en rápidos tienen los distintos miembros del grupo?
2. ¿Van a viajar durante la temporada de lluvias (verano) o durante el invierno?
3. ¿A qué distancia de San José están dispuestos *(willing)* a viajar?
4. ¿Cuánto tiempo quieren pasar en el río?
5. ¿Qué les interesa más, la belleza natural o la aventura de los rápidos?

MODELOS   —*A mí me gusta...*
           —*Yo prefiero... porque...*
           —*Vamos a viajar en...*

El río Corobicí

El río Reventazón

A escribir

Antes de escribir

ESTRATEGIA

Writing—Freewriting

Once you are ready to write, freewriting is a useful composition strategy. When you freewrite, you don't worry about spelling, punctuation, grammar, or other errors. Instead, you write rapidly, letting the ideas and words flow as quickly as you can. Once you finish, you go back and revise what you've written.

1 🔁 Trabaja con un(a) compañero(a) de clase. Van a escribir un artículo de tres párrafos en el periódico universitario en el que tienen que describir un pasatiempo interesante que se puede hacer en su pueblo o ciudad. Para empezar, hagan una lista de actividades posibles.

2 🔁 Cuando tengan la lista, escojan *(choose)* el pasatiempo que les guste más. Juntos, decidan qué tres aspectos específicos van a desarrollar *(to develop)* en los tres párrafos del artículo. Escriban una oración temática para cada uno. (Usen el artículo de la página 273 como modelo.)

Oración temática, párrafo 1:
Oracion tematica, párrafo 2:
Oración temática, párrafo 3:

Composición

3 Usa las oraciones temáticas de la **Actividad 2** para escribir los tres párrafos que forman el primer borrador *(draft)* del artículo. Escribe sin detenerte *(Freewrite)* y no te preocupes por los errores, la organización, la ortografía ni la gramática.

Después de escribir

4 🔁 Trabaja con tu compañero(a) otra vez. Intercambien sus borradores y usen las dos versiones para crear un solo artículo.

5 🔁 Ahora, miren la nueva versión y revísenla, usando la siguiente lista.

- ¿Tiene el artículo toda la información necesaria?
- ¿Es interesante e informativo también?
- ¿Usaron pronombres de objeto directo para eliminar la repetición?
- ¿Usaron bien el pretérito y otros tiempos gramaticales?
- ¿Hay errores de puntuación o de ortografía?

¡Vívelo!

Vas a escribir sobre una actividad que te gusta y otra que no te gusta. Luego, vas a trabajar con algunos de tus compañeros para escribir una escena de una película sobre una experiencia personal.

Antes de clase

Paso 1: Piensa en una de tus actividades favoritas y en otra que no te gusta nada.

Paso 2: Escribe sobre las actividades elegidas y cuenta *(tell)* cuál fue la última vez que las hiciste y qué pasó. (Puedes consultar la **Actividad 10** de la página 251 si quieres).

MODELOS *Me gusta mucho jugar básquetbol. Jugué la semana pasada y nuestro equipo ganó el partido.*
No me gusta montar a caballo. Lo hice en 2014 y el caballo empezó a correr muy rápido. No pasó nada, ¡pero no quiero hacerlo otra vez!

If you don't want to share personal details, feel free to invent activities and opinions that are not your own.

© cynoclub/ Shutterstock.com

Durante la clase ⟳

Paso 1: Trabaja con un(a) compañero(a) para comparar las historias que escribieron. ¿Tienen los mismos gustos o no?

Paso 2 Con tu compañero(a), escojan dos historias para compartir con toda la clase. La clase va a votar por las experiencias más interesantes, así que deben incluir tantos *(as many)* detalles como sea posible para añadir interés. (Pueden inventar detalles pues ¡no es necesario decir toda la verdad! Lo más importante es escribir una situación interesante y divertida).

Paso 3 Cada pareja de estudiantes presenta sus historias a la clase. Después de escucharlas todas, la clase vota por las cuatro más interesantes.

Paso 4 Formen cuatro grupos. Cada grupo va a escribir un guion sobre una de las cuatro historias más populares.

Fuera de clase ⚭

En grupos, escriban el guion de una escena de película sobre la historia que escogieron. La escena debe incluir por lo menos a dos personas: un(a) narrador(a) y un(a) protagonista, pero también puede tener más personajes, según la situación.

Escriban el diálogo, si lo hay, y lo que dice el (la) narrador(a), e incluyan instrucciones para los actores / las actrices. Si quieren, pueden filmar su escena o crear un guion gráfico *(storyboard)* para ilustrarla.

¡Compártelo! ⯇

Pongan el guion de su escena en ShareIt! Si crearon un video o un guion gráfico, deben compartirlo también. Luego, busquen el trabajo de los otros tres grupos y coméntenlo.

Vocabulario

Los deportes   *Sports*

el básquetbol *basketball*
el béisbol *baseball*
el boxeo *boxing*
el ciclismo *cycling*
el esquí acuático *water skiing*
el esquí alpino *downhill skiing*
el fútbol *soccer*
el fútbol americano *football*
el golf *golf*
el hockey sobre hielo *ice hockey*
el hockey sobre hierba *field hockey*
la navegación en rápidos *white-water rafting*
la natación *swimming*
el snowboarding *snowboarding*
el tenis *tennis*
el volibol *volleyball*

Actividades deportivas   *Sport activities*

entrenarse *to train*
esquiar *to ski*
hacer ejercicio *to exercise*
jugar (ue) (al) (tenis, béisbol, etc.) *to play (tennis, baseball, etc.)*
levantar pesas *to lift weights*
montar a caballo *to ride horseback*
montar en bicicleta *to ride a bike*
nadar *to swim*
navegar en rápidos *to go white-water rafting*
patinar en línea *to inline skate (rollerblade)*
patinar sobre hielo *to ice skate*
pescar *to fish*
practicar / hacer alpinismo *to (mountain) climb, hike*
practicar / hacer surfing *to surf*
remar *to row*

Más palabras sobre los deportes   *More sports words*

la competencia *competition*
el equipo *team*
ganar *to win*
el lago *lake*
el partido *game, match*
el peligro *danger*
peligroso(a) *dangerous*
la pelota *ball*
la piscina *pool*
el río *river*
seguro(a) *safe*
la tabla de snowboard *snowboard*

Las estaciones   *Seasons*

el invierno *winter*
la primavera *spring*
el verano *summer*
el otoño *fall, autumn*

Expresiones con *tener*   *Tener expressions*

tener calor *to be hot*
tener cuidado *to be careful*
tener frío *to be cold*
tener ganas de *to feel like (doing)*
tener hambre *to be hungry*
tener miedo (a, de) *to be afraid (of)*
tener prisa *to be in a hurry*
tener razón *to be right*
tener sed *to be thirsty*
tener sueño *to be sleepy*
tener vergüenza *to be embarrassed, ashamed*

El tiempo   *Weather*

¿Qué tiempo hace? *What's the weather like?*
Hace buen / mal tiempo. *It's nice / bad weather.*
Hace calor. *It's hot.*
Hace fresco. *It's cool.*
Hace frío. *It's cold.*
Hace sol. *It's sunny.*
Hace viento. *It's windy.*
Está lloviendo. (Llueve). *It's raining.*
Está nevando. (Nieva). *It's snowing.*
Está nublado. *It's cloudy.*

La temperatura   *Temperature*

grados Celsius *degrees Celsius*
grados Fahrenheit *degrees Fahrenheit*
La temperatura está a 20 grados Celsius. *It's 20 degrees Celsius*
La temperatura está a 68 grados Fahrenheit. *It's 68 degrees Fahrenheit.*

Expresiones relativas al tiempo   *Time-related expressions*

anoche *last night*
anteayer *the day before yesterday*
el año pasado *last year*
el mes pasado *last month*
la semana pasada *last week*

Repaso y preparación

Repaso del Capítulo 7

Preterite tense of regular verbs (p. 254)

Complete these activities to check your understanding of the new grammar points in **Chapter 7** before you move on to **Chapter 8**.

The answers to the activities in this section can be found in **Appendix B**.

1 Completa las oraciones con las formas correctas de los verbos en el pretérito para decir qué hizo cada persona durante sus vacaciones.

1. Tú _____ (montar) a caballo en las montañas.
2. Marilena _____ (leer) cinco novelas de ciencia ficción.
3. Yo _____ (compartir) una cabaña en la playa con unos amigos.
4. Nosotros _____ (navegar) en rápidos en Costa Rica.
5. Linda y Carmela _____ (correr) en un maratón.

Preterite tense of some common irregular verbs (p. 257)

2 Escribe oraciones completas con las palabras indicadas para decir qué hicieron estas personas ayer.

1. tú y yo / ir al partido de hockey sobre hielo
2. Marilena / estar en el hospital todo el día con una amiga enferma
3. yo / hacer un poco de ejercicio por la mañana
4. Guille y Paulina / decir que van a casarse
5. mis padres / conducir a la universidad para visitarme
6. tú / traducir tres poemas del español al inglés

Direct object pronouns (p. 260)

3 Mira las ilustraciones y usa las palabras indicadas para decir qué hizo cada persona.

MODELOS   Raúl / comprar (sí)
¿La computadora? Raúl la compró.
Marina / leer (no)
¿Los libros? Marina no los leyó.

1. tú / lavar (sí)   **2.** Victoria / hacer (sí)   **3.** yo / encontrar (no)

4. nosotros / perder (sí)   **5.** ustedes / beber (no)   **6.** Esteban y Federico / levantar (no)

4 Completa los letreros *(signs)* con mandatos de **tú**.

POR FAVOR, NO_____ (PONER)
BEBIDAS CERCA DE LAS COMPUTA-
DORAS._____ (TENER) MUCHO
CUIDADO Y _____ (LEER) TODAS
LAS INSTRUCCIONES ANTES DE
EMPEZAR.

1.

_____ (PONER) TU NOMBRE EN
LA LISTA Y _____ (SENTARSE)
POR FAVOR. NO _____ (SALIR)
SIN HABLAR CON UNO DE LOS
ASISTENTES.

2.

Preparación para el Capítulo 8

Stem-changing verbs in the present indicative (p. 149)

5 Completa las oraciones con las formas correctas de los verbos indicados.

1. Mis amigos _____ (querer) esquiar.
2. Yo _____ (divertirse) en la piscina.
3. Ellos _____ (vestirse) para entrenarse.
4. Ustedes no _____ (poder) pescar hoy.
5. Cuando llueve, yo _____ (dormir) mucho.
6. Tú _____ (pedir) tiempo para descansar.

Gustar with infinitives (p. 60) and with nouns (p. 140)

6 Haz oraciones completas para decir qué les gusta a las personas indicadas.

1. a mí / remar
2. a usted / nadar
3. a ti / esos esquíes
4. a ellos / el boxeo
5. a nosotros / pescar
6. a ella / la nieve
7. a ti / entrenarse
8. a mí / las vacaciones
9. a nosotros / la primavera

Conocer and saber (p. 180), poder and querer (p. 150)

7 Completa los comentarios de Lidia con las formas correctas de los verbos indicados.

Yo (1) _____ (saber) hacer muchos deportes diferentes y (2) _____ (conocer) a muchas personas que (3) _____ (saber) hacerlos también. Cuando nieva, nosotros (4) _____ (poder) esquiar. Cuando llueve, mis amigos (5) _____ (poder) venir a mi casa a hacer ejercicio. Y si hace sol, ¡nosotros (6) _____ (conocer) las mejores playas para el surfing! Yo (7) _____ (querer) aprender a hacer surfing y, cuando (8) _____ (poder), voy con ellos porque necesito practicar.

Complete these activities to review some previously learned grammatical structures that will be helpful when you learn the new grammar in **Chapter 8**.

Be sure to reread **Chapter 7: Gramática útil 2** and **3** before moving on to the **Chapter 8** grammar sections.

The answers to the activities in this section can be found in **Appendix B**.

© AFP/Getty Images

ESTILO PERSONAL

Para algunas personas, la ropa es una forma de presentarse al mundo e identificarse con los demás. Para otras, solamente tiene usos prácticos.

¿Tienen mucha importancia para ti la ropa y el estilo personal? ¿Crees que la ropa es una forma de expresión o solamente sirve para protegerse de las condiciones climáticas?

Un viaje por Ecuador y Perú

Ecuador y Perú comparten frontera y tienen costas en el océano Pacífico. La cordillera *(mountain range)* de los Andes pasa por los dos países.

País / Área	Tamaño y fronteras	Sitios de interés
Ecuador 276.840 km²	un poco más pequeño que Nevada; fronteras con Colombia y Perú	las islas Galápagos, la selva *(jungle)* amazónica, el volcán Cotopaxi, los baños termales
Perú 1.280.000 km²	un poco más pequeño que Alaska; fronteras con Bolivia, Brasil, Colombia, Chile y Ecuador	Machu Picchu, las ruinas de Chan-Chan y el Señor de Sipán en la costa pacífica, el lago Titicaca, la selva amazónica

¿Qué sabes? Di si las siguientes oraciones son ciertas **(C)** o falsas **(F)**.

1. Ecuador y Perú son países montañosos.
2. Perú es más de cinco veces más grande que Ecuador.
3. No hay volcanes en estos dos países.
4. La selva amazónica cruza los dos países.

Lo que sé y lo que quiero aprender Completa la tabla del **Apéndice A**. Escribe algunos datos que **ya sabes** sobre estos países en la columna **Lo que sé**. Después, añade algunos temas que **quieres aprender** a la columna **Lo que quiero aprender**. Guarda la tabla para usarla otra vez en la sección **¡Explora y exprésate!** en la página 311.

COMMUNICATION

By the end of this chapter you will be able to

- talk about clothing and fashion
- shop for various articles of clothing
- discuss prices
- describe recent purchases and shopping trips
- talk about buying items and doing favors for friends
- make comparisons

CULTURES

By the end of this chapter you will have explored

- facts about Peru and Ecuador
- organic cotton from Peru
- a colorful fair that sells traditional clothing in Ecuador
- the ancestral tradition of weaving in the Andes
- attitudes towards jeans around the world

¡Imagínate!

Dependiente: ¿En qué puedo servirle, señor?

Javier: Pues, estoy buscando un regalo para mi madre pero no sé, no veo nada.

Dependiente: Pues, si le gusta la **ropa** fina, esta **blusa de seda** es muy bonita y además está rebajada.

Javier: No, no le gusta ese color.

Dependiente: ¿Quizás este **suéter**?

Javier: No. Tampoco necesita suéter.

Dependiente: Y las **joyas**, ¿a quién no le gustan las joyas?... ¿Quizás estos **aretes**? Son de **oro** y le dan ese toque de elegancia a cualquier **vestido**.

Las prendas de ropa *Articles of clothing*

el suéter

la blusa

la camisa

el saco

la corbata

el abrigo

el vestido

los pantalones cortos

los pantalones

los calcetines

los zapatos

las botas

los zapatos de tacón alto

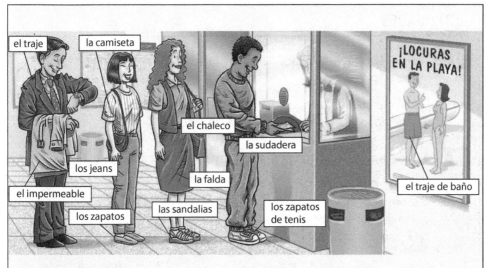

The names for articles of clothing can vary greatly from region to region. For example, jeans can also be called **vaqueros, tejanos, bluyines, majones,** or **pantalones de mezclilla.**

Las telas *Fabrics*

Está hecho(a) de... *It's made (out) of . . .*
Están hechos(as) de... *They're made (out) of . . .*

el algodón *cotton*	**a cuadros** *plaid*
el cuero *leather*	**a rayas / rayado(a)** *striped*
la lana *wool*	**bordado(a)** *embroidered*
el lino *linen*	**de lunares** *polka-dotted*
la mezclilla *denim*	**de un solo color** *solid, one single color*
la piel *leather, fur*	**estampado(a)** *print*
la seda *silk*	

To say that an item is made of a certain fabric, you need to use **de**: **botas de cuero, abrigo de piel, camiseta de algodón.**

Tela sintética: poliéster *(polyester)*

Los accesorios *Accessories*

Other regional variations: In Spain a handbag is **el bolso** and in Mexico it is **la bolsa**; in some places, **la cartera** can also be a handbag, not just a wallet. Other variations are: **los aretes / los pendientes, el anillo / la sortija, la gorra / el gorro,** and **las gafas / los lentes / los anteojos / los espejuelos.**

Las joyas *Jewelry*

la cadena... *chain . . .*
... (de) oro *. . . (made of) gold*
... (de) plata *. . . (made of) silver*

ACTIVIDADES

1 **Llevo...** Describe qué ropa llevas hoy. ¡No te olvides de incluir los colores y las telas!

MODELO   *Llevo unos pantalones negros de mezclilla, una camiseta azul de algodón y unos zapatos negros de piel.*

2 **Me gustan...** Para cada prenda de ropa, indica el tipo de tela y el diseño que prefieres. Sigue el modelo.

MODELO   el vestido
Me gustan los vestidos de seda.
O: *Me gustan los vestidos estampados.*

1. el suéter
2. los zapatos de tenis
3. la blusa
4. los pantalones
5. el traje
6. la falda
7. la camiseta
8. la chaqueta

Otras prendas de ropa: el biquini *(bikini)*, el bañador *(bathing suit)*

3 🔁 **¿Ropa formal o informal?** Trabaja con un(a) compañero(a) de clase. Digan qué les gusta llevar en las siguientes situaciones. Sean tan específicos como puedan.

1. para estudiar
2. para salir a bailar
3. para ir a la playa
4. para visitar a la familia
5. para ir a clases
6. para ir al gimnasio

4 ♻ **Las estrellas** Trabajen en grupos de tres o cuatro estudiantes. Primero, hagan una lista de tres personas que son famosas por su manera de vestirse. Luego, usen la imaginación para describir qué llevan en este momento. Incluyan tantos detalles como puedan.

Personas posibles: Lady Gaga, Bradley Cooper, Jennifer López, Taylor Swift, Katy Perry, Beyoncé, etc.

5 **Los accesorios** ¿Quién lleva las siguientes cosas? Para cada accesorio indicado, identifica quién(es) en la clase lo lleva(n). Si nadie lleva el accesorio indicado, di a quién le gusta llevarlo generalmente, o da el nombre de una persona famosa que lo lleva frecuentemente.

MODELOS   una cadena de oro
Stacy lleva una cadena de oro hoy.
O: *Generalmente Stacy lleva una cadena de oro, pero hoy no la lleva.*

unas gafas de sol
Nadie lleva gafas de sol ahora mismo. A Javier Bardem le gusta llevar gafas de sol.

1. una cadena de oro
2. unos guantes
3. un sombrero
4. un reloj
5. un pañuelo de seda
6. un brazalete
7. un cinturón de cuero
8. aretes de plata

6 🔄 **¿Qué me pongo?** Descríbele a tu compañero(a) qué ropa y accesorios llevas en las siguientes situaciones. Luego, él/ella hace lo mismo.

MODELO   Das un paseo por la playa.
Tú: *Llevo unos pantalones cortos, unas sandalias y una gorra.*
Compañero(a): *Yo llevo un vestido, unas sandalias y unas gafas de sol.*

1. Es tu primera cita *(date)* con alguien que te gusta mucho.
2. Vas a una recepción para recibir un premio *(prize)*.
3. Vas al gimnasio con tu mejor amigo(a).
4. Vas a un concierto de música hip-hop con un grupo de amigos.
5. Vas a una entrevista para un trabajo de verano.
6. Vas a ir a esquiar en las montañas el fin de semana.

7 🔄 **¡Qué anticuado!** Trabajen en parejas. Juntos hagan una lista de ropa y accesorios que están de moda en este momento y otra de los que están pasados de moda. Luego, comparen su lista con la de otra pareja. ¿Incluyeron las mismas prendas?

¡FÍJATE!

Los tejidos andinos

© andyKRAKOVSKI/iStock

Hoy día puedes ir a los mercados de Perú y Ecuador y comprar prendas de ropa que han sido *(have been)* tejidas a mano usando las técnicas antiguas de los incas, reinterpretadas con nuevas expresiones y tecnologías. Los tejidos pueden verse como un texto histórico, ya que cada etnia adapta las técnicas y los diseños para reflejar su estilo, su estética y sus creencias religiosas y sociopolíticas.

Lógicamente, en lugares como los Andes vas a encontrar palabras para referirse a prendas de ropa que no corresponden a las palabras de tu libro de texto. La gran variedad lingüística de país a país en lo referido a las prendas de ropa se puede notar en la palabra peruana **chompa** de Perú. La chompa es un suéter de lana o algodón de manga larga, pero en Bolivia, Chile, Ecuador y Paraguay es **chomba**, en Argentina y Uruguay es **pulóver**, en Guatemala y Centroamérica es **chumpa** y en España es **jersey**.

¿Tienes alguna prenda de ropa que refleje la cultura de tus antepasados? ¿Qué prendas de ropa cambian de nombre en diferentes lugares de Estados Unidos? ¿Y en otros países de habla inglesa?

PRÁCTICA 🔄 Con un(a) compañero(a), investiga en Internet sobre uno o dos de los siguientes temas. Compartan su información con la clase.

1. la historia de una prenda de ropa que refleja la cultura de tus antepasados
2. la variedad lingüística de una prenda de ropa en EEUU (escojan una)
3. los símbolos en los diseños de los tejidos andinos

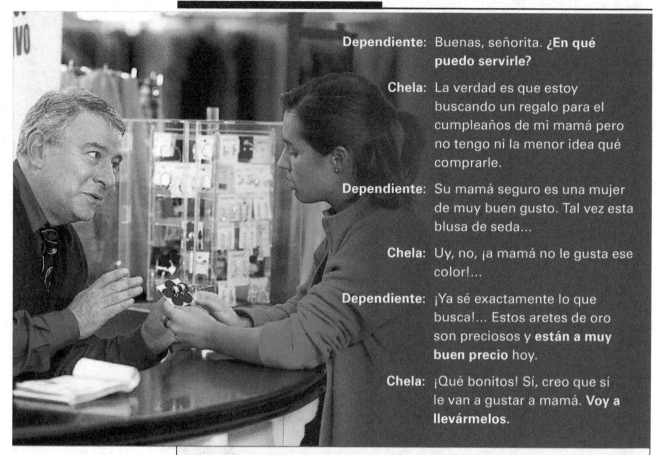

Dependiente: Buenas, señorita. **¿En qué puedo servirle?**

Chela: La verdad es que estoy buscando un regalo para el cumpleaños de mi mamá pero no tengo ni la menor idea qué comprarle.

Dependiente: Su mamá seguro es una mujer de muy buen gusto. Tal vez esta blusa de seda...

Chela: Uy, no, ¡a mamá no le gusta ese color!...

Dependiente: ¡Ya sé exactamente lo que busca!... Estos aretes de oro son preciosos y **están a muy buen precio** hoy.

Chela: ¡Qué bonitos! Sí, creo que sí le van a gustar a mamá. **Voy a llevármelos.**

Ir de compras *Shopping*

In many countries you will hear an alternate female form for **la dependiente: la dependienta**. Both are used interchangeably.

Notice that when you use the phrases **Voy a probármelo(la / los / las)** and **Voy a llevármelo (la / los / las)**, the pronoun that you use must match the object you are referring to: **Me gusta este** <u>vestido</u>. **Voy a probármel<u>o</u>. Me encantan estos** <u>zapatos</u>. **Voy a llevármel<u>os</u>.**

If you want to know if an item is returnable, you can say **¿Puedo devolverlo(la / los / las) si hay un problema?**

El (La) dependiente *The clerk*
¿En qué puedo servirle? *How can I help you?*
¿Cuál es su talla? *What is your size?*
Está rebajado(a). *It's reduced / on sale.*
Está en venta. *It's on sale.*
Es muy barato(a). *It's very inexpensive.*
Está a muy buen precio. *It's a very good price.*
¿Es un regalo? *Is it a gift?*
de buena (alta) calidad *of good (high) quality*
el descuento *discount*
la oferta especial *special offer*

El (La) cliente *The client*
¿Cuánto cuesta(n)? *How much does it (do they) cost?*
¿Lo (La / Los / Las) tiene en una talla...? *Do you have it /them in a size . . .?*
Voy a probármelo(la / los / las). *I'm going to try it / them on.*
Me queda bien / mal. *It fits nicely / badly.*
Me queda grande / apretado. *It's too big / too tight.*
Voy a llevármelo(la / los / las). *I'm going to take it / them.*
Es (demasiado) caro. *It's (too) expensive.*

La moda *Fashion*

(no) estar de moda *(not) to be fashionable*
pasado(a) de moda *out of style*

ACTIVIDADES

8 **Por favor...** ¿Qué dices en las siguientes situaciones? Escribe una pregunta o una respuesta para cada situación. En muchos casos, hay más de una respuesta posible.

MODELO Ves una blusa bonita, pero no tiene precio.
¿Cuánto cuesta, por favor?

1. Te pruebas una chaqueta, pero es grande.
2. Decides comprar dos blusas.
3. Ves unos zapatos que te gustan, pero no estás seguro(a) de si están rebajados.
4. Te pruebas unos zapatos y decides comprarlos.
5. Quieres probarte un vestido en otra talla y se lo pides al / a la dependiente.
6. Ves unos pantalones que te gustan, pero quieres otro color.
7. El suéter de vicuña es muy fino, pero no sabes si tienes suficiente dinero para comprarlo.
8. Necesitas unos jeans de talla más grande.

9 **Situaciones** Trabaja con un(a) compañero(a) de clase. Representen las siguientes situaciones. Túrnense para hacer los papeles del (de la) dependiente y del (de la) cliente.

Situación 1
Buscas un regalo para tu novio(a). Quieres algo de muy alta calidad pero a muy buen precio.

Situación 2
Tienes que ir a una fiesta formal y no sabes qué llevar. Pídele ayuda al (a la) dependiente y compra lo que necesitas.

Situación 3
Eres un(a) estudiante nuevo(a) en la universidad. Vas a un almacén popular para comprar ropa. ¿Qué debes comprar? Pídele consejos al (a la) dependiente y compra por lo menos dos prendas de ropa.

Situación 4
Tu prima acaba de tener un bebé. Quieres comprarle un regalo, pero no sabes qué comprar. Escucha las sugerencias del (de la) dependiente y luego compra el regalo.

10 **¿Qué me voy a poner?** Tu compañero(a) y tú van a una fiesta muy importante y quieren vestirse apropiadamente. Deciden ir a una tienda de ropa para comprarse algo nuevo. Mientras cada uno(a) se prueba diferentes prendas de ropa y accesorios, hablen acerca de sus elecciones. ¡Tengan una conversación auténtica!

¿**Tú** or **usted**? In some Latin American countries, formal address is used even at home, between parents and children, and husbands and wives. In other countries, it is reserved for the elderly and for differences in social class. To be safe, use the formal address until permission to use the informal is granted. Using the informal when the formal is expected can cause negative reactions.

Notice: In most cases, **bebé** is masculine. You may encounter some native speakers who say **la bebé** or **la beba** for a baby girl.

Dependiente: Tiene muy buen gusto, señorita. **¿Cómo desea pagar? En efectivo**, ¿verdad?

Chela: Sí, gracias.

Métodos de pago *Forms of payment*

¿Cómo desea pagar? *How do you wish to pay?*
Al contado. / En efectivo. *In cash.*
Con cheque. *By check.*
Con un préstamo. *With a loan.*
Con tarjeta de crédito. *With a credit card.*
Con tarjeta de débito. *With a debit card.*

Los números mayores de 100 *Numbers above 100*

Cien is used to express the quantity of exactly *one hundred*, as well as before **mil** and **millones**. **Ciento** is used in combination with other numbers to express quantities from 101–199. Note that with numbers using **-cientos**, the number agrees with the noun it modifies: **doscientas tiendas** but **doscientos mercados**.

100 cien	**1.000 mil**
101 ciento uno	**2.000 dos mil**
102 ciento dos, etc.	**3.000 tres mil**
200 doscientos(as)	**4.000 cuatro mil**
300 trescientos(as)	**5.000 cinco mil**
400 cuatrocientos(as)	**10.000 diez mil**
500 quinientos(as)	**100.000 cien mil**
600 seiscientos(as)	**1.000.000 un millón**
700 setecientos(as)	**2.000.000 dos millones, etc.**
800 ochocientos(as)	
900 novecientos(as)	

11 **Para pagar** Por lo general, ¿cómo vas a pagar en las siguientes situaciones? Di cuánto crees que te va a costar cada compra.

MODELO Compras un café grande.
Voy a pagar en efectivo. Me va a costar dos dólares y treinta centavos.

1. Compras un vestido / un traje nuevo.
2. Compras los libros para las clases.
3. Compras un pasaje *(ticket)* de avión.
4. Compras frutas en el mercado.
5. Compras una cadena de oro.
6. Compras unos recuerdos *(souvenirs)* durante tus vacaciones.
7. Cenas en un restaurante muy elegante.
8. Vas al cine a ver una película.
9. Pagas el alquiler *(rent)* de tu apartamento.
10. Compras una casa nueva.
11. Compras un automóvil nuevo.

12 **De compras** Trabaja con un(a) compañero(a) de clase. Juntos escojan seis objetos del dibujo y representen una escena como la del modelo. Túrnense para hacer el papel del (de la) dependiente y el (la) cliente. Sigan el modelo.

MODELO el café
Tú: *Un café grande, por favor.*
Compañero(a): *Muy bien. Son dos dólares y veinticinco centavos. ¿Cómo desea pagar?*
Tú: *En efectivo. Aquí lo tiene.*

A ver

Using background knowledge to anticipate content

If you have a rough idea of a video segment's content, you can predict what other information it may contain. Think about the topic and ask yourself what vocabulary you associate with it. By organizing your thoughts in advance, you prepare yourself to understand the content more easily.

Antes de ver En el episodio de este capítulo, Chela y Javier independientemente buscan un regalo para un familiar. Mira las páginas 284, 288 y 290.

1. ¿Para quién buscan un regalo Chela y Javier?
2. ¿Cuáles de los accesorios y prendas de ropa del vocabulario pueden ser un buen regalo para los familiares de Chela y de Javier? Y, según ellos, ¿cuáles no son un buen regalo?
3. ¿Los dos se conocen o no? ¿Crees que van a conocerse en este episodio?

▶ **Ver** Mira el video. Usa la información en **Antes de ver** para entenderlo mejor.

Después de ver 1 Contesta las siguientes preguntas sobre el video.

1. ¿Compró Javier una blusa para su mamá? ¿Y Chela?
2. ¿Compró Javier un suéter para su mamá? ¿Y Chela?
3. ¿Qué compraron Javier y Chela para sus mamás?
4. ¿Por qué no les gustó la blusa a Javier y a Chela? ¿Y el suéter?
5. ¿Sabemos cuánto costaron los aretes?
6. ¿Cómo pagaron Javier y Chela?
7. ¿Qué piensa el dependiente sobre la relación entre Javier y Chela?

Después de ver 2 Escribe un resumen corto de lo que ocurrió en el video de este capítulo. Escribe por lo menos seis oraciones que describan la conversación entre el dependiente y Javier, y luego entre el dependiente y Chela. Usa las formas del pretérito que aprendiste en el **Capítulo 7**.

▶ Voces del mundo hispano

En el video de este capítulo José, Bruna, Marcela y Alex hablan de la ropa y la moda. Lee las siguientes oraciones. Después, mira el video una o más veces para decir si las oraciones son ciertas **(C)** o falsas **(F)**.

1. Cuando José está en Perú, compra su ropa en Marshalls.
2. A Alex no le gusta mucho la ropa artesanal *(handmade)*.
3. Las prendas favoritas de José son los suéteres.
4. A Bruna y a Marcela les gustan las faldas.
5. A Marcela le gusta combinar accesorios.
6. A Alex le importa ser original.

◀ Voces de Estados Unidos

© Valerie Macon/Getty Images

Nina García, editora de revistas

" El primer paso, y el más importante para desarrollar estilo, es proyectar ese tipo de confianza; el tipo de confianza que les dice a los otros que te respetas a ti misma, te amas *(love)* a ti misma y te vistes para ti misma y no para otros. Tú eres tu propia musa ".

Los fanáticos de *Project Runway* la conocen como una de los jurados *(judges)* más perspicaces del programa y como una mujer de un gusto impecable. Pero la fama e influencia de Nina García van mucho más allá de este popular programa de televisión. Nina es una autoridad internacional en la industria de la moda. Ha colaborado *(She has collaborated)* con casas de moda tales como Marc Jacobs y Perry Ellis, fue editora de la revista *Elle* y es autora de cuatro libros de moda de gran éxito de venta. Actualmente, Nina reside en Nueva York donde trabaja como directora creativa de la revista *Marie Claire*. Nació en Colombia, es graduada de Boston University, de La Escuela Superior de Moda de París y del Fashion Institute of Technology de la ciudad de Nueva York.

¿Y tú? ¿Te gusta la idea de vestirte con ropa de diseñadores famosos? ¿Te importan las marcas *(brands)* de tus prendas de ropa? ¿Por qué? Piensa en la cita de Nina García, ¿recomienda ella que se use solo ropa de diseñadores?

¡Prepárate!

GRAMÁTICA ÚTIL 1

Talking about what you did:
The preterite tense of more irregular verbs

Cómo usarlo

1. In Spanish, as in English, many of the verbs you use most are irregular. In this chapter you will learn the preterite forms of **andar, haber, poder, poner, querer, saber, tener,** and **venir**. Notice that most of these verbs are also irregular in the present indicative.

2. The preterite forms of **conocer, saber, poder,** and **querer** can mean something slightly different from their meaning in the present indicative.

	Present indicative meaning	Different preterite meaning
conocer	to know someone, to be acquainted with	to meet
saber	to know a fact	to find out some information
poder	to be able to do something	to accomplish something
no poder	to not be able to	to try to do something and fail
querer	to want; to love	to try to do something
no querer	to not want, love	to refuse to do something

Elena quiso llamarme pero **no pudo** encontrar su celular.

*Elena **tried** to call me but **was unable (failed)** to find her cell phone.*

Conocí al padre de Beto y **supe** que Beto está en Colombia.

*I **met** Beto's father and **found out** that Beto is in Colombia.*

Pude completar el trabajo pero **no quise** ir a la oficina.

*I **succeeded in** finishing the work, but I **refused** to go to the office.*

3. When referring to a specific time period in the past, most of these verbs keep their original meaning in the preterite: **Mi exnovio me quiso mucho, pero mi novio actual me quiere más.**

4. Notice that while the rest of these verbs are irregular in the preterite, **conocer** is regular in this tense. Its only irregularity is its **yo** form in the present tense: **conozco**.

The preterite is often used to say simply that something happened, without getting into the kinds of details conveyed by aspect—i.e., whether the action was repetitive, long-lasting, etc.

Cómo formarlo

Here are the preterite forms of these irregular verbs. Some verbs are somewhat similar in their irregular stems, so they are grouped together to help you memorize them more easily.

andar:	anduv-	anduve, anduviste, anduvo, anduvimos, anduvisteis, anduvieron
tener:	tuv-	tuve, tuviste, tuvo, tuvimos, tuvisteis, tuvieron
poder:	pud-	pude, pudiste, pudo, pudimos, pudisteis, pudieron
poner:	pus-	puse, pusiste, puso, pusimos, pusisteis, pusieron
saber:	sup-	supe, supiste, supo, supimos, supisteis, supieron
hay:	hub-	hubo (invariable)
querer:	quis-	quise, quisiste, quiso, quisimos, quisisteis, quisieron
venir:	vin-	vine, viniste, vino, vinimos, vinisteis, vinieron

Notice that although these verbs change their stems, they share the same endings (**-e, -iste, -o, -imos, -isteis, -ieron**).

Hubo is the preterite equivalent of **hay**. Like **hay**, it is a third-person invariable form that is used whether the subject is singular or plural: **Hubo unas ofertas increíbles en las tiendas la semana pasada. Haber** is the infinitive from which **hay** and **hubo** come.

ACTIVIDADES

1 **En el centro comercial** Di qué pasó en el centro comercial hoy según el dibujo. Sigue el modelo.

MODELO   Mario (beber un refresco grande)
Mario bebió un refresco grande.

1. Adela (comer pizza)
2. Ernesto (andar mucho)
3. Aracely (poder encontrar muchas cosas)
4. Miguel (conocer a Marisa)
5. Leo (poner la mochila en la mesa)
6. Néstor (querer tomar una siesta pero no poder)
7. Beti (saber quién ganar el partido ayer)

2 🔄 **La vida universitaria** Con un(a) compañero(a) de clase, túrnense para hacerse las siguientes preguntas.

1. ¿Cómo supiste que te habían aceptado *(you had been accepted)* en la universidad? ¿Cuándo lo supiste?
2. ¿Viniste a la universidad como estudiante nuevo(a), estudiante de intercambio o te transferiste de otra universidad? ¿Te gustó la universidad cuando llegaste por primera vez?
3. ¿Pudiste traer toda tu ropa a la universidad? ¿Qué prendas no pudiste traer?
4. ¿Conociste a muchas personas la primera semana de clases? ¿Cuántas, más o menos?
5. ¿Tuviste que estudiar mucho el semestre / trimestre pasado? ¿Recibiste buenas notas?
6. ¿Aprendiste algo interesante el semestre / trimestre pasado? ¿Qué fue?
7. ¿Tuviste tiempo para hacer mucho ejercicio? ¿Caminaste mucho el semestre / trimestre pasado?
8. ¿Pudiste tomar todas tus clases preferidas?

3 ♻️ **El semestre o trimestre pasado** Mira el siguiente formulario. Luego, pregúntales a tus compañeros de clase si hicieron las actividades indicadas el semestre o trimestre pasado. Si alguien responde que sí, escribe su nombre en el espacio correspondiente. Sigue el modelo.

MODELO   venir a la universidad con mucha ropa nueva
   —*¿Viniste a la universidad con mucha ropa nueva?*
   —*No, no vine con mucha ropa nueva.*
   O: —*Sí, vine con mucha ropa nueva.* (Escribe su nombre en el formulario).

¿Quién...?	Nombre
tener que estudiar todos los fines de semana	
no conocer a su compañero(a) de cuarto antes de llegar a la universidad	
poner un refrigerador y un televisor en su cuarto	
venir a las clases sin hacer la tarea	
no poder dormir antes de los exámenes importantes	
venir a la universidad con mucha ropa nueva	
tener sueño en las clases	
no querer comer la comida de la cafetería	

GRAMÁTICA ÚTIL 2

Talking about what you did:
The preterite tense of **-ir** stem-changing verbs

Cómo formarlo

1. As you learned in **Chapter 7**, the only stem-changing verbs that also change in the preterite are verbs that end in **-ir**. Present-tense stem-changing verbs that end in **-ar** and **-er** do not change their stem in the preterite.

2. In the preterite, **-ir** stem-changing verbs only experience the stem change in the third-person singular **(usted / él / ella)** and third-person plural **(ustedes / ellos / ellas)** forms.

■ **-ir** verbs with an **e → ie** conjugation in present tense change **e → i** in the preterite

> **preferir**: yo preferí, tú preferiste, Ud. / él / ella **prefirió**, nosotros(as) preferimos, vosotros(as) preferisteis, Uds. / ellos / ellas **prefirieron**

> Similar verbs you already know: **divertirse, sentirse**

> New verb of this kind: **sugerir (ie, i)** *to suggest*

■ **-ir** verbs with an **e → i** conjugation in present tense change **e → i** in the preterite

> **pedir**: yo pedí, tú pediste, Ud. / él / ella **pidió**, nosotros(as) pedimos, vosotros(as) pedisteis, Uds. / ellos / ellas **pidieron**

> Similar verbs you already know: **despedirse, reírse, repetir, seguir, servir, vestir(se)**

> New verbs of this kind: **conseguir (i, i)** *to get, to have* **sonreír (i, i)** *to smile*

■ **-ir** verbs with an **o → ue** conjugation in present tense change **o → u** in the preterite

> **dormir**: yo dormí, tú dormiste, Ud. / él / ella **durmió**, nosotros(as) dormimos, vosotros(as) dormisteis, Uds. / ellos / ellas **durmieron**

> New verb of this kind: **morirse (ue, u)** *to die*

Starting with this chapter, all -**ir** stem-changing verbs will be shown with both of their stem changes in parentheses. The first letter or letters show the present-tense stem change and the second letter shows the preterite stem change.

ACTIVIDADES

4 **Olivia y Belkys** Completa la conversación con la forma correcta del pretérito de los verbos indicados. Después, di si, en tu opinión, Belkys tiene razón en sentirse tan avergonzada *(embarrassed)*.

OLIVIA: ¿Qué tal tu día de compras? ¿(1) _____ (divertirse)?

BELKYS: No, no (2) _____ (divertirse) ni un poquito y además no compré nada.

OLIVIA: ¡No te lo creo! ¿Tú, sin comprar nada? ¡Imposible!

BELKYS: Pero es la verdad. Yo (3) _____ (ir) con Gerardo porque él (4) _____ (insistir) en acompañarme. Él (5) _____ (sugerir) ir al centro porque le gustan los trajes de una tienda que hay allí.

© PathDoc/ Shutterstock.com

OLIVIA: ¿Pero ustedes no (6) _____ (conseguir) comprar nada?

BELKYS: No. Gerardo y yo (7) _____ (ver) cosas bonitas, pero no (8) _____ (poder) encontrar nada a buen precio. Por eso, (9) _____ (preferir) no comprar nada.

OLIVIA: ¡Qué pena!

BELKYS: Y lo peor es que Gerardo (10) _____ (vestirse) con un traje viejo, muy pasado de moda, verde, con rayas amarillas. Yo casi me muero de vergüenza.

OLIVIA: ¡Pobrecita! ¡Imagínate el horror!

BELKYS: Bueno, tú te ríes, ¡pero te digo que yo no (11) _____ (reírse) en toda la tarde! Nosotros (12) _____ (seguir) buscando en todas las tiendas del centro. Por fin (13) _____ (despedirse) y yo (14) _____ (venir) directamente aquí para contarte toda la historia.

OLIVIA: Ay, chica, tranquila. Por lo menos, ¡tú me (15) _____ (hacer) reír un poco!

5 **Me sentí…** Di cómo se sintieron las siguientes personas en las situaciones indicadas.

MODELO tu tía / después de perder el trabajo
Se sintió desilusionada.

Emociones: aburrido(a), animado(a), cansado(a), contento(a), desilusionado(a), feliz, furioso(a), nervioso(a), ocupado(a), preocupado(a), triste

1. tú / antes de tus exámenes finales
2. tú y tu mejor amigo(a) / al final del semestre o trimestre
3. tu mejor amigo(a) / cuando estuvo enfermo(a)
4. tus padres / cuando saliste para la universidad
5. tu primo(a) / después de perder el partido de fútbol
6. tus amigos(as) / durante una película de tres horas y media
7. tu compañero(a) de cuarto / antes de la visita de sus padres
8. tú / después de conocer a una persona simpática

6 **En la U** Con un(a) compañero(a) de clase, túrnense para hacerse las siguientes preguntas sobre su llegada a la universidad.

1. ¿Cómo te sentiste cuando llegaste a la universidad la primera vez?
2. ¿Qué te sugirió tu familia cuando viniste a la universidad?
3. ¿Le pediste ayuda a tu familia para traer todas tus cosas a la universidad?
4. ¿Te divertiste el primer semestre / trimestre? ¿Qué hiciste?
5. ¿Preferiste vivir en una residencia estudiantil o en un apartamento?
6. ¿Conseguiste un trabajo el primer semestre / trimestre?
7. ¿Siguieron tú y tus amigos la misma carrera de estudios?

GRAMÁTICA ÚTIL 3

Saying who is affected or involved: Indirect object pronouns

Cómo usarlo

Lo básico

- An *indirect object* is a noun or noun phrase that indicates for whom or to whom an action is done: *I bought a gift for* Beatriz. *We asked* the teachers *a question.*

- *Indirect object pronouns* are used to replace indirect object nouns: *I bought a gift for* her. *We asked* them *a question.* Often you can identify the indirect object of the sentence by asking *to* or *for whom?* about the verb: *We bought a gift* <u>for whom</u>? (Beatriz / her) *We asked a question* <u>to whom?</u> (the teachers / them).

¿En qué puedo **servirle**, señor?

1. In **Chapter 7** you learned how to use direct object pronouns to avoid repetition. In this chapter you will learn how you can also use indirect object pronouns to avoid repetition and to clarify to which person you are referring.

2. Look at the following passage and see if you can figure out to whom the boldface indirect object pronouns refer.

> Fui al almacén el miércoles. Tenía una lista larga de compras. **Le** compré unos jeans y una camisa a Miguel. También **le** compré una corbata. A Susana y a Carmen **les** compré unas camisetas. También tuve que comprar**les** calcetines. Además **me** compré una falda bonita y un reloj.

Cómo formarlo

1. Although English uses the same set of pronouns for direct object pronouns and indirect object pronouns, in Spanish there are two slightly different sets.

2. Notice that the only difference between the direct object pronouns and the indirect object pronouns is in the two third-person pronouns. Instead of **lo / la**, the indirect object pronoun is **le**. And instead of **los / las**, the indirect object pronoun is **les**. The indirect object pronouns **le** and **les** do not have to agree in gender with the nouns they replace, as do the direct object pronouns **lo, la, los**, and **las**.

Notice that these are the same pronouns you used with **gustar** and similar verbs in **Chapters 2** and **4**.

Indirect object pronouns			
me	*to / for me*	**nos**	*to / for us*
te	*to / for you*	**os**	*to / for you (fam. pl.)*
le	*to / for you (form. sing) / him / her*	**les**	*to / for you (form., pl.) / them*

3. As with direct object pronouns, indirect object pronouns always come before a conjugated verb used alone.

Te traje el periódico.   *I brought **you** the newspaper.*
Nos dieron un regalo bonito.   *They gave **us** a nice gift.*

4. When an indirect object pronoun is used with an infinitive or with the present progressive, it may come before the conjugated verb, or it may be attached to the infinitive or to the present participle.

Te voy a dar el libro.   OR: Voy a dar**te** el libro.
Te estoy comprando los zapatos.   OR: Estoy comprándo**te** los zapatos.

Notice that when the indirect object pronoun attaches to the present participle, you must add an accent to the next-to-last syllable of the present participle to maintain the correct pronunciation.

Again notice that when the indirect object pronoun attaches to the command form, you must add an accent to the next-to-last syllable of command forms of two or more syllables in order to maintain the correct pronunciation.

Prepositional pronouns can follow any preposition, not just **a**. Other prepositions you know include **con**: with (with **con**, **mí** and **ti** change to **conmigo** and **contigo**); **de**: from, of; **sin**: without.

5. When an indirect object pronoun is used with a command form, it attaches to the end of the affirmative command but comes before the negative command form.

Cómprame / Cómpreme   BUT: **No me compres / No me compre**
el libro ahora, por favor.   el libro ahora, por favor.

6. As you learned in **Chapter 4**, if you want to emphasize or clarify to or for whom something is being done, you can use **a** + the person's name, or **a** + prepositional pronoun: **mí, ti, usted, él, ella, nosotros(as), vosotros(as), ustedes, ellos(as)**. Note that when a pronoun is used, there is sometimes no direct translation in English.

Les escribo una postal **a ustedes**.   *I'm writing **you** a postcard.*
Le doy el regalo **a Lucas**.   *I'm giving the gift **to Lucas**.*
Les traigo el periódico **a mis**   *I bring the newspaper **to my***
  padres.   ***parents**.*

7. Here are some verbs that are frequently used with indirect object pronouns. Some you already know; others are new: **ayudar** *(to help)*, **comprar, dar, decir, enviar, escribir, gustar** (and verbs like **gustar**), **mandar** *(to send, to order)*, **pedir, prestar** *(to loan or lend)*, **regalar** *(to give a gift)*, **servir**, and **traer**.

ACTIVIDADES

7   **Regalos**   Las siguientes personas les regalaron varias cosas a diferentes miembros de su familia. Escribe el pronombre de objeto indirecto en cada oración.

1. Yo _____ regalé una gorra de lana a mi mamá.
2. Ana _____ compró unas pulseras a sus hermanas.
3. Arturo _____ dio unos guantes de cuero a ti.
4. Mi tía _____ trajo unas camisetas de Perú a nosotros.
5. Abuela _____ mandó una tarjeta postal a mis primos.
6. Papá _____ compró unos pantalones cortos a mí y a mi hermano.
7. Andrés _____ trajo una cadena de plata a ti.
8. Rosa _____ regaló un reloj a su tía.

8 **¡Ay, Hernando!** Completa la siguiente conversación con el pronombre de objeto indirecto correcto. Después de completarla, léela otra vez para ver si entiendes por qué se usa cada objeto indirecto.

HERNANDO: Oye, tengo que ir al centro. ¿Quieres acompañarme?

SEBASTIÁN: Cómo no. Tengo que (1) comprar _____ un regalo a mi hermanito para el día de su santo.

HERNANDO: Y yo (2) _____ voy a comprar unos jeans y una camiseta nueva.

SEBASTIÁN: ¿Tú con interés en la moda? Hombre, ¿qué (3) _____ pasa?

HERNANDO: Es Lidia. Ahora que salimos juntos los fines de semana (4) _____ dice que toda mi ropa está pasada de moda.

SEBASTIÁN: ¡No (5) _____ digas! A las mujeres… ¡(6) _____ importa demasiado la ropa!

HERNANDO: Y lo peor es que no tengo mucho dinero. ¿Crees que (7) _____ den un descuento en la tienda donde trabaja Julio?

SEBASTIÁN: Oye, vale la pena *(it's worthwhile)* ir a ver. ¿(8) _____ dijiste a Julio que necesitas comprar ropa?

HERNANDO: Sí. Pero (9) _____ dijo que debemos ir al almacén del centro. Además dijo que los precios en su tienda son demasiado caros y la calidad no es muy buena.

SEBASTIÁN: Bueno, parece que él no nos puede ayudar. Entonces, ¿vamos directamente al almacén?

HERNANDO: De acuerdo. Oye, ¿no (10) _____ puedes prestar un poco de dinero?

SEBASTIÁN: ¡Hombre! Nunca cambias…

9 🔊 **De compras** Marisela les compra varias prendas de ropa y accesorios a diferentes miembros de su familia y a varias amistades. Escucha mientras ella describe sus compras. Luego, escribe oraciones que expliquen qué le compró a quién. Primero estudia el modelo.

MODELO **Escuchas:** A mi tía le encantan las blusas bordadas. Cuando estaba de vacaciones en Ecuador, le compré una blusa bordada muy bonita.
Escribes: *Le* compró una blusa bordada a *su tía*.

1. _____ compró una cartera a _____.
2. _____ compró camisetas a _____.
3. _____ compró una pulsera de oro a _____.
4. _____ compró unos guantes de piel (_____).
5. _____ compró unos pantalones cortos a _____.
6. _____ compró unos zapatos de tenis (_____).

© Ingram Publishing/Thinkstock

10 ♻ **De vez en cuando** Con un(a) compañero(a) de clase, di para quiénes haces las actividades indicadas. Usen cada verbo por lo menos una vez.

MODELO comprar un café
De vez en cuando le compro un café a mi compañero(a) de cuarto.
O: *Nunca le compro un café a nadie.*

Acción	Objeto directo	Objeto indirecto
escribir	mensajes de texto	mi madre / padre
dar	flores	mis padres
comprar	regalos	mi amigo(a)
contar	chismes *(gossip)*	mis amigos(as)
mandar	notas de agradecimiento	mi profesor(a)
pedir	favores	mis profesores
hacer	chistes *(jokes)*	mi novio(a)
traer	ayuda	mi compañero(a) de cuarto
¿...?	ropa	mis compañeros(as) de cuarto
	¿...?	

Frases útiles: de vez en cuando *(sometimes),* frecuentemente, muchas veces, todas las semanas, todos los días, rara vez *(hardly ever),* casi nunca, nunca

11 ♻ **¿Quién?** Con un(a) compañero(a), háganse preguntas sobre las acciones de sus compañeros de clase. Pueden usar las ideas de la lista o inventar otras. Asegúrense de usar verbos que requieren el uso del objeto indirecto.

MODELO regalar ropa
Tú: *¿Quién le regaló ropa a su novio(a)?*
Compañero(a): *Dahlia le regaló una chaqueta de cuero a su novio Jesús.*

1. comprar comida
2. decir siempre la verdad
3. pagar los estudios
4. enviar muchos mensajes de texto
5. ayudar con la tarea
6. pedir ayuda

12 ♻ **¿Y tú?** Con un(a) compañero(a), túrnense para hacer y contestar preguntas sobre las siguientes actividades.

MODELOS tú enviar a tus padres recientemente: ¿qué?
Tú: *¿Qué les enviaste recientemente a tus padres?*
Compañero(a): *Les envié un mensaje de texto la semana pasada.*

mandar algo a ti por correo recientemente: ¿quién?
Compañero(a): *¿Quién te mandó algo por correo recientemente?*
Tú: *Mi abuela me mandó una tarjeta de cumpleaños ayer.*

1. tú regalar a tu mejor amigo(a) para su cumpleaños: ¿qué?
2. ayudar a ti la última vez que te mudaste *(you moved)*: ¿quién?
3. tú prestar algo a un(a) amigo(a) o hermano(a) recientemente: ¿qué?
4. tú traer a tus amigos cuando tuvieron una cena en casa: ¿qué?
5. mandar a ti flores u otro regalo durante el año pasado: ¿quién?
6. decir a ti unos chismes muy interesantes recientemente: ¿quién?

Making comparisons:
Comparatives and superlatives

AR MODA

¡Canasta!

LOS BOLSOS DE MIMBRE, RAFIA Y
CUERDA SON EL ACCESORIO BÁSICO
DEL VERANO, TANTO PARA IR A LA
PISCINA COMO SI SALES DE NOCHE

FOTOS: **GEMA LÓPEZ** ESTILISMO: **JUAN ANTONIO FRÍAS**

Revista de Ana Rosa; Photo de Gema Lopez

Can you find the comparative words in this text? Are they making an equal or unequal comparison?

Cómo usarlo

Lo básico

Comparatives compare two or more objects. *Superlatives* indicate that one object exceeds or stands above all others. In English we use *more* and *less* with adjectives, adverbs, nouns, and verbs to make comparisons, and we also add *-er* to the end of most one- or two-syllable adjectives: *more expensive, cheaper.* To form superlatives we use *most / least* with adjectives or add *-est* to the end of most one- or two-syllable adjectives: *the most expensive, the cheapest.*

1. Comparatives in Spanish use **más** *(more)* and **menos** *(less)* to make comparisons between people, actions, and things. **Más** and **menos** can be used with nouns, adjectives, verbs, and adverbs.

Nouns:	Hay **más libros** en esta tienda que en aquella.
	*There are **more books** in this store than in that one.*
Adjectives:	Este libro es **menos interesante** que ese.
	*This book is **less interesting** than that one.*
Verbs:	Yo **leo menos** que él.
	*I **read less** than he (does).*
Adverbs:	Él lee **más lentamente** que yo.
	*He reads **more slowly** than I (do).*

2. Superlative forms indicate that something exceeds all others: *extremely, the most, the least.*

Este libro es **interesantísimo**.

Es **el más interesante** de todos.

*This book is **really interesting**.*

*It's the **most interesting** of all of them.*

Cómo formarlo

1. Regular comparatives: Comparisons can be *equal* (as many as) or *unequal* (more than, less than). Comparative forms can be used with nouns, adjectives, adverbs, and verbs.

Notice that of all the words used in these comparative forms (**tanto, tan, más, menos, como**, and **que**), only **tanto** changes to reflect number and gender.

	Equal comparisons	Unequal comparisons
noun	**tanto** + noun + **como**	**más / menos** + noun + **que**
	(**Tanto** agrees with the noun.)	(**Más / menos** do not agree with the noun.)
	Tengo **tanto dinero como** tú.	Tengo **más dinero que** tú.
	Tengo **tantas tarjetas de crédito como** tú.	Tengo **menos tarjetas de crédito que** tú.
adjective	**tan** + adjective + **como**	**más / menos** + adjective + **que**
	Este reloj es **tan caro como** ese.	Este reloj es **más caro que** ese, pero es **menos caro que** aquel.
verb	verb + **tanto como**	verb + **más / menos** + **que**
	Compro tanto como tú.	Ella **compra menos que** yo, pero él **compra más que** yo.
adverb	**tan** + adverb + **como**	**más / menos** + adverb + **que**
	Pago mis cuentas **tan rápidamente como** tú.	Ella paga sus cuentas **más rápidamente que** yo, pero él paga **menos rápidamente que** yo.

2. Irregular comparatives: Some adjectives and adverbs have irregular comparative forms.

- Adjectives

bueno → mejor: Este libro es **bueno**, pero ese libro es **mejor**.

malo → peor: Esta tienda es **mala**, pero esa tienda es **peor**.

joven → menor: Los dos somos **jóvenes**, pero Remedios es **menor** que yo.

viejo → mayor: Martín no es **viejo**, pero es **mayor** que Remedios.

- Adverbs

bien → mejor: Lorena canta muy **bien**, pero Alfonso canta **mejor**.

mal → peor: Nosotros bailamos **mal**, pero ellos bailan **peor**.

Menor and **mayor** are usually used to refer to people, although they can be used in place of **más grande** (mayor) and **más pequeño** (menor) when referring to objects. If you wish to say that one object is older or newer than another, use **más viejo** or **más nuevo**.

3. Superlatives

■ To say that a person or thing is extreme in some way, add **-ísimo** to the end of an adjective. (If the adjective ends in a vowel, remove the vowel first.)

> fácil → **facilísimo** *(very easy)*   contento → **contentísimo** *(extremely happy)*

■ To say that a person or thing is the *most . . .* or *the least . . .* use the following formula. (Do not use this formula with the **-ísimo** ending— choose one or the other!)

> article + noun + **más** / **menos** + adjective + **de**

Roberto es **el estudiante más popular de** la universidad.
Ellas son **las dependientes más trabajadoras del** almacén.

These superlative forms must change to reflect the gender and number of the nouns they modify: **unos aretes carísimos, unas camisetas baratísimas**, etc.

Notice that the accent is always on the first **i** of **-ísimo**. If the adjective has an accent, it is dropped when you add **-ísimo**: **difícil → dificilísimo**.

Notice that the article and the adjective must agree with the noun: **el estudiante popular, las dependientes trabajadoras**.

ACTIVIDADES

13 🔊 **El almacén Toneti** Escucha el anuncio de Toneti, un almacén grande. Pon una X al lado de cada objeto que se menciona. **¡OJO!** Asegúrate de que la descripción de cada objeto es la correcta.

1. _____ las mochilas más baratas
2. _____ las mochilas más grandes
3. _____ la selección más grande de zapatos
4. _____ los zapatos de tenis más populares
5. _____ los pantalones menos caros del centro
6. _____ los pantalones más caros del centro
7. _____ las camisetas de la más alta calidad
8. _____ las camisetas más bonitas del centro

14 **La rebaja** Haz comparaciones entre los precios de varias prendas de ropa y accesorios. Sigue el modelo.

MODELO   caro: las botas ($50) / los zapatos de tenis ($40)
          Las botas son más caras que los zapatos de tenis.
          Los zapatos de tenis son menos caros que las botas.

1. caro: los suéteres ($25) / las camisetas ($15)
2. caro: las camisetas ($15) / los vestidos ($50)
3. caro: las blusas ($30) / las camisetas ($15)
4. caro: las botas ($50) / los vestidos ($50)
5. barato: los vestidos ($50) / los suéteres ($25)
6. barato: las blusas ($30) / las botas ($50)
7. barato: los vestidos ($50) / los zapatos de tenis ($40)
8. barato: las camisetas ($15) / las blusas ($30)

15 🔁 **Las personas famosas** Con un(a) compañero(a), haz comparaciones según el modelo. Haz comparaciones según el modelo.

MODELO cantar: Taylor Swift o Rihanna
Taylor Swift canta peor que Rihanna.
O: *Taylor Swift canta mejor que Rihanna.*
O: *Taylor Swift canta tan bien como Rihanna.*

1. cantar: Lady Gaga o Katy Perry
2. bailar: Usher o Jay-Z
3. cocinar: tu mejor amigo(a) o tu madre
4. jugar tenis: Maria Sharapova o Serena Williams
5. jugar golf: Lorena Ochoa o tus padres
6. patinar sobre hielo: tú o tu mejor amigo(a)
7. nadar: tú o tu hermano(a)
8. jugar béisbol: David Ortiz o Miguel Cabrera
9. hacer esquí acuático: tú o tus amigos(as)
10. tocar la guitarra: Jack White o Keith Richards

16 🔁 **En el centro comercial** Trabaja con un(a) compañero(a) de clase. Miren el dibujo y hagan todas las comparaciones que puedan. Usen las palabras y expresiones útiles por lo menos una vez cada una.

Palabras y expresiones útiles: tanto como, más, menos, tan… como, mejor, peor, el (la) más… de todos, el (la) menos… de todos

Comparaciones: alto(a) / delgado(a); hablar; hacer compras; comer

17 🔁 **Nuestros amigos** Trabaja con un(a) compañero(a) de clase. Primero piensen en seis personas que conozcan los dos. Luego hagan comparaciones según el modelo.

MODELOS   cómico
Sean es más cómico que Jason.

hablar rápido
Sean habla más rápido que Jason.

Palabras y frases útiles: cómico, joven, viejo, alto, extrovertido, introvertido, hablar rápido, comer despacio *(slowly)*, viajar frecuentemente, jugar tenis (u otro deporte) bien, correr rápido, entrenarse frecuentemente

SONRISAS

Expresión 👥 En grupos de tres o cuatro estudiantes, trabajen para completar la comparación **"Es más loco(a) que un…"** de una manera diferente. Después de crear una lista de posibilidades, escojan una y hagan una tira cómica semejante a la de arriba.

¡Explora y exprésate!

Perú

© Christian Vinces/Shutterstock.com

▶ Información general

Nombre oficial: República del Perú

Población: 31.200.000

Capital: Lima (f. 1535) (8.752.000 hab.)

Otras ciudades importantes: Callao (1.000.000 hab.), Arequipa (1.273.000 hab.), Trujillo (943.000 hab.)

Moneda: nuevo sol

Idiomas: español, quechua, aimara y otras lenguas indígenas

Consulta el mapa de Perú en el **Apéndice D**.

Although most reference books and written texts usually use just **Perú** to refer to the country, you will often hear native speakers say **el Perú**. This use of **el** sometimes occurs with **Ecuador** also.

A tener en cuenta

- La civilización incaica de Perú forma el más grande y poderoso (*powerful*) imperio de Sudamérica en la época prehispánica.

- Otra importante civilización fueron los nazcas, quienes hicieron dibujos en la tierra que solo se pueden ver desde el aire. El origen y el objetivo de los más de 2.000 km. de líneas son un misterio hoy día.

- En 1532, Francisco Pizarro captura a Atahualpa, el último emperador inca, que es ejecutado (*executed*) por los españoles un año más tarde.

- Francisco Pizarro funda la ciudad de Lima en 1535. Casi tres siglos más tarde, en 1824, Perú gana la independencia de España.

- La mayoría de la población peruana habla español o quechua, pero también existe una variedad de lenguas nativas, de las cuales el quechua y el aimara son las más habladas.

© Joel Shawn/Shutterstock.com

Ecuador

© Elena Kalistratova/iStock

A tener en cuenta

- Ecuador toma su nombre de la línea ecuatorial que divide el globo en dos hemisferios: norte y sur.

- Quito forma parte del imperio incaico hasta la conquista de los españoles en 1533. Al ganar la independencia de España, Quito forma la federación de la Gran Colombia con Colombia y Venezuela. En 1830, Quito deja la federación y cambia su nombre a la República del Ecuador.

- A 1.000 kilómetros de la costa ecuatoriana están las islas Galápagos, que poseen una flora y fauna únicas y unos paisajes de una belleza espectacular. Las condiciones naturales de las islas no han cambiado *(have not changed)* desde hace siglos, se formaron ecosistemas permanentes que permitieron a Charles Darwin desarrollar *(to develop)* su teoría de la evolución.

- Hoy día, los idiomas predominantes son el quechua, la lengua de los incas, y el español, la lengua que enseñan en las escuelas. Muchos ecuatorianos son completamente bilingües.

▶ Información general

Nombre oficial: República del Ecuador

Población: 16.013.000

Capital: Quito (f. 1556) (2.240.000 hab.)

Otras ciudades importantes: Guayaquil (2.560.505 hab.), Cuenca (505.585 hab.)

Moneda: dólar

Idiomas: español (oficial), quechua

Consulta el mapa de Ecuador en el **Apéndice D**.

© Michael Zysman/Shutterstock.com

© Eye Ubiquitous/Glow Images

El algodón orgánico

Perú es un país con una gran industria algodonera, que representa un sector importante de su economía. Algunos consideran las finas fibras del algodón peruano las mejores del mundo. El cultivo del algodón forma una parte fundamental en la historia de la agricultura peruana. Los agricultores peruanos, localizados en la costa del Pacífico y en los bosques tropicales de la Amazonia, han heredado *(have inherited)* una variedad de técnicas indígenas ancestrales de producción completamente orgánica.

El movimiento "verde" ha promovido el uso de materiales orgánicos en el mundo de la moda. El cultivo orgánico del algodón en Perú ha atraído *(has attracted)* la atención de grandes compañías internacionales como Tommy Hilfiger y Nike. Este interés comercial ha abierto *(has opened)* una gran cantidad de posibilidades para aquellos agricultores peruanos que siguen cultivando algodón de una manera natural.

Otavalo, el mercado inolvidable

Ecuador es famoso por sus tejidos de lana de llama y alpaca, dos animales de la región andina. En Otavalo, un pueblo a 50 millas al norte de Quito, existe un mercado artesanal que se conoce como la "Plaza de los Ponchos".

La gente viene de toda la provincia vestida con sus trajes típicos indígenas: los hombres usan pantalones blancos y sombreros negros, y las mujeres usan blusas bordadas, faldas, chales, collares y pulseras. En cientos de puestos *(stalls)*, ponen a la venta sombreros Panamá, suéteres, blusas bordadas, sacos gruesos de lana tejidos a mano, gorros, guantes, vestidos, bufandas y las famosas fajas *(sashes)* que usan los indígenas como cinturones. También se venden productos artesanales en madera y cerámica, tejidos de todo tipo, ponchos, piedras semipreciosas, manteles y mucho más.

La feria *(fair)* dura hasta que cae el sol. Es un espectáculo vibrante, colorido y lleno de vida, ¡tal como las prendas de ropa otavaleñas!

© Kseniya Ragozina/iStock

EN RESUMEN

La información general

1. ¿Qué civilización de Perú es una de las más poderosas de Sudamérica en la época prehispánica?
2. ¿Qué civilización deja unas líneas misteriosas que solo se pueden ver desde el aire?
3. ¿Quién es el último emperador inca en Perú? ¿Quién es el español que conquista el imperio incaico en Perú y funda la ciudad de Lima?
4. ¿Con qué otros dos países forma Quito la Gran Colombia?
5. ¿De dónde toma su nombre Ecuador?
6. ¿Qué islas famosas permiten a Charles Darwin desarrollar su teoría de la evolución?

El tema de las compras

1. ¿Qué producto peruano les interesa a los comerciantes internacionales?
2. ¿Qué técnicas han heredado los agricultores peruanos?
3. ¿Por qué producto es famoso Ecuador?
4. ¿Qué tres prendas de ropa puedes comprar en la Plaza de los Ponchos? ¿Y qué tres accesorios?

¿Quieres saber más?

Revisa y completa la tabla que empezaste al principio del capítulo. Escoge uno o dos de los temas sobre los que escribiste en la columna **Lo que quiero aprender**, o uno o dos de los que figuran a continuación. Prepárate para compartir la información con la clase.

Palabras clave: Perú los incas, los aimaras, el Inti Raymi, Machu Picchu, Mario Vargas Llosa; **Ecuador** José de Sucre, la Gran Colombia, la línea ecuatorial, Rosalía Arteaga, Oswaldo Guayasamín

🌐 Para aprender más sobre Perú y Ecuador, mira los videos culturales en la mediateca (*Media Library*).

A leer

Antes de leer

1 Las siguientes palabras están en el artículo de la página 313, que trata de la popularidad de los jeans en todo el mundo. ¿A qué palabras inglesas son similares?

1. overoles
2. cachemira
3. apliques

2 El artículo que vas a leer en este capítulo trata de la influencia de los jeans en la moda internacional. Antes de leer el artículo, escribe de cinco a siete palabras que tú asocies con los jeans y con la mezclilla.

3 Las siguientes frases del artículo contienen palabras que no conoces. A ver si puedes conectar las frases de las dos columnas para adivinar el sentido de las palabras **en negrilla**.

1. _____ algo moderno, permanente y **novedoso**…

2. _____ El jean es muy dúctil… lo puedes **doblar**…

3. _____ puedes **guardarlo** sin que ocupe mucho espacio

4. _____ Hace ver **varonil** a cualquier hombre.

a. *you can **store** it without it taking up much space*

b. *It makes any man look **manly**.*

c. *something modern, permanent, and **novel*** . . .

d. *A pair of jeans is very flexible . . . you can **fold** it . . .*

4 Lee el siguiente artículo de un periódico ecuatoriano. ¿Hay palabras que escribiste para la **Actividad 2** en el artículo?

El jean impone su encanto

© PhotoNAN/Shutterstock.com

Los atractivos del jean han sobrepasado[1] los límites del tiempo y de las fronteras. Los clásicos pantalones jeans y los overoles todavía son populares y, además, les dan la posibilidad a sus usuarios de combinarlos de mil maneras. Se pueden usar hasta en ocasiones más elegantes si se usan con una chaqueta o con una blusa de seda o un saco de cachemira. Los beneficios de esta tela son innumerables. Por ejemplo, es común ver carteras de jean, zapatos con tacones de mezclilla y gorras, chalecos, chompas[2], sombreros, mochilas, monederos y otros accesorios de moda que rompen con los diseños tradicionales y se modernizan al usar esta tela tan tradicional y moderna a la vez.

Pero, ¿qué es lo que puede ofrecer el jean a los hombres y a las mujeres de esta época? Escuchemos sus testimonios.

"Usar jean es sentirse más joven, a pesar de la edad real que tengas".

"El jean es muy dúctil, por lo que lo puedes doblar y guardarlo sin que ocupe mucho espacio".

"Es resistente a cualquier trato".

"Se lava y sigue como si nada…"

"Puedes llevar libros o bloques de cemento, sabe cuál es su función".

"El cuero es para gente mayor. El jean siempre será[3] joven".

"Hace ver varonil a cualquier hombre".

"Es de los materiales más durables y que además no pasa de moda. Un jean puedes llevarlo años y mientras más rasgado, más en onda[4]".

"Los brazaletes de jean son súper chéveres[5]".

"El jean es discreto cuando debe serlo, pero también sensual cuando le has dado ese papel[6]".

"Sobre el jean puedes poner cualquier tipo de apliques…"

"Es de lo más práctico para vestir. Solo necesitas un pantalón y falda y la mitad de tus problemas están resueltos[7]".

© Corbis/Glow Images

[1]**han**… *have surpassed* [2]suéteres [3]va a ser [4]**más rasgado**… *the more ripped, the more in style* [5]*cool* [6]**le**… *you have given it that role* [7]*solved*

Adapted from "El jean impone su encanto," from *El Comercio*, *Familia Magazine*, Numero 643, February 8 1998, Ano XII, pg. 27. Used with approval from El Comercio.

Después de leer

5 Vuelve a la lista de palabras y asociaciones que hiciste para la **Actividad 2**. ¿Te ayudó pensar en este tema antes de leer el artículo? ¿Pudiste predecir algunas de las ideas del texto? ¿Por qué?

6 🔗 Trabaja con un grupo de tres o cuatro estudiantes. Juntos contesten las siguientes preguntas sobre la lectura.

1. ¿Con qué prendas de ropa sugiere el autor combinar los jeans?
2. ¿Qué otras prendas o accesorios son de mezclilla?
3. Hagan una lista de por lo menos cinco aspectos positivos de los jeans que se mencionan en los "testimonios".

7 🔗 Haz una encuesta sobre las prendas de ropa y accesorios de mezclilla.

1. Pasea por el salón de clase y hazles a tus compañeros las siguientes preguntas.

   - ¿Cuántos pares de jeans tienes? ¿De qué marcas?
   - ¿Tienes otras prendas o accesorios de mezclilla? ¿Cuáles?

2. Escribe las respuestas.
3. Después, compara tus resultados con toda la clase. Haz un resumen para decir cuáles son las marcas de jeans más populares y también los accesorios de mezclilla más usados. ¿Son populares los jeans y los accesorios de mezclilla entre tus companeros de clase?
4. Con un(a) compañero(a) de clase, escribe una cita *(quotation)* como las de la lectura para expresar sus propios sentimientos sobre los jeans.

8 🔗 En la opinión de la gente de otros países, los jeans son un símbolo de Estados Unidos (junto con la hamburguesa y los autos grandes). Hablen en grupos sobre las siguientes preguntas. Luego, cada persona debe escribir un resumen corto de la conversación.

1. ¿Conocen alguna prenda de ropa tradicional que ahora sea parte de la cultura popular? Por ejemplo, los jeans ya son parte de la cultura popular; por otro lado, el poncho, una prenda de vestir tradicional de origen andino, hoy día es usada en todo el mundo.
2. En la opinión de ustedes, ¿existe una "ropa tradicional" de Estados Unidos? (Piensen en las regiones geográficas y en los grupos étnicos del país). Si existe, ¿cómo es?
3. Cuando la gente de otros países piensa en "la ropa típica" de Estados Unidos, ¿a qué tipo de ropa se refiere? En la opinión de ustedes, ¿es correcta o falsa esta imagen del estilo estadounidense?

A escribir

Antes de escribir

ESTRATEGIA

Revising—Editing your freewriting

In **Chapter 7** you learned how to use freewriting as a way of generating a first draft. Once you have written freely, it's important to edit your work to tighten it up, make it more interesting, and make sure it's all relevant. When you edit your freewriting ask yourself: Is this information necessary? Would it be better placed somewhere else? Is there information missing? Can I tighten this up by omitting words and/or sentences?

1 Vas a escribir una descripción de lo que tienes en tu armario, qué artículos te gustan más y por qué. Antes de empezar, escribe tres categorías (o más) de artículos que contiene. Después, añade tres artículos para cada categoría. Luego, pon un adjetivo al lado de cada uno de los nueve artículos.

Composición

2 Escribe una descripción de los artículos de tu armario, usando las categorías, artículos y adjetivos que anotaste en la **Actividad 1**. Habla de las categorías y los artículos en cada categoría. ¿Cuál te gusta más y por qué? Escribe sin detenerte y sin pensar demasiado en la gramática, el contenido o la ortografía.

Después de escribir

3 Vuelve a tu descripción. Mírala otra vez y contesta las preguntas de la **Estrategia**. ¿Cómo quieres revisar la información y organización de tu descripción? Analízala con cuidado y escribe la nueva (y probablemente más corta) versión.

4 Mira la nueva versión de tu descripción. Revísala, usando la siguiente lista.
- ¿Está completa la descripción?
- ¿Usaste las formas comparativas y superlativas correctamente?
- ¿Usaste bien los verbos y los tiempos verbales?
- ¿Hay errores de puntuación o de ortografía?

¡Vívelo!

Vas a describir a una persona famosa que tenga, en tu opinión, un buen estilo personal. Luego, van a trabajar en grupos para crear una marca de ropa que incluya elementos de todos los estilos que eligieron.

Antes de clase

Paso 1: Piensa en una persona famosa cuyo *(whose)* estilo personal te gusta mucho.

Paso 2: Escribe una descripción breve del tipo de ropa que lleva y busca algunas fotos para mostrar cómo se viste.

MODELO *A mí me gusta mucho cómo se viste Macklemore. Muchas veces él se viste con ropa usada y tiene un abrigo de piel que compró en una tienda de segunda mano (thrift shop). Normalmente, se viste de una manera más conservadora, pero…*

© Tim Mosenfelder/Getty Images

Durante la clase

Paso 1 Trabajen en grupos de 3 o 4 compañeros. Cada estudiante debe leer la descripción de la ropa de la persona elegida y mostrar sus fotos.

Paso 2 Comparen sus descripciones y busquen elementos que tengan en común. ¿Hay muchas semejanzas *(similarities)* o diferencias entre la forma *(way)* de vestir de estas personas?

Paso 3 Van a crear una nueva marca de ropa que combine elementos del estilo personal de los(as) famosos(as) que describieron. Trabajen juntos para inventar un nombre para esa marca. Luego escriban una descripción de la ropa que produce esa marca y del tipo de consumidor(a) que la va a comprar. (El tipo de consumidor representa el segmento del mercado deseado). También deben incluir una descripción de, por lo menos, cinco artículos de la nueva línea de moda de la marca.

Paso 4 Compartan la información sobre su marca y las descripciones con toda la clase.

Fuera de clase

Paso 1 Trabajen juntos para escribir un discurso de ascensor *(elevator pitch)* de unos dos o tres minutos. Sean creativos(as) para inventar la historia de su compañía. El discurso debe describir cómo y por qué se creó, y también explicar por qué su estilo de ropa va a tener éxito *(be successful)* con los consumidores del segmento del mercado que identificaron. Si quieren, pueden incluir dibujos de algunos de los artículos de ropa.

Paso 2 Dividan su discurso en partes. Cada persona del grupo va a presentar su propia sección.

Paso 3 Graben *(Record)* su discurso y creen un audio o un video que puedan compartir.

¡Compártelo!

Pongan su discurso (y los dibujos, si los tienen) en el foro en línea de *Nexos*. Luego, busquen el trabajo de otros tres grupos y coméntenlo.

An *elevator pitch* is a quick one-minute sales pitch that sums up everything a potential investor would need to know about a company before deciding to buy in. The name is based on the idea that you should be able to deliver the entire pitch in the time it takes to go between floors in an elevator.

Vocabulario

Las prendas de ropa   *Articles of clothing*

el abrigo *coat*
la blusa *blouse*
los calcetines *socks*
la camisa *shirt*
la camiseta *t-shirt*
el chaleco *vest*
la chaqueta *jacket (outdoor non-suit coat)*

la falda *skirt*
el impermeable *raincoat*
los jeans *jeans*
los pantalones *pants*
los pantalones cortos *shorts*
el saco *jacket, sports coat*
la sudadera *sweatsuit, track suit*

el suéter *sweater*
el traje *suit*
el traje de baño *bathing suit*
el vestido *dress*

Los zapatos   *Shoes*

las botas *boots*
las sandalias *sandals*
los zapatos *shoes*

los zapatos de tacón alto *high-heeled shoes*
los zapatos de tenis *tennis shoes*

Las telas   *Fabrics*

Está hecho(a) de... *It's made (out) of . . .*
Están hechos(as) de... *They're made (out) of . . .*
el algodón *cotton*
el cuero *leather*
la lana *wool*
el lino *linen*
la mezclilla *denim*
la piel *leather, fur*
la seda *silk*

a cuadros *plaid*
a rayas / rayado(a) *striped*
bordado(a) *embroidered*
de lunares *polka-dotted*
de un solo color *solid, one single color*
estampado(a) *print*

Los accesorios   *Accessories*

la bolsa *purse*
la bufanda *scarf*
la cartera *wallet*
el cinturón *belt*
las gafas de sol *sunglasses*

la gorra *cap*
los guantes *gloves*
el sombrero *hat*

Las joyas   *Jewelry*

el anillo *ring*
los aretes / los pendientes *earrings*
el brazalete / la pulsera *bracelet*
la cadena *chain*

el collar *necklace*
el reloj *watch*
... (de) oro . . . *(made of) gold*
... (de) plata . . . *(made of) silver*

La moda   *Fashion*

(no) estar de moda *(not) to be fashionable*

pasado(a) de moda *out of style*

Ir de compras   *Going shopping*

El (La) dependiente *The clerk*
¿Cuál es su talla? *What is your size?*
¿En qué puedo servirle? *How can I help you?*
Es muy barato. *It's very inexpensive.*
Está a muy buen precio. *It's a very good price.*
Está en venta. *It's on sale.*

Está rebajado(a). *It's reduced / on sale.*
¿Es un regalo? *Is it a gift?*
de buena (alta) calidad *of good (high) quality*
el descuento *discount*
la oferta especial *special offer*

El (La) cliente *The customer*

¿Cuánto cuesta(n)? *How much does it (do they) cost?*

Es (demasiado) caro. *It's (too) expensive.*

¿Lo (La / Los / Las) tiene en una talla...? *Do you have it / them in a size . . .?*

Me queda bien / mal. *It fits nicely / badly.*

Me queda grande / apretado(a). *It's too big / too tight.*

Voy a llevármelo(la / los / las). *I'm going to take it / them.*

Voy a probármelo(la / los / las). *I'm going to try it / them on.*

Métodos de pago *Forms of payment*

¿Cómo desea pagar? *How do you wish to pay?*

Al contado. / En efectivo. *In cash.*

Con cheque. *By check.*

Con un préstamo. *With a loan.*

Con tarjeta de crédito. *With a credit card.*

Con tarjeta de débito. *With a debit card.*

Los números mayores de 100 *Numbers above 100*

cien *one hundred*

ciento uno *one hundred and one*

ciento dos, etc. *one hundred and two, etc.*

doscientos(as) *two hundred*

trescientos(as) *three hundred*

cuatrocientos(as) *four hundred*

quinientos(as) *five hundred*

seiscientos(as) *six hundred*

setecientos(as) *seven hundred*

ochocientos(as) *eight hundred*

novecientos(as) *nine hundred*

mil *one thousand*

dos mil *two thousand*

tres mil *three thousand*

cuatro mil *four thousand*

cinco mil *five thousand*

diez mil *ten thousand*

cien mil *one hundred thousand*

un millón *one million*

dos millones, etc. *two million, etc.*

Comparaciones *Comparisons*

más [noun / adjective / adverb] **que** *more* [noun / adjective / adverb] *than*

menos [noun / adjective / adverb] **que** *less* [noun / adjective / adverb] *than*

[verb] **más / menos que** [verb] *more / less than*

tan [adjective / adverb] **como** *as* [adjective / adverb] *as*

tanto(a) [noun] **como** *as much* [noun] *as*

tantos(as) [noun] **como** *as many* [noun] *as*

[verb] **tanto como** [verb] *as much as*

mayor *older; more*

mejor *better*

menor *younger; less*

peor *worse*

Pronombres de objeto indirecto *Indirect object pronouns*

me *to / for me*

te *to / for you (fam. sing.)*

le *to / for you (form. sing.), him, her, it*

nos *to / for us*

os *to / for you (fam. pl.)*

les *to / for you (form., pl.), them*

Pronombres preposicionales *Prepositional pronouns*

mí *me*

ti *you (fam. sing.)*

usted *you (form. sing.)*

él *him*

ella *her*

nosotros(as) *us*

vosotros(as) *you (fam. pl.)*

ustedes *you (form. pl.)*

ellos *them (male or mixed group)*

ellas *them (female)*

conmigo *with me*

contigo *with you*

Verbos *Verbs*

andar *to walk*

ayudar *to help*

conseguir (i, i) *to get, to obtain*

mandar *to send, to order*

morirse (ue, u) *to die*

prestar *to loan, to lend*

regalar *to give a gift*

sonreír (i, i) *to smile*

sugerir (ie, i) *to suggest*

Repaso y preparación

Complete these activities to check your understanding of the new grammar points in **Chapter 8** before you move on to **Chapter 9**.

The answers to the activities in this section can be found in **Appendix B**.

Repaso del Capítulo 8

Preterite tense of more irregular verbs (p. 294) and preterite tense of **-ir** stem-changing verbs (p. 297)

1 Completa las oraciones para saber qué pasó cuando David se reunió con su viejo amigo Ricardo ayer.

(1) _____ (saber / yo) ayer que mi viejo amigo Ricardo está aquí de visita por una semana. Lo llamé y nosotros (2) _____ (hacer) planes para hoy a las nueve de la mañana. Él (3) _____ (sugerir) reunirnos en un restaurante, pero yo (4) _____ (preferir) ir a un café. Después de que el camarero nos (5) _____ (servir) el café, Ricardo me (6) _____ (decir) que él (7) _____ (querer) llamarme pero no (8) _____ (poder) porque no tenía mi número. Entonces me (9) _____ (pedir) mi nuevo número y lo (10) _____ (poner) en su lista de contactos.

Salimos del café y (11) _____ (andar) por el centro por unas horas, hablando todo el rato. (12) _____ (reírse) y (13) _____ (divertirse) mucho y el tiempo pasó muy rápidamente. Al mediodía (14) _____ (despedirse) y nos (15) _____ (decir) adiós hasta la próxima vez.

Indirect object pronouns (p. 299)

2 Completa las oraciones con los pronombres de objeto indirecto correctos para saber qué recibieron de regalo las diferentes personas.

1. Mis padres _____ regalaron unas botas de cuero a mí y a mi hermana.
2. A ti tu novio _____ regaló una bufanda de seda y unos aretes de oro.
3. A mis primos sus padres _____ regalaron unas gafas de sol buenísimas.
4. Mi amiga _____ regaló una bolsa de piel por mi cumpleaños.
5. A Manuel sus hermanas _____ regalaron un abrigo nuevo.

Comparatives and superlatives (p. 303)

3 Completa las oraciones con formas comparativas (1–4) y superlativas (5–6), según el contexto.

1. Yo tengo _____ zapatos _____ tú. (=)
2. Ella compra _____ joyas _____ nosotras. (>)
3. Esta camisa es _____ barata _____ esa. (<)
4. Estas cadenas son _____ caras como estas pulseras. (=)
5. Este collar es _____ bonito de todos. (>)
6. Ella es la dependiente _____ popular de la tienda. (>)

Preparación para el Capítulo 9

Complete these activities to review some previously learned grammatical structures that will be helpful when you learn the new grammar in **Chapter 9**.

Be sure to reread **Chapter 8: Gramática útil 1, 2,** and **3** before moving on to the new **Chapter 9** grammar sections.

The answers to the activities in this section can be found in **Appendix B**.

Preterite tense of regular verbs (p. 254) and some common irregular verbs (p. 257)

4 Completa las oraciones con la forma correcta del verbo indicado en el pretérito.

1. Tú _____ (comprar) la falda.
2. Yo _____ (ver) una blusa bonita.
3. El traje _____ (estar) en venta.
4. Ella me _____ (traer) otra talla.
5. Nosotros _____ (ir) a otra tienda de ropa.
6. Tus abuelos te _____ (dar) los aretes.
7. Tú _____ (hacer) esta gorra de lana.
8. Él _____ (escribir) el nombre de la tienda.

Direct object pronouns (p. 260)

5 Di si las personas indicadas compraron (o no) la prenda de ropa o accesorio. Sigue el modelo.

MODELO   Marta
Marta no las compró.

1.

Delfina

2.

Diego y Eduardo

3.

tú

4.

yo

5.

nosotros

6.

usted

Reflexive verbs (p. 184)

6 Di qué se pusieron las personas indicadas ayer.

1. yo / un abrigo
2. ellos / unas sandalias
3. tú / un chaleco
4. nosotros / unos jeans
5. ella / una bufanda
6. ustedes / un impermeable

Reference Materials

Lo que sé	Lo que quiero aprender	Lo que aprendí

Capítulo 1 (pp. 42–43)

Act. 1: 1. la 2. X 3. la 4. X 5. X 6. X 7. unos 8. una

Act. 2: 1. Tú 2. Nosotros 3. Yo 4. es 5. son 6. somos

Act. 3: 1. Hay dos chicas. 2. Hay un hombre. 3. Hay una mujer. 4. No hay niño. 5. No hay computadora. 6. No hay mochila. 7. Hay una serpiente. 8. No hay elefante.

Act. 4: 1. tienes 2. tiene 3. tengo 4. tenemos 5. tienen 6. tienes

Act. 5: 1. tengo que 2. tienen que 3. tenemos que 4. tiene que 5. tienes que 6. tienen que

Act. 6: *Answers will vary depending on current year.* 1. Tú tienes… años. 2. Ellos tienen… años. 3. Usted tiene… años. 4. Ella tiene… años. 5. Yo tengo… años. 6. Nosotros tenemos… años. 7. Ustedes tienen… años. 8. Tú y yo tenemos… años.

Capítulo 2 (pp. 84–85)

Act. 1: 1. Esteban y Carolina caminan. 2. Usted pinta. 3. Loreta levanta pesas. 4. Yo saco fotos. 5. Nosotros tomamos el sol. 6. Tú cocinas. 7. Ustedes hablan por teléfono. 8. Tú y yo patinamos.

Act. 2: 1. A mí me gusta estudiar. 2. A ti te gusta mirar televisión. 3. A usted le gusta visitar a amigos. 4. A nosotras nos gusta pintar. 5. A ustedes les gusta practicar deportes.

Act. 3: 1. Gretchen y Rolf son alemanes. Son sinceros. 2. Brigitte es francesa. Es divertida. 3. Nosotras somos españolas. Somos simpáticas. 4. Yo soy estadounidense. Soy generosa. 5. Usted es japonesa. Es interesante. 6. Tú eres italiano. Eres activo.

Act. 4: 1. las 2. El 3. la 4. unos 5. la 6. una 7. un 8. la 9. la 10. las

Act. 5: 1. f, es 2. d, es 3. a, es 4. g, son 5. b, somos 6. e, eres 7. c, soy

Capítulo 3 (pp. 124–125)

Act. 1: 1. qué 2. Por qué 3. Cuál 4. Cuándo 5. Cuántas 6. Quién

Act. 2: 1. escribe 2. debemos 3. como 4. viven 5. lee

Act. 3: 1. mis 2. tus 3. nuestra 4. sus 5. sus 6. tu

Act. 4: 1. voy, van 2. va, vamos 3. vas

Act. 5: 1. A mí me gusta leer. 2. A nosotros nos gusta comer. 3. A ustedes les gusta bailar. 4. A ti te gusta cocinar. 5. A él le gusta patinar. 6. A mí me gusta cantar.

Act. 6: 1. estudia 2. cocina 3. toca 4. canta 5. levantan 6. practican 7. miramos 8. alquilamos 9. trabajo 10. visito 11. paso

Act. 7: 1. Rogelio y Mauricio son muy egoístas. 2. Tú eres muy impaciente. 3. Nosotros somos muy perezosos. 4. Yo soy muy activo(a). 5. Sandra es muy generosa. 6. Néstor y Nicolás son muy tímidos.

Capítulo 4 (pp. 166–167)

Act. 1: 1. les gustan 2. me encanta 3. le molesta 4. nos interesan 5. te importa 6. le gusta

Act. 2: 1. estás 2. estamos 3. soy 4. son 5. Estoy 6. Está 7. es 8. es 9. está 10. son 11. es 12. están

Act. 3: 1. Tú duermes mucho. 2. Yo cierro la computadora portátil. 3. Ella entiende las instrucciones. 4. Nosotras jugamos el juego interactivo. 5. Usted repite la contraseña. 6. Ellos quieren un monitor nuevo. 7. Yo puedo instalar el programa. 8. Nosotros preferimos ir a un café con wifi.

Act. 4: 1. lentamente 2. rápidamente 3. Generalmente 4. fácilmente

Act. 5: debe, envías, recibes, grabas, instalas, llevas, trabajas, hablan, funciona, bajo, subo, pesa, saco, accedo, leo, usamos, comentan, ofrecemos, vendemos, debes

Capítulo 5 (pp. 204–205)

Act. 1: *Answers will vary for Sí/No column.* 1. Sé 2. Conozco 3. Conduzco 4. Hago 5. Salgo 6. Veo

Act. 2: 1. Tú conoces Buenos Aires. 2. Ellos saben jugar golf. 3. Yo sé todas las respuestas. 4. Usted conoce a mis primos. 5. Nosotras conocemos al chef. 6. Ella sabe cocinar bien.

Act. 3: 1. se maquilla 2. me acuesto 3. se reúnen 4. te levantas 5. nos enfermamos 6. se pelean

Act. 4: 1. Ella está hablando con un paciente. 2. Yo estoy escribiendo un artículo. 3. Ellos están preparando la comida. 4. Nosotros estamos pintando. 5. Usted está sirviendo la comida. 6. Él está trabajando en la computadora.

Act. 5: 1. grande 2. extrovertidas 3. simpáticas 4. tonto 5. contentos 6. nerviosos 7. viejos 8. divertidos 9. triste

Act. 6: 1. Mi tío lava su auto todas las semanas. 2. Mis abuelos no duermen mucho. 3. Mis primas prefieren estudiar en la residencia estudiantil. 4. Mi hermano y yo corremos en el parque los sábados. 5. Tú manejas todos los días. 6. Mi madre viste a mi hermanita por las mañanas. 7. Yo miro una película. 8. Mi madre y yo vivimos en un apartamento grande.

Act. 7: 1. La mujer de negocios está en la oficina. 2. Tú y yo estamos en el salón de clase. 3. El doctor Méndez está en el hospital. 4. Los programadores están en el centro de computación. 5. La policía está en el parque. 6. Yo estoy en la biblioteca. 7. Los cocineros están en el restaurante. 8. Tú estás en el gimnasio.

Capítulo 6 (pp. 240–241)

Act. 1: 1. El perro está lejos del auto. 2. El perro está delante del auto. 3. El perro está detrás del auto. 4. El perro está debajo del auto. 5. El perro está dentro del auto. 6. El perro está entre los autos.

Act. 2: 1. Vengan, pierdan 2. Ponga, Hable 3. Haga, Llame

Act. 3: 1. Siempre 2. También 3. algunos 4. nada 5. algo 6. nadie

Act. 4: 1. estos, esos 2. aquella, esta 3. esos, aquellos 4. esta, esa 5. aquellas, estas 6. este, aquel

Act. 5: 1. salgo 2. traigo 3. Pongo 4. conduzco 5. veo 6. conozco 7. Oigo 8. hago 9. digo 10. sé

Act. 6: 1. te preparas 2. me acuesto 3. nos preocupamos 4. se están divirtiendo / están divirtiéndose 5. se quejen 6. Siéntese, relájese

Capítulo 7 (pp. 280–281)

Act. 1: 1. montaste 2. leyó 3. compartí 4. navegamos 5. corrieron

Act. 2: 1. Tú y yo fuimos… 2. Marilena estuvo… 3. Yo hice… 4. Guille y Paulina dijeron… 5. Mis padres condujeron… 6. Tú tradujiste…

Act. 3: 1. ¿Los perros? Tú los lavaste. 2. ¿El surfing? Victoria lo hizo. 3. ¿La pelota (de golf)? Yo no la encontré. 4. ¿Las mochilas? Nosotros las perdimos. 5. ¿Los refrescos? Ustedes no los bebieron. 6. ¿Las pesas? Esteban y Federico no las levantaron.

Act. 4: 1. pongas 2. Ten 3. lee 4. Pon 5. siéntate 6. salgas

Act. 5: 1. quieren 2. me divierto 3. se visten 4. pueden 5. duermo 6. pides

Act. 6: 1. A mí me gusta remar. 2. A usted le gusta nadar. 3. A ti te gustan esos esquíes. 4. A ellos les gusta el boxeo. 5. A nosotros nos gusta pescar. 6. A ella le gusta la nieve. 7. A ti te gusta entrenarte. 8. A mí me gustan las vacaciones. 9. A nosotros nos gusta la primavera.

Act. 7: 1. sé 2. conozco 3. saben 4. podemos 5. pueden 6. conocemos 7. quiero 8. puedo

Capítulo 8 (pp. 320–321)

Act. 1: 1. Supe 2. hicimos 3. sugirió 4. preferí 5. sirvió 6. dijo 7. quiso 8. pudo 9. pidió 10. puso 11. anduvimos 12. Nos reímos 13. nos divertimos 14. nos despedimos 15. dijimos

Act. 2: 1. nos 2. te 3. les 4. me 5. le

Act. 3: 1. tantos, como 2. más, que 3. menos, que 4. tan 5. el, más 6. más

Act. 4: 1. compraste 2. vi 3. estuvo 4. trajo 5. fuimos 6. dieron 7. hiciste 8. escribió

Act. 5: 1. Delfina lo compró. 2. Diego y Eduardo no la compraron. 3. Tú no los compraste. 4. Yo los compré. 5. Nosotros las compramos. 6. Usted no lo compró.

Act. 6: 1. Yo me puse un abrigo. 2. Ellos se pusieron unas sandalias. 3. Tú te pusiste un chaleco. 4. Nosotros nos pusimos unos jeans. 5. Ella se puso una bufanda. 7. Ustedes se pusieron un impermeable.

Capítulo 9 (pp. 362–363)

Act. 1: 1. La señora Muñoz preparaba unas galletas. 2. Yo freía un huevo. 3. Nosotros pelábamos zanahorias para una ensalada. 4. Manolito ponía la mesa. 5. Sarita y Carmela picaban cebollas para una sopa. 6. Tú hervías agua para preparar el té.

Act. 2: 1. Eran 2. quería 3. llegué 4. vi 5. estaba 6. tenía 7. me senté 8. empezamos 9. hablábamos 10. dijo 11. exclamé 12. sabía 13. Me despedí 14. salí 15. Estaba 16. quería

Act. 3: 1. Ábrenosla. 2. Cuéceselos. 3. No me lo traigas. 4. No se lo calientes. 5. Pásanosla. 6. No se la prepares.

Act. 4: 1. come 2. venden 3. hablan 4. sirve 5. cierra 6. duerme

Act. 5: 1. Como 2. Salgo 3. Voy 4. Soy 5. Tengo 6. Estoy 7. Preparo 8. Hago 9. Conozco 10. Sé 11. Digo 12. Escribo 13. Pongo 14. Traigo

Act. 6: 1. coman 2. Venga 3. vayan 4. Pida 5. Hagan 6. compre

Act. 7: 1. mi 2. tus 3. nuestro 4. sus 5. sus 6. su 7. sus 8. su 9. nuestras 10. tus

Capítulo 10 (pp. 400–401)

Act. 1: 1. riegues 2. lavemos 3. pongan 4. trapeen 5. saque 6. planches 7. vayamos 8. venga

Act. 2: 1. ¿La aspiradora? No es tuya. Es suya. 2. ¿Las licuadoras? No son suyas. Son mías. 3. ¿Las planchas? No son nuestras. Son suyas. 4. ¿La tostadora? No es mía. Es suya. 5. ¿Los microondas? No son suyos. Son nuestros. 6. ¿El lavaplatos? No es suyo. Es tuyo.

Act. 3: 1. Hace un año que Sarita no va de vacaciones. / Sarita no va de vacaciones hace un año. 2. Hace seis meses que ellos viven en esa casa. / Ellos viven en esa casa hace seis meses. 3. Hace dos semanas que ellos limpiaron el baño. / Ellos limpiaron el baño hace dos semanas. 4. Hacía tres meses que Luis no podía trabajar en la casa. / Luis no podía trabajar en la casa hacía tres meses. 5. Hace dos años que los abuelos vinieron de visita. / Los abuelos vinieron de visita hace dos años.

Act. 4: 1. por 2. Para 3. Por 4. por 5. para 6. Por 7. para 8. para

Act. 5: 1. laves 2. planches 3. saques 4. pases 5. pongas 6. uses 7. trapees 8. sacudas 9. comas 10. insistas

Act. 6: 1. Estoy 2. Conduzco 3. doy 4. digo 5. Oigo 6. Vengo 7. Veo 8. Sé 9. Pongo 10. Tengo

Capítulo 11 (pp. 436–437)

Act. 1: 1. ir 2. puedas 3. llegar 4. quieran 5. comience 6. guste

Act. 2: *(Verb options, depending on use of* **Creo / No creo***)*: 1. es / sea 2. van / vayan 3. compran / compren 4. representan / representen

5. son / sean 6. ganan / ganen 7. cuestan / cuesten 8. traducen / traduzcan

Act. 3: 1. Busco a la persona que tiene los boletos. 2. Busco a una persona que conozca a esa actriz tan famosa. 3. Quiero ver la telecomedia que trata temas del día. 4. Quiero ver una telecomedia que sea bilingüe. 5. Necesito encontrar el cine que vende las palomitas más frescas de la ciudad. 6. Necesito encontrar un cine que venda pizza y cerveza.

Act. 4: 1. quiere, vayamos 2. esperas, empiece 3. piden, grabes 4. recomiendan, vea 5. insisto, cambien 6. deseamos, compre 7. requiere, lleguen 8. sugieres, escuche

Act. 5: 1. Yo tengo muchas canciones de música country. 2. Mis amigos asisten a clases de danza swing. 3. Ella ve muchas obras teatrales profesionales. 4. Tú prefieres los musicales a los conciertos de música clásica. 5. Nosotras nos vestimos muy elegantes para ir a la ópera. 6. Él siempre se duerme durante los documentales. 7. Yo cambio el canal cuando hay muchos anuncios comerciales. 8. Tú eres muy aficionado a los programas de realidad.

Act. 6: 1. (Nosotros) Vamos a pintar. 2. (Tú) Vas a dibujar. 3. (Martín) Va a cantar. 4. (Carmela y Laura) Van a tocar la guitarra. 5. (Yo) Voy a cambiar el canal. 6. (Usted) Va a escuchar música.

Capítulo 12 (pp. 474–475)

Act. 1: 1. … me escuches bien. 2. … no es médica. 3. … me llame. 4. … me examina. 5. … termine la tarea. 6. … salga con mis amigos. 7. … llegue a la habitación.

Act. 2: 1. dormir 2. tiene 3. sufran 4. sea 5. evitar 6. se acuesten 7. tomen 8. coman 9. es 10. tengan 11. dicen 12. siguen 13. quiera 14. hacer

Act. 3: 1. Tú dormirás más. 2. David y Rebeca harán más ejercicio. 3. El señor Robles llevará una vida más sana. 4. Yo iré al médico para un examen anual. 5. Nosotros comeremos alimentos nutritivos. 6. Usted estudiará para ser médico.

Act. 4: 1. Leo está cansado. 2. Sandra es divertida. 3. Martín es introvertido. 4. Laura está ocupada. 5. Diego está preocupado. 6. Susana es extrovertida.

Act. 5: 1. Había 2. haya 3. haya 4. hay 5. había 6. Hay

Act. 6: *Wording of answers may vary slightly, but verb forms should remain the same.* 1. Tú estás estornudando. 2. Yo estoy durmiendo. 3. Mónica y Carlos están comiendo (unas ensaladas / alimentos nutritivos). 4. Nosotros estamos haciendo ejercicio(s). 5. La señora Trujillo está consultando al médico. 6. Yo estoy tosiendo.

Capítulo 13 (pp. 508–509)

Act. 1: 1. La señora Ramírez ha recibido un aumento de sueldo. 2. Yo he hecho un informe sobre los beneficios de la compañía. 3. Los nuevos empleados han analizado el plan de seguro médico. 4. Tú has dirigido un proyecto muy importante. 5. Nosotros hemos contratado a tres empleados nuevos. 6. El señor Valle se ha jubilado a los 70 años. 7. Yo he supervisado a cinco empleados.

Act. 2: habían ayudado, habíamos llevado, habían visto, había llamado, había mandado, habías prestado; orden correcto: 2, 6, 1, 4, 3, 5

Act. 3: 1. haya aumentado 2. hayan hecho 3. nos hayamos informado 4. hayan luchado 5. haya cambiado 6. hayas mirado 7. haya visto 8. hayas iniciado

Act. 4: 1. Tú recibirás un ascenso. 2. Ustedes se jubilarán. 3. El jefe saldrá de la compañía. 4. Los ciudadanos votarán en las elecciones. 5. Yo prepararé el currículum vitae. 6. Nosotros trabajaremos en una fábrica. 7. Tú harás un viaje a Chile. 8. Tú y yo tendremos un empleo interesante.

Act. 5: 1. pasaron 2. resultaron 3. dijo 4. sobrevivieron 5. dejaron 6. fueron 7. sugirieron 8. jugó 9. recibió 10. se reunieron 11. asistieron 12. pidieron 13. pusieron 14. hicieron 15. tomaron 16. protestaron 17. participó 18. comentó 19. supimos 20. vi 21. causó 22. tuve

Capítulo 14 (pp. 545–546)

Act. 1: 1. llevara 2. llegaran 3. dejaras 4. enviara 5. tuviéramos 6. pudieras

Act. 2: 1. Tú querías que el botones llevara tus maletas a la habitación inmediatamente. 2. Ella no creía que el desayuno estuviera incluido en el precio de la habitación. 3. Nosotros dudábamos que el asistente de vuelo pudiera cambiar el asiento. 4. Ustedes no querían que la agente de viajes tuviera que cambiar su reservación. 5. Yo dudaba que los otros huéspedes se levantaran muy temprano. 6. Tú y yo queríamos que el conserje nos recomendara un buen restaurante.

Act. 3: 1. esquiaría 2. iríamos 3. harían 4. jugarían 5. saldría 6. asistirías 7. visitaría 8. comeríamos

Act. 4: 1. Yo iría a… / Tú irías a… 2. Mi / Tu amigo(a) compraría… 3. Nosotros trabajaríamos en… 4. Yo comería / Tú comerías… 5. Mis / Tus amigos verían…

Act. 5: Probable: 1. tengo, caminaré 2. visita, sacará 3. verás, sigues 4. pescaremos, vamos 5. jugarán, van; Improbable: 1. hablaras, pedirías 2. levantáramos, haríamos 3. cambiaran, podrían 4. compraría, funcionara 5. usaría, pudiera

Act. 6: 1. Si ellos tienen el dinero, viajarán a… 2. Si usted consigue el trabajo, vivirá en… 3. Si yo trabajara este verano, ganaría… 4. Si nosotros comiéramos en un restaurante muy caro, pediríamos… 5. Si tú sales con tus amigos hoy te vestirás con… 6. Si mis amigos ganaran la lotería, comprarían…

Regular Verbs
Simple Tenses

Infinitive	Past participle / Present participle	Indicative					Subjunctive	
		Present	Imperfect	Preterite	Future	Conditional	Present	Imperfect*
cantar *to sing*	cantado / cantando	canto	cantaba	canté	cantaré	cantaría	cante	cantara
		cantas	cantabas	cantaste	cantarás	cantarías	cantes	cantaras
		canta	cantaba	cantó	cantará	cantaría	cante	cantara
		cantamos	cantábamos	cantamos	cantaremos	cantaríamos	cantemos	cantáramos
		cantáis	cantabais	cantasteis	cantaréis	cantaríais	cantéis	cantarais
		cantan	cantaban	cantaron	cantarán	cantarían	canten	cantaran
correr *to run*	corrido / corriendo	corro	corría	corrí	correré	correría	corra	corriera
		corres	corrías	corriste	correrás	correrías	corras	corrieras
		corre	corría	corrió	correrá	correría	corra	corriera
		corremos	corríamos	corrimos	correremos	correríamos	corramos	corriéramos
		corréis	corríais	corristeis	correréis	correríais	corráis	corrierais
		corren	corrían	corrieron	correrán	correrían	corran	corrieran
subir *to go up, to climb up*	subido / subiendo	subo	subía	subí	subiré	subiría	suba	subiera
		subes	subías	subiste	subirás	subirías	subas	subieras
		sube	subía	subió	subirá	subiría	suba	subiera
		subimos	subíamos	subimos	subiremos	subiríamos	subamos	subiéramos
		subís	subíais	subisteis	subiréis	subiríais	subáis	subierais
		suben	subían	subieron	subirán	subirían	suban	subieran

*In addition to this form, another one is less frequently used for all regular and irregular verbs: cantase, cantases, cantase, cantásemos, cantaseis, cantasen; corriese, corrieses, corriese, corriésemos, corrieseis, corriesen; subiese, subieses, subiese, subiésemos, subieseis, subiesen.

Commands

Person	Affirmative	Negative	Affirmative	Negative	Affirmative	Negative
tú	canta	no cantes	corre	no corras	sube	no subas
usted	cante	no cante	corra	no corra	suba	no suba
nosotros/as	cantemos	no cantemos	corramos	no corramos	subamos	no subamos
vosotros/as	cantad	no cantéis	corred	no corráis	subid	no subáis
ustedes	canten	no canten	corran	no corran	suban	no suban

Stem-Changing Verbs: -ar and -er Groups

Type of change in the verb stem	Subject	Indicative Present	Subjunctive Present	Commands Affirmative	Commands Negative	Other -ar and -er stem-changing verbs
-ar verbs **e > ie** pensar *to think*	yo	pienso	piense	—	—	atravesar *to go through, to cross;* cerrar *to close;* despertarse *to wake up;* empezar *to start;* negar *to deny;* sentarse *to sit down*
	tú	piensas	pienses	piensa	no pienses	
	Ud./él/ella	piensa	piense	piense	no piense	
	nosotros/as	pensamos	pensemos	pensemos	no pensemos	
	vosotros/as	pensáis	penséis	pensad	no penséis	
	Uds./ellos/ellas	piensan	piensen	piensen	no piensen	Nevar *to snow* is only conjugated in the third-person singular.
-ar verbs **o > ue** contar *to count, to tell*	yo	cuento	cuente	—	—	acordarse *to remember;* acostarse *to go to bed;* almorzar *to have lunch;* colgar *to hang;* costar *to cost;* demostrar *to demonstrate, to show;* encontrar *to find;* mostrar *to show;* probar *to prove, to taste;* recordar *to remember*
	tú	cuentas	cuentes	cuenta	no cuentes	
	Ud./él/ella	cuenta	cuente	cuente	no cuente	
	nosotros/as	contamos	contemos	contemos	no contemos	
	vosotros/as	contáis	contéis	contad	no contéis	
	Uds./ellos/ellas	cuentan	cuenten	cuenten	no cuenten	
-er verbs **e > ie** entender *to understand*	yo	entiendo	entienda	—	—	encender *to light, to turn on;* extender *to stretch;* perder *to lose*
	tú	entiendes	entiendas	entiende	no entiendas	
	Ud./él/ella	entiende	entienda	entienda	no entienda	
	nosotros/as	entendemos	entendamos	entendamos	no entendamos	
	vosotros/as	entendéis	entendáis	entended	no entendáis	
	Uds./ellos/ellas	entienden	entiendan	entiendan	no entiendan	
-er verbs **o > ue** volver *to return*	yo	vuelvo	vuelva	—	—	mover *to move;* torcer *to twist*
	tú	vuelves	vuelvas	vuelve	no vuelvas	
	Ud./él/ella	vuelve	vuelva	vuelva	no vuelva	
	nosotros/as	volvemos	volvamos	volvamos	no volvamos	
	vosotros/as	volvéis	volváis	volved	no volváis	
	Uds./ellos/ellas	vuelven	vuelvan	vuelvan	no vuelvan	Llover *to rain* is only conjugated in the third-person singular.

Stem-Changing Verbs: -ir Verbs

Type of change in the verb stem	Subject	Indicative		Subjunctive		Commands	
		Present	Preterite	Present	Imperfect	Affirmative	Negative
-ir verbs e > ie or i Infinitive: sentir *to feel* Present participle: sintiendo	yo	**siento**	sentí	**sienta**	sintiera	—	—
	tú	**sientes**	sentiste	**sientas**	sintieras	**siente**	no **sientas**
	Ud./él/ella	**siente**	**sintió**	**sienta**	sintiera	**sienta**	no **sienta**
	nosotros/as	sentimos	sentimos	**sintamos**	sintiéramos	**sintamos**	no **sintamos**
	vosotros/as	sentís	sentisteis	**sintáis**	sintierais	sentid	no **sintáis**
	Uds./ellos/ellas	**sienten**	**sintieron**	**sienten**	sintieran	**sienten**	no **sienten**
-ir verbs o > ue or u Infinitive: dormir *to sleep* Present participle: durmiendo	yo	**duermo**	dormí	**duerma**	durmiera	—	—
	tú	**duermes**	dormiste	**duermas**	durmieras	**duerme**	no **duermas**
	Ud./él/ella	**duerme**	**durmió**	**duerma**	durmiera	**duerma**	no **duerma**
	nosotros/as	dormimos	dormimos	**durmamos**	durmiéramos	**durmamos**	no **durmamos**
	vosotros/as	dormís	dormisteis	**durmáis**	durmierais	dormid	no **durmáis**
	Uds./ellos/ellas	**duermen**	**durmieron**	**duerman**	durmieran	**duerman**	no **duerman**

Other similar verbs: advertir *to warn;* arrepentirse *to repent;* consentir *to consent, to pamper;* convertir(se) *to turn into;* divertir(se) *to amuse (oneself);* herir *to hurt, to wound;* mentir *to lie;* morir *to die;* preferir *to prefer;* referir *to refer;* sugerir *to suggest*

Type of change in the verb stem	Subject	Indicative		Subjunctive		Commands	
		Present	Preterite	Present	Imperfect	Affirmative	Negative
-ir verbs e > i Infinitive: pedir *to ask for, to request* Present participle: pidiendo	yo	**pido**	pedí	**pida**	pidiera	—	—
	tú	**pides**	pediste	**pidas**	pidieras	**pide**	no **pidas**
	Ud./él/ella	**pide**	**pidió**	**pida**	pidiera	**pida**	no **pida**
	nosotros/as	pedimos	pedimos	**pidamos**	pidiéramos	**pidamos**	no **pidamos**
	vosotros/as	pedís	pedisteis	**pidáis**	pidierais	pedid	no **pidáis**
	Uds./ellos/ellas	**piden**	**pidieron**	**pidan**	pidieran	**pidan**	no **pidan**

Other similar verbs: competir *to compete;* despedir(se) *to say good-bye;* elegir *to choose;* impedir *to prevent;* perseguir *to chase;* repetir *to repeat;* seguir *to follow;* servir *to serve;* vestir(se) *to dress, to get dressed*

Verbs with Spelling Changes

	Verb type	Ending	Change	Verbs with similar spelling changes
1	buscar *to look for*	-car	• Preterite: yo busqué • Present subjunctive: busque, busques, busque, busquemos, busquéis, busquen	comunicar, explicar *to explain* indicar *to indicate*, sacar, pescar
2	conocer *to know*	vowel + -cer or -cir	• Present indicative: conozco, conoces, conoce, and so on • Present subjunctive: conozca, conozcas, conozca, conozcamos, conozcáis, conozcan	nacer *to be born*, obedecer, ofrecer, parecer, pertenecer *to belong*, reconocer, conducir, traducir
3	vencer *to win*	consonant + -cer or -cir	• Present indicative: venzo, vences, vence, and so on • Present subjunctive: venza, venzas, venza, venzamos, venzáis, venzan	convencer, torcer *to twist*
4	leer *to read*	-eer	• Preterite: leyó, leyeron • Imperfect subjunctive: leyera, leyeras, leyera, leyéramos, leyerais, leyeran • Present participle: leyendo	creer, poseer *to own*
5	llegar *to arrive*	-gar	• Preterite: yo llegué • Present subjunctive: llegue, llegues, llegue, lleguemos, lleguéis, lleguen	colgar *to hang*, navegar, negar *to negate, to deny*, pagar, rogar *to beg*, jugar
6	escoger *to choose*	-ger or -gir	• Present indicative: escojo, escoges, escoge, and so on • Present subjunctive: escoja, escojas, escoja, escojamos, escojáis, escojan	proteger, *to protect*, recoger *to collect, gather*, dirigir *to direct*, corregir *to correct*, dirigir to *direct*, elegir *to elect, choose*, exigir *to demand*
7	seguir *to follow*	-guir	• Present indicative: sigo, sigues, sigue, and so on • Present subjunctive: siga, sigas, siga, sigamos, sigáis, sigan	conseguir, distinguir, perseguir
8	huir *to flee*	-uir	• Present indicative: huyo, huyes, huye, huimos, huis, huyen • Preterite: huí, huiste, huyó, huimos, huisteis, huyeron • Present subjunctive: huya, huyas, huya, huyamos, huyáis, huyan • Imperfect subjunctive: huyera, huyeras, huyera, huyéramos, huyerais, huyeran • Present participle: huyendo • Commands: huye (tú), huya (usted), huyamos (nosotros/as), huid (vosotros/as), huyan (ustedes); (negative) no huyas (tú), no huya (usted), no huyamos (nosotros/as), no huyáis (vosotros/as), no huyan (ustedes)	concluir, contribuir, construir, destruir, disminuir, distribuir, excluir, influir, instruir, restituir, substituir
9	abrazar *to embrace*	-zar	• Preterite: yo abracé • Present subjunctive: abrace, abraces, abrace, abracemos, abracéis, abracen	alcanzar *to achieve*, almorzar, comenzar, empezar, gozar *to enjoy*, rezar *to pray*

Compound Tenses

	Indicative					Subjunctive	
	Present perfect	Past perfect	Preterite perfect	Future perfect	Conditional perfect	Present perfect	Past perfect
	he	había	hube	habré	habría	haya	hubiera
	has	habías	hubiste	habrás	habrías	hayas	hubieras
	ha cantado	había cantado	hubo cantado	habrá cantado	habría cantado	haya cantado	hubiera cantado
	hemos corrido	habíamos corrido	hubimos corrido	habremos corrido	habríamos corrido	hayamos corrido	hubiéramos corrido
	habéis subido	habíais subido	hubisteis subido	habréis subido	habríais subido	hayáis subido	hubierais subido
	han	habían	hubieron	habrán	habrían	hayan	hubieran

All verbs, both regular and irregular, follow the same formation pattern with **haber** in all compound tenses. The only thing that changes is the form of the past participle of each verb. (See the chart below for common verbs with irregular past participles.) Remember that in Spanish, no word can come between **haber** and the past participle.

Common Irregular Past Participles

Infinitive	Past participle	
abrir	**abierto**	*opened*
caer	caído	*fallen*
creer	creído	*believed*
cubrir	**cubierto**	*covered*
decir	**dicho**	*said, told*
descubrir	**descubierto**	*discovered*
escribir	escrito	*written*
hacer	**hecho**	*made, done*
leer	leído	*read*

Infinitive	Past participle	
morir	**muerto**	*died*
oír	oído	*heard*
poner	**puesto**	*put, placed*
resolver	**resuelto**	*resolved*
romper	**roto**	*broken, torn*
(son)reír	(son)reído	*(smiled) laughed*
traer	traído	*brought*
ver	**visto**	*seen*
volver	**vuelto**	*returned*

Reflexive Verbs

Regular and Irregular Reflexive Verbs: Position of the Reflexive Pronouns in the Simple Tenses

Infinitive	Present participle	Reflexive pronouns	Indicative						Subjunctive	
			Present	Imperfect	Preterite	Future	Conditional		Present	Imperfect
lavarse	lavándome	me	lavo	lavaba	lavé	lavaré	lavaría		lave	lavara
to wash	lavándote	te	lavas	lavabas	lavaste	lavarás	lavarías		laves	lavaras
oneself	lavándose	se	lava	lavaba	lavó	lavará	lavaría		lave	lavara
	lavándonos	nos	lavamos	lavábamos	lavamos	lavaremos	lavaríamos		lavemos	laváramos
	lavándoos	os	laváis	lavabais	lavasteis	lavaréis	lavaríais		lavéis	lavarais
	lavándose	se	lavan	lavaban	lavaron	lavarán	lavarían		laven	lavaran

Regular and irregular reflexive verbs: Position of the reflexive pronouns with commands

Person	Affirmative	Negative	Affirmative	Negative	Affirmative	Negative
tú	lávate	no te laves	ponte	no te pongas	vístete	no te vistas
usted	lávese	no se lave	póngase	no se ponga	vístase	no se vista
nosotros/as	lavémonos	no nos lavemos	pongámonos	no nos pongamos	vistámonos	no nos vistamos
vosotros/as	lavaos	no os lavéis	poneos	no os pongáis	vestíos	no os vistáis
ustedes	lávense	no se laven	pónganse	no se pongan	vístanse	no se vistan

Regular and irregular reflexive verbs: Position of the reflexive pronouns in compound tenses*

Indicative

Reflexive Pronoun	Present Perfect	Past Perfect	Preterite Perfect	Future Perfect	Conditional Perfect
me	he	había	hube	habré	habría
te	has	habías	hubiste	habrás	habrías
se	ha	había	hubo	habrá	habría
nos	hemos	habíamos	hubimos	habremos	habríamos
os	habéis	habíais	hubisteis	habréis	habríais
se	han	habían	hubieron	habrán	habrían

(participles: lavado, puesto, vestido)

Subjunctive

Reflexive Pronoun	Present Perfect	Past Perfect
me	haya	hubiera
te	hayas	hubieras
se	haya	hubiera
nos	hayamos	hubiéramos
os	hayáis	hubierais
se	hayan	hubieran

(participles: lavado, puesto, vestido)

*The sequence of these three elements—the reflexive pronoun, the auxiliary verb **haber**, and the present perfect form—is invariable and no other words can come in between.

Regular and irregular reflexive verbs: Position of the reflexive pronouns with conjugated verb + infinitive**

Indicative

Reflexive Pronoun	Present	Imperfect	Preterite	Future	Conditional
me	voy a	iba a	fui a	iré a	iría a
te	vas a	ibas a	fuiste a	irás a	irías a
se	va a	iba a	fue a	irá a	iría a
nos	vamos a	íbamos a	fuimos a	iremos a	iríamos a
os	vais a	ibais a	fuisteis a	iréis a	iríais a
se	van a	iban a	fueron a	irán a	irían a

(infinitives: lavar, poner, vestir)

Subjunctive

Reflexive Pronoun	Present	Imperfect
me	vaya a	fuera a
te	vayas a	fueras a
se	vaya a	fuera a
nos	vayamos a	fuéramos a
os	vayáis a	fuerais a
se	vayan a	fueran a

(infinitives: lavar, poner, vestir)

**The reflexive pronoun can also be placed after the infinitive: voy a lavarme, voy a ponerme, voy a vestirme, and so on. Use the same structure for the present and the past progressive: me estoy lavando / estoy lavándome; me estaba lavando / estaba lavándome.

Irregular Verbs

andar, caber, caer

Infinitive	Past participle / Present participle	Indicative					Subjunctive	
		Present	Imperfect	Preterite	Future	Conditional	Present	Imperfect
andar *to walk;* *to go*	andado andando	ando andas anda andamos andáis andan	andaba andabas andaba andábamos andabais andaban	anduve anduviste anduvo anduvimos anduvisteis anduvieron	andaré andarás andará andaremos andaréis andarán	andaría andarías andaría andaríamos andaríais andarían	ande andes ande andemos andéis anden	anduviera anduvieras anduviera anduviéramos anduvierais anduvieran
caber *to fit; to* *have enough* *space*	cabido cabiendo	quepo cabes cabe cabemos cabéis caben	cabía cabías cabía cabíamos cabíais cabían	cupe cupiste cupo cupimos cupisteis cupieron	cabré cabrás cabrá cabremos cabréis cabrán	cabría cabrías cabría cabríamos cabríais cabrían	quepa quepas quepa quepamos quepáis quepan	cupiera cupieras cupiera cupiéramos cupierais cupieran
caer *to fall*	caído cayendo	caigo caes cae caemos caéis caen	caía caías caía caíamos caíais caían	caí caíste cayó caímos caísteis cayeron	caeré caerás caerá caeremos caeréis caerán	caería caerías caería caeríamos caeríais caerían	caiga caigas caiga caigamos caigáis caigan	cayera cayeras cayera cayéramos cayerais cayeran

Commands

Person	andar		caber		caer	
	Affirmative	Negative	Affirmative	Negative	Affirmative	Negative
tú	anda	no andes	cabe	no quepas	cae	no caigas
usted	ande	no ande	quepa	no quepa	caiga	no caiga
nosotros/as	andemos	no andemos	quepamos	no quepamos	caigamos	no caigamos
vosotros/as	andad	no andéis	cabed	no quepáis	caed	no caigáis
ustedes	anden	no anden	quepan	no quepan	caigan	no caigan

dar, decir, estar

Infinitive	Past participle / Present participle	Indicative					Subjunctive	
		Present	Imperfect	Preterite	Future	Conditional	Present	Imperfect
dar *to give*	dado / dando	doy	daba	di	daré	daría	dé	diera
		das	dabas	diste	darás	darías	des	dieras
		da	daba	dio	dará	daría	dé	diera
		damos	dábamos	dimos	daremos	daríamos	demos	diéramos
		dais	dabais	disteis	daréis	daríais	deis	dierais
		dan	daban	dieron	darán	darían	den	dieran
decir *to say, to tell*	dicho / diciendo	digo	decía	dije	diré	diría	diga	dijera
		dices	decías	dijiste	dirás	dirías	digas	dijeras
		dice	decía	dijo	dirá	diría	diga	dijera
		decimos	decíamos	dijimos	diremos	diríamos	digamos	dijéramos
		decís	decíais	dijisteis	diréis	diríais	digáis	dijerais
		dicen	decían	dijeron	dirán	dirían	digan	dijeran
estar *to be*	estado / estando	estoy	estaba	estuve	estaré	estaría	esté	estuviera
		estás	estabas	estuviste	estarás	estarías	estés	estuvieras
		está	estaba	estuvo	estará	estaría	esté	estuviera
		estamos	estábamos	estuvimos	estaremos	estaríamos	estemos	estuviéramos
		estáis	estabais	estuvisteis	estaréis	estaríais	estéis	estuvierais
		están	estaban	estuvieron	estarán	estarían	estén	estuvieran

Commands

dar

Person	Affirmative	Negative
tú	da	no des
usted	dé	no dé
nosotros/as	demos	no demos
vosotros/as	dad	no deis
ustedes	den	no den

decir

Affirmative	Negative
di	no digas
diga	no diga
digamos	no digamos
decid	no digáis
digan	no digan

estar

Affirmative	Negative
está	no estés
esté	no esté
estemos	no estemos
estad	no estéis
estén	no estén

haber*, hacer, ir

Infinitive	Past participle / Present participle	Indicative						Subjunctive	
		Present	Imperfect	Preterite	Future	Conditional		Present	Imperfect
haber* *to have*	habido / habiendo	he	había	hube	habré	habría		haya	hubiera
		has	habías	hubiste	habrás	habrías		hayas	hubieras
		ha	había	hubo	habrá	habría		haya	hubiera
		hemos	habíamos	hubimos	habremos	habríamos		hayamos	hubiéramos
		habéis	habíais	hubisteis	habréis	habríais		hayáis	hubierais
		han	habían	hubieron	habrán	habrían		hayan	hubieran
hacer *to do*	hecho / haciendo	hago	hacía	hice	haré	haría		haga	hiciera
		haces	hacías	hiciste	harás	harías		hagas	hicieras
		hace	hacía	hizo	hará	haría		haga	hiciera
		hacemos	hacíamos	hicimos	haremos	haríamos		hagamos	hiciéramos
		hacéis	hacíais	hicisteis	haréis	haríais		hagáis	hicierais
		hacen	hacían	hicieron	harán	harían		hagan	hicieran
ir *to go*	ido / yendo	voy	iba	fui	iré	iría		vaya	fuera
		vas	ibas	fuiste	irás	irías		vayas	fueras
		va	iba	fue	irá	iría		vaya	fuera
		vamos	íbamos	fuimos	iremos	iríamos		vayamos	fuéramos
		vais	ibais	fuisteis	iréis	iríais		vayáis	fuerais
		van	iban	fueron	irán	irían		vayan	fueran

*Haber also has an impersonal form, hay. This form is used to express "There is, There are." The imperative of haber is not used.

Commands

Person	hacer		ir	
	Affirmative	Negative	Affirmative	Negative
tú	haz	no hagas	ve	no vayas
usted	haga	no haga	vaya	no vaya
nosotros/as	hagamos	no hagamos	vamos	no vayamos
vosotros/as	haced	no hagáis	id	no vayáis
ustedes	hagan	no hagan	vayan	no vayan

jugar, oír, oler

Infinitive	Present participle / Past participle	Indicative					Subjunctive	
		Present	Imperfect	Preterite	Future	Conditional	Present	Imperfect
jugar *to play*	jugando / jugado	juego	jugaba	jugué	jugaré	jugaría	juegue	jugara
		juegas	jugabas	jugaste	jugarás	jugarías	juegues	jugaras
		juega	jugaba	jugó	jugará	jugaría	juegue	jugara
		jugamos	jugábamos	jugamos	jugaremos	jugaríamos	juguemos	jugáramos
		jugáis	jugabais	jugasteis	jugaréis	jugaríais	juguéis	jugarais
		juegan	jugaban	jugaron	jugarán	jugarían	jueguen	jugaran
oír *to hear, to listen*	oyendo / oído	oigo	oía	oí	oiré	oiría	oiga	oyera
		oyes	oías	oíste	oirás	oirías	oigas	oyeras
		oye	oía	oyó	oirá	oiría	oiga	oyera
		oímos	oíamos	oímos	oiremos	oiríamos	oigamos	oyéramos
		oís	oíais	oísteis	oiréis	oiríais	oigáis	oyerais
		oyen	oían	oyeron	oirán	oirían	oigan	oyeran
oler *to smell*	oliendo / olido	huelo	olía	olí	oleré	olería	huela	oliera
		hueles	olías	oliste	olerás	olerías	huelas	olieras
		huele	olía	olió	olerá	olería	huela	oliera
		olemos	olíamos	olimos	oleremos	oleríamos	olamos	oliéramos
		oléis	olíais	olisteis	oleréis	oleríais	oláis	olierais
		huelen	olían	olieron	olerán	olerían	huelan	olieran

Commands

Person	jugar		oír		oler	
	Affirmative	Negative	Affirmative	Negative	Affirmative	Negative
tú	juega	no juegues	oye	no oigas	huele	no huelas
usted	juegue	no juegue	oiga	no oiga	huela	no huela
nosotros/as	juguemos	no juguemos	oigamos	no oigamos	olamos	no olamos
vosotros/as	jugad	no juguéis	oíd	no oigáis	oled	no oláis
ustedes	jueguen	no jueguen	oigan	no oigan	huelan	no huelan

poder, poner, querer

Infinitive	Past participle / Present participle	Indicative					Subjunctive	
		Present	Imperfect	Preterite	Future	Conditional	Present	Imperfect
poder *to be able* *to, can*	podido pudiendo	**puedo** **puedes** **puede** podemos podéis **pueden**	podía podías podía podíamos podíais podían	pude pudiste pudo pudimos pudisteis pudieron	podré podrás podrá podremos podréis podrán	podría podrías podría podríamos podríais podrían	pueda puedas pueda podamos podáis puedan	pudiera pudieras pudiera pudiéramos pudierais pudieran
poner* *to put*	puesto poniendo	**pongo** pones pone ponemos ponéis ponen	ponía ponías ponía poníamos poníais ponían	puse pusiste puso pusimos pusisteis pusieron	pondré pondrás pondrá pondremos pondréis pondrán	pondría pondrías pondría pondríamos pondríais pondrían	ponga pongas ponga pongamos pongáis pongan	pusiera pusieras pusiera pusiéramos pusierais pusieran
querer *to want,* *to wish;* *to love*	querido queriendo	**quiero** **quieres** **quiere** queremos queréis **quieren**	quería querías quería queríamos queríais querían	quise quisiste quiso quisimos quisisteis quisieron	querré querrás querrá querremos querréis querrán	querría querrías querría querríamos querríais querrían	quiera quieras quiera queramos queráis quieran	quisiera quisieras quisiera quisiéramos quisierais quisieran

*Similar verbs to poner: imponer, suponer.

Commands**

Person	poner		querer	
	Affirmative	Negative	Affirmative	Negative
tú	**pon**	no pongas	**quiere**	no quieras
usted	ponga	no ponga	quiera	no quiera
nosotros/as	pongamos	no pongamos	queramos	no queramos
vosotros/as	poned	no pongáis	quered	no queráis
ustedes	pongan	no pongan	quieran	no quieran

Note: The imperative of **poder is used very infrequently and is not included here.

saber, salir, ser

Infinitive	Past participle / Present participle	Indicative					Subjunctive	
		Present	Imperfect	Preterite	Future	Conditional	Present	Imperfect
saber *to know*	sabido / sabiendo	sé	sabía	supe	sabré	sabría	sepa	supiera
		sabes	sabías	supiste	sabrás	sabrías	sepas	supieras
		sabe	sabía	supo	sabrá	sabría	sepa	supiera
		sabemos	sabíamos	supimos	sabremos	sabríamos	sepamos	supiéramos
		sabéis	sabíais	supisteis	sabréis	sabríais	sepáis	supierais
		saben	sabían	supieron	sabrán	sabrían	sepan	supieran
salir *to go out, to leave*	salido / saliendo	salgo	salía	salí	saldré	saldría	salga	saliera
		sales	salías	saliste	saldrás	saldrías	salgas	salieras
		sale	salía	salió	saldrá	saldría	salga	saliera
		salimos	salíamos	salimos	saldremos	saldríamos	salgamos	saliéramos
		salís	salíais	salisteis	saldréis	saldríais	salgáis	salierais
		salen	salían	salieron	saldrán	saldrían	salgan	salieran
ser *to be*	sido / siendo	soy	era	fui	seré	sería	sea	fuera
		eres	eras	fuiste	serás	serías	seas	fueras
		es	era	fue	será	sería	sea	fuera
		somos	éramos	fuimos	seremos	seríamos	seamos	fuéramos
		sois	erais	fuisteis	seréis	seríais	seáis	fuerais
		son	eran	fueron	serán	serían	sean	fueran

Commands

Person	saber		salir		ser	
	Affirmative	Negative	Affirmative	Negative	Affirmative	Negative
tú	sabe	no sepas	sal	no salgas	sé	no seas
usted	sepa	no sepa	salga	no salga	sea	no sea
nosotros/as	sepamos	no sepamos	salgamos	no salgamos	seamos	no seamos
vosotros/as	sabed	no sepáis	salid	no salgáis	sed	no seáis
ustedes	sepan	no sepan	salgan	no salgan	sean	no sean

sonreír, tener*, traer

Infinitive	Past participle / Present participle	Indicative					Subjunctive	
		Present	Imperfect	Preterite	Future	Conditional	Present	Imperfect
sonreír *to smile*	sonreído / sonriendo	sonrío	sonreía	sonreí	sonreiré	sonreiría	sonría	sonriera
		sonríes	sonreías	sonreíste	sonreirás	sonreirías	sonrías	sonrieras
		sonríe	sonreía	sonrió	sonreirá	sonreiría	sonría	sonriera
		sonreímos	sonreíamos	sonreímos	sonreiremos	sonreiríamos	sonriamos	sonriéramos
		sonreís	sonreíais	sonreísteis	sonreiréis	sonreiríais	sonriáis	sonrierais
		sonríen	sonreían	sonrieron	sonreirán	sonreirían	sonrían	sonrieran
tener* *to have*	tenido / teniendo	tengo	tenía	tuve	tendré	tendría	tenga	tuviera
		tienes	tenías	tuviste	tendrás	tendrías	tengas	tuvieras
		tiene	tenía	tuvo	tendrá	tendría	tenga	tuviera
		tenemos	teníamos	tuvimos	tendremos	tendríamos	tengamos	tuviéramos
		tenéis	teníais	tuvisteis	tendréis	tendríais	tengáis	tuvierais
		tienen	tenían	tuvieron	tendrán	tendrían	tengan	tuvieran
traer *to bring*	traído / trayendo	traigo	traía	traje	traeré	traería	traiga	trajera
		traes	traías	trajiste	traerás	traerías	traigas	trajeras
		trae	traía	trajo	traerá	traería	traiga	trajera
		traemos	traíamos	trajimos	traeremos	traeríamos	traigamos	trajéramos
		traéis	traíais	trajisteis	traeréis	traeríais	traigáis	trajerais
		traen	traían	trajeron	traerán	traerían	traigan	trajeran

*Many verbs ending in -tener are conjugated like tener: contener, detener, entretener(se), mantener, obtener, retener.

Commands

Person	sonreír		tener		traer	
	Affirmative	Negative	Affirmative	Negative	Affirmative	Negative
tú	sonríe	no sonrías	ten	no tengas	trae	no traigas
usted	sonría	no sonría	tenga	no tenga	traiga	no traiga
nosotros/as	sonriamos	no sonriamos	tengamos	no tengamos	traigamos	no traigamos
vosotros/as	sonreíd	no sonriáis	tened	no tengáis	traed	no traigáis
ustedes	sonrían	no sonrían	tengan	no tengan	traigan	no traigan

valer, venir*, ver

Infinitive	Past participle / Present participle	Indicative					Subjunctive	
		Present	Imperfect	Preterite	Future	Conditional	Present	Imperfect
valer *to be worth*	valido / valiendo	valgo	valía	valí	valdré	valdría	valga	valiera
		vales	valías	valiste	valdrás	valdrías	valgas	valieras
		vale	valía	valió	valdrá	valdría	valga	valiera
		valemos	valíamos	valimos	valdremos	valdríamos	valgamos	valiéramos
		valéis	valíais	valisteis	valdréis	valdríais	valgáis	valierais
		valen	valían	valieron	valdrán	valdrían	valgan	valieran
venir* *to come*	venido / viniendo	vengo	venía	vine	vendré	vendría	venga	viniera
		vienes	venías	viniste	vendrás	vendrías	vengas	vinieras
		viene	venía	vino	vendrá	vendría	venga	viniera
		venimos	veníamos	vinimos	vendremos	vendríamos	vengamos	viniéramos
		venís	veníais	vinisteis	vendréis	vendríais	vengáis	vinierais
		vienen	venían	vinieron	vendrán	vendrían	vengan	vinieran
ver *to see*	visto / viendo	veo	veía	vi	veré	vería	vea	viera
		ves	veías	viste	verás	verías	veas	vieras
		ve	veía	vio	verá	vería	vea	viera
		vemos	veíamos	vimos	veremos	veríamos	veamos	viéramos
		veis	veíais	visteis	veréis	veríais	veáis	vierais
		ven	veían	vieron	verán	verían	vean	vieran

*Similar verb to venir: prevenir

Commands

	valer		venir		ver	
Person	Affirmative	Negative	Affirmative	Negative	Affirmative	Negative
tú	vale	no valgas	ven	no vengas	ve	no veas
usted	valga	no valga	venga	no venga	vea	no vea
nosotros/as	valgamos	no valgamos	vengamos	no vengamos	veamos	no veamos
vosotros/as	valed	no valgáis	venid	no vengáis	ved	no veáis
ustedes	valgan	no valgan	vengan	no vengan	vean	no vean

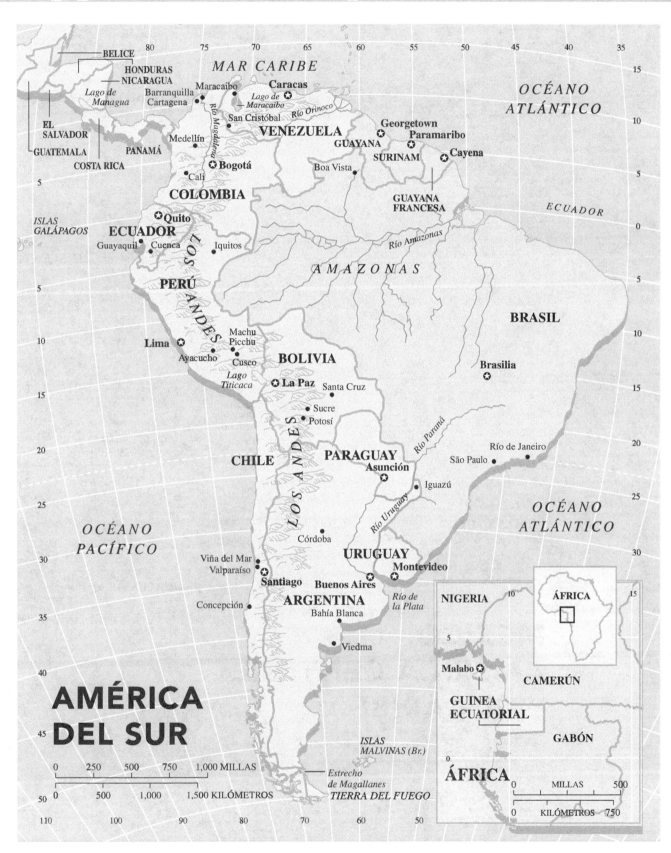

AMÉRICA DEL SUR

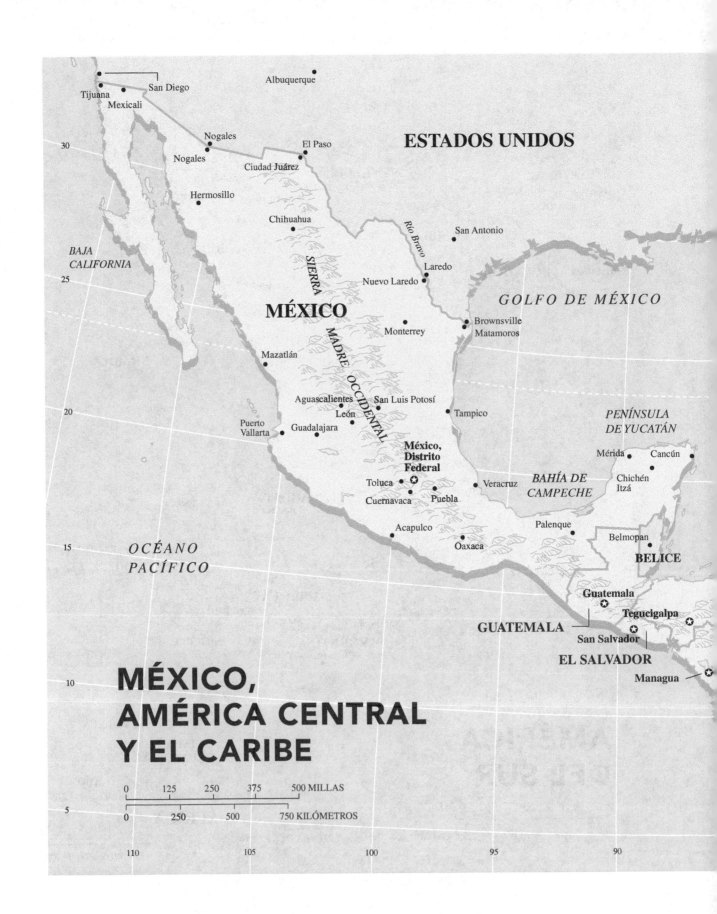

MÉXICO, AMÉRICA CENTRAL Y EL CARIBE

ESTADOS UNIDOS

San Diego
Tijuana
Mexicali
Albuquerque
Nogales
El Paso
Nogales
Ciudad Juárez
Hermosillo
Chihuahua
San Antonio

BAJA CALIFORNIA

SIERRA MADRE OCCIDENTAL

Río Bravo
Laredo
Nuevo Laredo

MÉXICO

GOLFO DE MÉXICO

Brownsville
Matamoros
Monterrey
Mazatlán

Aguascalientes
León
San Luis Potosí
Tampico

PENÍNSULA DE YUCATÁN

Puerto Vallarta
Guadalajara

México, Distrito Federal

Mérida
Cancún
Chichén Itzá

Toluca
Cuernavaca
Puebla
Veracruz

BAHÍA DE CAMPECHE

Acapulco
Oaxaca
Palenque
Belmopan

BELICE

OCÉANO PACÍFICO

Guatemala
Tegucigalpa
GUATEMALA
San Salvador
EL SALVADOR
Managua

| 0 | 125 | 250 | 375 | 500 MILLAS |
| 0 | 250 | 500 | | 750 KILÓMETROS |

30
25
20
15
10
5

110
105
100
95
90

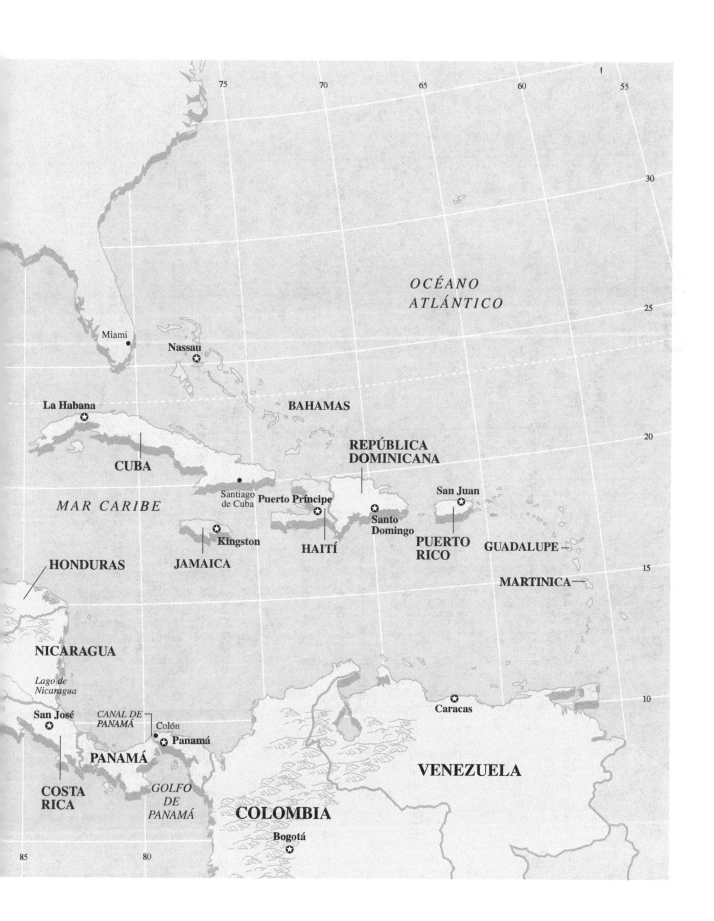

OCÉANO
ATLÁNTICO

Miami

Nassau

BAHAMAS

La Habana

CUBA

MAR CARIBE

Santiago
de Cuba

REPÚBLICA
DOMINICANA

San Juan

Puerto Príncipe

Santo
Domingo

PUERTO
RICO

GUADALUPE

Kingston

HAITÍ

JAMAICA

HONDURAS

MARTINICA

NICARAGUA

Lago de
Nicaragua

Caracas

San José

CANAL DE
PANAMÁ

Colón

Panamá

PANAMÁ

COSTA
RICA

GOLFO
DE
PANAMÁ

VENEZUELA

COLOMBIA

Bogotá

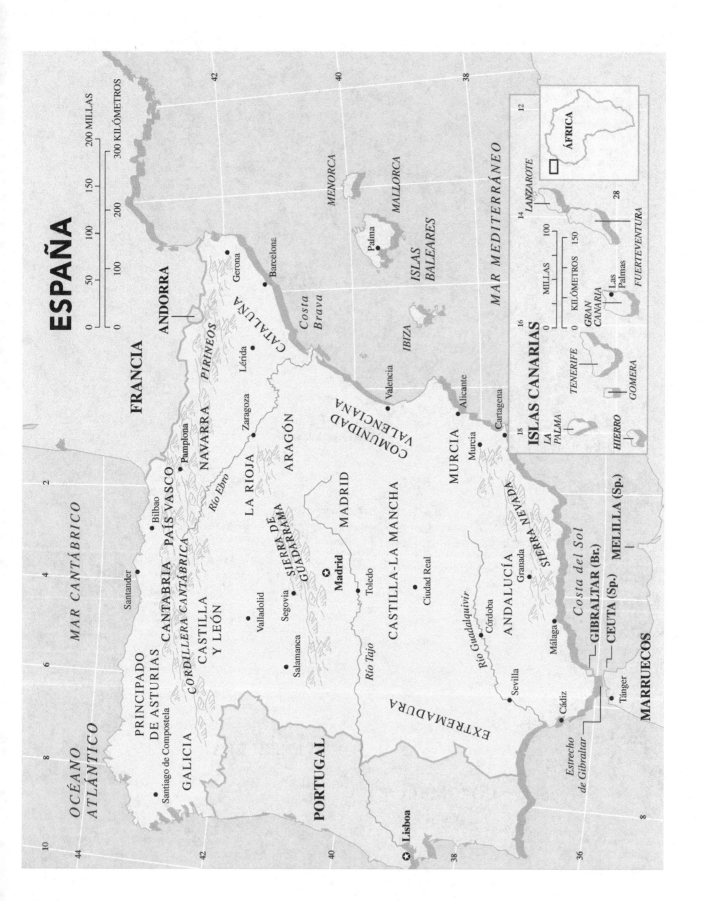

ESPAÑA

The vocabulary includes the active vocabulary presented in the chapters and many receptive words. Exceptions are verb conjugations, regular past participles, adverbs ending in **-mente**, superlatives, diminutives, and proper names of individuals and most countries. Active words are followed by a number that indicates the chapter in which the word appears as an active item. **P** refers to the opening pages that precede Chapter 1.

The gender of nouns is indicated except for masculine nouns ending in **-o** and feminine nouns ending in **-a**. Stem changes and spelling changes are shown for verbs, e.g., **dormir (ue, u); buscar (qu)**.

The following abbreviations are used. Note that the *adj.*, *adv.*, and *pron.* designations are used only to distinguish similar or identical words that are different parts of speech.

adj.	adjective	*fam.*	familiar	*irreg.*	irregular verb	*p.p.*	past participle
adv.	adverb	*form.*	formal	*m.*	masculine	*pron.*	pronoun
f.	feminine	*inf.*	infinitive	*pl.*	plural	*s.*	singular

A

a to; **~ cambio de** in exchange for; **~ menos que** unless, 12; **~ nivel mundial** worldwide; **~ pesar de** in spite of; **~ pie** on foot, walking, 6; **~ través de** across, throughout
abierto (*p.p. of* **abrir**) open, 13
abogado(a) lawyer, 5
abordar to board, 14
abrelatas eléctrico (*m. s.*) electric can opener, 10
abrigo coat, 8
abril April, 1
abrir to open, 3; **Abran el libro.** Open your books. P
abuelo(a) grandfather (grandmother), 5
abundancia abundance
aburrido(a) boring, 2; bored, 4
aburrimiento boredom
acabar de (+ *inf.*) to have just (*done something*), 2
académico(a) academic
acceder to access, 4
accesorio accessory, 8
acción (*f.*) action, 5
aceite (*m.*) **de oliva** olive oil, 9
acero steel
aconsejar to advise, 10
acostarse (ue) to go to bed, 5
acrecentar (ie) to strengthen; to increase
actitud attitude
actividad (*f.*) activity, P; **~ deportiva** sports activity, 7
activo(a) active, 2
actor (*m.*) actor, 5
actriz (*f.*) actress, 5
actualidad (*f.*): **en la ~** at the present time
acudir to go; to attend
adelantar to get ahead; to promote
adelante ahead
además besides

adinerado(a) rich, wealthy
adiós goodbye, 1
adivinar to guess; **Adivina.** Guess. P
administración (*f.*) **de empresas** business administration, 3
¿adónde? (*to*) where?
adquisición (*f.*) acquisition
aduana customs, 14
aeropuerto airport, 6
afán (*m.*) desire
afeitarse to shave oneself, 5
afueras (*f. pl.*) outskirts, 10
agencia de viajes travel agency, 14
agosto August, 1
agregar (gu) to add, 9
agrícola agricultural
agua (*f.*) (*but:* **el agua**) water; **~ dulce** fresh water; **~ mineral** mineral water, 9
aguacate avocado, 9
aire (*m.*) **acondicionado** air conditioning, 14
aislamiento isolation
ajedrez (*m.*) chess
ajo garlic, 9
al (a + el) to the, 3
albergar (gu) to shelter
albóndiga meatball
alcalde (alcaldesa) mayor
alcanzar (c) to achieve
alegrarse de to be happy about, 11
alemán (*m.*) German language, 3
alemán (alemana) German, 2
alergia allergy, 12
alfabeto alphabet
alfombra rug, carpet, 10
algo something, 6
algodón (*m.*) cotton, 8
alguien someone, 6
algún, alguno(a)(s) some, any, 6
alistar to recruit; to enroll
allá over there, 6
allí there, 6

alma (*f.*) (*but:* **el alma**) soul
almacén (*m.*) store, 6
almeja clam, 9
almohada pillow
almuerzo lunch, 9
¿Aló? Hello (*on the phone*), 1
alpinismo: practicar / hacer ~ to hike, to (mountain) climb, 7
alquilar videos / películas to rent videos / movies, 2
alquiler (*m.*) rent
alrededor de around
altamente highly
altitud (*f.*) altitude, height
altivo(a) arrogant
alto(a) tall, 2; **alta definición** high definition, 11
altoparlante (*m.*) speaker, 4
altura height
amanecer (zc) to dawn
amante (*m., f.*) lover
amar to love
amarillo(a) yellow, 4
ambiente (*m.*) atmosphere; **medio ~** (*m.*) environment
ambigüedad (*f.*) ambiguity
ambos(as) both
amenaza threat
amigo(a) friend, P
amor (*m.*) love
análisis (*m.*) **de sangre / orina** blood / urine test, 12
anaranjado(a) orange (*in color*), 4
andar (*irreg.*) to walk, 8
anexo attachment
anfitrión (*m.*) host
anfitriona (*f.*) host
anhelo wish, desire
anillo ring, 8
ánimo mind, spirit
anoche last night, 7
anónimo(a) anonymous
Antártida Antarctica
anteayer the day before yesterday, 7
antecesor(a) ancestor
anteojos (*m. pl.*) eyeglasses

antepasado(a) ancestor
anteponer to give preference
antes before, 5; **~ (de) que** before, 12
antibiótico antibiotic, 12
anticuado(a) antiquated, old-fashioned
antipático(a) unpleasant, 2
antro bar or club; the "in" place
anuncio personal personal ad
añadir to add, 9
año year, 3; **~ pasado** last year, 7; **tener** (*irreg.*)**... año(s)** to be ... years old, 1
apacible mild, gentle
apagar (gu) to turn off, 2
aparatos electrónicos electronics, 4
aparecer (zc) to appear
apariencia física physical appearance
apartado(a) separate
apartamento apartment, 6
apenas scarcely
apetecer (zc) to long for
aplicación (*f.*) application, 4
apodo nickname
apoyar to support
apreciar to appreciate
aprender to learn, 3
aprendizaje (*m.*) learning
apropiado(a) appropriate
aprovechar to take advantage of
apto(a) apt, fit; **~ para toda la familia** rated G (for general audiences), 11
apuntes (*m.*) notes, P
aquel / aquella(s) (*adj.*) those (over there), 6
aquel / aquella(s) (*pron.*) those (over there), 6
aquí here, 6
árbol (*m.*) tree; **~ genealógico** family tree
archivar to file, 4
archivo file, 4; **~ PDF** PDF file, 4
arder to burn

arena sand, 14
arete (*m.*) earring, 8
argentino(a) Argentinian, 2
arquitecto(a) architect, 5
arquitectura architecture, 3
arreglar el dormitorio to straighten up the bedroom, 10
arroz (*m.*) **con pollo** chicken with rice, 9
arrugado(a) wrinkled
arte (*m.*) art, 3; **~ y cultura** the arts, 11
artesanía handicrafts
artículo article, 1
artista (*m., f.*) artist, 5
asado(a) grilled
ascenso (job) promotion, 13
ascensor (*m.*) elevator, 14
asco disgusting
asegurarse to make sure
asiento seat, 14; **~ de pasillo** aisle seat, 14; **~ de ventanilla** window seat, 14
asistente (*m., f.*) assistant, 5; **~ de vuelo** flight attendant, 14; **~ electrónico** electronic notebook, 4
asistir a to attend, 3
aspiradora vacuum cleaner, 10
aspirina aspirin, 12
ataque (*m.*) attack
atardecer (*m.*) late afternoon
atún (*m.*) tuna, 9
audiencia audience
audífonos (*m. pl.*) earphones, 4
audio audio, P
auditorio auditorium, 6
aumentar to increase
aumento de sueldo salary increase, 13
aun even
aún yet (*in negative contexts*); still
aunque although, even though, 12
australiano(a) Australian, 2
autobús: en ~ by bus, 6
automóvil: en ~ by car, 6
avenida avenue, 1
avergonzado(a) embarrassed
avergonzar (ue) (c) to embarrass
averiguar (gü) to find out; to look into, to investigate, 13
avión (*m.*) airplane, 14; **en / por ~** by airplane, 6
aviso warning
ayer yesterday, 3
ayuda help
ayudar to help, 8
azúcar (*m., f.*) sugar, 9; **caña de ~** sugar cane
azul blue, 4

B

bacalao codfish, 9
bailar to dance, 2
baile (*m.*) dance, 3
bajar to get down from, to get off of (*a bus, etc.*), 6; to download, 4
bajo(a) short (*in height*), 2; **bajo demanda** on demand, 11
balay large basket
baldosa paving stone

balneario seaside, beach resort, spa
banco (commercial) bank, 6
banda: ~ ancha high-speed, 11
bañador(a) bather
bañar to bathe, to wash; to give someone a bath, 5; **bañarse** to take a bath, 5
baño bathroom, 10
barato: Es muy ~. It's very inexpensive. 8
barco boat
barrer el suelo / el piso to sweep the floor, 10
barrio neighborhood, 1; **~ residencial** residential neighborhood, suburbs, 10; **~ comercial** business district, 10
básquetbol (*m.*) basketball, 7
basta it is enough
bastante somewhat, rather, 4
Bastante bien. Quite well. 1
basura garbage, 10; **sacar la ~** take out the garbage, 10
basurero wastebasket
batir to beat; to break a record
beber to drink, 3
bebida beverage, 9
béisbol (*m.*) baseball, 7
belleza beauty
bello(a) beautiful
beneficio benefit, 13
berro watercress
besar to kiss
bicicleta: en ~ on bicycle, 6; **montar en ~** to ride a bike, 7
bien well, 4; **~, gracias.** Fine, thank you. 1; **(no) muy ~** (not) very well, 1
bienestar (*m.*) well-being
bienvenido(a) welcome
bilingüe bilingual
billete (*m.*) ticket, 14; **~ de ida** one-way ticket, 14; **~ de ida y vuelta** round-trip ticket, 14
biología biology, 3
bistec (*m.*) steak, 6
blanco(a) white, 4
blog blog, 4
blusa blouse, 8
boca mouth, 12
bocadillo sandwich, 9
boda wedding
bodegón (*m.*) tavern
boleto ticket, 11; **~ de ida** one-way ticket, 14; **~ de ida y vuelta** round-trip ticket, 14
bolígrafo ballpoint pen, P
boliviano(a) Bolivian, 2
bolsa purse, 8; **~ de valores** stock market, 13
bombero(a) firefighter, 5
bondadoso(a) kind; good
bonito(a) pretty
bordado(a) embroidered, 8
borrador (*m.*) rough draft
bosque (*m.*) forest, 14; **~ tropical / pluvial** rain forest
bosquejo outline
bota boot, 8
botar to throw out
bote (*m.*) boat

botones (*m. s.*) bellhop, 14
boxeo boxing, 7
brazalete (*m.*) bracelet, 8
brazo arm, 12
breve brief
bróculi (*m.*) broccoli, 9
broma joke
bueno(a) good, 2; **Buenas noches.** Good night. / Good evening. 1; **Buenas tardes.** Good afternoon. 1; **Buenos días.** Good morning. 1; **es bueno** it's good, 11
bufanda scarf, 8
burlarse (de) to make fun (of)
buscador (*m.*) search engine, 4
buscar (qu) to look for, 2
buzón (*m.*) **electrónico** electronic mailbox, 4

C

caballo: montar a ~ to ride horseback, 7
cabeza head, 12; **dolor** (*m.*) **de ~** headache, 12
cable (*m.*) cable, 4; cable television, 11
cabo end
cacao chocolate
cachemira cashmere
cadena chain, 8
caer (*irreg.*) to fall
café (*m.*) coffee, 9; (*adj.*) brown, 4
cafetería cafeteria, 3
caimán (*m.*) alligator (*cayman*)
cajero automático automated bank teller, ATM, 6
cajón (*m.*) large box; drawer
calcetín (*m.*) sock, 8
calculadora calculator, P
cálculo calculus, 3
caldo de pollo chicken soup, 9
calentar (ie) to heat, 9
calidad (*f.*) quality; **de buena (alta) ~** of good (high) quality, 8
calificación (*f.*) evaluation
calificar: ~ con cuatro estrellas to give a four-star rating, 11
calle (*f.*) street, 1
calor: Hace ~. It's hot. 7; **tener** (*irreg.*) **~** to be hot, 7
caluroso(a) warm
cama bed, 10; **guardar ~** to stay in bed, 12; **hacer / tender la ~** to make the bed, 10
cámara: ~ digital digital camera, 4; **~ web** webcam, 4
camarero(a) waiter (waitress), 5
camarón (*m.*) shrimp, 9
cambiar: ~ dinero to exchange money, 14; **~ el canal** to change the channel, 11
cambio change; exchange rate; **a ~ de** in exchange for
caminar to walk, 2
camisa shirt, 8
camiseta t-shirt, 8
campaña campaign, 13
campestre rural

campo: ~ de estudio field of study, 3; **~ de fútbol** soccer field, 6
caña de azúcar sugar cane
canadiense (*m., f.*) Canadian, 2
canasta basket
cancha soccer field, 6; **~ de tenis** tennis court, 6
candidato(a) candidate, 13
canela cinnamon
cañón (*m.*) canyon, 14
cansado(a) tired, 4
cantante (*m., f.*) singer
cantar to sing, 2
capítulo chapter, P
característica trait; **~ de la personalidad** personality trait, 2; **~ física** physical trait, 2
cargar to upload, 4
Caribe (*m., f.*) Caribbean (sea)
cariño love, fondness, affection
cariñosamente lovingly
carne (*f.*) meat, 9
carnicería butcher shop, 6
caro(a): Es (demasiado) ~. It's (too) expensive. 8
carpintero(a) carpenter, 5
carrera career, 5
carreta wooden cart
carro: en ~ by car, 6
carta: a la ~ à la carte, 9
cartera wallet, 8
cartón (*m.*) cardboard
casa house, 6
casarse to get married, 5
casco helmet
casero(a) homemade
caso: en ~ de que in case, 12; **hacer ~** to pay attention; to obey
castaño brown, 2
catarata waterfall
catarro cold (*e.g., head cold*), 12
catorce fourteen, P
cebolla onion, 9
celebración (*f.*) celebration
celos: tener (*irreg.*) **~** to be jealous
celosamente jealously
celoso(a) jealous
cena dinner
cenar to eat dinner, 2
censo census
censurar to censure
centavo cent
centro center; **~ comercial** mall, 6; **~ de computación** computer center, 3; **~ de comunicaciones** media center, 3; **~ de la ciudad** downtown, 10; **~ estudiantil** student center, 6
Centroamérica Central America
cepillarse el pelo to brush one's hair, 5
cepillo brush, 5; **~ de dientes** toothbrush, 5
cerca de close to, 6
cereal (*m.*) cereal, 9
cero zero, P
cerrar (ie) to close, 4; **Cierren el libro.** Close your books. P
cerveza beer, 9
chaleco vest, 8

champú (*m.*) shampoo, 5

chaparrón (*m.*) cloudburst, downpour

chaqueta jacket (*outdoor, non-suit coat*), 8

chatear to chat online, 4

Chau. Bye. / Goodbye. 1

cheque (*m.*) check; **pagar con ~ / con ~ de viajero** to pay by check / with a traveler's check, 8

chequeo médico physical, checkup, 12

chévere terrific, great, cool (*Cuba, Puerto Rico*)

chico(a) boy (girl), P

chileno(a) Chilean, 2

chimenea fireplace, 10

chino Chinese language, 3

chino(a) Chinese, 2

chisme (*m.*) gossip

chismoso(a) gossiping

chocolate (*m.*) chocolate, 11

chompa sweater

chuleta de puerco pork chop, 6

ciberespacio cyberspace, 4

ciclismo cycling, 7

ciego(a) blind; **cita a ciegas** blind date

cielo sky, 14

cien one hundred, P; **~ mil** one hundred thousand, 8

ciencias (*f. pl.*) science, 3; **~ políticas** political science, 3

científico(a) scientific

ciento uno one hundred and one, 8

cierto(a) certain; **no es cierto** it's not certain, 11

cinco five, P; **~ mil** five thousand, 8

cincuenta fifty, P

cine (*m.*) cinema, 6; movies, 11

cinturón (*m.*) belt, 8

cita appointment, 12; quotation; **~ a ciegas** blind date

ciudad (*f.*) city, 6

ciudadano(a) citizen, 13

claridad (*f.*) clarity

clase (*f.*) class, P; **~ baja** lower class; **~ de película** movie genre, 11

clasificar (qu): ~ con cuatro estrellas to give a four-star rating, 11

clic: hacer ~ / doble ~ to click / double click, 4

cliente (*m., f.*) customer, 8

clínica clinic, 12

clóset (*m.*) closet, 10

cobre (*m.*) copper

coche: en ~ by car, 6

cocina kitchen, 10

cocinar to cook, 2

cocinero(a) cook, chef, 5

código code

codo elbow, 12

colectivo bus

cólera anger

collar (*m.*) necklace, 8

colombiano(a) Colombian, 2

colonia neighborhood, 1

color (*m.*) color, 4; **de un solo ~** solid (colored), one single color 8

coma comma

comedia (romántica) (romantic) comedy, 11

comedor (*m.*) dining room, 10

comenzar (ie) (c) to begin, 4

comer to eat, 3; **~ alimentos nutritivos** to eat healthy foods, 12; **darle de ~ al perro / gato** to feed the dog / cat, 10

cómico(a) funny, 2

comida food, 6

comino cumin, 9

¿cómo? how? 3; **¿~ desea pagar?** How do you wish to pay? 8; **¿~ es?** What's he / she / it like? 2; **¿~ está (usted)?** (*s. form.*) How are you? 1; **¿~ están (ustedes)?** (*pl.*) How are you? 1; **¿~ estás (tú)?** (*s. fam.*) How are you? 1; **¿~ te / le / les va?** How's it going with you? 1; **~ no.** Of course. 6; **¿~ se dice...?** How do you say . . . ? P; **¿~ se llama?** (*s. form.*) What's your name? 1; **¿~ te llamas?** (*s. fam.*) What's your name? 1

cómoda dresser, 10

compañero(a) de cuarto roommate, P

compañía multinacional multinational corporation, 13

comparación (*f.*) comparison, 8

compartir to share, 3

competencia competition, 7

competir (i, i) to compete

complicidad complicity

comportamiento behavior

comprar to buy, 2

compras: hacer las ~ to go shopping, 6

comprender to understand, 3

comprensión (*f.*) understanding

comprometerse to get engaged, 5

computación (*f.*) computer science, 3

computadora computer, P; **~ portátil** laptop computer, P

común common

comunicación (*f.*) **pública** public communications, 3

con with; **~ destino a** with destination to, 14; **~ tal (de) que** so that, provided that, 12

concha shell

concordancia agreement

concurso contest

conducir (zc) to drive; to conduct, 5

conectar to connect, 4

conexión (*f.*) connection, 4; **~ a Internet** Internet connection, 14; **hacer una ~** to go online, 4

confección (*f.*) confection

conferencia lecture

conferencista (*m., f.*) speaker

congelado(a) frozen, 9

congelador freezer, 10

congestionado(a): estar ~ to be congested, 12

conjunto group; **en ~** as a group

conmigo with me, 8

conocer (zc) to meet; to know a person; to be familiar with, 5

conocimientos: tener (*irreg.*) **algunos ~ de** to have some knowledge of, 13

conseguir (i, i) to get, to obtain, 8

consejo advice, 12

conserje (*m., f.*) concierge, 14

consultorio del médico doctor's office, 12

contabilidad (*f.*) accounting, 3

contado: al ~ in cash, 8

contador(a) accountant, 5

contaminación (*f.*) **(del aire)** (air) pollution, 13

contar (ue) to tell, to relate, 4; to count; **~ con** to be certain of

contenido content

contento(a) happy, 4; **estar ~ de** to be pleased about, 11

contestar to answer; **Contesten.** Answer. P

contigo with you (*fam.*), 8

contracción (*f.*) contraction, 3

contrario: al ~ on the contrary

contraseña password, 4

contratar to hire, 13

contrato contract, 13; **~ prenupcial** prenuptial agreement

control (*m.*) **remoto** remote control, 11

conversación (*f.*) conversation

convertir (ie, i) to change

copa wine glass, goblet, 9

coraje (*m.*) courage

corazón (*m.*) heart, 12

cordillera mountain range

coreano(a) Korean, 2

corregir (i, i) (j) to correct

correo electrónico e-mail, 4

correr to run, 3

cortar to cut, 12; **~ el césped** to mow the lawn, 10; **~ la conexión** to go offline, 4; **cortarse** to cut oneself, 12

cortesía courtesy, 4

cortina curtain, 10

corto(a) short (*in length*)

costarricense (*m., f.*) Costa Rican, 2

costo cost, 13

cotidiano(a) daily

crear to create

creativo(a) creative

crecimiento growth

creer (en) to believe (in); to think, 3; **no creer** to not believe, 11

crema cream, 12

crimen (*m.*) crime, 13

crítica criticism; critique, review, 11

crítico(a) critic, 11

cronología chronology

crucero cruise ship

crudo(a) raw, 9

cruzar (c) to cross, 6

cuaderno notebook, P

cuadra (city) block, 6

cuadro painting; print, 10

cuadros: a ~ plaid, 8

¿cuál? what? which one? 3; **¿~ es tu / su dirección (electrónica)?** (*s. fam. / form.*) What's your (e-mail) address? 1; **¿~ es tu / su número de teléfono?** (*s. fam. / form.*) What is your phone number? 1

¿cuáles? what? which ones? 3

cualquier whatever

cuando when, 12

¿cuándo? when? 3; **¿~ es tu cumpleaños?** When is your birthday? 1

cuanto: en ~ as soon as, 12; **en ~ a** in relation to

¿cuánto(a)? how much? 3; **¿Cuánto cuesta(n)?** How much does it (do they) cost? 8

¿cuántos(as)? how many? 3

cuarenta forty, P

cuarto room, P; bedroom, 10

cuarto(a) fourth, 10

cuate(a) friend, buddy

cuatro four, P

cuatrocientos(as) four hundred, 8

cubano(a) Cuban, 2

cuchara spoon, 9

cucharada tablespoonful, 9

cucharadita teaspoonful, 9

cuchillo knife, 9

cuello neck, 12

cuenta check, bill, 9

cuento de hadas fairy tale

cuero leather, 8

cuerpo body, 12

cuestionario questionnaire

cuidado: tener (*irreg.*) **~** to be careful, 7; **¡~!** Careful!

cuidadoso(a) cautious, 2

culinario(a) culinary

cultura culture

cuna cradle

cuñado(a) brother-in-law (sister-in-law), 5

curita (small) bandage, 12

currículum vitae (*m.*) curriculum vitae, résumé, 13

curso básico basic course, 3

cuy (*m.*) guinea pig

cuyo(a) whose

D

danza dance, 11

dar (*irreg.*) to give, 5; **~ información personal** to give personal information, 1; **~ la hora** to give the time, 3; **~ un papel** to give (play) a role; **~le de comer al perro / gato** to feed the dog / cat, 10; **~le mucha dicha** to give one a lot of happiness

darse la mano to shake hands, 13

dato fact; piece of information

De nada. You're welcome. 1

debajo de below, underneath, 6

deber (+ *inf.*) should, ought to (*do something*), 2

décimo(a) tenth, 10

decir (*irreg.*) to say; to tell, 5; **~ cómo llegar** to give directions, 6; **~ la hora** to tell the time, 3; **Se dice...** It's said . . . , P

decoración (*f.*) decoration, 10

dedo finger, toe, 12

definido(a) definite, 1

dejar to leave; to stop, 2; **~ de** (+ *inf.*) to stop (*doing something*), 2

del (de + el) from the, of the, 3

delante de in front of, 6

delgado(a) thin, 2

demasiado(a) too much, 4

demora delay, 14

demorar to delay, 14

demostrar (ue) to demonstrate, show

demostrativo(a) demonstrative, 6

dentista (*m., f.*) dentist, 5

dentro de inside of, 6; **~ la casa** inside the house, 10

dependiente (*m., f.*) salesclerk, 5

deporte (*m.*) sport, 7

derecha: a la ~ to the right, 6

derecho: (todo) ~ (straight) ahead, 6

desarraigado(a) rootless

desarraigo uprooting

desarrollar to develop

desarrollo development, 13

desastre (*m.*) disaster; **~ natural** natural disaster, 14

desayuno breakfast, 9; **~ incluido** breakfast included, 14

descalificar (qu) to disqualify

descalzo(a) barefoot

descansar to rest, 2

descargar to download, 4

descortés rude

describir to describe, 2

descubrir to discover, 3

descuento discount, 8

descuido neglect

desear to want; to wish, 10

desembarcar (qu) to disembark, 14

desempeñarse to manage; to work (as)

desengaño disillusionment

desierto desert, 14

desigualdad (*f.*) inequality, 13

desilusión (*f.*) disappointment

desmayarse to faint, 5

desodorante (*m.*) deodorant, 5

despachar to dispatch; to wait on; to work (*from a home office*)

despacio (*adv.*) slowly; (*adj.*) slow

despedido(a) fired (*from a job*)

despedir (i, i) to fire, 13; **despedirse (i, i)** to say good-bye, 1

despertar (ie) to wake someone up, 5; **despertarse (ie)** to wake up, 5

después after, 5; **~ (de) que** after, 12

destacar (qu) to emphasize

destino: con ~ a with destination to, 14

desvariar to rave, talk nonsense

desventaja disadvantage, 13

detalle (*m.*) detail

detallista detail-oriented, 13

detrás de behind, 6

día (*m.*) day, 3; **~ de la semana** day of the week, 3; **~ de las Madres** Mother's Day, 3; **todos los días** every day, 3

dialecto dialect

dibujo drawing, P; **~ animado** cartoon; (*pl.*) animated film, 11

diccionario dictionary, P

dicha happiness

dicho saying; (*p.p. of* **decir**) said, 13

diciembre December, 1

diecinueve nineteen, P

dieciocho eighteen, P

dieciséis sixteen, P

diecisiete seventeen, P

diez ten, P; **~ mil** ten thousand, 8

diferencia difference

difícil difficult, 4

dinero money

dirección (*f.*) address

director(a) de social media social media director, 5

dirigir (j) to direct, 13

disco duro hard drive, 4

discreción: se recomienda ~ rated PG-13 (parental discretion advised), 11

discriminación (*f.*) discrimination, 13

Disculpe. Excuse me. 4

diseñador(a) gráfico(a) graphic designer, 5

diseño design; **~ gráfico** graphic design, 3

disfrutar (la vida) to enjoy (life)

disipar dispel

disponibilidad (*f.*) availability

disponible available, 13

dispuesto(a) willing

diván (*m.*) sofa

diversidad (*f.*) diversity

diversión (*f.*) amusement

divertido(a) fun, entertaining, 2

divertirse (ie, i) to have fun, 5

dividir to divide

divorciarse to get divorced, 5

doblado(a) dubbed, 11

doblar to turn, 6; to fold

doce twelve, P

docena dozen, 9

doctor(a) doctor

documental (*m.*) documentary, 11

dólar (*m.*) dollar

doler (ue) to hurt, 12

dolor (*m.*) pain; ache, 12; **~ de cabeza** headache, 12; **~ de estómago** stomachache, 12; **~ de garganta** sore throat, 12

domesticado(a) tame, tamed

domingo Sunday, 2

dominicano(a) Dominican, 2

don (doña) title of respect used with male (female) first name, 1

¿dónde? where? 3; **¿~ tienes la clase de...?** Where does your . . . class meet? 3; **¿~ vives /**

vive? (*s. fam. / form.*) Where do you live? 1

dondequiera: por ~ everywhere

dorado(a) golden, browned, 9

dormir (ue, u) to sleep, 4; **dormirse (ue, u)** to fall asleep, 5

dormitorio bedroom, 10; **~ estudiantil** dormitory, 6

dos two, P; **~ mil** two thousand, 8

doscientos(as) two hundred, 8

drama (*m.*) drama, 11

ducharse to take a shower, 5

dudar to doubt, 11

dudoso(a) doubtful, unlikely, 11

duelo pain

dueño(a) owner, 5

dulce (*m.*) candy, 11; (*adj.*) sweet

duro(a) hard

E

economía economy, 13; economics, 3

ecuador (*m.*) equator

ecuatoriano(a) Ecuadoran, 2

edad (*f.*) age

edificio building, 6

educación (*f.*) education, 3

efectivo: en ~ in cash, 8

egoísta selfish, egotistic, 2

ejemplo example, 10; **por ~** for example, 10

ejercicio: hacer ~ to exercise, 7

ejército army, 13

el (*m.*) the, 1

él he, 1; him, 8

elección (*f.*) election, 13

electricidad (*f.*) electricity

electrodoméstico appliance, 10

elefante (*m.*) elephant

elegido(a) chosen

ella she, 1; her, 8

ellos(as) they, 1; them, 8

e-mail (*m.*) e-mail, P

embajador(a) ambassador

emergencia emergency, 12

emoción (*f.*) emotion, 4

empapado(a) drenched

emparejar to match

empezar (ie) (c) to begin, 4

empleado(a) employee, 13

emplear to employ, 13

emprendedor(a) enterprising, 13

empresario(a) businessman / businesswoman, 13

empresas (*pl.*) business

en in, on, at; **~ autobús / tren** by bus / train, 6; **~ bicicleta** on bicycle, 6; **~ carro / coche / automóvil** by car, 6; **~ caso de que** in case, 12; **~ cuanto** as soon as, 12; **~ cuanto a** in relation to; **~ línea** online, 4; **~ metro** on the subway, 6; **~ realidad** actually; **~ vivo** live, 11

enamorarse to fall in love, 5

Encantado(a). Delighted to meet you. 1

encantar to like a lot, 4; to enchant, to please, 11

encargado(a) de in charge of

encendido(a) burning, on fire

encima de on top of, on, 6

encontrar (ue) to find, 4

encuentro encounter; meeting

encuesta survey

enero January, 1

enfatizar (c) to emphasize

enfermarse to get sick, 5

enfermedad (*f.*) sickness, illness, 12

enfermero(a) nurse, 5

enfermo(a) sick, 4

enfrente de in front of, opposite, 6

enfriarse to get cold, 9

engañar to fool

engaño hoax

enlace (*m.*) link, 4

ennegrecido(a) blackened

enojado(a) angry, 4

ensalada salad, 9; **~ de fruta** fruit salad, 9; **~ de lechuga y tomate** lettuce and tomato salad, 9; **~ de papas** potato salad, 9; **~ mixta** mixed salad, 9

ensayo essay

enseñar to teach

entender (ie) to understand, 4

entonces then

entorno surroundings

entrada ticket (*to a movie, concert, etc.*), 11

entre between, 6

entregar (gu) to turn in; **Entreguen la tarea.** Turn in your homework. P

entrenador(a) trainer

entrenarse to train, 7

entresemana during the week, on weekdays, 3

entretener (*like* **tener**) to entertain

entretenimiento entertainment

entrevista interview, 13

entrevistador(a) interviewer, 11

enviar to send, 4

episodio episode, 11

equilibrio: poner en ~ to balance

equipaje (*m.*) baggage, luggage, 14; **facturar el ~** to check one's baggage, 14

equipo team, 7

erupción (*f.*) **volcánica** volcanic eruption

escala: hacer ~ en to make a stopover in, 14

escaleras (*f. pl.*) stairs, 10

esclavo(a) slave

escoger (j) to choose

esconder to hide

escribir to write, 3; **Escriban en el cuaderno.** Write in your notebooks. P

escrito (*p.p. of* **escribir**) written, 13

escritorio desk, P

escuchar to listen; **~ música** to listen to music, 2; **Escuchen el audio / el CD.** Listen to the audio / CD. P

escuela school, 3

escultura sculpture, 11

ese (esa) (*s. adj.*) that, 6

ese (esa) (*s. pron.*) that one, 6

eso that, 6; **por ~** so, that's why, 10

esos (esas) (*pl. adj.*) those, 6
esos (esas) (*pl. pron.*) those (ones), 6
espalda back, 12
España Spain
español(a) Spanish, 2
español (*m.*) Spanish language, 3
espárragos (*m. pl.*) asparagus, 9
especialidad de la casa house special, 9
especie (*f.*) species
espectáculo show, 11
espejo mirror, 10
esperanza wish, hope
esperar to hope, 10; to wait, 11
esposo(a) husband (wife), 5
esquí (*m.*) ski, skiing; **~ acuático** water skiing, 7; **~ alpino** downhill skiing, 7
esquiar to ski, 7
esquina corner, 6
estación (*f.*) season, 7; station, 11; **de trenes / autobuses** train / bus station, 6
estacionamiento parking lot, 6
estadio stadium, 6
estadística statistics, 3
estado state, 5; **~ civil** marital status
Estados Unidos United States
estadounidense (*m., f.*) U. S. citizen, 2
estampado(a) print, 8
estampilla postage stamp, 14
estancia ranch
estar (*irreg.*) to be, 1; **~ congestionado(a)** to be congested, 12; **~ contento(a) de** to be pleased about, 11; **~ mareado(a)** to feel dizzy, 12
estatura height (*of a person*)
este (*m.*) east, 14
este (esta) (*s. adj.*) this, 6
este (esta) (*s. pron.*) this one, 6
estimado(a) esteemed
estival (*adj.*) summer
estilo style
estómago stomach, 12; **dolor** (*m.*) **de ~** stomachache, 12
estornudar to sneeze, 12
estos(as) (*pl. adj.*) these, 6
estos(as) (*pl. pron.*) these (ones), 6
estrategia strategy
estrella de cine movie star, 11
estudiante (*m., f.*) student, P
estudiar to study; **~ en la biblioteca (en casa)** to study at the library (at home), 2; **Estudien las páginas... a...** Study pages . . . to . . . P
estudio studio, 3
estufa stove, 10
etapa era
Europa Europe
evitar to avoid
examinar to examine, 12
exhibir to exhibit
exigir (j) to demand
éxito success
exótico(a) exotic, strange
exposición (*f.*) **de arte** art exhibit, 11
expresar preferencias to express preferences, 2

expresión (*f.*) expression, 1
extraño(a) strange, 11
extrovertido(a) extroverted, 2

F

fábrica factory, 13
fácil easy, 4
facturar el equipaje to check one's baggage, 14
faena task, job
falda skirt, 8
falso(a) false
familia family; **~ nuclear** nuclear family, 5; **~ política** in-laws, 5
fantasía fantasy
fantástico(a) fantastic, 11
farmacia pharmacy, 6
fascinar to fascinate, 4
fatal terrible, awful, 1
favor: por ~ please, 1
febrero February, 1
fecha date, 3; **¿A qué ~ estamos?** What is today's date? 3
felicidad (*f.*) happiness
femenino(a) feminine
feo(a) ugly, 2
ferrocarril (*m.*) railroad
fiebre (*f.*) fever, 12
filantrópico(a) philanthropic
filosofía philosophy, 3
fin (*m.*) end; intention; **~ de semana** weekend, 2; **por ~** finally, 9
final final
financiero(a) financial
física physics, 3
físico(a) physical, 5
flan (*m.*) custard, 9
flor (*f.*) flower
florecer (zc) to flower, to flourish
flotador(a) floating
flujo: ~ de video en tiempo real streaming video, 11
fondo background
formulario form, 13
fortaleza fortress
foro forum, 4
foto (*f.*) photo, P; **sacar fotos** to take photos, 2
fractura fracture, 12
francés (*m.*) French language, 3
francés (francesa) French, 2
franja border
frecuentemente frequently, 4
freír (i, i) to fry, 9
frente a in front of, facing, opposite, 6
fresa strawberry, 9
fresco(a) fresh, 9; **Hace fresco.** It's cool. 7
frijoles (*m.*) **(refritos)** (refried) beans, 9
frío(a) cold; **Hace frío.** It's cold. 7; **tener** (*irreg.*) **frío** to be cold, 7
frito(a) fried, 9
frivolidad frivolousness
frontera border
fruta fruit, 9
fuego fire; **a ~ suave / lento** at low heat, 9
fuente (*f.*) source

fuera de outside of, 6; **~ de la casa** outside the house, 10
fuerte strong; filling (*e.g., a meal*), 9
fuerzas armadas armed forces, 13
funcionar to function, 4
funciones (*f.*) **de la computadora** computer functions, 4
fundador(a) founder
fungir to work
furioso(a) furious, 4
fútbol (*m.*) soccer, 7; **~ americano** football, 7

G

gafas (*f. pl.*) **de sol** sunglasses, 8
galleta cookie, 9
galón (*m.*) gallon, 9
ganadería cattle, livestock
ganado cattle
ganancia profit, 13
ganar to win, 7; to earn (*money*), 13
ganas: tener (*irreg.*) **~ de** to have the urge to; to feel like (*doing*), 7
garaje (*m.*) garage, 10
garganta throat, 12; **dolor** (*m.*) **de ~** sore throat, 12
gato(a) cat, 2
gazpacho cold tomato soup (*Spain*)
general: por lo ~ generally, 9
género genre
generoso(a) generous, 2
gente (*f.*) people
geografía geography, 3
gerente (*m., f.*) manager, 5
gimnasio gymnasium, 3
globalización (*f.*) globalization, 13
gobernador(a) (*m.*) governor
gobierno government, 13
golf (*m.*) golf, 7
gordo(a) fat, 2
gorra cap, 8
gotas (*f. pl.*) drops, 12
gozar (c) to enjoy
GPS GPS, 4
grabador (*m.*) **de discos compactos / DVD** CD / DVD burner, 4
grabar to record, 4; to videotape, 11
gracias: Muchas ~. Thank you very much. 1
grado degree; **~ Celsius** Celsius degree, 7; **~ Fahrenheit** Fahrenheit degree, 7
gráfica graph
grande big, great, 2
grano: al ~ to the point
gripe (*f.*) flu, 12
gris gray, 4
gritar to shout, to scream
grito scream, shout
grupo group; **~ de conversación** chat room, 4; **~ de noticias** news group, 4
guagua bus (*Cuba, Puerto Rico*)
guante (*m.*) glove, 8

guapo(a) handsome, attractive, 2
guardar to store; **~ cama** to stay in bed , 12; **~ la ropa** put away the clothes, 10; to save, 4
guatemalteco(a) Guatemalan, 2
guerra war, 13
guía turística tourist guide, brochure, 14
guion (*m.*) script
guionista (*m., f.*) script writer
guisado beef stew, 9
guisante (*m.*) pea, 9
guitarra guitar, 2
gustar to like; to please, 11; **A mí / ti me / te gusta...** I / You like . . . , 2; **A... le gusta...** You / He / She like(s) . . . , 2; **A... les gusta...** They / You (*pl.*) like . . . , 2; **Me gustaría** (+ *inf.*)... I'd like (+ *inf.*) . . . , 6
gusto taste; **al ~** to individual taste, 9; **El ~ es mío.** The pleasure is mine. 1; **Mucho ~.** My pleasure. 1; **Mucho ~ en conocerte.** A pleasure to meet you. (*s. fam.*) 1

H

haba (*f.*) (*but:* **el haba**) bean
habichuela green bean, 9
habilidades necesarias necessary skills, 13
habitación (*f.*) bedroom, 10; **~ con baño / ducha** room with a bath / shower, 14; **~ de fumar / de no fumar** smoking / non-smoking room, 14; **~ doble** double room, 14; **~ sencilla** single room, 14; **~ sin baño / ducha** room without a bath / shower, 14
habitante (*m., f.*) inhabitant
hablar por teléfono to talk on the telephone, 2
hacer (*irreg.*) to make; to do, 5; **Hace buen / mal tiempo.** It's nice / bad weather. 7; **Hace calor / fresco / frío.** It's hot / cool / cold. 7; **Hace sol / viento.** It's sunny / windy. 7; **~ alpinismo** to hike, 7; **~ caso** to pay attention, to obey; **~ clic / doble clic** to click / double click, 4; **~ ejercicio** to exercise, 7; **~ el reciclaje** to do the recycling, 10; **~ escala en** to make a stopover in, 14; **~ informes** to write reports, 13; **~ la cama** to make the bed, 10; **~ las compras** to go shopping, 6; **~ preguntas** to ask questions, 3; **~ surfing** to surf, 7; **~ un análisis de sangre / orina** to give a blood / urine test, 12; **~ una conexión** to go online, 4; **~ una radiografía** to take an X-ray, 12; **~ una reservación** to make a reservation, 14; **Hagan la tarea para mañana.** Do the homework for tomorrow. P

hambre (f.) (but: **el hambre**) hunger; **tener** (irreg.) **~** to be hungry, 7
hamburguesa hamburger, 9; **~ con queso** cheeseburger, 9
hardware (m.) hardware, 4
harina flour, 9
hasta until, 12; **~ luego.** See you later. 1; **~ mañana.** See you tomorrow. 1; **~ pronto.** See you soon. 1; **~ que** until, 12
hay there is, there are, 1
hecho fact
hecho(a) (p.p. of **hacer**) done, 13; **Está ~ de...** It's made out of . . . , 8
helado de vainilla / chocolate vanilla / chocolate ice cream, 9
herencia heritage
herida injury, wound, 12
hermanastro(a) stepbrother (stepsister), 5
hermano(a) (menor, mayor) (younger, older) brother (sister), 5
hermoso(a) handsome, beautiful
hervido(a) boiled, 9
hervir (ie, i) to boil, 9
hierba herb, 12
hierro iron
hijo(a) son (daughter), 5
hilo: al ~ stringed, 9
himno hymn
hispano(a) Hispanic
hispanohablante Spanish-speaking
historia history, 3
historietas comic books
hockey (m.) **sobre hielo / hierba** ice / field hockey, 7
hogar (m.) home; **sin ~** homeless
hoja de papel sheet of paper, P
hola hello, 1
hombre (m.) man, P; **~ de negocios** businessman, 5
hombro shoulder, 12
hondureño(a) Honduran, 2
honesto(a) honest
hora hour; time; **dar** (irreg.) **la ~** to give the time, 3; **decir la ~** to tell the time, 3
horario schedule
horno oven; **~ de ladrillos** brick~; **al ~** roasted (in the oven), 9
horrible horrible, 11
hospital (m.) hospital, 6
hotel (m.) hotel, 14
hoy today, 3; **~ es martes treinta.** Today is Tuesday the 30th. 3; **¿Qué día es ~?** What day is today? 3
huelga strike, 13
huella footprint
huésped(a) hotel guest, 14
huevo egg, 6; **~ estrellado** egg sunnyside up, 9; **~ revuelto** scrambled egg, 9
humanidades (f. pl.) humanities, 3
húmedo(a) humid
humilde humble
huracán (m.) hurricane, 13

I

ícono del programa program icon, 4
identidad (f.) identity
idioma (m.) language, 3
iglesia church, 6
igualdad (f.) equality, 13
Igualmente. Likewise. 1
impaciente impatient, 2
impermeable (m.) raincoat, 8
importante important, 11
importar to be important to someone; to mind, 4
imprescindible extremely important, essential, 11
impresionante impressive
impresora printer, 4
imprimir to print, 3
improbable improbable, unlikely, 11
impulsivo(a) impulsive, 2
inalámbrico(a) wireless, 4
incendio forestal forest fire
increíble incredible
indefinido(a) indefinite, 1
índice (m.) index; **~ de audiencia** movie ratings, 11
indio(a) Indian, 2
indígena indigenous
industria industry, 13; **~ ganadera** cattle-raising industry
infección (f.) infection, 12
influencia influence
influir (y) to influence
informática computer science, 3
informe (m.) report; **hacer informes** to write reports, 13
ingeniar to work out
ingeniería engineering, 3
ingeniero(a) engineer, 5
inglés (m.) English language, 3
inglés (inglesa) English, 2
ingrediente (m.) ingredient, 9
ingreso revenue
iniciar to initiate, 13
inmigración (f.) immigration
insistir to insist, 10
instalar to install, 4
instrucción (f.) instruction, 12
instructor(a) instructor, P
inteligente intelligent, 2
intentar to attempt
intercambiar to exchange
interesante interesting, 2
interesar to interest, to be interesting, 4
Internet (m. or f.) Internet
intérprete (m., f.) interpreter
íntimo(a) intimate
introvertido(a) introverted, 2
inundación (f.) flood, 13
invertir to invest
invierno winter, 7
inyección (f.) injection, 12
ir (irreg.) to go, 3; **~ a** (+ inf.) to be going to (do something), 3; **~ de compras** to go shopping, 8; **irse** to leave; to go away, 5
irresponsable irresponsible, 2
isla island, 14
italiano(a) Italian, 2

italiano (m.) Italian language
itinerario itinerary, 14
izquierda: a la ~ to the left, 6

J

jabón (m.) soap, 5
jamás never, 6
jamón (m.) ham, 6
japonés (m.) Japanese language, 3
japonés (japonesa) Japanese, 2
jarabe (m.) **(para la tos)** (cough) syrup, 12
jardín (m.) garden, 10
jeans (m. pl.) jeans, 8
jefe(a) boss, 13
jornada laboral workday
joven young, 2
joyas (f. pl.) jewelry, 8
joyería jewelry store, 6
jubilarse to retire, 13
juego interactivo interactive game, 4
jueves (m.) Thursday, 3
jugar (ue) (gu) to play, 4; **~ tenis (béisbol, etc.)** to play tennis (baseball, etc.), 7
jugo de fruta fruit juice, 9
juguete (m.) toy, 10
juguetón (juguetona) playful
julio July, 1
junio June, 1
juntar to group
juntarse to join
juventud (f.) youth
juzgar to judge

K

kilo kilo, 9; **medio ~** half a kilo, 9

L

la (f.) the, 1
labio lip
lado side; **al ~ de** next to, on the side of, 6
ladrar to bark
ladrillo brick
lago lake, 7
lámpara lamp, 10
lana wool, 8
langosta lobster, 9
lanzarse (c) to throw oneself
lápiz (m.) pencil, P
lástima: es una ~ it's a shame, 11
lastimarse to hurt / injure oneself, 12
lavado en seco dry cleaning, 14
lavadora washer, 10
lavandería laundry room, 10
lavaplatos (m. s.) dishwasher, 10
lavar to wash, 5; **~ los platos (la ropa)** to wash the dishes (the clothes), 10
lavarse to wash oneself, 5; **~ el pelo** to wash one's hair, 5; **~ los dientes** to brush one's teeth, 5
le to / for you (form. s.), to / for him, to / for her, 8
lección (f.) lesson, P

leche (f.) milk, 6
lector (m.) **de CD-ROM / DVD** DVD / CD-ROM drive; **~ digital** e-reader, 4
leer (y) to read, 3; **Lean el Capítulo 1.** Read Chapter 1. P
lejos de far from, 6
lema (m.) slogan
lengua language, 3; tongue, 12; **sacar la ~** to stick out one's tongue, 12
lentes (m. pl.) eyeglasses
lento(a) slow, 4
les to / for you (form. pl.), to / for them, 8
letrero sign
levantar to raise; to lift, 5; **~ pesas** to lift weights, 2
levantarse to get up, 5
ley (f.) law
libra pound, 9
libre free
librería bookstore, 3
libro book, P; **~ electrónico** e-book, 4
licencia de manejar driver's license
licuado de fruta fruit shake, smoothie
licuadora blender, 10
líder (m., f.) leader, 13
ligado a tied to
ligero(a) light, lightweight, 9
limonada lemonade, 9
limpiar el baño to clean the bathroom, 10
lindo(a) pretty, 2
línea: ~ aérea airline, 14; **en ~** online, 4
lingüístico(a) linguistic
lino linen, 8
lista de espera waiting list, 14
literatura literature, 3
litro liter, 9
llamar to call, 2; **llamarse** to name, 1; **Me llamo...** My name is . . . , 1
llano(a) flat
llanura plain
llave (f.) key (to a lock), 14
llegada arrival, 14
llegar (gu) to arrive, 2
llenar to fill
llevar to take; to carry; **~ una vida sana** to lead a healthy life, 12; **llevarse bien con la gente** to get along well with people, 13
llover to rain; **Está lloviendo. (Llueve).** It's raining. 7
lobo wolf
locutor(a) announcer, 11
lodo mud
lógico(a) logical, 11
lograr to achieve
lomo de res prime rib, 9
los (las) (pl.) the, 1
luchar (contra) to fight (against), 13
luego (m.) later, 5
lugar (m.) place; **~ de nacimiento** birthplace
lujoso(a) luxurious
lunares: de ~ polka-dotted, 8

lunes (*m.*) Monday, 3
luz (*f.*) light; **~ solar** sunlight

M

madera wood
madrastra stepmother, 5
madre (*f.*) mother, 5
maestro(a) teacher, 5
maíz (*m.*) corn
mal badly, 4
maleta suitcase, 14
maletín (*m.*) briefcase, 13
malo(a) bad, 2
mamá mom, 5
mañana morning, 3; tomorrow, 3; **de la ~** in the morning (*with precise time*), 3; **por la ~** during the morning, 3
mandar to send; to order, 8
mandato command
manejar to drive, 5
manifestación (*f.*) demonstration, 13
manivela crank, handle
mano (*f.*) hand, 12; **darse la ~** to shake hands, 13
mantel (*m.*) tablecloth, 9
mantener (*irreg.*) to keep, maintain
mantequilla butter, 9
manzana apple, 9
maquillaje (*m.*) makeup, 5
maquillarse to put on makeup, 5
máquina de afeitar electric razor, 5
mar (*m., f.*) sea, 14
maravilla wonder
marcar (*qu*) to mark; to point out
marcharse to leave
mareado(a): estar ~ to feel dizzy, 12
marisco shellfish, 9
marrón brown, 4
martes (*m.*) Tuesday, 3
marzo March, 1
más more; **~ que** more than, 8
masculino(a) masculine
matemáticas (*f. pl.*) mathematics, 3
mayo May, 1
mayonesa mayonnaise, 9
mayor older, greater, 8
mayoría majority
mayúsculo(a) capital (letter)
me to / for me, 8
mecánico(a) mechanic, 5
mecer to rock (*e.g., a baby, a cradle*)
medio(a) hermano(a) half-brother (half-sister), 5
medianoche (*f.*) midnight, 3
medicina medicine, 3
médico(a) doctor, 5
medida measurement, 9
medio ambiente (*m.*) environment
mediodía (*m.*) noon, 3
medios de transporte means of transportation, 6
medir (*i, i*) to measure
meditación (*f.*) meditation
mejilla cheek
mejor better, 8; **es ~** it's better, 11

melón (*m.*) melon, 9
memoria flash flash drive, 4
menor younger; less, 8
menos: ~ que less than, 8; **a ~ que** unless, 12; **por lo ~** at least, 10
mensajero(a) messenger
mentiroso(a) dishonest, lying, 2
menú (*m.*) menu, 9
mercadeo marketing, 3
mercado market, 6; **~ al aire libre** open-air market, farmer's market, 6
mercader merchant
merecer (*zc*) to deserve
merienda snack
mes (*m.*) month, 3; **~ pasado** last month, 7
mesa table, P; **poner la ~** to set the table, 9; **quitar la ~** to clear the table, 10
mesita de noche night table, 10
meta goal
metro: en ~ on the subway, 6
mexicano(a) Mexican, 2
mezcla mix
mezclar to mix, 9
mezclilla denim, 8
mi (*adj.*) my, 3
mí (*pron.*) me, 8
micro bus (*Chile*)
micrófono microphone, 4
microondas (*m. s.*) microwave, 10
miedo: tener (*irreg.*) **~ (a, de)** to be afraid (of), 7
mientras while, during
miércoles (*m.*) Wednesday, 3
mil (*m.*) one thousand, 8
miles (*pl.*) thousands
millón (*m.*)**: un ~** one million, 8; **dos millones** two million, 8
mío(a) (*adj.*) my, 10; (*pron.*) mine, 10
mirar televisión to watch television, 2
misionero(a) missionary
mismo(a) same; **lo mismo** the same (thing)
misterio mystery, 11
mitad (*f.*) half
mixto(a) mixed
mochila backpack, P; knapsack
moda fashion, 8; **(no) estar de ~** (not) to be fashionable, 8; **pasado(a) de ~** out of style, 8
modales (*m. pl.*) manners
modas: de ~ (*adj.*) fashion
módem (*m.*) **externo / interno** external / internal modem, 4
molestar to bother, 4
molido(a) crushed, ground, 9
monitor (*m.*) monitor, 4
mono monkey
montañoso(a) mountainous
montar to ride; **~ a caballo** to ride horseback, 7; **~ en bicicleta** to ride a bike, 7
monte (*m.*) mountain
morado(a) purple, 4
morirse (*ue, u*) to die, 8
mortalidad (*f.*) mortality
mostaza mustard, 9

mostrador (*m.*) counter; check-in desk, 14
mostrar (*ue*) to show
MP3 portátil portable MP3 player, 4
muchacho(a) boy (girl), P
muchedumbre (*f.*) crowd
mucho a lot, 4; **~ que hacer** a lot to do; **No ~.** Not much. 1
mudarse to move (*change residence*)
muebles (*m. pl.*) furniture, 10
muerto(a) (*p.p. of* **morir**) dead, 13
mujer (*f.*) woman, P; **~ de negocios** businesswoman, 5
muleta crutch, 12
mundial: música ~ world music, 11; **a nivel ~** worldwide
mundo world
muñeca doll
museo museum, 6
música music, 3; **~ clásica** classical music, 11; **~ contemporánea** contemporary music, 11; **~ country** country music, 11; **~ moderna** modern music, 11; **~ mundial / internacional** world music, 11; **~ pop** pop songs, 11
musical musical, 11
muy very, 2

N

nacer (*zc*) to be born
nacionalidad (*f.*) nationality, 2
nada nothing, 1; **De ~.** You're welcome. 1
nadar to swim, 7
nadie no one, nobody, 6
naranja orange (*fruit*), 9
nariz (*f.*) nose, 12
narrador(a) narrator
natación (*f.*) swimming, 7
naturaleza nature; **~ muerta** still life
náuseas (*f. pl.*) nausea, 12
navegación (*f.*) navigation; **~ en rápidos** whitewater rafting, 7
navegar (*gu*)**: ~ en rápidos** to go whitewater rafting, 7; **~ por Internet** to browse the Internet, 2
necesario(a) necessary, 11
necesitar to need, 2
negocio business, 3; (*pl.*) business
negro(a) black, 4
nervioso(a) nervous, 4
nevar to snow, 7; **Está nevando. (Nieva).** It's snowing. 7
ni... ni neither . . . nor, 6
nicaragüense (*m., f.*) Nicaraguan, 2
nieto(a) grandson (granddaughter), 5
ningún, ninguno(a) none, no, not any, 6
niñero(a) babysitter
niño(a) boy (girl), P
nivel (*m.*) level

noche (*f.*) night, 3; **de la ~** in the evening (*with precise time*), 3; **por la ~** during the evening, 3
nombre (*m.*) name; **Mi ~ es...** My name is . . . , 1; **~ completo** full name
normal normal, 4
norte (*m.*) north, 14
Norteamérica North America
norteamericano(a) North American
nos to / for us, 8; **¿~ vemos donde siempre?** See you at the usual place? 1
nosotros(as) we, 1; us, 8
nota grade, P
noticias (*f. pl.*) news, 11; **~ del día** current events, 13
novato(a) newbie, novice
novecientos(as) nine hundred, 8
novedoso(a) novel, new
novelista (*m., f.*) novelist
noveno(a) ninth, 10
noventa ninety, P
noviembre November, 1
novio(a) boyfriend (girlfriend)
nublado: Está ~. It's cloudy. 7
nuera daughter-in-law, 5
nuestro(a) (*adj.*) our, 3; (*pron.*) ours, 10
nueve nine, P
número number, 8; **~ ordinal** ordinal number, 10
nunca never, 5

O

o... o either . . . or, 6
obra teatral play, 11
obvio(a) obvious, 11
océano ocean, 14
ochenta eighty, P
ocho eight, P
ochocientos(as) eight hundred, 8
octavo(a) eighth, 10
octubre October, 1
ocupado(a) busy, 4
ocupar to live in
odio hatred
oeste (*m.*) west, 14
oferta especial special offer, 8
oficina office, 6; **~ de correos** post office, 6
oído inner ear, 12
oír (*irreg.*) to hear, 5
ojalá (que) I wish, I hope, 11; **¡~ se mejore pronto!** (*form.*) I hope you'll get better soon! 12
ojear to scan
ojo eye, 12
ola wave
ómnibus (*m.*) bus
once eleven, P
onda: en ~ in style
ópera opera, 11
oprimir to push
opuesto(a) opposite
oración (*f.*) sentence
ordenar to order, 9
oreja outer ear, 12
organización (*f.*) **benéfica** charity
orgulloso(a) proud
originar to originate

orilla shore

oro gold, 8

ortografía spelling

os to / for you (*fam. pl.*), 8

otoño fall, autumn, 7

P

paciente (*m., f.*) patient, 2

padrastro stepfather, 5

padre (*m.*) father, 5; **padres** (*m. pl.*) parents, 5

pagar (gu) to pay, 9

página page, P; **~ web** web page, 4

pago: método de ~ form of payment, 8; **~ por visión** pay-per-view, 11

país (*m.*) country

paisaje (*m.*) scenery

pájaro bird

palomitas (*f. pl.*) **(de maíz)** popcorn, 11

palpitante palpitating, pounding

palpitar to palpitate, 12

pan (*m.*) bread, 6; **~ tostado** toast, 9

panameño(a) Panamanian, 2

pandilla gang

pantalla screen, 4

pantalones (*m. pl.*) pants, 8; **~ cortos** shorts, 8

pantano swamp

pañuelo handkerchief

papá (*m.*) dad, 5

papas fritas (*f. pl.*) French fries, 9

papel role; paper; **hoja de ~** sheet of paper, P

papelería stationery store, 6

papitas fritas (*f. pl.*) potato chips, 6

paquete (*m.*) package, 9

para for, toward, in the direction of, in order to (+ *inf.*), 10; **~ que** so that, 12

paracaídas (*m.*) parachute

parada stop

paraguayo(a) Paraguayan, 2

parar to stop

parecer (zc) to seem

pared (*f.*) wall, P

pariente (*m., f.*) family member, relative, 5

parque (*m.*) park, 6

párrafo paragraph

parrilla: a la ~ grilled, 9

participante (*m., f.*) participant, 11

participar en to participate in, 13

partido game, match, 7

pasaje (*m.*) ticket, 14

pasajero(a) passenger, 14; **~ de clase turista** coach passenger, 14; **~ de primera clase** first class passenger, 14

pasaporte (*m.*) passport, 14

pasar to pass (by), 2; **~ la aspiradora** to vacuum, 10

pasear: sacar a ~ al perro to take the dog for a walk, 10

pasillo hallway, 10

pasta de dientes toothpaste, 5

pastel (*m.*) cake, 9

pastilla tablet, 12

patinar to skate, 2; **~ en línea** to inline skate (rollerblade), 7; **~ sobre hielo** to ice skate, 7

patio patio, 10

patrocinador(a) sponsor

pavo turkey, 6

paz (*f.*) peace; **~ mundial** world peace, 13

pecho chest, 12; (*fig.*) heart

pedazo piece, slice, 9

pedir (i, i) to ask for (*something*), 1; to request, 10; **~ la hora** to ask for the time, 3

peinarse to brush / comb one's hair, 5

peine (*m.*) comb, 5

pelar to peel, 9

pelearse to have a fight, 5

película movie, film, 11; **~ de acción** action movie, 11; **~ de ciencia ficción** science fiction movie, 11; **~ de horror / terror** horror movie, 11; **~ titulada...** movie called . . . , 11

peligro danger, 7

peligroso(a) dangerous, 7

pelirrojo(a) redheaded, 2

pelo hair; **~ castaño / rubio** brown / blond hair, 2

pelota ball, 7

peluquero(a) barber / hairdresser, 5

pendiente (*m.*) earring, 8

pendrive (*m.*) flash drive, 4

pensar (ie) to think, 4; **~ de** to have an opinion about, 4; **~ en (de)** to think about, to consider, 4

penúltimo(a) next-to-last

peor worse, 8

pequeño(a) small, 2

perder (ie) to lose, 4; **perderse (ie)** to lose oneself, to get lost

pérdida loss, 13

Perdón. Excuse me. 4

perejil (*m.*) parsley

perezoso(a) lazy, 2

periódico newspaper

periodismo journalism, 3

periodista (*m., f.*) journalist, 5

permiso: Con ~. Pardon me. 4

permitir to permit, allow, 10

pero but, 2

perro(a) dog, 2; **perro caliente** hot dog, 9

persiana Venetian blind, 10

personalidad (*f.*) personality

peruano(a) Peruvian, 2

pesar: a ~ de in spite of

pesas: levantar ~ to lift weights, 2

pescado fish (*caught*), 9

pescar (qu) to fish, 7

pez (*m.*) fish (*alive*)

piano piano, 2

picante spicy, 9

picar (qu) to chop, to mince, 9

pie (*m.*) foot, 12; **a ~** on foot, walking, 6

piel (*f.*) leather, fur 8

pierna leg, 12;

píldora pill, 12

pimienta pepper, 9

pingüino penguin

pintar to paint, 2

pintoresco(a) picturesque

pintura painting, 3

pirata (*m.*) pirate

pisar to step on

piscina swimming pool, 6

piso floor; **primer (segundo, etc.) ~** first (second, etc.) floor, 10

pista de atletismo athletics track, 6

pizarra interactiva interactive whiteboard, P

pizzería pizzeria, 6

placer: Un ~. My pleasure. 1

plancha iron, 10

planchar to iron, 10

plata silver, 8

plátano banana, 9

plato plate, 9; **~ hondo** bowl, 9; **~ principal** main dish, 9

playa beach, 14

plaza plaza, 6

plomero(a) plumber, 5

poblar (ue) to populate

pobre poor

poco little, small amount, 4; **muy ~** very little

poder (*m.*) power; (*irreg.*) to be able to, 4

poderoso(a) powerful

poesía poetry

poeta (poetisa) poet

policía (*m., f.*) policeman (policewoman), 5

política politics, 13

político(a) political

pollo chicken, 6; **~ asado** roasted chicken, 9; **~ frito** fried chicken, 9

polvo dust

poner (*irreg.*) to put, 5; **~ en equilibro** to balance; **~ la mesa** to set the table, 9; **~ mis juguetes en su lugar** to put my toys where they belong, 10; **~ una inyección** to give an injection, 12; **~ una vacuna** to vaccinate, 12; **ponerse (la ropa)** to put on (clothing), 5

por for, during, in, through, along, on behalf of, by, 10; **~ avión** by plane, 6; **~ ejemplo** for example, 10; **~ eso** so, that's why, 10; **~ favor** please, 1; **~ fin** finally, by 10; **~ lo menos** at least, 10; **~ satélite** by satellite dish, 11; **~ supuesto** of course, 10

¿por qué? why? 3

porcentaje (*m.*) percentage

porque because, 3

portarse to behave

portátil: MP3 ~ portable MP3 player, 4; **computadora ~** laptop computer, P

portugués (portuguesa) Portuguese, 2

postre (*m.*) dessert, 9

pozo well; hole

practicar (qu) to practice; **~ alpinismo** to hike, to (mountain) climb, 7; **~ deportes** to play sports, 2; **~ surfing** to surf, 7

precio: Está a muy buen ~. It's a very good price. 8

preferencia preference

preferir (ie, i) to prefer, 4

pregunta question, 12; **hacer preguntas** to ask questions, 3

premio prize

prenda de ropa article of clothing, 8

preocupado(a) worried, 4

preocuparse to worry, 5

preparación (*f.*) preparation, 9

preparar to prepare, 2; **~ la comida** to prepare the food, 10; **prepararse** to get ready, 5

preposición (*f.*) preposition, 6

presa dam

presentador(a) presenter, host (*of a show*), 11

presentar a alguien to introduce someone, 1

préstamo loan, 8

prestar to loan, to lend 8

presupuesto budget, 13

primavera spring, 7

primer(o)(a) first, 10; **primer piso** first floor, 10

primo(a) cousin, 5

principiante(a) beginner

prisa haste, hurry; **tener** (*irreg.*) **~** to be in a hurry, 7

probable probable, likely, 11

probarse (ue): Voy a probármelo(la / los / las). I'm going to try it (them) on. 8

procesador de comida food processor, 10

proceso electoral election process, 13

producto electrónico electronic product, 4

profesión (*f.*) profession, 5

profesor(a) professor, P

programa (*m.*) program; **~ antivirus** anti-virus program, 4; **~ de concursos** game show, 11; **~ de entrevistas** talk show, 11; **~ de procesamiento de textos** word-processing program, 4; **~ de realidad** reality show, 11; **~ de televisión** television program, 11

programador(a) programmer, 5

prohibido para menores rated R (minors restricted), 11

prohibir to forbid, 10

promover (ue) to promote

pronombre (*m.*) pronoun, 1

propina tip, 9

propósito purpose

proveedor (*m.*) **de acceso** Internet provider, 4

provocador(a) provocative

próximo(a) next

proyector projector, P

psicología psychology, 3

publicidad (*f.*) public relations, 3

publicitario(a) (*adj.*) pertaining to advertising

público audience, 11

pueblo town, 6

puerta door, P; **~ (de embarque)** (departure) gate, 14

puerto de USB USB port, 4
puertorriqueño(a) Puerto Rican, 2
puesto job, position, 13
puesto (*p.p. of* **poner**) placed, 13
pulgada inch
pulmón (*m.*) lung, 12
pulsera bracelet, 8
punto de vista viewpoint
punto period
puntual punctual, 13

Q

¿qué? what? which? 3; **¿~ hay de nuevo?** What's new? 1; **¿~ hora es?** What time is it? 3; **¿~ le duele?** What hurts (you)? 12; **¿~ significa...?** What does . . . mean? P; **¿~ síntomas tiene?** What are your symptoms? 12; **¿~ tal?** How are things going? 1; **¿~ te gusta hacer?** What do you like to do? 2
quebrado(a) broken, 12
quedar to fit; **Me queda bien / mal.** It fits nicely / badly. 8; **Me queda grande / apretado.** It's too big / too tight. 8; **quedar(se)** to remain; to be
quehacer (*m.*) **doméstico** household chore, 10
quejarse to complain, 5
quemar to burn
querer (*irreg.*) to want, to love, 4; to wish, 10
queso cheese, 6
¿quién(es)? who? 3; **¿De ~ es?** Whose is this? 3; **¿De ~ son?** Whose are these? 3
química chemistry, 3
quince fifteen, P
quinientos(as) five hundred, 8
quinto(a) fifth, 10
quisiera (+ *inf.*) I'd like (+ *inf.*), 6
quitar to take off, remove 5; **~ la mesa** to clear the table, 10; **quitarse (la ropa)** to take off (one's clothing), 5
quizás perhaps

R

R & B rhythm and blues (music), 11
radiografía: tomar una ~ to take an X-ray, 12
raíz (*f.*) root
rango rank
rap (*m.*) rap (music), 11
rápido(a) fast, 4
rasgado torn up
rasgar (gu) to tear up
rasuradora razor, 5
ratón (*m.*) mouse, 4
rayado(a) striped, 8
rayas: a ~ striped, 8
razón (*f.*) reason; **tener** (*irreg.*) **~** to be right, 7
reacción (*f.*) **crítica** critical reaction, 11
realidad: en ~ actually

realizado completed, carried out
realizarse (c) to take place
rebajado(a): estar ~ to be reduced (in price) / on sale, 8
recámara bedroom, 10
recepción (*f.*) reception desk, 14
receta recipe, 9; prescription, 12
recetar una medicina to prescribe a medicine, 12
recibir to receive, 3
reciclaje (*m.*) recycling, 10
recomendar (ie) to recommend, 10
reconocer (zc) to recognize
recordar (ue) to remember
recorte (*m.*) cutting
recuerdo souvenir
recurrir to fall back on, to resort to
red (*f.*) web, Internet; **~ mundial** World Wide Web, 4; **~ social** social networking site, 4
redactar to edit
reflejar to reflect
reflexión (*f.*) reflection
refresco soft drink, 6; beverage, 9; **tomar un ~** to have a soft drink, 2
refrigerador (*m.*) refrigerator, 10
regalar to give (as a gift), 8
regalo present, gift, 8
regar (ie) (gu) las plantas to water the plants, 10
registrarse to register, 14
regla rule
regresar to return, 2
regular so-so, 1
reina queen
reírse (*irreg.*) to laugh, 5
relajarse to relax, 5
reloj (*m.*) watch, 8
remar to row, 7
remero(a) rower
renombre (*m.*) renown
renovar (ue) to renovate
repente: de ~ suddenly, 9
repetir (i, i) to repeat, 4; **Repitan.** Repeat. P
reproductor (*m.*) **de discos compactos / DVD** CD / DVD player, 4
requerir (ie, i) to require, 10
requisito requisite, 13
reseña review, 11
reservación (*f.*) reservation, 14
resfriado cold (*e.g., head cold*), 12
resfriarse to get chilled; to catch cold, 12
residencia estudiantil dorm, 3
respirar to breathe; **Respire hondo.** Breathe deeply. 12
responder to respond, 1
responsable responsible, 2
restaurante (*m.*) restaurant, 6
resuelto (*p.p. of* **resolver**) determined; solved
resumen: en ~ in short, to sum up
reto challenge
retraso delay, 14
reunión (*f.*) meeting
reunirse to meet, to get together, 5
revista magazine; **~ de moda** fashion magazine

rey (*m.*) king
ridículo(a) ridiculous, 11
riesgo risk
rima rhyme
río river, 7
riqueza wealth
rock (*m.*) rock (music), 11
rodeado(a) surrounded
rodilla knee, 12
rojo(a) red, 4
ropa clothing, 5
rosa rose, 4
rosado(a) pink, 4
roto (*p.p. of* **romper**) broken, 13
rubio(a) blond(e), 2
rueda wheel
ruina ruin, 14
ruta route

S

sábado Saturday, 2
saber (*irreg.*) to know (*a fact, information*), 5; **~ (+ inf.)** to know how (*to do something*), 5
sabor (*m.*) flavor
sacar (qu) to take out; **~ a pasear al perro** to take the dog for a walk, 10; **~ fotos** to take photos, 2; **~ la basura** to take out the garbage, 10; **~ la lengua** to stick out one's tongue, 12
sacerdote (*m.*) priest
saco jacket, sports coat, 8
sacrificado self-sacrificing
sacudir los muebles to dust the furniture, 10
sal (*f.*) salt, 9
sala living room, 10; **~ de emergencias** emergency room, 12; **~ de equipajes** baggage claim, 14; **~ de espera** waiting room, 12
salchicha sausage, 6
salida departure, 14
salir (*irreg.*) to leave, go out, 5
salmón (*m.*) salmon, 9
salón (*m.*) **de clase** classroom, P
salud (*f.*) health, 3
saludable healthy
saludar to greet, 1
saludo greeting
salvadoreño(a) Salvadoran, 2
salvaje wild, untamed
salvavidas (*m. s.*) life jacket
sandalia sandal, 8
sándwich (*m.*) sandwich, 9; **~ de jamón y queso con aguacate** ham and cheese sandwich with avocado, 9
sangre (*f.*) blood, 12
satisfacer (*like* **hacer**) to satisfy, 13
satisfecho (*p.p. of* **satisfacer**) satisfied, 13
secador (*m.*) **de pelo** hairdryer, 14
secadora dryer, 10
secar (qu) to dry (*something*), 5; **secarse (qu) el pelo** to dry one's hair, 5
secretario(a) secretary, 5
secreto secret

sed (*f.*) thirst; **tener** (*irreg.*) **~** to be thirsty, 7
seda silk, 8
seguido(a) continued; **~ por** followed by
seguir (i, i) to continue, 6; **~ derecho** to go straight ahead
según according to
segundo(a) second, 10
seguro(a) sure, 4; safe, 7; **no es seguro** it's not sure, 11; **no estar ~ de** to not be sure, 11; **seguro médico** medical insurance, 13
seis six, P
seiscientos(as) six hundred, 8
sello postage stamp, 14
selva: ~ tropical tropical jungle, 14
semana week, 3; **~ pasada** last week, 7; **fin** (*m.*) **de ~** weekend, 7; **todas las semanas** every week, 5
semejanza similarity
sencillo(a) simple; single (*room*)
sentarse (ie) to sit down, 5
sentir (ie, i) to feel, 4; to feel sorry, to regret, 11; **Lo siento.** I'm sorry. 4
señalar to point out
señor (*abbrev.* **Sr.**) Mr., Sir, 1
señora (*abbrev.* **Sra.**) Mrs., Ms., Madam, 1
señorita (*abbrev.* **Srta.**) Miss, Ms., 1
separarse to get separated, 5
septiembre September, 1
séptimo(a) seventh, 10
ser (*irreg.*) to be, 1
serio(a) serious, 2
servicio service; **~ despertador** wake-up call, 14; **~ a la habitación** room service, 14
servilleta napkin, 9
servir (i, i) to serve, 4; **¿En qué puedo servirle?** How can I help you? 8
sesenta sixty, P
setecientos(as) seven hundred, 8
setenta seventy, P
sexto(a) sixth, 10
show (*m.*) show, 11
sí yes, 1
siempre always, 5
siete seven, P
siglo century
significar (qu): Significa... It means . . . , P
significado meaning
siguiente following, next
silla chair, P
sillón (*m.*) armchair, 10
símbolo symbol
simpático(a) nice, pleasant 2
sin without; **~ control** uncontrolled; **~ embargo** nevertheless; **~ que** without, 12
sincero(a) sincere, 2
sino but instead
síntoma (*m.*) symptom, 12
sistemático(a) systematic
sitio place; **~ web** website, 4
smartphone smartphone, 4
snowboarding snowboarding, 7

soberanía sovereignty

sobre on, above, 6

sobrepasar to surpass

sobresaliente outstanding

sobrevivir to survive, overcome, 13

sobrino(a) nephew (niece), 5

sofá (*m.*) sofa, 10

software (*m.*) software, 4

sol (*m.*) sun; **Hace ~.** It's sunny. 7

solicitar empleo to apply for a job, 13

solicitud (*f.*) application, 13

soltero(a) single (unmarried)

sombrero hat, 8

sonar (ue) to ring; to go off (*phone, alarm clock, etc.*), 4

sonido sound

sonreír (*irreg.*) to smile, 8

sonrisa smile

soñar (ue) con to dream about, 4

sopa soup, 9; **~ de fideos** noodle soup, 9

sorprender to surprise, 11

sorpresa surprise

sorteo raffle; evasion

sortija ring

sosiego peace, serenity

sótano basement, cellar, 10

streaming (*m.*) streaming video, 11

su (*adj.*) your (*s. form., pl.*), his, her, their, 3

suave soft

subir to go up; to get on, 6; to upload, 4

subtítulos: con ~ en inglés with subtitles in English, 11

suburbio suburb, 10

sucio(a) dirty

sudadera sweatsuit, track suit, 8

Sudamérica South America

suegro(a) father-in-law (mother-in-law), 5

sueño dream; **tener** (*irreg.*) **~** to be sleepy, 7

suéter (*m.*) sweater, 8

sufrir (las consecuencias) to suffer (the consequences), 13

sugerencia suggestion

sugerir (ie, i) to suggest, 8

superación (*f.*) overcoming

supermercado supermarket, 6

supervisar to supervise, 13

supuesto: por ~ of course, 10

sur (*m.*) south, 14

surfing: hacer / practicar (qu) ~ to surf, 7

sustantivo noun

sustituir (y) to substitute

suyo(a) (*adj.*) your (*form. s., pl.*), his, her, its, their, 10; (*pron.*) yours (*form. s., pl.*), his, hers, its, theirs, 10

T

tabla de snowboard snowboard, 7

tableta tablet computer, 4

tal vez perhaps

talla size, 8

taller (*m.*) workshop

también also, 2

tampoco neither, not either, 2

tan... como as . . . as, 8

tanto(a)(s)... como as much (many) . . . as, 8

tarde (*f.*) afternoon, 3; **de la ~** in the afternoon (*with precise time*), 3; **por la ~** during the afternoon, 3; (*adv.*) late, 3

tarea homework, P

tarjeta business card, 13; **~ de crédito** credit card, 8; **~ de débito** (bank) debit card, 8; **~ de embarque** boarding pass, 14; **~ postal** postcard, 14

taza cup, 9

te to / for you (*fam. s.*), 8

té hot tea, 9; **~ helado** iced tea, 9

teatro theater, 6

techo roof, 10

tecla key (*on a keyboard*), 4

teclado keyboard, 4

tecnología technology, 4

tejer to weave

tejido weaving

tela fabric, 8

telecomedia sitcom, 11

telecomunicaciones (*f. pl.*) telecommunications, 13

teledrama (*m.*) drama series, 11

teléfono inteligente smartphone, 4

teleguía TV guide, 11

telenovela soap opera, 11

teleserie (*f.*) TV series, 11

televidente (*m., f.*) TV viewer, 11

televisión (*f.*) television broadcasting, 11; **~ de pago** pay TV, enhanced cable, premium channels, 11; **~ por cable** cable TV, 14

televisor (*m.*) television set; **~ de alta definición** High-Definition TV, 4

temer to fear, 11

temperatura temperature, 7; **La ~ está a 20 grados Celsius (Fahrenheit).** It's 20 degrees Celsius (Fahrenheit). 7

temporada: ~ de lluvias rainy season; **~ seca** dry season

temprano early, 3

tender to tend (to)

tenedor (*m.*) fork, 9

tener (*irreg.*) to have, 1; **~ ... años** to be . . . years old, 1; **~ algunos conocimientos de...** to have some knowledge of . . ., 13; **~ buena presencia** to have a good presence, 13; **~ calor** to be hot, 7; **~ cuidado** to be careful, 7; **~ frío** to be cold, 7; **~ ganas de** to have the urge to; to feel like (doing), 7; **~ las habilidades necesarias** to have the necessary skills, 13; **~ hambre** to be hungry, 7; **~ miedo (a, de)** to be afraid (of), 7; **~ mucha experiencia en** to have a lot of experience

in, 13; **~ prisa** to be in a hurry, 7; **~ que** (+ *inf.*) to have to (+ *verb*), 1; **~ razón** to be right, 7; **~ sed** to be thirsty, 7; **~ sueño** to be sleepy, 7; **~ vergüenza** to be embarrassed, ashamed, 7

tenis (*m.*) tennis, 7

teoría theory

tercer(o, a) third, 10

término term

ternura tenderness

terremoto earthquake, 13

terrible terrible, awful, 1

terrorismo terrorism, 13

tesoro treasure

texto text

tez (*f.*) skin, complexion

ti you (*prep. pron.; fam. s.*), 8

tiburón (*m.*) shark

tiempo weather, 7; **a ~ completo** full-time (*work*), 13; **a ~ parcial** part-time (*work*), 13; **¿Qué ~ hace?** What's the weather like? 7

tienda store, 6; **~ de equipo deportivo** sporting goods store, 6; **~ de juegos electrónicos** electronic games store, 6; **~ de ropa** clothing store, 6

tierra earth, ground

tímido(a) shy, timid 2

tinto: vino ~ red wine, 9

tío(a) uncle (aunt), 5

típico(a) typical, 9

tira cómica comic strip

tirita (small) bandage, 12

tiroteo shooting

titular to title

título title

tiza chalk, P

toalla towel, 5; **~ de mano** hand towel, 5

tobillo ankle, 12; **~ torcido** twisted ankle, 12 ; **~ quebrado / roto** broken ankle, 12

tocador (*m.*) dresser, 10

tocar (qu) un instrumento musical to play a musical instrument, 2

todavía still

todo everything

todo(a) all, every; **todas las semanas** every week, 5; **todos los días (años)** every day (year), 9

tomar to take; **~ medidas** to take measures, 13; **~ la presión** to take blood pressure, 12; **~ una radiografía** to take an X-ray, 12; **~ un refresco** to have a soft drink, 2; **~ el sol** to sunbathe, 2; **~ la temperatura** to take the temperature, 12

tonto(a) silly, stupid, 2

tormenta thunderstorm

torpe awkward

tos (*f.*) cough, 12; **jarabe** (*m.*) **para la ~** cough syrup, 12

toser to cough, 12

tostadora toaster, 10

trabajador(a) (*adj.*) hard-working, 2; (*noun*) worker, 5

trabajar to work, 2; **~ a tiempo completo** to work full-time, 13; **~ a tiempo parcial** to work part-time, 13

traducir (zc) to translate, 5

traer (*irreg.*) to bring, 5

Trague. Swallow. 12

traje (*m.*) suit, 8; **~ de baño** bathing suit, 8

trama plot

tramos sections

trampa trap

transmitir to broadcast, 3

trapear el piso to mop the floor, 10

tratar de to try

tratarse de to be a matter of; to be; **Se trata de...** It's about . . ., 11

través: a ~ de across, throughout

trece thirteen, P

trecho distance, period

treinta thirty, P

tren: en ~ by train, 6

tres three, P

trescientos(as) three hundred, 8

trigo wheat

tripulación (*f.*) crew

triste sad, 4

triunfar to triumph

trompeta trumpet, 2

trozo chunk, 9

trucha trout, 9

truco trick

tu your (*fam.*), 3

tú you (*fam.*), 1

tuyo(a) (*adj.*) your (*fam.*), 10; (*pron.*) yours (*fam.*), 10

U

ubicado(a) located

Ud. (*abbrev. of* **usted**) you (*form. s.*), 8

Uds. (*abbrev. of* **ustedes**) you (*fam. or form. pl.*), 8

último: lo ~ the latest (thing)

un(a) a, 1

único(a) only, unique

unido(a) united

unir to mix together, incorporate, 9

universidad (*f.*) university, 6

uno one, P

unos(as) some, 1

uruguayo(a) Uruguayan, 2

usar to use, 2

usted you (*s. form.*), 1

ustedes you (*fam. or form. pl.*), 1

usuario(a) user, 4

útil useful

uva grape, 9

V

vacío(a) empty

vacuna vaccination, 12

valer (*irreg.*) **la pena** to be worthwhile

valioso(a) valuable

valle (*m.*) valley
valor (*m.*) value
vanidoso(a) vain
vapor: al ~ steamed, 9
vaquero cowboy
variedad (*f.*) variety
varios(as) various, several
varonil manly
vaso glass, 9
veces (*f. pl.*) times; **a ~** sometimes, 5; **(dos) ~ al día / por semana** (two) times a day / per week, 5
vecino(a) neighbor, 6
vegano: algo ~ something vegan, 9
vegetal (*m.*) vegetable, 6
vegetariano(a) vegetarian; **~ estricto** vegan, 9
vehículo vehicle
veinte twenty, P
veintiuno twenty-one, P
velocidad speed
venda de gasa gauze bandage, 12
vender to sell, 3
venezolano(a) Venezuelan, 2
venir (*irreg.*) to come, 5

venta: estar en ~ to be on sale, 8
ventaja advantage, 13
ventana window, P
ver (*irreg.*) to see, 5; **Nos vemos.** See you later. 1
veraneante summer visitor
verano summer, 7
veras: de ~ truly, really
verbo verb, 3
verdad true; **(no) es ~** it's (not) true, 11; **~** (*f.*) truth
verde green, 4
vergüenza shame; **tener** (*irreg.*) **~** to be embarrassed, ashamed, 7
verso libre blank verse
vestido dress, 8
vestir (i, i) to dress (*someone*), 5; **vestirse (i, i)** to get dressed, 5
veterinario(a) veterinarian, 5
vez (*f.*) time; **de ~ en cuando** sometimes; **en ~ de** instead of; **rara ~** hardly ever; **tal ~** perhaps; **una ~** once, 9
viajar to travel, 2; **~ al extranjero** to travel abroad, 14

víbora viper
vida life
video a pedido, ~ bajo demanda video on demand, 11
videocámara videocamera, 4
viejo(a) old, 2
viento wind; **Hace ~.** It's windy. 7
viernes (*m.*) Friday, 2
vinagre (*m.*) vinegar, 9
vino: ~ blanco white wine, 9; **~ tinto** red wine, 9
violencia violence, 13
violín (*m.*) violin, 2
viraje (*m.*) turn
visitante (*m., f.*) visitor
visitar a amigos to visit friends, 2
visto (*p.p. of* **ver**) seen, 13
vitamina vitamin, 12
vivienda housing
vivir to live, 3
vivo: en ~ live, 11
volcán (*m.*) volcano, 14
volibol (*m.*) volleyball, 7
voluntad will, willpower
volver (ue) to return, 4
vomitar to throw up, 12
vosotros(as) you (*fam. pl.*), 1

votar to vote, 13
voz (*f.*) voice
vuelo flight, 14
vuelto (*p.p. of* **volver**) returned, 13
vuestro(a) (*adj.*) your (*fam. pl.*), 3; (*pron.*) yours (*fam. pl.*), 3

W

wifi (*m.*) wifi, wireless connection, 4

Y

yerno son-in-law, 5
yeso cast, 12
yo I, 1
yogur (*m.*) yogurt, 6

Z

zanahoria carrot, 9
zapato shoe, 8; **~ de tacón alto** high-heeled shoe, 8; **~ de tenis** tennis shoe, 8

A

a un(a), 1
à la carte a la carta, 9
above sobre, 6
abundance abundancia
academic académico(a)
access acceder, 4
accessory accesorio, 8
according to según
accountant contador(a), 5
accounting contabilidad (f.), 3
ache dolor (m.), 12
achieve alcanzar (c), lograr
acquisition adquisición (f.)
across a través de
action acción (f.), 5
active activo(a), 2
activity actividad (f.), P
actor actor (m.), 5
actress actriz (f.), 5
actually en realidad
ad: personal ~ anuncio personal
add agregar, añadir, 9
address dirección (f.)
advantage ventaja, 13
advertising (adj.) publicitario(a)
advice consejo, 12
advise aconsejar, 10
affection cariño
after después, 5; después (de) que, 12
afternoon tarde (f.), 3; **during the ~** por la tarde, 3; **Good ~.** Buenas tardes. 1; **in the ~** (with precise time) de la tarde, 3; **late ~** atardecer (m.)
age edad (f.)
agreement concordancia
agricultural agrícola (m., f.)
ahead adelante
air conditioning aire (m.) acondicionado, 14
airline línea aérea, 14
airplane avión (m.), 14
airport aeropuerto, 6
all todo(a)
allergy alergia, 12
alligator aligátor (m.), caimán (m.)
along por, 10
alphabet alfabeto
also también, 2
although aunque, 12
altitude altitud (f.)
always siempre, 5
ambassador embajador(a)
ambiguity ambigüedad (f.)
amusement diversión (f.)
ancestor antecesor(a), antepasado(a)
anger cólera
angry enojado(a), 4
animated film dibujos animados, 11
ankle tobillo, 12; **twisted ~** tobillo torcido, 12; **broken ~** tobillo quebrado / roto

announcer locutor(a), 11
anonymous anónimo(a)
answer contestar; **Answer.** Contesten. P
Antarctica Antártida
antibiotic antibiótico, 12
antiquated anticuado(a)
any algún, alguno(a), 6
apartment apartamento, 6
appear aparecer (zc)
apple manzana, 9
appliance electrodoméstico, 10
application aplicación (f.), 4; solicitud (f.), 13
apply for a job solicitar empleo, 13
appointment cita, 12
appreciate apreciar
appropriate apropiado(a)
April abril, 1
apt apto(a)
architect arquitecto(a), 5
architecture arquitectura, 3
Argentinian argentino(a), 2
arm brazo, 12
armchair sillón (m.), 10
armed forces fuerzas armadas, 13
army ejército, 13
around alrededor de
arrival llegada, 14
arrive llegar, 2
arrogant altivo(a)
art arte (m.), 3; **~ exhibit** exposición (f.) de arte, 11; **arts** arte y cultura, 11
article artículo, 1
artist artista (m., f.), 5
as como; **~ . . . ~** tan... como, 8; **~ many . . . ~** tantos(as)... como, 8; **~ much . . . ~** tanto(a) (s)... como, 8; **~ soon** en cuanto, tan pronto como, 12
ask: ~ questions hacer (irreg.) preguntas, 3; **~ for something** pedir (i, i), 1; **~ for the time** pedir (i, i) la hora, 3
asparagus espárragos (m. pl.), 9
aspirin aspirina, 12
at en; **~ least** por lo menos, 10; **~ low heat** a fuego suave / lento, 9
athletics track pista de atletismo, 6
atmosphere ambiente (m.)
attachment anexo
attack ataque (m.)
attempt intentar
attend acudir; asistir a, 3
attitude actitud (f.)
attractive guapo(a), 2
audience audiencia; público, 11
audio audio, P
audiotape cinta, P
auditorium auditorio, 6
August agosto, 1
aunt tía, 5
Australian australiano(a), 2

automated bank teller (ATM) cajero automático, 6
autumn otoño, 7
availability disponibilidad (f.)
available disponible, 13
avenue avenida, 1
avoid evitar
awful fatal, terrible, 1
awkward torpe

B

babysitter niñero(a)
back espalda, 12
background fondo
backpack mochila, P
bad malo(a), 2; **it's ~** es malo, 11
badly mal, 4
baggage equipaje (m.), 14; **~ claim** sala de equipajes, 14
balance poner (irreg.) en equilibrio
ball pelota, 7
ballpoint pen bolígrafo, P
banana plátano, 9
bandage curita, tirita, 12
bank (commercial) banco, 6
barber peluquero(a), 5
bark ladrar
barefooted descalzo(a)
baseball béisbol (m.), 7
basement sótano, 10
basket canasta
basketball básquetbol (m.), 7
bather bañador(a)
bathing suit traje (m.) de baño, 8
bathroom baño, 10
be estar (irreg.), ser (irreg.), 1; **~ . . . years old** tener (irreg.)... años, 1; **~ a matter of** tratarse de; **~ able to** poder (irreg.), 4; **~ afraid (of)** tener (irreg.) miedo (a, de), 7; **~ ashamed** tener (irreg.) vergüenza, 7; **~ born** nacer (zc); **~ careful** tener (irreg.) cuidado, 7; **~ certain of** contar (ue) con; **~ cold** tener (irreg.) frío, 7; **~ congested** estar (irreg.) congestionado(a), 12; **~ embarrassed** tener (irreg.) vergüenza, 7; **~ familiar with** conocer (zc), 5; **~ going to** ir a, 3; **~ happy about** alegrarse de, 11; **~ hot** tener (irreg.) calor, 7; **~ hungry** tener (irreg.) hambre, 7; **~ important** importar, 4; **~ in a hurry** tener (irreg.) prisa, 7; **~ interesting** interesar, 4; **~ jealous** tener (irreg.) celos; **~ pleased about** estar (irreg.) contento(a) de, 11; **~ right** tener (irreg.) razón, 7; **~ sleepy** tener (irreg.) sueño, 7; **~ sure** estar (irreg.) seguro(a) de, 11; **~ thirsty** tener (irreg.) sed,

7; **~ worthwhile** valer (irreg.) la pena
beach playa, 14; **~ resort** balneario
bean haba (f. but el haba); **(green) ~** habichuela, 9; **refried beans** frijoles refritos, 9
beat batir
beautiful bello(a), hermoso(a)
beauty belleza
because porque, 3
bed cama, 10
bedroom cuarto, dormitorio, habitación (f.), recámara, 10
beef stew guisado, 9
beer cerveza, 9
before antes, 5; antes (de) que, 12
begin comenzar (ie) (c), empezar (ie) (c), 4
beginner principiante
behave portarse
behavior comportamiento
behind detrás de, 6
believe (in) creer (en), 3; **not ~** no creer, 11
bellhop botones (m. s.), 14
below debajo de, 6
belt cinturón (m.), 8
benefit beneficio, 13
besides además
better mejor, 8; **it's ~** es mejor, 11
between entre, 6
beverage bebida, refresco, 9
bicycle: on ~ en bicicleta, 6
big grande, 2
bilingual bilingüe
bill cuenta, 9
biology biología, 3
bird pájaro
birthplace lugar (m.) de nacimiento
black negro(a), 4
blackened ennegrecido(a)
blank verse verso libre
blender licuadora, 10
blind ciego(a); **~ date** cita a ciegas
block cuadra, 6
blog blog, 4
blond(e) rubio(a), 2
blood sangre (f.), 12
blouse blusa, 8
blue azul, 4
board abordar, 14
boarding pass tarjeta de embarque, 14
boat barco, bote (m.)
body cuerpo, 12
boil hervir (ie, i), 9
boiled hervido(a), 9
Bolivian boliviano(a), 2
book libro, P
bookstore librería, 3
boot bota, 8
border frontera, franja

bored aburrido(a), 4
boredom aburrimiento
boring aburrido(a), 2
boss jefe(a), 13
both ambos(as)
bother molestar, 4
bowl plato hondo, 9
box: large ~ cajón (*m.*)
boxing boxeo, 7
boy chico, P; muchacho, P; niño, P
boyfriend novio
bracelet brazalete (*m.*), pulsera, 8
bread pan (*m.*), 6
break (a record) batir
breakfast desayuno, 9; **~ included** desayuno incluido, 14
breathe respirar; **~ deeply.** Respire hondo. 12
brick ladrillo
brief breve
briefcase maletín (*m.*), 13
bring traer (*irreg.*), 5
broadcast transmitir, 3
broccoli brócoli (*m.*), 9
broken quebrado(a), 12; roto(a) (*p.p. of* romper), 13; **~ ankle** tobillo quebrado / roto, 12
brother (younger, older) hermano (menor, mayor), 5
brother-in-law cuñado, 5
brown castaño, 2; café, marrón, 4
browse the Internet navegar por Internet, 2
brush cepillo, 5; **~ one's hair** cepillarse el pelo, peinarse, 5; **~ one's teeth** lavarse los dientes, 5
buddy cuate(a)
budget presupuesto, 13
building edificio, 6
burn arder, quemar
burning encendido(a)
bus ómnibus (*m.*), colectivo, guagua (*Cuba, Puerto Rico*), micro (*Chile*)
business negocio, 3; empresas; **~ administration** administración (*f.*) de empresas, 3; **~ card** tarjeta, 13; **~ district** barrio comercial, 10
businessman hombre (*m.*) de negocios, 5; empresario, 13
businesswoman mujer (*f.*) de negocios, 5; empresaria, 13
busy ocupado(a), 4
but pero, 2; **~ instead** sino
butcher shop carnicería, 6
butter mantequilla, 9
buy comprar, 2
by por, 10; **~ bus** en autobús, 6; **~ car** en carro / coche / automóvil, 6; **~ check** con cheque, 8; **~ plane** en / por avión, 6; **~ satellite dish** por satélite, 11; **~ train** en tren, 6
Bye. Chau. 1

C

cable cable (*m.*), 4; **~ TV** cable (*m.*), 11; televisión (*f.*) por cable, 14; **enhanced ~** televisión de pago, 11

cafeteria cafetería, 3
cake pastel (*m.*), 9
calculator calculadora, P
calculus cálculo, 3
call llamar, 2
campaign campaña, 13
can opener (electric) abrelatas (*m.*) (eléctrico), 10
Canadian canadiense (*m., f.*), 2
candidate candidato(a), 13
candy dulce (*m.*), 11
canyon cañón (*m.*), 14
cap gorra, 8
capital (letter) mayúsculo(a)
card tarjeta; **credit ~** tarjeta de crédito, 8; **debit ~** tarjeta de débito, 8
cardboard cartón (*m.*)
career carrera, 5
Caribbean (Sea) Caribe (*m., f.*)
carpenter carpintero(a), 5
carpet alfombra, 10
carrot zanahoria, 9
carry llevar
cartoons dibujos animados, 11
cash: in ~ en efectivo, al contado, 8
cashmere cachemira
cast yeso, 12
cat gato(a), 2
cattle ganado, ganadería
cattle-raising industry industria ganadera
cautious cuidadoso(a), 2
CD: CD / DVD burner grabador (*m.*) de discos compactos / DVD, **~ player** reproductor (*m.*) de discos compactos / DVD, 4
celebration celebración (*f.*)
cellar sótano, 10
Celsius degree grado Celsius, 7
censure censurar
census censo
cent centavo
center centro
Central America Centroamérica
century siglo
cereal cereal (*m.*), 9
certain cierto(a); **it's not ~** no es cierto, 11
chain cadena, 8
chair silla, P
chalk tiza, P
challenge reto
change cambio; convertir (ie, i); **~ the channel** cambiar el canal, 11
chapter capítulo, P
charity organización (*f.*) benéfica
chat chatear (*online*), 4; **~ room** grupo de conversación, 4
check cheque (*m.*); (*restaurant check*) cuenta, 9; **~ one's baggage** facturar el equipaje, 14
check-in desk mostrador (*m.*), 14
checkup chequeo médico, 12
cheek mejilla
cheese queso, 6
cheeseburger hamburguesa con queso, 9
chef cocinero(a), 5

chemistry química, 3
chess ajedrez (*m.*)
chest pecho, 12
chicken pollo, 6; **~ soup** caldo de pollo, 9; **~ with rice** arroz (*m.*) con pollo, 9; **fried ~** pollo frito, 9; **roasted ~** pollo asado, 9
Chilean chileno(a), 2
Chinese chino(a), 2; **~ language** chino, 3
chocolate cacao; chocolate (*m.*), 11
choose escoger (j)
chosen elegido(a)
chronology cronología
chunk trozo, 9
church iglesia, 6
cinema cine (*m.*), 6
cinnamon canela
citizen ciudadano(a), 13
city ciudad (*f.*), 6
clam almeja, 9
clarity claridad (*f.*)
class clase (*f.*), P; **lower ~** clase baja
classroom salón (*m.*) de clase, P
clean the bathroom limpiar el baño, 10
clear the table quitar la mesa, 10
click hacer (*irreg.*) clic, 4; **double ~** hacer (*irreg.*) doble clic, 4
clinic clínica, 12
close cerrar (ie), 4; **~ your books.** Cierren el libro. P
close to cerca de, 6
closet clóset (*m.*), 10
clothing ropa, 5; **article of ~** prenda de ropa, 8; **~ store** tienda de ropa, 6
cloudburst chaparrón (*m.*)
cloudy: It's ~. Está nublado. 7
coat abrigo, 8
code código
codfish bacalao, 9
coffee café (*m.*), 9
cold (*e.g., head cold*) catarro, resfriado, 12; (*adj.*) frío(a); **It's ~.** Hace frío. 7
Colombian colombiano(a), 2
color color (*m.*), 4; **solid ~** de un solo color, 8
comb peine (*m.*), 5; **~ one's hair** peinarse, 5
come venir (*irreg.*), 5
comedy comedia, 11; **romantic ~** comedia romántica, 11
comic strip tira cómica; (*pl.*) historietas
comma coma
command mandato
compact disc CD, disco compacto (*m.*)
comparison comparación (*f.*), 8
compete competir (i, i)
competition competencia, 7
complain quejarse, 5
completed realizado
complexion tez (*f.*)
complicity complicidad (*f.*)
computer computadora, P; **~ center** centro de computación, 3; **~ functions**

funciones (*f. pl.*) de la computadora, 4; **~ science** computación (*f.*), informática, 3
concierge conserje (*m., f.*), 14
conduct conducir (zc), 5
confection confección (*f.*)
connect conectar, 4
connection conexión (*f.*), 4
consider pensar (ie) en (de), 4
content contenido
contest concurso
continue seguir (i, i), 6
continued seguido(a)
contract contrato, 13
contraction contracción (*f.*), 3
contrary: on the ~ al contrario
conversation conversación (*f.*)
cook cocinar, 2; cocer (-z) (ue), 9; cocinero(a), 5
cookie galleta, 9
cool chévere, **It's cool.** Hace fresco. 7
copper cobre (*m.*)
corn maíz (*m.*)
corner esquina, 6
corporation: multinational ~ compañía multinacional, 13
correct corregir (i, i) (j)
cost costo, 13
Costa Rican costarricense (*m., f.*), 2
cotton algodón (*m.*), 8
cough toser, 12; tos (*f.*), 12; **~ syrup** jarabe (*m.*) para la tos, 12
counter mostrador (*m.*), 14
country país (*m.*)
courage coraje (*m.*)
course: basic ~ curso básico, 3
courtesy cortesía, 4
cousin primo(a), 5
cowboy vaquero
cradle cuna
crank manivela
cream crema, 12
create crear
creative creativo(a)
crew tripulación (*f.*)
crime crimen (*m.*), 13
critic crítico(a), 11
critical reaction reacción (*f.*) crítica, 11
criticism crítica, 11
crowd muchedumbre (*f.*)
cruise ship crucero
crushed molido(a), 9
crutch muleta, 12
Cuban cubano(a), 2
culinary culinario(a)
culture cultura
cumin comino, 9
cup taza, 9
current events noticias (*f. pl.*) del día, 13
curriculum vitae currículum vitae (*m.*), 13
curtain cortina, 10
custard flan (*m.*), 9
customer cliente (*m., f.*), 8
customs aduana, 14
cut (oneself) cortar(se), 12
cutting recorte (*m.*)
cyberspace ciberespacio, 4
cycling ciclismo, 7

D

dad papá (*m.*), 5
daily cotidiano(a)
dam presa
dance bailar, 2; baile (*m.*), 3; danza, 11
danger peligro, 7
dangerous peligroso(a), 7
date fecha, 3; **blind ~** cita a ciegas
daughter hija, 5
daughter-in-law nuera, 5
dawn amanecer (zc)
day día (*m.*), 3; **~ before yesterday** anteayer, 7; **~ of the week** día de la semana, 3; **every ~** todos los días, 3
dead muerto(a), 13
December diciembre, 1
decoration decoración (*f.*), 10
definite definido(a), 1
degree grado
delay demora, retraso, 14
Delighted to meet you. Encantado(a). 1
demand exigir (j)
demonstrate demostrar (ue)
demonstration manifestación (*f.*), 13
demonstrative demostrativo(a), 6
denim mezclilla, 8
dentist dentista (*m., f.*), 5
deodorant desodorante (*m.*), 5
departure salida, 14
describe describir, 2
desert desierto, 11
deserve merecer (zc)
design diseño; **graphic ~** diseño gráfico, 3
designer: graphic ~ diseñador(a) gráfico(a), 5
desire afán (*m.*); anhelo
desk escritorio, P
dessert postre (*m.*), 9
destination: with ~ to con destino a, 14
detail detalle (*m.*)
detail-oriented detallista, 13
determined resuelto (*p.p. of* resolver)
develop desarrollar
development desarrollo, 13
dialect dialecto
dictionary diccionario, P
die morirse (ue, u), 8
difference diferencia
difficult difícil, 4
digital camera cámara digital, 4
dining room comedor (*m.*), 10
dinner cena
direct dirigir (j), 13
dirty sucio(a)
disadvantage desventaja, 13
disappointment desilusión (*f.*)
disaster desastre (*m.*); **natural ~** desastre natural, 13
discount descuento, 8
discover descubrir, 3
discrimination discriminación (*f.*), 13
disembark desembarcar (qu), 14
disgusting asco

dish: main ~ plato principal, 9
dishonest mentiroso(a), 2
dishwasher lavaplatos (*m. s.*), 10
disillusionment desengaño
dispatch despachar
dispel disipar
disqualify descalificar (qu)
distance trecho
diversity diversidad (*f.*)
divide dividir
do hacer (*irreg.*), 5; **a lot to ~** mucho que hacer; **~ the homework for tomorrow.** Hagan la tarea para mañana. P; **~ the recycling** hacer el reciclaje, 10
doctor doctor(a); médico(a), 5
doctor's office consultorio del médico, 12
documentary documental (*m.*), 11
dog perro(a), 2
doll muñeca
dollar dólar (*m.*)
Dominican dominicano(a), 2
done hecho (*p.p. of* hacer), 13
door puerta, P
dorm residencia estudiantil, 3; dormitorio estudiantil, 6
doubt dudar, 11
doubtful dudoso(a), 11
download descargar, bajar, 4
downpour chaparrón (*m.*)
downtown centro de la ciudad, 10
dozen docena, 9
drama drama (*m.*), 11; **~ series** teledrama (*m.*), 11
drawing dibujo, P
dream sueño; **~ (about)** soñar (ue) con, 4
drenched empapado(a)
dress vestido, 8; **~ (someone)** vestir (i, i), 5; **get dressed** vestirse (i, i), 5
dresser cómoda, tocador (*m.*), 10
drink beber, 3
drive manejar, conducir (zc), 5
driver's license licencia de manejar
drops gotas, 12
dry (something) secar (qu), 5; **~ cleaning** lavado en seco, 14; **~ one's hair** secarse (qu) el pelo, 5
dryer secadora, 10
dubbed doblado(a), 11
during mientras, por, 10
dust polvo; **~ the furniture** sacudir los muebles, 10
DVD / CD-ROM drive lector (*m.*) de CD-ROM / DVD, 4

E

ear (inner) oído, 12; **(outer)** oreja, 12
early temprano, 3
earn (money) ganar, 13
earphones audífonos (*m. pl.*), 4
earring arete (*m.*), pendiente (*m.*), 8
earth tierra
earthquake terremoto, 13

east este (*m.*), 14
easy fácil, 4
eat comer, 3; **~ dinner** cenar, 2; **~ healthy foods** comer alimentos nutritivos, 12
e-book libro electrónico, 4
economics economía, 3
economy economía, 13
Ecuadoran ecuatoriano(a), 2
edit redactar
education educación (*f.*), 3
egg huevo, 6; **~ sunnyside up** huevo estrellado, 9; **scrambled ~** huevo revuelto, 9
egotistic egoísta, 2
eight ocho, P; **~ hundred** ochocientos(as), 8
eighteen dieciocho, P
eighth octavo(a), 10
eighty ochenta, P
either . . . or o... o, 6
elbow codo, 12
election elección (*f.*), 13; **~ process** proceso electoral, 13
electricity electricidad (*f.*)
electronic electrónico(a); **~ games store** tienda de juegos electrónicos, 6; **~ mailbox** buzón (*m.*) electrónico, 4; **~ notebook** asistente (*m.*) electrónico, 4; **electronics** aparatos electrónicos, 4
elephant elefante (*m.*)
elevator ascensor (*m.*), 14
eleven once, P
e-mail correo electrónico, e-mail (*m.*), P
embarrass avergonzar (ue) (c)
embarrassed avergonzado(a)
embroidered bordado(a), 8
emergency emergencia, 12; **~ room** sala de emergencias, 12
emotion emoción (*f.*), 4
emphasize destacar (qu), enfatizar (c)
employ emplear, 13
employee empleado(a), 13
empty vacío(a)
enchant encantar, 11
encounter encuentro
end cabo; fin (*m.*)
engineer ingeniero(a), 5
engineering ingeniería, 3
English inglés (inglesa), 2; **~ language** inglés (*m.*), 3
enjoy gozar (c); **~ (life)** disfrutar (la vida)
enough: it is ~ basta
enroll alistar
enterprising emprendedor(a), 13
entertain entretener (*like* tener)
entertaining divertido(a), 2
entertainment entretenimiento
environment medio ambiente (*m.*)
episode episodio, 11
equality igualdad (*f.*), 13
equator ecuador (*m.*)
era etapa
e-reader lector digital, 4

essay ensayo
essential importante, 11
esteemed estimado(a)
Europe Europa
evaluation calificación (*f.*)
evasion sorteo
even aun; **~ though** aunque, 12
evening noche (*f.*); **during the ~** por la noche, 3; **Good ~.** Buenas noches. 1; **in the ~** (*with precise time*) de la noche, 3
everything todo
everywhere por dondequiera
examine examinar, 12
example ejemplo, 10
exchange intercambiar; **~ money** cambiar dinero, 14; **in ~ for** a cambio de; **~ rate** cambio
Excuse me. Disculpe. Perdón. 4
exercise hacer (*irreg.*) ejercicio, 7
exhibit exhibir; **art ~** exposición (*f.*) de arte, 11
exotic exótico(a)
expensive: It's (too) ~. Es (demasiado) caro(a). 8
express preferences expresar preferencias, 2
expression expresión (*f.*), 1
extroverted extrovertido(a), 2
eye ojo, 12
eyeglasses lentes (*m. pl.*), anteojos (*m. pl.*)

F

fabric tela, 8
fact dato, hecho
factory fábrica, 13
Fahrenheit degree grado Fahrenheit, 7
faint desmayarse, 12
fairy tale cuento de hadas
fall caer (*irreg.*); (*autumn*) otoño, 7; **~ asleep** dormirse (ue, u), 5; **~ back on** recurrir; **~ in love** enamorarse, 5
false falso(a)
family familia; **~ member** pariente (*m., f.*), 5; **nuclear ~** familia nuclear, 5; **~ tree** árbol (*m.*) genealógico
fantastic fantástico(a), 11
fantasy fantasía
far from lejos de, 6
fascinate fascinar, 4
fashion (adj.) de modas **fashion** moda, 8; **~ magazine** revista de moda
fashionable: (not) to be ~ (no) estar de moda, 8
fast rápido(a), 4
fat gordo(a), 2
father padre (*m.*), papá (*m.*), 5
father-in-law suegro, 5
fear temer, 11
February febrero, 1
feed the dog darle de comer al perro, 10
feel sentir (ie, i), 4; **~ dizzy** estar (*irreg.*) mareado(a), 12; **~ like (doing)** tener (*irreg.*) ganas de, 7; **~ sorry** sentir (ie, i), 11

feminine femenino(a)

fever fiebre (f.), 12

field of study campo de estudio, 3

fifteen quince, P

fifth quinto(a), 10

fifty cincuenta, P

fight (against) luchar (contra), 13

file archivar, 4; archivo, 4

fill llenar

film película, 11

final final

finally por fin, 9

financial financiero(a)

find encontrar (ue), 4

find out averiguar (gü)

Fine, thank you. Bien, gracias. 1

finger dedo, 12

fire (*from a job*) despedir (i, i), 13; fuego; **~fighter** bombero(a), 5

fired despedido(a)

fireplace chimenea, 10

first primer(o)(a), 10; **~ floor** primer piso, 10

fish pescar (qu), 7; pez (m.) (*alive*); pescado (*caught*), 9

fit apto(a); **It fits nicely / badly.** Me queda bien / mal. 8

five cinco, P; **~ hundred** quinientos(as), 8; **~ thousand** cinco mil, 8

flash drive memoria (f.) flash, pendrive (m.), 4

flat llano(a)

flavor sabor (m.)

flight vuelo, 14; **~ attendant** asistente (m., f.) de vuelo, 14

floating flotador(a)

flood inundación (f.), 13

floor piso; **first ~** primer piso, 10

flour harina, 9

flourish florecer (zc)

flower florecer (zc); flor (f.)

flu gripe (f.), 12

fold doblar, 6

followed by seguido por

following siguiente

fondness cariño

food comida, 6

food processor procesador (m.) de comida, 10

fool engañar

foot pie (m.), 12; **on ~** a pie, 6

football fútbol americano, 7

footprint huella

for para, por, 10; **~ example** por ejemplo, 10

forbid prohibir, 10

forest bosque (m.), 14; **~ fire** incendio forestal

fork tenedor (m.), 9

form formulario, 13

fortress fortaleza

forty cuarenta, P

forum foro, 4

founder fundador(a)

four cuatro, P; **~ hundred** cuatrocientos(as), 8

fourteen catorce, P

fourth cuarto(a), 10

fracture fractura, 12

free libre

freezer congelador (m.), 10

French francés (francesa), 2; **~ fries** papas fritas, 9; **~ language** francés (m.), 3

frequently frecuentemente, 4

fresh fresco(a), 9

Friday viernes (m.), 2

fried frito(a), 9

friend amigo(a), P; cuate(a)

frivolousness frivolidad

from the del (de + el), 3

front: in ~ of delante de, frente a, enfrente de, 6

frozen congelado(a), 9

fruit fruta, 6; **~ juice** jugo de fruta, 9; **~ salad** ensalada de fruta, 9; **~ shake** licuado de fruta

fry freír (i, i), 9

fur piel, 8

fun divertido(a), 2

function funcionar, 4

funny cómico(a), 2

furious furioso(a), 4

furniture muebles (m. pl.), 10

G

G (for general audiences) apto(a) para toda la familia, 11

gallon galón (m.), 9

game partido, 7; **~ show** programa (m.) de concursos, 11; **interactive ~** juego interactivo, 4

gang pandilla

garage garaje (m.), 10

garbage basura, 10

garden jardín (m.), 10

garlic ajo, 9

gate: (departure) ~ puerta (de embarque), 14

gauze bandage venda de gasa, 12

generally por lo general, 9

generous generoso(a), 2

genre género

gentle apacible

geography geografía, 3

German alemán (alemana), 2; **~ language** alemán (m.), 3

get conseguir (i, i), 8; **~ ahead** adelantar; **~ along well with people** llevarse bien con la gente, 13; **~ chilled** resfriarse, 12; **~ cold** enfriarse, 9; **~ divorced** divorciarse, 5; **~ down from** bajar, 6; **~ dressed** vestirse (i, i), 5; **~ engaged** comprometerse, 5; **~ married** casarse, 5; **~ off of** (*a bus, etc.*) bajar, 6; **~ on** subir, 6; **~ ready** prepararse, 5; **~ separated** separarse, 5; **~ sick** enfermarse, 5; **~ together** reunirse, 5; **~ up** levantarse, 5

gift regalo

girl chica, P; muchacha, P; niña, P

girlfriend novia

give dar (*irreg.*), 5; **~ a blood / urine test** hacer (*irreg.*) un análisis de sangre / orina, 12;

~ a four-star rating clasificar (qu) con cuatro estrellas, 11; **~ an injection** poner (*irreg.*) una inyección, 12; **~ as a gift** regalar, 8; **~ directions** decir (*irreg.*) cómo llegar, 6; **~ personal information** dar (*irreg.*) información personal, 1; **~ preference** anteponer; **~ someone a bath** bañar, 5; **~ the time** dar (*irreg.*) la hora, 3

glass vaso, 9

globalization globalización (f.), 13

glove guante (m.), 8

go acudir; ir (*irreg.*), 3; **~ away** irse (*irreg.*), 5; **~ off** (*alarm clock, etc.*) sonar (ue), 4; **~ offline** cortar la conexión, 4; **~ online** hacer (*irreg.*) una conexión, 4; **~ out** salir (*irreg.*), 5; **~ shopping** hacer (*irreg.*) las compras, 6; ir de compras, 8; **~ straight** seguir (i, i) (g) derecho, 6; **~ to bed** acostarse (ue), 5; **~ up** subir, 6

goal meta

gold oro, 8

golden dorado(a), 9

golf golf (m.), 7

good bueno(a), 2; bondadoso(a); **it's ~** es bueno, 11

goodbye adiós, 1

gossip chisme (m.)

gossiping chismoso(a)

government gobierno, 13

governor gobernador(a)

GPS GPS, 4

grade nota, P

granddaughter nieta, 5

grandfather abuelo, 5

grandmother abuela, 5

grandson nieto, 5

grape uva, 9

graph gráfica

gray gris, 4

great chévere (*Cuba, Puerto Rico*); grande, 2

greater mayor, 8

green verde, 4

greet saludar, 1

greeting saludo

grilled asado(a); a la parrilla, 9

ground molido(a), 9; tierra

group juntar; conjunto

growth crecimiento

Guatemalan guatemalteco(a), 2

guess adivinar; **~.** Adivina. P

guinea pig cuy (m.)

guitar guitarra, 2

gymnasium gimnasio, 3

H

hair: blond ~ pelo rubio, 2; **brown ~** pelo castaño, 2

hairdresser peluquero(a), 5

hairdryer secador (m.) de pelo, 14

half mitad (f.)

half-brother medio hermano, 5

half-sister media hermana, 5

hallway pasillo, 10

ham jamón (m.), 6

hamburger hamburguesa, 9

hand mano (f.), 12

hand towel toalla de mano, 5

handicrafts artesanía

handkerchief pañuelo

handle manivela

handsome hermoso(a), guapo(a), 2

happiness dicha, felicidad (f.)

happy contento(a), 4

hard duro(a); **~ drive** disco duro, 4

hardly ever rara vez

hardware hardware (m.), 4

hard-working trabajador(a), 2

haste prisa

hat sombrero, 8

hatred odio

have tener (*irreg.*), 1; **~ a fight** pelearse, 5; **~ a good presence** tener (*irreg.*) buena presencia, 13; **~ a lot of experience in** tener (*irreg.*) mucha experiencia en, 13; **~ a soft drink** tomar un refresco, 6; **~ fun** divertirse (ie, i), 5; **~ some knowledge of** tener (*irreg.*) algunos conocimientos de, 13; **~ the necessary skills** tener (*irreg.*) las habilidades necesarias, 13; **~ the urge to** tener (*irreg.*) ganas de, 7; **~ to** (+ *inf.*) tener (*irreg.*) que (+ *inf.*), 1

he él, 1

head cabeza, 12

headache dolor (m.) de cabeza, 12

health salud (f.), 3

healthy saludable

hear oír (*irreg.*), 5

heart corazón (m.), 12

heat calentar (ie), 9

heavy fuerte, 9

height altitud (f.), altura; (*of a person*) estatura

hello hola, ¿Aló? (*on the phone*), 1

helmet casco

help ayudar; ayuda

her (*pron.*) ella, 8; (*adj.*) su, 3; suyo(a), 10; **to / for ~** le, 8

herb hierba, 12

here aquí, 6

heritage herencia

hers (*pron.*) suyo(a), 10

hide esconder

High-Definition alta definición; **~ TV** televisor de alta definición, 4

high-speed banda ancha, 11

highly altamente

hike hacer (*irreg.*) alpinismo, practicar (qu) alpinismo, 7

him (*pron.*) él, 8; **to / for ~** le, 8

hire contratar, 13

his (*adj.*) su, 3; (*adj., pron.*) suyo(a), 10

Hispanic hispano(a)

history historia, 3

hoax engaño

hockey: field ~ hockey (m.) sobre hierba, 7; **ice ~** hockey (m.) sobre hielo, 7

hole pozo

home hogar (m.)

homeless sin hogar
homemade casero(a)
homework tarea, P
Honduran hondureño(a), 2
honest honesto(a)
hope esperanza; esperar, 10;
I ~ (that) ojalá (que), 11
I hope you'll get better soon! ¡Ojalá se mejore pronto! 12
horrible horrible, 11
hospital hospital (*m.*), 6
host anfitrión, anfitriona; (*of a show*) presentador(a), 11
hot: be ~ tener (*irreg.*) calor, 7; **~ dog** perro caliente, 9; **It's ~.** Hace calor. 7
hotel hotel (*m.*), 14; **~ guest** huésped(a), 14
hour hora
house casa, 6; **the ~ special** la especialidad de la casa, 9
household chore quehacer (*m.*) doméstico, 10
housing vivienda
how? ¿cómo? 3; **~ are things going?** ¿Qué tal? 1; **~ are you?** (*form. s.*) ¿Cómo está (usted)? / (*form. pl.*) ¿Cómo están (ustedes)? / (*s. fam.*) ¿Cómo estás (tú)? 1; **~ can I help you?** ¿En qué puedo servirle? 8; **~ do you say . . . ?** ¿Cómo se dice…? P; **~ do you wish to pay?** ¿Cómo desea pagar?, 8; **~ many?** ¿cuántos(as)? 3; **~ much?** ¿cuánto(a)? 3; **~ much does it cost?** ¿Cuánto cuesta? 8; **How's it going with you?** ¿Cómo te / le(s) va? 1
humanities humanidades (*f. pl.*), 3
humble humilde
humid húmedo(a)
hunger hambre (*f. but* el hambre)
hurricane huracán (*m.*), 13
hurry prisa; **be in a ~** tener (*irreg.*) prisa, 7
hurt doler (ue), 12; **~ oneself** lastimarse, 12
husband esposo, 5
hymn himno

I

I yo, 1
ice: (vanilla / chocolate) ~ cream helado (de vainilla / de chocolate), 9; **~ hockey** hockey (*m.*) sobre hielo, 7; **~ skate** patinar sobre hielo, 7
identity identidad (*f.*)
illness enfermedad (*f.*), 12
immigration inmigración (*f.*)
impatient impaciente, 2
important importante, 11; **extremely ~** imprescindible, 11
impressive impresionante
improbable improbable, 11
impulsive impulsivo(a), 2
in en; por, 10; **~ case** en caso de que, 12; **~ charge**

of encargado de; **~ order to** (+ *inf.*) para, 10; **~ relation to** en cuanto a; **~ short** en resumen; **~ spite of** a pesar de; **~ the direction of** para, 10; **the "in" place** "antro"
inch pulgada
increase acrecentar (ie), aumentar
incredible increíble
indefinite indefinido(a), 1
index índice (*m.*)
Indian indio(a), 2
indigenous indígena
industry industria, 13
inequality desigualdad (*f.*), 13
infection infección (*f.*), 12
influence influir (y); influencia
ingredient ingrediente (*m.*), 9
inhabitant habitante (*m., f.*)
initiate iniciar, 13
injection inyección (*f.*), 12
injure oneself lastimarse, 12
injury herida, 12
in-laws familia política, 5
inline skate (rollerblade) patinar en línea, 7
inside of dentro de, 6; **~ the house** dentro de la casa, 10
insist insistir, 10
install instalar, 4
instead of en vez de
instruction instrucción (*f.*), 12
instructor instructor(a), P
intelligent inteligente, 2
intention fin (*m.*)
interactive whiteboard pizarra interactiva, P
interest interesar, 4
interesting interesante, 2
Internet Internet (*m.* or *f.*), red (*f.*); **~ connection** conexión (*f.*) a Internet, 14; **~ provider** proveedor (*m.*) de acceso, 4
interpreter intérprete (*m., f.*)
interview entrevista, 13
interviewer entrevistador(a), 11
intimate íntimo(a)
introduce someone presentar a alguien, 1
introverted introvertido(a), 2
invest invertir
investigate averiguar (gü), 13
iron planchar, 10; (*metal*) hierro; (*appliance*) plancha, 10
irresponsible irresponsable, 2
island isla, 14
isolation aislamiento
Italian italiano(a), 2; **~ language** italiano, 3
itinerary itinerario, 14
its (*adj.*) su, 3; (*pron.*) suyo(a), 10

J

jacket (*suit jacket, blazer*) saco; (*outdoor, non-suit coat*) chaqueta 8
January enero, 1
Japanese japonés (japonesa), 2; **~ language** japonés (*m.*), 3
jealous celoso(a); **be ~** tener (*irreg.*) celos
jealously celosamente

jeans jeans (*m. pl.*), 8
jewelry joyas (*f. pl.*), 8
jewelry store joyería, 6
job puesto, 13
join juntarse
joke broma
journalism periodismo, 3
journalist periodista (*m., f.*), 5
judge juzgar
July julio, 1
June junio, 1
jungle: Amazonian ~ selva amazónica, 14; **tropical ~** selva tropical, 14

K

keep: (oneself) separate mantenerse apartado
key (*on a keyboard*) tecla, 4; (*to a lock*) llave (*f.*), 14
keyboard teclado, 4
kilo kilo, 9; **half a ~** medio kilo, 9
kind bondadoso(a)
king rey (*m.*)
kiss besar
kitchen cocina, 10
knapsack mochila, P
knee rodilla, 12
knife cuchillo, 9
know: ~ a person conocer (zc), 5; **~ a fact, ~ how to** saber (*irreg.*), 5
Korean coreano(a), 2

L

lake lago, 7
lamp lámpara, 10
language idioma (*m.*), lengua, 3
laptop computer computadora portátil, P
late tarde, 3
later luego, 5
latest: the ~ lo último
laugh reírse (*irreg.*), 5
laundry room lavandería, 10
law ley (*f.*)
lawn césped (*m.*), 10; **mow the ~** cortar el césped, 10
lawyer abogado(a), 5
lazy perezoso(a), 2
lead a healthy life llevar una vida sana, 12
leader líder (*m., f.*), 13
learn aprender, 3
learning aprendizaje (*m.*)
leather piel (*f.*), cuero, 8
leave dejar, 5; salir (*irreg.*), irse (*irreg.*), 5; marcharse
lectures conferencias **left: to the ~** a la izquierda, 6
leg pierna, 12
lemonade limonada, 9
less menor, 8; **~ than** menos que, 8
lesson lección (*f.*), P
level nivel (*m.*)
life vida
life jacket salvavidas (*m. s.*)

lift levantar, 5; **~ weights** levantar pesas, 2
light luz (*f.*); (*adj.*) ligero(a), 9
like gustar, 11; **~ a lot** encantar, 4; **(They / You** [*pl.*]**)** **~ . . . A…** les gusta… 2; **You / He / She like(s) . . .** A… le gusta… 2; **I / You ~ . . .** A mí / ti me / te gusta… 2; **I'd ~** (+ *inf.*) quisiera (+ *inf.*), 6; **Me gustaría** (+ *inf.*)… 6
likely probable, 11
Likewise. Igualmente. 1
linen lino, 8
linguistic lingüístico(a)
link enlace (*m.*), 4
lip labio
listen escuchar; **~ to music** escuchar música, 2; **~ to the audio.** Escuchen el audio. P
liter litro, 9
literature literatura, 3
little poco, 4
live vivir, 3, ocupar; (*adj., e.g., a live show*) en vivo, 11
livestock ganadería
living room sala, 10
loan préstamo, 8; (*v.*) prestar, 8
lobster langosta, 9
located ubicado(a); **is ~** queda
logical lógico(a), 11
long for apetecer (zc)
look: ~ for buscar (qu), 2; **~ into** averiguar (gü), 13
lose perder (ie), 4; **~ oneself** perderse (ie)
loss pérdida, 13
love querer (*irreg.*), 4; amar; amor (*m.*), cariño
lover amante (*m., f.*)
lovingly cariñosamente
lunch almuerzo, 9
lung pulmón (*m.*), 12
luxurious lujoso(a)
lying mentiroso(a), 2

M

made: It's ~ out of . . . Está hecho(a) de… 8; **They're ~ out of . . .** Están hechos(as) de… 8
magazine revista
mailbox buzón (*m.*)
majority mayoría
make hacer (*irreg.*), 5; **~ a reservation** hacer una reservación, 14; **~ a stopover in** hacer escala en, 14; **~ fun of** burlarse de; **~ sure** asegurarse; **~ the bed** hacer / tender la cama, 10
makeup maquillaje (*m.*), 5
mall centro comercial, 6
man hombre (*m.*), P
manager gerente (*m., f.*), 5
manly varonil
manners modales (*m. pl.*)
March marzo, 1
marital status estado civil
mark marcar (qu)

market mercado, 6; **open-air ~ , farmer's ~** mercado al aire libre, 6
marketing mercadeo, 3
masculine masculino(a)
match emparejar; (*sports*) partido, 7
mathematics matemáticas (*f. pl.*), 3
matter (to someone) importar, 4
May mayo, 1
mayonnaise mayonesa, 9
mayor alcalde (alcaldesa)
me mí, 8; **to / for ~** me, 8; **with ~** conmigo, 8
mean: It means . . . Significa… P
meaning significado
means of transportation medios de transporte, 6
measure medir (i, i)
measurement medida, 9
meat carne (*f.*), 9
meatball albóndiga
mechanic mecánico(a), 5
media center centro de comunicaciones, 3
medical insurance seguro médico, 3
medicine medicina, 3
meditation meditación (*f.*)
meet conocer (zc); reunirse, 5
meeting encuentro, reunión (*f.*)
melon melón (*m.*), 9
menu menú (*m.*), 9
merchant mercader
messenger mensajero(a)
Mexican mexicano(a), 2
microphone micrófono, 4
microwave microondas (*m. s.*), 10
midnight medianoche (*f.*), 3
mild apacible
milk leche (*f.*), 6
mind ánimo
mine (*pron.*) mío, 10
mirror espejo, 10
Miss señorita (*abbrev.* Srta.), 1
missionary misionero(a)
mix mezclar, 9; mezcla
mixed mixto(a)
modem: external / internal ~ módem (*m.*) externo / interno, 4
mom mamá (*f.*), 5
Monday lunes (*m.*), 3
money dinero
monitor monitor (*m.*), 4
monkey mono
month mes (*m.*), 3; **last ~** mes pasado, 7
mop the floor trapear el piso, 10
more más, 4; **~ than** más que, 8
morning mañana, 3; **during the ~** por la mañana, 3; **Good ~.** Buenos días. 1; **in the ~** (*with precise time*) de la mañana, 3
mortality mortalidad (*f.*)
mother madre (*f.*), mamá, 5; **Mother's Day** día (*m.*) de las Madres, 3
mother-in-law suegra, 5

mountain monte (*m.*); **~ range** cordillera
mountainous montañoso(a)
mouse ratón (*m.*), 4
mouth boca, 12
move (*change residence*) mudarse
movie película, 11; **action ~** película de acción, 11; **horror ~** película de horror / terror, 11; **~ called . . .** película titulada…, 11; **~ genre** clase (*f.*) de película, 11; **~ star** estrella de cine, 11; **science fiction ~** película de ciencia ficción, 11
movies cine (*m.*), 11
mow the lawn cortar el césped, 10
Mr. señor (*abbrev.* Sr.), 1
Mrs. señora (*abbrev.* Sra.), 1
Ms. señorita (*abbrev.* Srta.), 1
much mucho, 4
mud lodo
museum museo, 6
music música, 3; **classical ~** música clásica, 11; **contemporary ~** música contemporánea, 11; **country ~** música country, 11; **modern ~** música moderna, 11; **world ~** música mundial / internacional, 11
musical musical, 11
mustard mostaza, 9
my (*adj.*) mi, 3; (*pron.*) mío(a), 10; **~ pleasure.** Mucho gusto. / Un placer. 1
mystery misterio, 11

N

name llamar, 2; nombre (*m.*); **full ~** nombre (*m.*) completo; **My ~ is . . .** Me llamo…, Mi nombre es…, 1
napkin servilleta, 9
narrator narrador(a)
nationality nacionalidad (*f.*), 2
nature naturaleza
nausea náuseas (*f. pl.*), 12
navigation navegación (*f.*)
necessary necesario(a), 11
neck cuello, 12
necklace collar (*m.*), 8
need necesitar, 2
neglect descuido
neighbor vecino(a), 6
neighborhood barrio, colonia, 1
neither tampoco, 2; **~ . . . nor** ni… ni, 6
nephew sobrino, 5
nervous nervioso(a), 4
never nunca, 5; jamás, 6
nevertheless sin embargo
new novedoso(a)
news noticias (*f. pl.*), 11; **~ group** grupo de noticias, 4
newspaper periódico
next próximo(a); **~ to** al lado de, 6; **~ to last** penúltimo(a)
Nicaraguan nicaragüense (*m., f.*), 2

nice simpático(a), 2
nickname apodo
niece sobrina, 5
night noche (*f.*), 3; **Good ~.** Buenas noches. 1; **last ~** anoche, 7
nine nueve, P
nine hundred novecientos(as), 8
nineteen diecinueve, P
ninety noventa, P
ninth noveno(a), 10
no one nadie, 6
nobody nadie, 6
none ningún, ninguno(a), 6
noodle soup sopa de fideos, 9
noon mediodía (*m.*), 3
normal normal, 4
north norte (*m.*), 14; **North America** Norteamérica
nose nariz (*f.*), 12
not: ~ any ningún, ninguno(a), 6; **~ either** tampoco, 2; **~ much** no mucho, 1
notebook cuaderno, P
notes apuntes (*m. pl.*), P
nothing nada, 1
noun sustantivo
novel novedoso(a)
novelist novelista (*m., f.*)
November noviembre, 1
novice novato(a)
number número, 8
nurse enfermero(a), 5

O

obey hacer (*irreg.*) caso
obtain conseguir (i, i), 8
obvious obvio(a), 11
ocean océano, 14
October octubre, 1
of: ~ course cómo no, 6; por supuesto, 10; **~ the** del (de + el), 3
offer: special ~ oferta especial, 8
office oficina, 6
old viejo(a), 2
old-fashioned anticuado(a)
olive oil aceite (*m.*) de oliva, 9
on en, sobre, encima de, 6; **~ behalf of** por, 10
once una vez, 9
one uno, P; **~ hundred** cien, P; **~ hundred and ~** ciento uno, 8; **~ hundred thousand** cien mil, 8; **~ million** millón (*m.*), un millón, 8; **~ thousand** mil (*m.*), 8
one-way ticket boleto de ida, billete (*m.*) de ida, 14
onion cebolla, 9
online en línea, 4
only único(a)
open abrir, 3; abierto (*p.p. of* abrir), 13; **~ your books.** Abran el libro. P
opera ópera, 11
opposite enfrente de, frente a, 6; opuesto(a)
orange (*color*) anaranjado(a), 4; (*fruit*) naranja, 9
order ordenar, 9; mandar, 10

ordinal number número ordinal, 10
originate originar
ought deber (+ *inf.*), 3
our (*adj.*) nuestro(a)(s), 3
ours (*pron.*) nuestro(a)(s), 10
outline bosquejo
outside of fuera de, 6; **~ the house** fuera de la casa, 10
outskirts afueras (*f. pl.*), 10
outstanding sobresaliente
oven horno; **brick ~** horno de ladrillos
overcome sobrevivir, 13
overcoming superación (*f.*)
owner dueño(a), 5

P

package paquete (*m.*), 9
page página, P
pain dolor (*m.*), 12; duelo
paint pintar, 2
painting pintura, 3; cuadro, 10
palpitate palpitar, 12
palpitating palpitante
Panamanian panameño(a), 2
pants pantalones (*m. pl.*), 8
paper papel (*m.*), P
parachute paracaídas (*m. s.*)
paragraph párrafo
Paraguayan paraguayo(a), 2
Pardon me. Con permiso. 4
parents padres (*m. pl.*), 5
park parque (*m.*), 6
parking lot estacionamiento, 6
parsley perejil (*m.*)
participant participante (*m., f.*), 11
participate in participar en, 13
pass (by) pasar, 2
passenger pasajero(a), 14; **coach ~** pasajero de clase turista, 14; **first class ~** pasajero de primera clase, 14
passport pasaporte (*m.*), 14
password contraseña, 4
patient paciente (*m., f.*), 2
patio patio, 10
paving stone baldosa
pay pagar (gu), 9; **~ attention** hacer (*irreg.*) caso; **~ -per-view** pago por visión, 11; **~ TV** televisión de pago, 11
payment: form of ~ método de pago, 8
PDF file archivo PDF, 4
pea guisante (*m.*), 9
peace paz (*f.*); sosiego; **world ~** paz mundial, 13
peel pelar, 9
pencil lápiz (*m.*), P
penguin pingüino
people gente (*f.*)
pepper pimienta, 9
percentage porcentaje (*m.*)
perhaps quizás, tal vez
period (*punctuation*) punto; trecho
permit permitir, 10
personality personalidad (*f.*); **~ trait** característica de la personalidad, 2
Peruvian peruano(a), 2

PG-13 (*parental discretion advised*) se recomienda discreción, 11
pharmacy farmacia, 6
philanthropic filantrópico(a)
philosophy filosofía, 3
photo foto (*f.*), P
physical chequeo médico, 12; físico(a), 5; **~ appearance** apariencia física; **~ trait** característica física, 2
physics física, 3
piano piano, 2
picturesque pintoresco(a)
piece pedazo, 9
pill píldora, 12
pillow almohada
pink rosado(a), 4
pirate pirata (*m.*)
pizzeria pizzería, 6
place lugar (*m.*), sitio
placed puesto(a), 13
plaid a cuadros, 8
plain llanura
plate plato, 9
play jugar (ue) (gu), 4; obra teatral, 11; **~ a musical instrument** tocar (qu) un instrumento musical, 2; **~ sports** practicar (qu) deportes, 2; **~ tennis (baseball, etc.)** jugar tenis (béisbol, etc.), 7
playful juguetón (juguetona)
plaza plaza, 6
please encantar, gustar, 11; por favor, 1
pleasure: A ~ to meet you. Mucho gusto en conocerte. (*s. fam.*) 1
plot trama
plumber plomero(a), 5
poet poeta (poetisa)
poetry poesía
point: ~ out marcar (qu), señalar; **to the ~** al grano
policeman (policewoman) policía (*m., f.*), 5
political político(a); **~ science** ciencias políticas (*f. pl.*), 3
politics política, 13
polka-dotted de lunares, 8
pollution: air ~ contaminación (*f.*) del aire, 13
poor pobre
pop songs música pop, 11
popcorn palomitas (*f. pl.*) (de maíz), 11
populate poblar (ue)
pork chop chuleta de puerco, 6
portable CD / MP3 player CD portátil / MP3, 4
Portuguese portugués (portuguesa), 2
position puesto, 13
post office oficina de correos, 6
postage stamp estampilla, sello, 14
postcard tarjeta postal, 14
potato: ~ chips papitas fritas, 6; **~ salad** ensalada de papas
pound libra, 9
pounding palpitante
power poder (*m.*)
powerful poderoso(a)
practice practicar (qu)

prefer preferir (ie, i), 4
preference preferencia
premium channels televisión de pago, 11
preparation preparación (*f.*), 9
prepare preparar, 2; **~ the food** preparar la comida, 10
preposition preposición (*f.*), 6
prescribe a medicine recetar una medicina, 12
prescription receta, 12
present (*gift*) regalo; **at the ~ time** en la actualidad
presenter presentador(a), 11
pretty bonito(a), lindo(a), 2
price: It's a very good ~. Está a muy buen precio. 8
priest sacerdote (*m.*)
prime rib lomo de res, 9
print imprimir, 3; (*patterned fabric*) estampado(a), 8; (*art*) cuadro, 10
printer impresora, 4
prize premio
probable probable, 11
profession profesión (*f.*), 5
professor profesor(a), P
profit ganancia, 13
program programa (*m.*); **anti-virus ~** programa antivirus, 4; **~ icon** ícono del programa, 4
programmer programador(a), 5
projector proyector, P
promote adelantar, promover (ue)
promotion ascenso, 13
pronoun pronombre (*m.*), 1
proud orgulloso(a)
provided that con tal (de) que, 12
provocative provocador(a)
psychology psicología, 3
public: ~ communications comunicación (*f.*) pública, 3; **~ relations** publicidad (*f.*), 3
Puerto Rican puertorriqueño(a), 2
punctual puntual, 13
purple morado(a), 4
purpose propósito
purse bolsa, 8
push oprimir
put poner (*irreg.*), 5; **~ away the clothes** guardar la ropa, 10; **~ my toys where they belong** poner mis juguetes en su lugar, 10; **~ on (clothing)** ponerse (la ropa), 5; **~ on makeup** maquillarse, 5

Q

quality calidad (*f.*); **of good (high) ~** de buena (alta) calidad, 8
queen reina
question pregunta, 12
questionnaire cuestionario
quotation cita

R

R (minors restricted) prohibido(a) para menores, 11
raffle sorteo

railroad ferrocarril (*m.*)
rain llover (ue); **~ forest** bosque (*m.*) tropical, bosque (*m.*) pluvial; **It's raining.** Está lloviendo. (Llueve). 7
raincoat impermeable (*m.*), 8
raise levantar, 5
ranch estancia
rank rango
rap (*music*) rap (*m.*), 11
rather bastante, 4
ratings índice (*m.*) de audiencia, 11
rave desvariar
raw crudo(a), 9
razor rasuradora, 5; **electric ~** máquina de afeitar, 5
read leer (y), 3; **~ Chapter 1.** Lean el Capítulo 1. P
reality: ~ show programa de realidad, 11
really de veras
reason razón (*f.*)
receive recibir, 3
reception desk recepción (*f.*), 14
recipe receta, 9
recognize reconocer (zc)
recommend recomendar (ie), 10
record grabar, 4
recruit alistar
recycling reciclaje (*m.*), 10
red rojo(a), 4
redheaded pelirrojo(a), 2
reduced: It's ~. Está rebajado(a). 8
reflect reflejar
reflection reflexión (*f.*)
refrigerator refrigerador (*m.*), 10
register registrarse, 14
regret sentir (ie, i), 11
relate contar (ue), 4
relative pariente (*m., f.*), 5
relax relajarse, 5
remain quedar(se)
remember recordar (ue)
remote control control (*m.*) remoto, 11
renovate renovar (ue)
renown renombre (*m.*)
rent alquiler (*m.*); **~ videos** alquilar videos, 2; **~ movies** alquilar películas, 2
repeat repetir (i, i), 4; **~.** Repitan. P
report informe (*m.*)
request pedir (i, i), 10
require requerir (ie, i), 10
requisite requisito, 13
reservation reservación (*f.*), 14
residential neighborhood barrio residencial, 10
resort to recurrir
respond responder, 1
responsible responsable, 2
rest descansar, 2
restaurant restaurante (*m.*), 6
résumé currículum vitae (*m.*), 13
retire jubilarse, 13
return regresar, 2; volver (ue), 4
returned vuelto (*p.p. of* volver), 13
revenue ingreso
review crítica, reseña, 11
rhyme rima

rhythm and blues (*music*) R & B (*m.*), 11
rich adinerado(a)
ride montar; **~ a bike** montar en bicicleta, 7; **~ horseback** montar a caballo, 7
ridiculous ridículo(a), 11
right: to the ~ a la derecha, 6
ring sonar (ue), 4; anillo, 8; sortija
ripped rasgado
risk riesgo
river río, 7
roasted (in the oven) al horno, 9
rock (*music*) rock (*m.*), 11; **~ a cradle** mecer
role papel (*m.*)
roof techo, 10
room cuarto, P; **double ~** habitación (*f.*) doble, 14; **single ~** habitación (*f.*) sencilla, 14; **smoking / non-smoking ~** habitación (*f.*) de fumar / de no fumar, 14; **~ service** servicio a la habitación, 14; **~ with / without bath / shower** habitación (*f.*) con / sin baño / ducha, 14
roommate compañero(a) de cuarto, P
root raíz (*f.*)
rootless desarraigado(a)
rose rosa, 4
rough draft borrador (*m.*)
round-trip ticket boleto de ida y vuelta, billete (*m.*) de ida y vuelta, 14
route ruta
row remar, 7
rower remero(a)
rude descortés
rug alfombra, 10
ruin ruina, 14
rule regla
run correr, 3
rural campestre

S

sad triste, 4
safe seguro(a), 7
said dicho(a) (*p.p. of* decir), 13; **It's said . . .** Se dice…, P
salad ensalada, 9; **lettuce and tomato ~** ensalada de lechuga y tomate, 9; **mixed ~** ensalada mixta, 9
salary increase aumento de sueldo, 13
sale: It's on ~. Está en venta. 8
salesclerk dependiente (*m., f.*), 5
salmon salmón (*m.*), 9
salt sal (*f.*), 9
Salvadoran salvadoreño(a), 2
same mismo(a); **~ (thing)** lo mismo
sand arena, 14
sandal sandalia, 8
sandwich bocadillo, sándwich (*m.*), 9; **ham and cheese ~ with avocado** sándwich de jamón y queso con aguacate, 9
satisfied satisfecho(a), 13
satisfy satisfacer, 13

Saturday sábado, 2

sausage salchicha, 6

save guardar, 4

say decir (*irreg.*), 5; **~ good-bye** despedirse (i, i), 1

saying dicho

scan ojear

scarcely apenas

scarf bufanda, 8

scenery paisaje (*m.*)

schedule horario

school escuela, 3

science ciencia, 3

scientific científico(a)

scream gritar; grito

screen pantalla, 4

script guion (*m.*); **~ writer** guionista (*m., f.*)

sculpture escultura, 11

sea mar (*m., f.*), 14

search engine buscador (*m.*), 4

seaside resort balneario

season estación (*f.*), 7; **dry ~** temporada seca; **rainy ~** temporada de lluvias

seat asiento, 14; **aisle ~** asiento de pasillo, 14; **window ~** asiento de ventanilla, 14

second segundo(a), 10

secret secreto

secretary secretario(a), 5

sections tramos

see ver (*irreg.*), 5; **~ you at the usual place?** ¿Nos vemos donde siempre? 1; **~ you later.** Hasta luego. / Nos vemos. 1; **~ you soon.** Hasta pronto. 1; **~ you tomorrow.** Hasta mañana. 1

seem parecer (zc)

seen visto (*p.p. of* ver), 13

selfish egoísta, 2

self-sacrificing sacrificado(a)

sell vender, 3

send enviar, 4; mandar, 8

sentence oración (*f.*)

separate apartado(a)

September septiembre, 1

serenity sosiego

serious serio(a), 2

serve servir (i, i), 4

set the table poner (*irreg.*) la mesa, 9

seven siete, P; **~ hundred** setecientos(as), 8

seventeen diecisiete, P

seventh séptimo(a), 10

seventy setenta, P

several varios(as)

shake hands darse (*irreg.*) la mano, 13

shame vergüenza; **it's a ~** es una lástima, 11

shampoo champú (*m.*), 5

share compartir, 3

shark tiburón (*m.*)

shave oneself afeitarse, 5

she ella, 1

sheet of paper hoja de papel, P

shell concha

shellfish marisco, 9

shelter albergar (gu)

shirt camisa, 8

shoe zapato, 8; **high-heeled ~** zapato de tacón alto, 8; **tennis ~** zapato de tenis, 8

shooting tiroteo

shout grito

shore orilla

short (*in length*) corto(a); (*in height*) bajo(a), 2

shorts pantalones (*m. pl.*) cortos, 8

should deber (+ *inf.*), 3

shoulder hombro, 12

shout gritar

show demostrar (ue), mostrar (ue); espectáculo, show (*m.*), 11

shred picar (qu), 9

shrimp camarón (*m.*), 9

shy tímido(a), 2

sick enfermo(a), 4

sickness enfermedad (*f.*), 12

side lado; **on the ~ of** al lado de, 6

sign letrero

silk seda, 8

silly tonto(a), 2

silver plata, 8

similarity semejanza

simple sencillo(a)

sincere sincero(a), 2

sing cantar, 2

singer cantante (*m., f.*)

single soltero(a)

sister (younger, older) hermana (menor, mayor), 5

sister-in-law cuñada, 5

sit down sentarse (ie), 5

sitcom telecomedia, 11

six seis, P; **~ hundred** seiscientos(as), 8

sixteen dieciséis, P

sixth sexto(a), 10

sixty sesenta, P

size talla, 8

skate patinar, 2

ski esquiar, 7; esquí (*m.*)

skiing esquí (*m.*); **downhill ~** esquí alpino, 7; **water ~** esquí acuático, 7

skin tez (*f.*)

skirt falda, 8

sky cielo, 14

slave esclavo(a)

sleep dormir (ue, u), 4

slice pedazo, 9

slogan lema (*m.*)

slow lento(a), 4

slowly despacio

small pequeño(a), 2; **a ~ amount** un poco, 4

smartphone teléfono inteligente, smartphone, 4

smile sonreír (*irreg.*), 8; sonrisa

snack merienda

sneeze estornudar, 12

snow nevar (ie); **It's snowing.** Está nevando. (Nieva). 7

snowboard tabla de snowboard, 7

snowboarding snowboarding, 7

so por eso, 10; **~ that** para que, con tal (de) que, 12

soap jabón (*m.*), 5; **~ opera** telenovela, 11

soccer fútbol (*m.*), 7; **~ field** cancha, campo de fútbol, 6

social: ~ media director director(a) de social media, 5; **~ networking site** red social, 4

sock calcetín (*m.*), 8

sofa sofá (*m.*), 10; diván (*m.*)

soft suave; **~ drink** refresco, 6

software software (*m.*), 4

solved resuelto

some unos(as), 1; algún, alguno(a), 6

someone alguien, 6

something algo, 6; **~ vegan** algo vegano, 9

sometimes de vez en cuando; a veces, 5

somewhat bastante, 4

son hijo, 5

son-in-law yerno, 5

sore throat dolor de garganta, 12

sorry: I'm ~. Lo siento. 4

So-so. Regular. 1

soul alma (*f.*) (*but* el alma)

sound sonido

soup sopa, 9; **cold tomato ~** gazpacho (*Spain*), 9

source fuente (*f.*)

south sur (*m.*), 14; **South America** Sudamérica

souvenir recuerdo

sovereignty soberanía

spa balneario

Spain España

Spanish español(a), 2; **~ language** español (*m.*), 3

Spanish-speaking hispanohablante

speaker conferencista (*m., f.*); altoparlante (*m., f.*), 4

species especie (*f.*)

speed velocidad

spelling ortografía

spicy picante, 9

spirit ánimo

sponsor patrocinador(a)

spoon cuchara, 9

sport deporte (*m.*), 7; **~ activity** actividad (*f.*) deportiva, 7

sporting goods store tienda de equipo deportivo, 6

sports coat saco, 8

spring primavera, 7

stadium estadio, 6

stairs escaleras (*f. pl.*), 10

state estado, 5

station estación (*f.*), 11; **train / bus ~** estación de trenes / autobuses, 6

stationery store papelería, 6

statistics estadística, 3

stay in bed guardar cama, 12

steak bistec (*m.*), 6

steamed al vapor, 9

steel acero

step on pisar

stepbrother hermanastro, 5

stepfather padrastro, 5

stepmother madrastra, 5

stepsister hermanastra, 5

Stick out your tongue. Saque la lengua. 12

still todavía; **~ life** naturaleza muerta

stock market bolsa de valores, 13

stomach estómago, 12

stomachache dolor (*m.*) de estómago, 12

stop (*e.g., bus stop*) parada; **~ (doing something)** dejar de (+ *inf.*), 2; parar (de), 3

store guardar; almacén (*m.*), tienda, 6; **music (clothing, video) ~** tienda de música (ropa, videos), 6

stove estufa, 10

straight ahead todo derecho, 6

straighten out the bedroom arreglar el dormitorio, 10

strange exótico(a); extraño(a), 11

strategy estrategia

strawberry fresa, 9

streaming video el streaming, flujo de video en tiempo real, 11

street calle (*f.*), 1

strengthen acrecentar (ie)

strike huelga, 13

stringed al hilo, 9

striped rayado(a), a rayas, 8

strong fuerte

student estudiante (*m., f.*), P; **~ center** centro estudiantil, 6

studio estudio, 0

study estudiar; **~ at the library (at home)** estudiar en la biblioteca (en casa), 2; **~ pages . . . to . . .** Estudien las páginas... a..., P

stupid tonto(a), 2

style estilo; **in ~** en onda; **out of ~** pasado(a) de moda, 8

substitute sustituir (y)

subtitle: with subtitles in English con subtítulos en inglés, 11

suburb barrio residencial, suburbio, 10

subway: on the ~ en metro, 6

success éxito

suddenly de repente, 9

suffer (the consequences) sufrir (las consecuencias), 13

sugar azúcar (*m., f.*), 9; **~ cane** caña de azúcar

suggest sugerir (ie, i), 8

suggestion sugerencia

suit traje (*m.*), 8; **bathing ~** traje (*m.*) de baño, 8

suitcase maleta, 14

summer verano, 7; **summer (*adj.*)** estival; **~ visitor** veraneante

sun sol (*m.*)

sunbathe tomar el sol, 2

Sunday domingo, 2

sunglasses gafas (*f. pl.*) de sol, 8

sunlight luz (*f.*) solar

sunny: It's ~. Hace sol. 7

supermarket supermercado, 6

supervise supervisar, 13

support apoyar

sure seguro(a), 4; **it's not ~** no es seguro, 11
surf hacer (*irreg.*) surfing, practicar (qu) surfing, 7
surpass sobrepasar
surprise sorprender, 11; sorpresa
surrounded rodeado(a)
surroundings entorno
survey encuesta
survive sobrevivir, 13
Swallow. Trague. 12
swamp pantano
sweater suéter (*m.*), 8; chompa
sweatsuit sudadera, 8
sweep the floor barrer el suelo / el piso, 10
sweet dulce (*m.*); (*adj.*) dulce
swim bañar, 5; nadar, 7
swimming natación (*f.*), 7; **~ pool** piscina, 6
symbol símbolo
symptom síntoma (*m.*), 12
systematic sistemático(a)

T

table mesa, P; **night ~** mesita de noche, 10; **set the ~** poner (*irreg.*) la mesa, 9
tablecloth mantel (*m.*), 9
tablespoonful cucharada, 9
tablet tableta, 4; pastilla, 12
take tomar, llevar; **~ a bath** bañarse, 5; **~ a shower** ducharse, 5; **~ a tour** hacer (*irreg.*) un tour, 14; **~ an X-ray** tomar / hacer una radiografía, 12; **~ advantage of** aprovechar; **~ blood pressure** tomar la presión, 12; **~ measures** tomar medidas, 13; **~ off clothing** quitarse la ropa, 5; **~ out the garbage** sacar (qu) la basura, 10; **~ photos** sacar (qu) fotos, 2; **~ place** realizarse (c); **~ the temperature** tomar la temperatura, 12; **~ the dog for a walk** sacar (qu) a pasear al perro, 10
talk hablar; **~ on the telephone** hablar por teléfono, 2; **~ show** programa (*m.*) de entrevistas, 11
tall alto(a), 2
tamed domesticado(a)
task faena
taste gusto; **individual ~** al gusto, 9
tavern bodegón (*m.*)
tea: hot ~ té (*m.*), 9; **iced ~** té (*m.*) helado, 9
teach enseñar
teacher maestro(a), 5
team equipo, 7
tear up rasgar (gu)
teaspoon cucharadita, 9
technology tecnología, 4
telecommunications telecomunicaciones (*f. pl.*), 13
television: ~ broadcasting televisión (*f.*), 11; **~ program** programa de televisión, 11; **~ set** televisor (*m.*), 10;

tell contar (ue), 4; decir (*irreg.*), 5; **~ the time** decir la hora, 3
temperature temperatura, 7
ten diez, P; **~ thousand** diez mil, 8
tend tender
tenderness ternura
tennis tenis (*m.*), 7; **~ court** cancha de tenis, 6; **~ shoes** zapatos (*m. pl.*) de tenis, 8
tenth décimo(a), 10
term término
terrible fatal, terrible, 1
terrific chévere (*Cuba, Puerto Rico*)
terrorism terrorismo, 13
test: blood / urine ~ análisis (*m.*) de sangre / orina, 12
text texto
Thank you very much. Muchas gracias. 1
that (*adj.*) ese(a), 6; (*pron.*) ese(a), 6; **~ over there** (*adj.*) aquel (aquella), 6; (*pron.*) aquel (aquella), 6
that's why por eso, 10
the el, la, los, las, 1
theater teatro, 6
their su, 3; suyo(a), 10
theirs (*pron.*) suyo(a), 10
them ellos(as), 8; **to / for ~** les, 8
then entonces
theory teoría
there allí, 6; **over ~** allá, 6; **~ is / ~ are** hay, 14
these (*adj.*) estos(as), 6; (*pron.*) estos(as), 6
they ellos(as), 1
thin delgado(a), 2
think (about) pensar (ie) (en, de), 4
third tercer(o, a), 10
thirst sed (*f.*)
thirsty: be ~ tener (*irreg.*) sed, 7
thirteen trece, P
thirty treinta, P
this (*adj.*) este(a), 6; (*pron.*) este(a), 6
those (*adj.*) esos, 6; (*pron.*) esos(as), 6; **~ (over there)** (*adj.*) aquellos(as), 6; (*pron.*) aquellos(as), 6
thousands miles
threat amenaza
three tres, P; **~ hundred** trescientos(as), 8
throat garganta, 12
through por, 10
throughout a través de
throw: ~ oneself lanzarse (c); **~ out** botar; **~ up** vomitar, 12
thunderstorm tormenta
Thursday jueves (*m.*), 3
ticket boleto, entrada, 11; billete (*m.*), pasaje (*m.*), 14; **one-way ~** boleto de ida, billete de ida, 14; **round-trip ~** boleto de ida y vuelta, billete de ida y vuelta, 14;
tied (to) ligado (a)
time hora; vez (*f.*)
times veces (*f. pl.*); **(two, three, etc.) ~ a day / per week** (dos,

tres, etc.) veces al día / por semana, 5
tip propina, 9
tired cansado(a), 4
title titular; título, 1
to a; **to the** al (a + el), 3
toast pan (*m.*) tostado, 9
toaster tostadora, 10
today hoy, 3; **~ is Tuesday the 30th.** Hoy es martes treinta. 3
toe dedo, 12
tomorrow mañana, 3
tongue lengua, 12
too much demasiado(a), 4
toothbrush cepillo de dientes, 5
toothpaste pasta de dientes, 5
top: on ~ of encima de, 6
tourist guidebook guía turística, 14
toward para, 10
towel toalla, 5
town pueblo, 6
toy juguete (*m.*), 10
track suit sudadera, 8
train (*for sports*) entrenarse, 7; tren, 6
trainer entrenador(a) (*m.*)
trait característica
translate traducir (zc), 5
trap trampa
travel (abroad) viajar, 2 (al extranjero), 14; **~ agency** agencia de viajes, 14
treasure tesoro
tree árbol (*m.*)
trick truco
triumph triunfar
trout trucha, 9
true verdad; **it's (not) ~** (no) es verdad, 11
truly de veras
trumpet trompeta, 2
try intentar, tratar de; **I'm going to ~ it on.** Voy a probármelo(la). 8
t-shirt camiseta, 8
Tuesday martes (*m.*), 3
tuna atún (*m.*), 9
turkey pavo, 6
turn cruzar (c), doblar, 6; viraje (*m.*); **~ in** entregar; **~ in your homework.** Entreguen la tarea. P; **~ off** apagar (gu), 2
TV (*see also* **television**): **~ guide** teleguía, 11; **~ series** teleserie (*f.*), 11; **~ viewer** televidente (*m., f.*), 11
twelve doce, P
twenty veinte, P
twenty-one veintiuno, P
twice dos veces, 9
two dos, P; **~ hundred** doscientos(as), 8; **~ million** dos millones, 8; **~ thousand** dos mil, 8
typical típico(a), 9

U

U.S. citizen estadounidense (*m., f.*), 2
ugly feo(a), 2
uncle tío, 5

underneath debajo de, 6
understand comprender, 3; entender (ie), 4
understanding comprensión (*f.*)
unique único(a)
unite unir, 9
united unido(a); **~ States** Estados Unidos
university universidad (*f.*), 6
unless a menos que, 12
unlikely dudoso(a), improbable, 11
unpleasant antipático(a), 2
untamed salvaje
until hasta (que), 12
upload subir, cargar, 4
uprooting desarraigo
Uruguayan uruguayo(a), 2
us nosotros(as), 8; **to / for ~** nos, 8
use usar, 2
useful útil
user usuario(a), 4

V

vaccinate poner (*irreg.*) una vacuna, 12
vaccination vacuna, 12
vacuum (*verb*) pasar la aspiradora, 10; **~ cleaner** aspiradora, 10
vain vanidoso(a)
valley valle (*m.*)
valuable valioso(a)
value valor (*m.*)
variety variedad (*f.*)
various varios(as)
vegan vegetariano(a) estricto(a), 9
vegetable vegetal (*m.*), 6
vegetarian vegetariano(a)
vehicle vehículo
Venetian blind persiana, 10
Venezuelan venezolano(a), 2
verb verbo, 3
very muy, 2; **~ little** muy poco
vest chaleco, 8
veterinarian veterinario(a), 5
video on demand video a pedido, video bajo demanda, 11
videocamera videocámara, 4
videotape (*verb*) grabar, 11; (*noun*) video
viewpoint punto de vista
vinegar vinagre (*m.*), 9
violence violencia, 13
violin violín (*m.*), 2
viper víbora
visit friends visitar a amigos, 2
visitor visitante (*m., f.*)
vitamin vitamina, 12
voice voz (*f.*)
volcanic eruption erupción (*f.*) volcánica
volcano volcán (*m.*), 14
volleyball volibol (*m.*), 7
vote votar, 13

W

wait esperar, 11; **~ on** despachar
waiter camarero, 5

waiting: ~ list lista de espera, 14; **~ room** sala de espera, 12

waitress camarera, 5

wake up despertarse (ie), 5; **wake someone up** despertar (ie), 5

wake-up call servicio despertador, 14

walk caminar, 2; andar (*irreg.*), 8

walking a pie, 6

wall pared (*f.*), P

wallet cartera, 8

want desear, querer (*irreg.*), 10

war guerra, 13

warm caluroso(a)

warning aviso

wash lavar, 5; **~ one's hair** lavarse el pelo, 5; **~ oneself** lavarse, 5; **~ the dishes (the clothes)** lavar los platos (la ropa), 10

washer lavadora, 10

wastebasket basurero

watch reloj (*m.*), 8; **~ television** mirar televisión, 2

water agua (*f.*) (*but:* el agua); **fresh ~** agua dulce; **mineral ~** agua mineral, 9; **~ skiing** esquí acuático, 7; **~ the plants** regar (ie) las plantas, 10

watercress berro

waterfall catarata

wave ola

we nosotros(as), 1

wealth riqueza

wealthy adinerado(a)

weather tiempo, 7; **It's nice / bad ~.** Hace buen / mal tiempo. 7

weave tejer

weaving tejido

web red (*f.*); **~ page** página web, 4

webcam cámara web, 4

website sitio web, 4

wedding boda

Wednesday miércoles (*m.*), 3

week semana, 3; **during the ~** entresemana, 3; **every ~** todas las semanas, 5; **last ~** semana pasada, 7

weekend fin (*m.*) de semana, 2

welcome bienvenido(a); **You're ~.** De nada. 1

well bien, 4; **(Not) Very ~.** (No) Muy bien. 1; **Quite ~.** Bastante bien. 1; (*for drawing water*) pozo

well-being bienestar (*m.*)

west oeste (*m.*), 14

what? ¿cuál(es)?, ¿qué? 3; **~ are your symptoms?** ¿Qué síntomas tiene? 12; **~ day is today?** ¿Qué día es hoy? 3; **~ do you like to do?** ¿Qué te gusta hacer? 2; **~ does . . . mean?** ¿Qué significa…? P; **~ hurts?** ¿Qué le duele? 12; **~ is today's date?** ¿A qué fecha estamos? 3; **~ is your phone number?** ¿Cuál es tu / su número de teléfono? (*s. fam. / form.*), 1; **~ time is it?** ¿Qué hora es? 3; **~'s he / she / it like?** ¿Cómo es? 2; **~'s the weather like?** ¿Qué tiempo hace? 7; **~'s your (e-mail) address?** ¿Cuál es tu / su dirección (electrónica)? (*s. fam. / form.*), 1; **~'s your name?** ¿Cómo se llama (*s. form.*) / te llamas (*s. fam.*)? 1; **~ 's new?** ¿Qué hay de nuevo? 1

whatever cualquier

which? ¿qué? 3; **~ one(s)?** ¿cuál(es)? 3

wheat trigo

wheel rueda

when cuando, 12

when? ¿cuándo? 3; **~ is your birthday?** ¿Cuándo es tu cumpleaños? 1

where? ¿dónde? 3; **~ (to)?** ¿adónde?; **~ do you live?**

¿Dónde vives / vive? (*s. fam. / form.*), 1; **~ does your . . . class meet?** ¿Dónde tienes la clase de…? 3

while mientras

white blanco(a), 4

whitewater rafting: go ~ navegar en rápidos, 7

who? ¿quién(es)? 3

whose cuyo(a)(s); **~ are these?** ¿De quiénes son? 3; **~ is this?** ¿De quién es? 3

why? ¿por qué? 3

wife esposa, 5

wifi wifi, 4

wild salvaje

willing dispuesto(a)

willpower voluntad

win ganar, 7

wind viento

window ventana, P; **~ seat** asiento de ventanilla, 14

windy: It's ~. Hace viento. 7

wine: red ~ vino tinto, 9; **white ~** vino blanco, 9

wineglass copa, 9

winter invierno, 7

wireless inalámbrico(a); **~ connection** wifi, 4

wish desear, querer (*irreg.*), 10; esperanza

with con

without sin (que), 12

wolf lobo

woman mujer (*f.*), P

wonder maravilla

wood madera

wooden cart carreta

wool lana, 8

word-processing program programa (*m.*) de procesamiento de textos, 4

work trabajar, 2; **~ as** desempeñarse; **~ full-time** trabajar a tiempo completo, 13; **~ part-time** trabajar a tiempo parcial, 13; **~ out** ingeniar

workday jornada laboral

worker trabajador(a), 5

workshop taller (*m.*)

world mundo; **~ Wide Web** red (*f.*) (mundial), 4; **~wide** a nivel mundial

worried preocupado(a), 4

worry preocuparse, 5

worse peor, 8

wound herida, 12

wrinkled arrugado(a)

write escribir, 3; **~ in your notebooks.** Escriban en el cuaderno. P; **~ reports** hacer (*irreg.*) informes, 13

written escrito (*p.p. of* escribir), 13

Y

year año, 3; **every ~** todos los años, 9; **last ~** año pasado, 7

yellow amarillo(a), 4

yes sí, 1

yesterday ayer, 3

yogurt yogur (*m.*), 6

you vosotros(as) (*fam. pl.*), tú (*fam. s.*), usted (Ud.) (*form. s.*), ustedes (Uds.) (*fam. or form. pl.*), 1; ti (*fam. s.*), Ud(s). (*form.*), 8; **to / for ~** os (*fam. pl.*), te (*fam. s.*), le (*form. s.*), les (*form, pl.*), 8; **with ~** contigo (*fam.*), 8

young joven, 2

younger menor, 8

your (*adj.*) tu (*fam.*), su (*s. form. pl.*), vuestro(a) (*fam.*), 3; suyo(a) (*form. s., pl.*), tuyo(a) (*fam.*), 10

yours (*pron.*) vuestro(a) (*fam. pl.*), suyo(a) (*form. s., pl.*), tuyo(a) (*fam. s.*), 10

youth juventud (*f.*)

Z

zero cero, P

Index

o, 65
obligation, expressing, 28
ojalá, 414, 415, 420, 435
ordinal numbers, 366

Panama, 243, 268, 270
para, choosing between **por**
    and, 385–386, 399
Paraguay, 323, 349–350
past participles
    as adjectives with the verb
      estar, 488
    irregular, 487
    with present perfect tense,
      486–488
    of reflexive verbs, 488
past perfect tense, 490
payment methods, 290, 319
pedir
    imperfect subjunctive
      of, 523
    imperfect tense of, 335
    preterite tense of, 297
    subjunctive mood of, 377
people, 4
personal **a**, 181
    in affirmative and negative
      expressions, 224
    with prepositional pronouns,
      141, 300
personal information,
    exchanging, 10, 40
personal pronouns, 41
personality traits, 35, 52,
    82, 144
Peru, 283, 287, 308, 310
pharmacies, 446, 473
Philippines, 511, 532, 534
phone calls and conversations,
    10, 12, 41
phone numbers, 10–12
physical traits, 50, 82, 144
plural articles, 19–20
plural nouns, 18–20, 25
poder
    conditional of, 526
    future tense of, 458
    imperfect subjunctive forms
      of, 522
    preterite tense of, 294, 295
    subjunctive mood
      of, 377
poetry, 392–393
poner
    conditional of, 526
    future tense of, 458
    past participle of, 487
    present indicative of, 180
    preterite tense of, 295
por, choosing between **para**
    and, 385–386, 399
por la mañana / tarde /
    noche, 59, 92, 123
por qué, 98, 99, 123
porque, 99, 123

possession
    asking questions about, 99
    expressing, 28, 106, 144
    stressed possessives, 381
    with **tener**, 28
possessive adjectives,
    106–107, 123
preferences, expressing, 82
prepositional pronouns, 319
    with **a**, 300
    with **gustar**, 140–141
prepositions
    function of, 110
    of location, 216
present indicative, 22
    of **-ar** verbs, 56–57
    of **-er** and **-ir** verbs, 102–103
    estar in, 145
    irregular **yo** verbs,
      180–181
    in **que** clauses, 420
    stem-changing verbs in,
      149–150
    to talk about the future, 56
present participles,
    188–189
    direct object pronouns with,
      261
present perfect subjunctive, 493
present perfect tense, 486–488
present progressive tense,
    188–189
    indirect object pronouns
      with, 300
present subjunctive,
    376–378
    with expressions of
      emotion and impersonal
      expressions, 414–415
preterite tense
    of **-ir** stem-changing
      verbs, 297
    choosing between imperfect
      tense and, 337–338
    expressions to use with, 361
    of irregular verbs,
      257, 294–295
    present perfect tense
      compared to, 487
    of reflexive verbs, 254
    of regular verbs, 254–255
professions and careers, 20, 32,
    89, 144, 172–173, 175, 202
pronouns
    alguno and **ninguno** as, 225
    definition of, 22
    demonstrative, 227, 239
    direct object, 260–261,
      341–342
    double object, 341–342
    with **gusta**, 60
    indirect object. *See* indirect
      object pronouns
    neutral, 227
    personal, 41

prepositional, 140–141, 300,
    319
    reflexive, 184–186, 261
    stressed possessives
      as, 381
    subject pronouns, 22–23, 57
proverbs, in Spanish, 373
Puerto Ricans, 71, 113
Puerto Rico, 87, 113

que
    with **ojalá**, 414–415, 420
    with present indicative, 420
    with subjunctive, 377–378,
      414–415, 420
qué, 98, 123
querer
    conditional of, 526
    future tense of, 458
    imperfect subjunctive forms
      of, 522
    preterite tense of, 294–295
question marks, 57, 99
questions, 98–99, 123
    and answers, 5
    with **hace** and **hacía**, 383–384
    yes / no, 57, 99
quién / quiénes, 99, 123

reading strategies, 34, 74, 116,
    158, 196, 232, 272, 312, 352,
    392, 426, 464, 498, 536
recipes, 328–329, 361
reflexive pronouns,
    184–186
    condition or emotion, change
      in, 186
    direct object pronouns with,
      261
    tú commands with, 266
reflexive verbs, 184–186, 203
    command forms of, 220
    past participle of, 488
    present participle of, 189
    preterite tense, 254
    se used with, 345
relative location, 227
relatives, 170
requests, making, 220, 239
restaurants, 324, 360, 366

saber
    conditional of, 526
    conocer *vs.*, 181
    future tense of, 458
    present indicative of, 181
    preterite tense of, 294–295
    subjunctive mood of, 378
salir
    conditional of, 526
    future tense of, 458
    imperfect subjunctive of, 523
    present indicative of, 180
se, 345
seasons, 246, 279

sequencing words, 412
ser
    estar *vs.*, 144
    imperfect tense of, 335
    present tense of, 23
    preterite tense of, 257–258
    subjunctive mood of, 378
    uses of, 22
serial comma, 65
shops and shopping, 177, 209,
    212, 238, 288, 290,
    318–319
si clauses, 528
singular articles, 19–20
singular nouns, 18–19, 25
social media, 173, 202
social networking, 131, 159, 165
softening language, 468
software, 129, 164
Spain, 127, 156
"Spanglish," 49
Spanish
    Spanish alphabet, 2
    dialects, 210
    differences between
      countries, 210
    Spanish Empire, 31
    Spanish language, 30–32,
      65, 66
    proverbs in, 373
Spanish-speaking
    countries, 7, 33, 511
    populations, 17, 511
sports, 244–245, 278
stem-changing verbs, 255
    irregular-**yo** verbs, 180–181
    in present indicative,
      149–150
    present participles, 189
    in preterite tense, 297
    reflexive verbs, 185
    subjunctive, 377–378
street addresses, 10, 40
stressed possessives, 381
su, 107, 123
subject pronouns, 22–23
    omitting, 57, 102
subjects, placement in questions,
    99
subjunctive, 376–378
    choosing between indicative
      and, 454–455
    with conjunctions, 450–452
    with expressions of doubt
      and disbelief, 417
    imperfect, 522–523
    with impersonal expressions
      and verbs of emotion,
      414–415
    with nonexistent and
      indefinite situations, 420,
      522
    present perfect, 493
    si clauses with, 528
superlatives, 305

caminatas

NIVEL ELEMENTAL

Contents

Lucas Brentano/Flickr/Getty Images

caminatas

NIVEL ELEMENTAL

costa rica

INFORMACIÓN GENERAL

Nombre oficial: República de Costa Rica

Nacionalidad: costarricense

Área: **51 100 km²** (un poco más pequeño que Virginia Occidental)

Población: **4 636 348** (2011)

Capital: **San José** (f. 1521) (1 416 000 hab.)

Otras ciudades importantes: **Alajuela** (254 000 hab.), **Cartago** (413 000 hab.)

Moneda: **colón**

Idiomas: **español** (oficial), **inglés**

DEMOGRAFÍA

Alfabetismo: 94,9%

Religiones: **católica** (76,3%), **evangélica y otras protestantes** (14,4%), **testigos de Jehová** (1,3%), **otras** (4,8%), **sin afiliación** (3,2%)

COSTARRICENCES CÉLEBRES

Óscar Arias
político, Premio Nobel de la Paz, expresidente (1940–)

Claudia Poll
atleta olímpica (1972–)

Carmen Naranjo
escritora (1928–2012)

EN RESUMEN

1. Costa Rica está en _____.

☐ Europa ☐ Sudamérica
☐ El Caribe ☐ Norteamérica
☐ Centroamérica

2. ¿Cierto o falso?

C F La moneda de Costa Rica es el colón.

C F Costa Rica se conoce por su diversidad biológica.

3. ¿Qué tradición, imagen o persona asocias con Costa Rica?

Arroyo del Parque Nacional Corcovado
© 2011 GEORGE GRALL/National Geographic Image Collection

Top left: Basílica de Nuestra Señora de los Ángeles en San José
Harvey Lloyd/Taxi/Getty Images

Top center: Tortuga olivácea en la playa
Photo Researchers/Getty Images

Top right: Vendedora de textiles en Alajuela
Pietro Canali/Grand Tour/Grand Tour/Corbis

kkgas/iStockphoto.com

Entrada a *Earth University*
© National Geographic Digital Motion

Nicholas Monu/iStockphoto.com

Antes de ver

En *Earth University*, en Guácimo, Costa Rica, los ecologistas del futuro estudian técnicas agrícolas sostenibles que podrán implementar en las comunidades pobres de Latinoamérica y África. También estudian otras materias, cómo sociología y ética, pero la intención principal de la universidad es entrenar los líderes del futuro —líderes con una conciencia ecológica que algún día cambiarán la sociedad a través de la agricultura. Quizás ya hayas comprado unas bananas de la marca *Earth* en el *Whole Foods Market* de tu comunidad. El medio ambiente se debe tratar con respeto, según los estudiantes y los administradores de *Earth University*, una universidad única con metas extraordinarias.

Act. 1 ESTRATEGIA Using background knowledge to anticipate content

If you have a rough idea of a video segment's content, you can predict what other information it may contain. Think about the topic and ask yourself what vocabulary you associate it with. By organizing your thoughts in advance, you prepare yourself to understand the content more easily. Given the introduction above, and the title "Earth University," try to imagine what the segment is about. Write five vocabulary words in Spanish that you think might relate to the content of the video segment.

1. _____

2. _____

3. _____

4. _____

5. _____

Act. 2 VOCABULARIO NUEVO

Match the English definitions with the Spanish words. Try to do it without using a dictionary. Once you have finished, go to an online Spanish dictionary which pronounces the words in Spanish and listen to each word twice.

1. sostenible	**a.** *skill*
2. el medio ambiente	**b.** *natural resources*
3. la pobreza	**c.** *field of crops*
4. respetuoso	**d.** *sustainable*
5. la destreza	**e.** *revenue*
6. ensuciarse	**f.** *environment*
7. el plantío	**g.** *to get dirty*
8. las ganancias	**h.** *poverty*
9. los ingresos	**i.** *respectful*
10. los recursos naturales	**j.** *profits*

Ver

Act. 3 LAS FRASES

As you watch the video, circle the answer that best relates to the phrase provided.

1. *Earth University*
   a. un campus típico   b. una universidad agricultural   c. una beca

2. los métodos agrícolas sostenibles
   a. poco o ningún impacto negativo   b. la pobreza   c. cuatrocientos estudiantes

3. las destrezas
   a. útiles, accesibles y sostenibles   b. poco útiles   c. caras y difíciles

4. las ganancias del plantío de bananas
   a. para erradicar la pobreza   b. para cultivar más bananas   c. para financiar las operaciones
   de la universidad

5. la intención principal de *Earth University*
   a. formar agentes de cambio   b. cultivar alimentos sostenibles   c. financiar más investigaciones

Después de ver

Act. 4 ESCOGE

Pick the correct answer based on the video.

1. En *Earth University,* los estudiantes se entrenan para ser _____
   del futuro.
   a. ingenieros   b. ecologistas   c. arquitectos

2. *Earth* es una _____ agricultural en Guácimo, Costa Rica.
   a. escuela   b. iglesia   c. biblioteca

3. El instituto nació de la idea de proteger _____.
   a. la economía   b. *National Geographic Society*   c. el medio ambiente

4. Los estudiantes trabajan seis días por semana, once _____ del año.
   a. meses   b. semanas   c. horas

5. Hay _____ en el campus, donde los estudiantes y profesores
   experimentan con técnicas nuevas.
   a. un laboratorio   b. un plantío de bananas   c. un *Whole Foods Market*

El plantío de bananas sirve como
un laboratorio para nuevos
métodos agrícolas sostenibles.
© National Geographic Digital Motion

Write the correct answer in the blank.

1. Los estudiantes en *Earth University* aprenden métodos agrícolas que tienen poco o ningún impacto negativo en el medio ambiente, la _____ o las necesidades del futuro.

2. Los estudiantes en *Earth University* aprenden cómo ser _____ con el medio ambiente.

3. Según Robert, los estudiantes aprenden destrezas muy útiles que son sostenibles, _____ y accesibles.

4. Según Robert, los estudiantes tienen que entrenarse para ser _____ de cambio.

5. Las _____ del negocio de bananas se usan para becas, para las operaciones de la universidad y para financiar más investigaciones y desarrollo.

6. Según el presidente Zaglul, la intención de la *Earth University* es formar líderes que puedan transformar a la _____.

Dos estudiantes de *Earth*
aprenden a manejar un tractor.
© National Geographic Digital Motion

Act. 6 COMPRENSIÓN

After viewing the video as many times as you need to, answer the following questions in Spanish.

1. ¿Qué quieren ser los estudiantes de *Earth University*?

2. ¿Dónde está *Earth University*?

3. ¿Qué organización ayuda a fundar *Earth University*?

4. Según el presidente Zaglul, ¿de qué idea nació la universidad?

5. ¿Qué aprenden los estudiantes en *Earth University*?

6. ¿Qué aprenden a respetar los estudiantes?

7. Según Robert, el estudiante de Kenya, ¿ellos tienen que entrenarse para ser qué?

8. ¿Qué clase de plantío activo hay en el campus?

9. ¿Qué hacen con las ganancias del plantío de bananas?

10. ¿A que tres cosas se refiere el presidente Zaglul cuando menciona el medio ambiente?

Act. 7 EXPANSIÓN

Paso 1. Pick one of the topics below for further research.

Conexiones (agricultura, sociología):

Find out more about Earth University. What would you learn about farming if you enrolled there?

What would you learn about the environment?

Would you be interested in enrolling in a university with Earth University's course of studies and primary goal?

Comparaciones:

Do you know of any university near you that focuses on sustainable agricultural practices? Or anywhere in the United States?

Try to find one and research its goals and courses of study.

Paso 2. Conduct a web search for information about your topic. Select two or three relevant sources.

Paso 3. Using the information you've researched, write a short **resumen** of 3–5 sentences, in Spanish, which answers the questions and reports your findings. Be prepared to present your conclusions to the class.

Este centro de investigación de la Universidad de Vermont se dedica a estudiar los arces (*maple trees*).
AP Photo/Toby Talbot

cuba

© National Geographic Maps

© National Geographic Maps

INFORMACIÓN GENERAL

Nombre oficial: **República de Cuba**

Nacionalidad: **cubano(a)**

Área: **110 860 km²** (aproximadamente el tamaño de Tennessee)

Población: **11 075 244** (2011)

Capital: **La Habana** (f. 1511) (2 140 000 hab.)

Otras ciudades importantes: **Santiago** (494 000 hab.), **Camagüey** (324 000 hab.)

Moneda: **peso** (cubano)

Idiomas: **español** (oficial)

DEMOGRAFÍA

Alfabetismo: 99,8%

Religiones: **católica** (85%), **santería y otras** (15%)

CUBANOS CÉLEBRES

Alicia Alonso
bailarina, fundadora del Ballet Nacional de Cuba (1920–   )

Silvio Rodríguez
poeta, cantautor (1946–   )

Wifredo Lam
pintor (1902–1982)

EN RESUMEN

1. Cuba está en _____

☐ Europa ☐ Sudamérica
☐ El Caribe ☐ Norteamérica
☐ Centroamérica

2. ¿Cierto o falso?

C F Cuba está a solo noventa millas de la Florida.

C F Cuba no tiene ningunas tradiciones españolas.

3. ¿Qué tradición, imagen o persona asocias con Cuba?

Vista nocturna de la plaza central de Santiago.
© 2006 PAUL CHESLEY/National Geographic Image Collection

Top left: Niña vestida para el Carnaval de Santiago de Cuba
Gil Giuglio/Hemis/Corbis

Top center: Grupo de hombres jugando al dominó
David H. Wells/Corbis

Top right: Capitolio de La Habana
Luigi Rescigno/iStockphoto.com

El fotógrafo David Alan Harvey saca fotografías desde
el asiento de pasajero.
© National Geographic Digital Motion

kkgas/iStockphoto.com

Antes de ver

A David Alan Harvey, un fotógrafo de la revista *National Geographic,* le gusta sacar
fotos de la Cuba que poca gente conoce. Él siente que en este momento, Cuba está
a principios de una nueva etapa. Quiere documentar este trozo de la historia de esta
isla-nación única. Harvey viaja por los pueblos para fotografiar una quinceañera, un
granjero, un peluquero, unos beisbolistas pequeños y una familia cubana. Viaja con él
para conocer a la Cuba de hoy.

Act. 1 ESTRATEGIA Watching without sound

Sometimes it helps to watch a segment first without the sound, especially when it
contains a lot of action. As you watch, focus on the people's actions and interactions.
What do you think is happening? Once you have gotten some ideas, watch the segment
a second time with the sound turned on. Based on the above introduction, write down
a few things you think you might see.

1. _____

2. _____

3. _____

4. _____

Act. 2 VOCABULARIO NUEVO

Match the English definitions with the Spanish words. Try to do it without using
a dictionary. Once you have finished, go to an online Spanish dictionary which
pronounces the words in Spanish and listen to each word twice.

1. orgulloso(a)	**a.** *a mixture*
2. a principios de	**b.** *to specialize in*
3. especializarse	**c.** *to try to*
4. el trozo	**d.** *proud*
5. quedarse con	**e.** *wherever*
6. la máquina del tiempo	**f.** *strong character*
7. tratar de	**g.** *a piece; a slice*
8. la mezcla	**h.** *to stay with*
9. de mucho carácter	**i.** *time machine*
10. dondequiera	**j.** *at the beginning of*

Ver

Act. 3 LAS FRASES

As you watch the video, circle the answer that DOES NOT relate to the phrase provided.

1. la gente de Cuba
   a. apasionada   b. interconectada   c. orgullosa

2. David Alan Harvey
   a. peluquero   b. fotógrafo   c. la revista *National Geographic*

3. la vida en la calle
   a. caleidoscopio   b. imágenes, olores, sonidos   c. aburrida

4. el trozo de la historia
   a. fin de la revolución   b. a principios de lo que sigue   c. el futuro

5. la quinceañera
   a. beisbolista   b. cumple quince años   c. introducción a la sociedad

6. el béisbol
   a. niños   b. adultos   c. quinceañera

Después de ver

Act. 4 ESCOGE

Pick the correct answer based on the video.

1. La isla de Cuba está a noventa millas de _____.
   a. Texas   b. la Florida   c. California

2. David Alan Harvey saca fotos de países _____.
   a. hispanohablantes   b. europeos   c. africanos

3. Harvey describe la vida en la calle como un _____.
   a. avión   b. caleidoscopio   c. puente

4. Harvey quiere sacar fotos de la Cuba que poca gente _____.
   a. quiere visitar   b. necesita ver   c. conoce

5. La quinceañera es una tradición _____.
   a. mexicana   b. puertorriqueña   c. española

Cuba es una isla rica en cultura y controversia.

© National Geographic Digital Motion

Write the correct answer in the blank.

1. _____ años después de la Revolución, Cuba está a principios de una nueva era.

2. Es _____ documentar este trozo de la historia porque los cubanos están al fin de la revolución y al principio de lo que sigue.

3. Según Harvey, en Cuba se puede ver la _____ del país en la calle.

4. La quinceañera se celebra cuando una jovencita _____ quince años.

5. Los cubanos que conoce Harvey son amables, apasionados, generosos y _____.

6. El deporte que siempre juegan los niños en las calles es el _____.

Cuba está a principios de una nueva era.
© National Geographic Digital Motion

Act. 6 COMPRENSIÓN

After viewing the video as many times as you need to, answer the following questions in Spanish.

1. ¿A cuántas millas de la Florida está la isla de Cuba?

2. ¿Cuantos años después de la Revolución empieza la nueva era para Cuba?

3. ¿En qué se especializa David Alan Harvey?

4. Según Harvey, ¿cómo se expresa la vida en la calle en Cuba?

5. ¿De qué quiere sacar fotos el fotógrafo?

6. ¿Por qué dice Harvey que es importante documentar este momento en la historia de Cuba?

7. ¿Qué trata de captar Harvey en sus fotos?

8. ¿Cuál es la tradición española que celebra la chica?

9. ¿Cómo son los cubanos, según Harvey?

10. ¿Qué se puede ver dondequiera en Cuba?

Paso 1. Pick one of the topics below for further research.

Conexiones (historia):

What do you know about Cuba's history, its relationship to the United States, and Fidel Castro?

Do some research and bring one interesting fact about Cuba to the class that you did not know before.

Comparaciones:

Is there someplace in your state where products are in use from another time period? What kinds of artifacts can you see there that are from another time period?

Paso 2. Conduct a web search for information about your topic. Select two or three relevant sources.

Paso 3. Using the information you've researched, write a short **resumen** of 3–5 sentences, in Spanish, which answers the questions and reports your findings. Be prepared to present your conclusions to the class.

Miles de autos clásicos de Estados Unidos se siguen usando en Cuba.
Kamira/Shutterstock.com

ecuador

INFORMACIÓN GENERAL

Nombre oficial: **República del Ecuador**

Nacionalidad: **ecuatoriano(a)**

Área: **283 561 km²** (aproximadamente el tamaño de Colorado)

Población: **15 223 680** (2011)

Capital: **Quito** (f. 1556) (1 801 000 hab.)

Otras ciudades importantes: **Guayaquil** (2 634 000 hab.), **Cuenca** (505 000 hab.)

Moneda: **dólar** (estadounidense)

Idiomas: **español** (oficial), **quechua**

DEMOGRAFÍA

Alfabetismo: 91%

Religiones: **católica** (95%), **otras** (5%)

ECUATORIANOS CÉLEBRES

Jorge Carrera Andrade
escritor (1903–1978)

Oswaldo Guayasamín
pintor (1919–1999)

Rosalía Arteaga
abogada, política, ex vicepresidenta
(1956–)

EN RESUMEN

1. Ecuador está en _____

☐ Europa   ☐ Sudamérica
☐ El Caribe   ☐ Norteamérica
☐ Centroamérica

2. ¿Cierto o falso?

C F Las Islas Galápagos no son islas ecuatorianas.

C F La línea ecuatorial que divide el globo en dos hemisferios pasa por Ecuador.

3. ¿Qué tradición, imagen o persona asocias con Ecuador?

Un león marino de las Galápagos descansa en las rocas de la Isla San Cristóbal.
© 2011 RALPH LEE HOPKINS/National Geographic Image Collection

Top left: Casas pintorescas en la zona colonial de Quito
Mike Matthews Photography/Flickr/ Getty Images

Top center: Pareja de bailarines quiteños en ropa típica
Christopher Herwig/Aurora/Getty Images

Top right: La iguana marina vive exclusivamente en las Islas Galapagos.
© 2011 JOEL SARTORE/National Geographic Image Collection

Los volcanes que formaron las Islas Galápagos siguen
activos hoy día.
© National Geographic Digital Motion

Antes de ver

Las Islas Galápagos son famosas por su fauna y flora extraordinarias. En las Islas
Galápagos se encuentran especies que no existen en ningún otro sitio en el planeta.
Charles Darwin, el biólogo inglés, viajó a las Islas Galápagos en los años 1830. Es allí
donde concibe la teoría de la evolución por selección natural. ¡La vida de las iguanas
marinas y terrestres está llena de acción y peligro!

Act. 1 ESTRATEGIA Using questions as an advance organizer

A way to prepare yourself to watch a video segment is to familiarize yourself with the
questions you will answer after viewing the segment. Before you watch the video, use
the questions in Act. 4 to come up with a short list of information you will want to
listen for as you watch the video.

EJEMPLO: formación de las Islas Galápagos

1. _____
2. _____
3. _____
4. _____
5. _____

Act. 2 VOCABULARIO NUEVO

Match the English definitions with the Spanish words. Try to do it without using
a dictionary. Once you have finished, go to an online Spanish dictionary which
pronounces the words in Spanish and listen to each word twice.

1. añadir	**a.** *to disperse*	
2. concebir	**b.** *wildlife*	
3. la ceniza volcánica	**c.** *highland*	
4. dispersar	**d.** *volcanic ash*	
5. las erupciones volcánicas	**e.** *terrestrial, of the land*	
6. la flora y fauna	**f.** *to conceive*	
7. el lagarto	**g.** *volcanic eruptions*	
8. marino(a)	**h.** *lizard*	
9. los rayos del sol	**i.** *marine, seafaring*	
10. respirar	**j.** *surprisingly*	
11. sorprendentemente	**k.** *to breathe*	
12. terrestre	**l.** *sun rays*	
13. la tierra alta	**m.** *to add*	

Ver

As you watch the video, circle the answer that best relates to the phrase provided.

1. la formación de las Islas Galápagos
   a. nuevas formaciones rocosas   b. erupciones volcánicas   c. adaptaciones únicas

2. el país que gobierna las Islas Galápagos
   a. Ecuador   b. Colombia   c. Venezuela

3. el biólogo importante en la historia de las islas
   a. Jane Goodall   b. HMS Beagle   c. Charles Darwin

4. los únicos lagartos que viajan por el mar
   a. iguanas terrestres   b. iguanas marinas   c. leones marinos

5. los enemigos de las iguanas
   a. delfines, pingüinos   b. pelícanos, leones marinos   c. culebras, halcones

6. el lugar óptimo para incubar los huevos de las iguanas
   a. el mar   b. ceniza volcánica   c. formaciones rocosas

Después de ver

Pick the correct answer based on the video.

1. Las iguanas marinas pueden pasar _____ sin respirar.
   a. cinco minutos   b. diez minutos   c. quince minutos

2. Las iguanas marinas comen _____ en el océano.
   a. pelícanos   b. delfines   c. alga

3. El _____ quiere jugar con la iguana marina.
   a. pingüino   b. delfín   c. león marino

4. Las culebras y los halcones son depredadores que se comen a _____.
   a. las iguanitas   b. las sardinas   c. los pelícanos

5. Las iguanas terrestres ponen huevos en _____ caliente.
   a. las rocas   b. la ceniza volcánica   c. el mar

Iguanas marinas calentándose
con los rayos del sol.
© National Geographic Digital Motion

Write the correct answer in the blank.

1. Unas erupciones _____ forman un grupo de islas hace millones de años.

2. Las Islas Galápagos están a 600 millas al oeste de _____.

3. Charles Darwin viaja a las Islas Galápagos en los años _____.

4. La famosa teoría de Charles Darwin es la teoría de la _____ por selección natural.

5. Las iguanas _____ son los únicos lagartos en el mundo que viajan por mar.

6. Las iguanas terrestres suben el _____ para poner huevos.

Volcán de una de las trece islas que forman las Galápagos
© National Geographic Digital Motion

Act. 6 COMPRENSIÓN

After viewing the video as many times as you need to, answer the following questions in Spanish.

1. ¿Qué ocurre hace millones de años en el Pacífico Sur que tiene por resultado la formación de las Islas Galápagos?

2. ¿De qué país son las Islas Galápagos?

3. ¿Quién fue el biólogo qué estudió las adaptaciones únicas de la flora y fauna de las Islas Galápagos?

4. ¿Qué teoría famosa fue inspirada *(was inspired)* por las Islas Galápagos?

5. ¿Qué clase de iguanas hay en las Islas Galápagos que no se encuentran en ningún otro sitio del mundo?

6. ¿Cuánto tiempo pueden contener la respiración las iguanas marinas?

7. ¿Qué comen las iguanas marinas en el océano?

8. ¿Qué otros animales nadan en el océano con las iguanas?

9. ¿Qué depredadores deben evitar las iguanitas bebés para llegar a ser adultos?

10. ¿Dónde incuban los huevos las iguanas terrestres? ¿Por qué es difícil para las madres iguanas llegar allí?

Paso 1. Pick one of the topics below for further research.

Conexiones (ciencias, biología):
What is the theory of natural selection?
What is the controversy in the United States over this theory today?

Comparaciones:
Are there islands in the United States that you like to visit?
Where are they?
What kind of unique flora and fauna do they have?

Paso 2. Conduct a web search for information about your topic. Select two or three relevant sources.

Paso 3. Using the information you've researched, write a short **resumen** of 3–5 sentences, in Spanish, which answers the questions and reports your findings. Be prepared to present your conclusions to the class.

Estatua de Charles Darwin, científico inglés de gran importancia en el mundo de las ciencias naturales.
Dave Coadwell/Shutterstock.com

el salvador

INFORMACIÓN GENERAL

Nombre oficial: **República de El Salvador**

Nacionalidad: **salvadoreño(a)**

Área: **21 041 km²** (un poco más pequeño que Massachusetts)

Población: **6 090 646** (2011)

Capital: **San Salvador** (f. 1524) (1 534 000 hab.)

Otras ciudades importantes: **San Miguel** (218 000 hab.), **Santa Ana** (274 000 hab.)

Moneda: **dólar** (estadounidense)

Idiomas: **español** (oficial), **náhuatl, otras lenguas amerindias**

DEMOGRAFÍA

Alfabetismo: 81,1%

Religiones: **católica** (57,1%), **protestante** (21,2%), **testigos de Jehová** (1,9%), **mormona** (0,7%), **otras** (2,3%), **sin afiliación** (16,8%)

SALVADOREÑOS CÉLEBRES

Óscar Arnulfo Romero
arzobispo, defensor de los derechos humanos (1917–1980)

Claribel Alegría
escritora (nació en Nicaragua pero se considera salvadoreña) (1924–   )

Alfredo Espino
poeta (1900–1928)

EN RESUMEN

1. El Salvador está en _____.

☐ Europa   ☐ Sudamérica

☐ El Caribe   ☐ Norteamérica

☐ Centroamérica

2. ¿Cierto o falso?

C F El Salvador es el país más grande de Centroamérica.

C F El Salvador no tiene volcanes.

3. ¿Qué tradición, imagen o persona asocias con El Salvador?

**Formación rocosa en las costas
cercanas a El Tunco**
andyKRAKOVSKI/iStockphoto.com

Top left: Granjero salvadoreño en
la Valle Jiboa
Eduardo Fuentes Guevara/iStockphoto.
com

Top center: Garza cazando en la
laguna El Jocotal
Lynda Richardson/Corbis

Top right: La Feria de las Flores y
Palmas se celebra en mayo en
Panchimalco
Jan Sochor/Contributor/Getty Images

Iglesia de la Santa Cruz de Roma, en el pueblo de
Panchimalco
© Cengage Learning, 2014

Antes de ver

El país más pequeño de Centroamérica, El Salvador le ofrece mucho al visitante.
El Salvador tiene fama por sus volcanes activos e inactivos y los parques nacionales
donde puedes visitarlos. San Salvador, la capital, es una ciudad grande y moderna
con el estadio más grande de Centroamérica. Sus edificios importantes, como el
Palacio Nacional, el Teatro Nacional y la Catedral Metropolitana son bellos ejemplos
de la arquitectura en el centro histórico. La naturaleza, la vida urbana o los pueblos
indígenas, El Salvador lo tiene todo.

Act. 1 ESTRATEGIA Listening for the main idea

A good way to organize your viewing of video in Spanish is to focus on getting the main
idea of the segment (or of each of its parts). Don't try to understand every word; just try
to get the gist of each scene. What might be the main idea behind the following things?

1. el volcán _____

2. el estadio _____

3. el Palacio Nacional _____

4. el Teatro Nacional _____

Act. 2 VOCABULARIO NUEVO

Match the English definitions with the Spanish words. Try to do it without using a
dictionary. Once you have finished, go to an online Spanish dictionary which pronounces
the words in Spanish and listen to each word twice.

1. poblado(a)	**a.** *long walk; hike*
2. la tumba	**b.** *landscape, scenery*
3. el arzobispo	**c.** *populated*
4. los derechos humanos	**d.** *cloud forest*
5. el salón	**e.** *archbishop*
6. emocionante	**f.** *human rights*
7. el bosque nublado	**g.** *tomb*
8. la caminata	**h.** *hall*
9. la flora y fauna	**i.** *wildlife*
10. el paisaje	**j.** *exciting*

Ver

Act. 3 LAS FRASES

As you watch the video, circle the word or phrase that describes the cue.

1. El Salvador
   a. más grande que Nueva Jersey   b. más pequeño que Nueva Jersey

2. San Salvador
   a. grande y moderna   b. grande y antigua

3. Óscar Romero
   a. los pobres y los derechos humanos   b. la democracia y el capitalismo

4. el Teatro Nacional
   a. deportes   b. arte y cultura

5. Estadio Cuscatlán
   a. fútbol   b. esquí acuático

Después de ver

Act. 4 ESCOGE

Pick the correct answer based on the video.

1. El Salvador es el país más pequeño de _____.
   a. Sudamérica   b. Norteamérica   c. Centroamérica

2. En el Palacio Nacional, hay estatuas de _____.
   a. un explorador y una reina   b. un arzobispo y un general   c. un astronauta y un expresidente

3. Panchimalco es un pueblo _____.
   a. moderno   b. indígena   c. abandonado

4. El Lago de Coatepeque es ideal para los _____.
   a. deportes de pelota   b. deportes acuáticos   c. deportes de invierno

5. En el Parque Nacional Cerro Verde, puedes ver _____.
   a. otros volcanes   b. un desierto   c. ruinas mayas

Palacio Nacional, situado en San Salvador, la capital
© Cengage Learning, 2014

Write the correct answer in the blank.

1. San Salvador es la _____ ciudad más poblada de Centroamérica.

2. En el Palacio Nacional hay _____ habitaciones y cuatro salones.

3. En el Teatro Nacional puedes ver _____, teatro y danza contemporánea.

4. Puedes comprar artesanía salvadoreña en el _____ Ex Cuartel.

5. El Lago de Coatepeque es ideal para la _____, el buceo y el esquí acuático.

6. El Cerro Verde es un _____ extinto.

Lago de Coatepeque, de origen volcánico
© Cengage Learning, 2014

After viewing the video as many times as you need to, answer the following questions in Spanish.

1. ¿Qué país es el más pequeño de Centroamérica?

2. ¿Cómo se llama la capital de El Salvador?

3. ¿Por qué es famoso el arzobispo Óscar Romero?

4. ¿De qué colores son los salones en el Palacio Nacional?

5. ¿Qué clase de pintura venden en el mercado Ex Cuartel?

6. Además de los partidos de fútbol, ¿qué más puedes ver en el Estadio Cuscutlán?

7. ¿Qué hay en Panchimalco que es la más antigua del país?

8. ¿Cuándo fue la última erupción del volcán Cerro Verde?

9. ¿Qué cubre (covers) el cráter de Cerro Verde?

10. ¿Cuál es una de las actividades preferidas en el Parque Nacional Cerro Verde?

Paso 1. Pick one of the topics below for further research.

Conexiones (historia):

Who is **Reina Isabel la Católica?**
Why would there be a statue of her next to Christopher Columbus at the National Palace in El Salvador?

Comparaciones:

Do you know of any cloud forests in your area or in the United States?
If not, try to find one.

Paso 2. Conduct a web search for information about your topic. Select two or three relevant sources.

Paso 3. Using the information you've researched, write a short **resumen** of 3–5 sentences, in Spanish, which answers the questions and reports your findings. Be prepared to present your conclusions to the class.

Salen los rayos del sol en un bosque nublado.
Tom Bean/Corbis

espana

© National Geographic Maps

© National Geographic Maps

INFORMACIÓN GENERAL

Nombre oficial: **Reino de España**

Nacionalidad: **español(a)**

Área: **505 370 km²** (aproximadamente 2 veces el tamaño de Oregón)

Población: **47 042 984** (2011)

Capital: **Madrid** (f. siglo IX)
(3 300 000 hab.)

Otras ciudades importantes:
Barcelona (5 762 000 hab.),
Valencia (812 000 hab.),
Sevilla (703 000 hab.),
Toledo (82 000 hab.)

Moneda: **euro**

Idiomas: **castellano** (oficial), **catalán, vasco, gallego**

DEMOGRAFÍA

Alfabetismo: 97,9%

Religiones: **católica** (94%), **otras** (6%)

ESPAÑOLES CÉLEBRES

Miguel de Cervantes Saavedra
escritor (1547–1616)

Federico García Lorca
poeta (1898–1936)

Rafael Nadal
tenista (1986–   )

EN RESUMEN

1. España está en _____

☐ Europa   ☐ Sudamérica
☐ El Caribe   ☐ Norteamérica
☐ Centroamérica

2. ¿Cierto o falso?

C F Barcelona es la capital de España.

C F En Barcelona se habla catalán y castellano.

3. ¿Qué tradición, imagen o persona asocias con España?

La ciudad de Barcelona vista desde el Parque Güell
© 2007 RAUL TOUZON/National Geographic Image
Collection

Top left: Corrida de toros
Christian Martinez Kempin/iStockphoto.
com

Top center: Estatuas vivientes en
Las Ramblas, Barcelona
© 1994 MEDFORD TAYLOR/National
Geographic Image Collection

Top right: Museo del Jamón: un
bar de tapas en Madrid
Owen Franken/Corbis

Efigies gigantes en un desfile por Las Ramblas de
Barcelona
© National Geographic Digital Motion

Antes de ver

En la avenida más conocida de Barcelona, Las Ramblas, existe un aire festivo que no tiene fin. Es una calle que nunca duerme: a toda hora, de día o de noche, hay músicos, bailarines, artistas de circo, estatuas vivientes y gente paseándose y divirtiéndose. Las Ramblas es un estilo de vida —una vida vibrante, alegre, llena de colores y de un espíritu artístico que entretiene a todos los que pasan por ahí. ¿Te gustaría visitar las calles de Barcelona para participar en la fiesta sin fin?

Act. 1 ESTRATEGIA Using visuals to aid comprehension

You can learn a lot from just looking at the visuals when you watch video. The scenes and images you see help you understand the language that you hear. Be sure to pay attention to the visuals as well as the narration. Look at the photos on pages 53 and 54 and write down some of the visuals that you see, in Spanish if you know the words, and in English if you don't.

1. _____

2. _____

3. _____

4. _____

Act. 2 VOCABULARIO NUEVO

Match the English definitions with the Spanish words. Try to do it without using a dictionary. Once you have finished, go to an online Spanish dictionary which pronounces the words in Spanish and listen to each word twice.

1. el ambiente	**a.** *to amuse oneself*	
2. el espectáculo	**b.** *lifestyle*	
3. improvisar	**c.** *atmosphere*	
4. agradable	**d.** *vitality*	
5. vitalidad	**e.** *it's worth it*	
6. entretenerse	**f.** *show*	
7. vale la pena	**g.** *to improvise*	
8. el estilo de vida	**h.** *enjoyable, pleasant*	
9. un montón	**i.** *truly*	
10. verdaderamente	**j.** *without end*	
11. sin fin	**k.** *a bunch*	

Ver

As you watch the video, circle the answer that best relates to the phrase provided.

1. Muchas cosas ocurren, pero no están organizadas.
   a. improvisar   b. entretener   c. bailar

2. Puedes salir a la calle por la noche y el ambiente siempre está animado y alegre.
   a. sin gente   b. espectáculo   c. vitalidad

3. Puedes encontrar teatro y música de Argentina, de España, de África, de todo el mundo.
   a. local   b. global   c. ambiental

4. Cosas que pasan en la calle nunca pasan en el teatro.
   a. espontáneo   b. organizado   c. planeado

5. Las Ramblas... aquí tienes de todo.
   a. calle   b. divertido   c. estilo de vida

Después de ver

Pick the correct answer based on the video.

1. Los músicos, los bailarines, las estatuas vivientes, los actores de teatro, los espectáculos improvisados, todos contribuyen al ambiente _____.
   a. solemne   b. festivo   c. triste

2. La vida en Barcelona ocurre en la _____.
   a. calle   b. casa   c. tienda

3. Siempre hay _____ en la avenida Las Ramblas.
   a. pájaros   b. deportes   c. gente

4. Las Ramblas es _____ porque puedes encontrar teatro de Argentina, de España, de África y de todo el mundo.
   a. seria   b. divertida   c. educativa

5. Las Ramblas es la avenida en Barcelona y por todo Europa en la cual siempre vas a estar _____.
   a. entretenido.   b. deprimido   c. ansioso

La fiesta nunca termina en Las Ramblas.
© National Geographic Digital Motion

53

Write the correct answer in the blank.

1. Andar por las calles de Barcelona es como estar en una _____ sin fin.

2. Algo muy típico en Barcelona es improvisar la _____.

3. El ambiente en la calle por la noche siempre está animado y _____.

4. El hombre de Amsterdam dice que la vida y la vitalidad de Barcelona es _____ y te inspira

5. Las florerías son _____.

6. La estatua viviente dice que Las Ramblas es una _____ de vivir.

En Las Ramblas se reúne todo tipo de personas: turistas y artistas.

© National Geographic Digital Motion

Act. 6 COMPRENSIÓN

After viewing the video as many times as you need to, answer the following questions in Spanish.

1. ¿Cómo es andar por las calles de Barcelona?

2. ¿Qué contribuye al ambiente festivo?

3. Según el turista, ¿dónde ocurre la vida?

4. ¿Qué es muy típico en Barcelona?

5. Según el hombre de Amsterdam, ¿cuándo está animado y alegre el ambiente en las calles de Barcelona?

6. ¿Por qué se siente él mejor en Barcelona que en Amsterdam?

7. ¿De dónde viene la música y el teatro?

8. Para el músico, ¿qué es bello?

9. ¿Qué dice el músico que pasa en Las Ramblas de algún modo u otro?

10. ¿Qué representa Las Ramblas, según la estatua viviente?

Paso 1. Pick one of the topics below for further research.

Conexiones (cultura, artes):

If you wanted to perform on the streets of Barcelona, what would you do?
Why would it be appropriate for the Barcelona atmosphere?

Comparaciones:

Can you think of a street in the United States that is as lively as Barcelona, all the time?

Paso 2. Conduct a web search for information about your topic. Select two or three relevant sources.

Paso 3. Using the information you've researched, write a short **resumen** of 3–5 sentences, in Spanish, which answers the questions and reports your findings. Be prepared to present your conclusions to the class.

Dos artistas callejeros toman un respiro entre actos.
cenk ertekin/iStockphoto.com

honduras

INFORMACIÓN GENERAL

Nombre oficial: **República de Honduras**

Nacionalidad: **hondureño(a)**

Área: **112 090 km²** (aproximadamente el tamaño de Pennsylvania)

Población: **8 296 693** (2011)

Capital: **Tegucigalpa** (f. 1762)
(1 000 000 hab.)

Otras ciudades importantes:
San Pedro Sula (873 000 hab.),
El Progreso (200 000 hab.)

Moneda: **lempira**

Idiomas: **español** (oficial),
dialectos amerindios

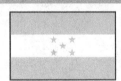

DEMOGRAFÍA

Alfabetismo: 80%

Religiones: **católica** (97%),
protestante (3%)

HONDUREÑOS CÉLEBRES

Lempira
héroe indígena (1499–1537)

Ramón Amaya Amador
escritor (1916–1966)

José Antonio Velásquez
pintor (1906–1983)

David Suazo
futbolista (1979–   )

EN RESUMEN

1. Honduras está en _____

☐ Europa   ☐ Sudamérica
☐ El Caribe   ☐ Norteamérica
☐ Centroamérica

2. ¿Cierto o falso?

C F Honduras comparte una frontera y una costa pacífica con El Salvador.

C F Tegucigalpa es la capital y la ciudad más grande de Honduras.

3. ¿Qué tradición, imagen o persona asocias con Honduras?

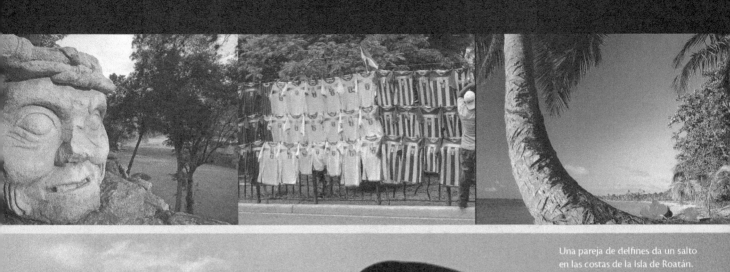

Una pareja de delfines da un salto en las costas de la Isla de Roatán.
© 2008 ALASKA STOCK LLC/National Geographic Image Collection

Top left: Ruinas de Copán
Diego Lezama Orezzoli/Corbis

Top center: Vendedor de camisetas de la selección de fútbol de Honduras, Tegucigalpa
ORLANDO SIERRA/Getty Images

Top right: Hibiscos naciendo a los pies de las palmeras, Isla de Roatán
Stuart Westmorland/Corbis

kkgas/iStockphoto.com

Vista aérea de la ciudad de Tegucigalpa
© Cengage Learning, 2014

Nicholas Monu/iStockphoto.com

Antes de ver

¿Qué hay para el visitante en Tegucigalpa, Honduras? Como es una ciudad situada en un bello valle y rodeada de colinas, Tegucigalpa ofrece actividades para todos. En el Parque El Picacho o el Parque La Leona, puedes disfrutar de vistas espectaculares de la ciudad desde los miradores. Si te interesa la arquitectura colonial, el centro histórico tiene unos ejemplos impresionantes, como la Basílica de Suyapa. Para la persona a quien le gusta ir de compras, hay mercados para comprar artesanías que reflejan la cultura indígena. Tegucigalpa te da la bienvenida con brazos abiertos.

Act. 1 ESTRATEGIA Using questions as an advance organizer

A way to prepare yourself to watch a video segment is to familiarize yourself with the questions you will answer after viewing the segment. Before you watch the video, use the questions in **Act. 6** to come up with a short list of information you will want to listen for as you watch the video.

1. _____

2. _____

3. _____

4. _____

5. _____

Act. 2 VOCABULARIO NUEVO

Match the English definitions with the Spanish words. Try to do it without using a dictionary. Once you have finished, go to an online Spanish dictionary which pronounces the words in Spanish and listen to each word twice.

1. rodeado(a)	**a.** *to relax*	
2. la colina	**b.** *art piece*	
3. el mirador	**c.** *surrounded by*	
4. nacido(a)	**d.** *born*	
5. relajarse	**e.** *hill*	
6. la estatua	**f.** *pleasant*	
7. pintoresco(a)	**g.** *scenic overlook*	
8. el junco	**h.** *reed*	
9. el objeto de arte	**i.** *statue*	
10. agradable	**j.** *picturesque*	

64

Ver

As you watch the video, circle the answer that better relates to the phrase provided.

1. Tegucigalpa
   a. ciudad más grande de Honduras   b. ciudad más pequeña de Honduras

2. la colina El Picacho
   a. calles pintorescas   b. gran monumento

3. el centro histórico de Tegucigalpa
   a. arquitectura colonial   b. estadio de fútbol

4. la Plaza Central
   a. estatua de Francisco Morazán   b. el Cristo de Picacho

5. el Parque La Leona
   a. relajarse   b. comprar artesanías

6. el mercado La Isla
   a. estatua de Manuel Bonilla   b. artesanía indígena

Después de ver

Act. 4 ESCOGE

Pick the correct answer based on the video.

1. El Picacho es una colina al _____ de Tegucigalpa.
   a. oeste   b. este.   c. norte

2. Desde el mirador del Parque Nacional El Picacho, puedes ver _____.
   a. la Catedral de San Miguel   b. el estadio de fútbol   c. el Teatro Nacional Manuel Bonilla

3. La Catedral de San Miguel es un bello ejemplo de _____.
   a. la arquitectura colonial   b. la artesanía indígena   c. las especies nativas

4. El general Manuel Bonilla es un _____.
   a. arquitecto   b. expresidente de Honduras   c. artista

5. En el Mercado La Isla, puedes comprar productos que reflejan _____.
   a. los importantes museos   b. las calles pintorescas   c. la cultura indígena

En la Plaza Central muchos hondureños pasan su tiempo libre.
© Cengage Learning, 2014

65

Write the correct answer in the blank.

1. Tegucigalpa es la _____ de Honduras.

2. Tegucigalpa está _____ de colinas.

3. La colina más _____ es El Picacho.

4. La Plaza Central está _____ la Catedral.

5. En el Parque La Leona puedes _____ por los hermosos jardines.

6. En la zona histórica, puedes andar por las _____ pintorescas.

Vista panorámica de Tegucigalpa
desde el Parque La Leona
© Cengage Learning, 2014

Act. 6 COMPRENSIÓN

After viewing the video as many times as you need to, answer the following questions in Spanish.

1. ¿Cómo se llama la ciudad capital de Honduras?

2. ¿Es la capital la ciudad más grande o más pequeña de Honduras?

3. ¿Dónde está El Picacho en relación a la ciudad?

4. ¿Qué puedes ver en el zoológico del Parque Nacional El Picacho?

5. ¿Dónde hay bellos ejemplos de la arquitectura colonial en Tegucigalpa?

6. ¿Quién es Francisco Morazán?

7. ¿Quién es Manuel Bonilla?

8. ¿Qué institución de mucho prestigio lleva el nombre de Manuel Bonilla?

9. ¿Qué otras instituciones importantes hay en la zona histórica?

10. ¿Qué artesanías puedes comprar en el mercado La Isla?

Paso 1. Pick one of the topics below for further research.

Conexiones (arte):

What do you know about indigenous Honduran artwork?
Can you find examples of art pieces or products from Honduras that you would like to own?

Comparaciones:

Is there any indigenous artwork sold in your town or state?
What culture does it come from?
Compare the materials and the themes with the Honduran artwork you saw in the video.

Paso 2. Conduct a web search for information about your topic. Select two or three relevant sources.

Paso 3. Using the information you've researched, write a short **resumen** of 3–5 sentences, in Spanish, which answers the questions and reports your findings. Be prepared to present your conclusions to the class.

Arte maya, Templo de Rosalila, Copán
Dave Rock/Shutterstock.com

méxico

© National Geographic Maps

INFORMACIÓN GENERAL

Nombre oficial: **Estados Unidos Mexicanos**

Nacionalidad: **mexicano(a)**

Área: **1 964 375 km²** (aproximadamente 4 veces y media el tamaño de California)

Población: **114 975 406** (2011)

Capital: **México, D.F.** (f. 1521) (8 851 080 hab.)

Otras ciudades importantes: **Guadalajara** (4 338 000 hab.), **Monterrey** (3 838 000 hab.), **Puebla** (2 278 000 hab.)

Moneda: **peso** (mexicano)

Idiomas: **español** (oficial), **náhuatl, maya, zapoteco, mixteco, otomi, totonaca** (se hablan aproximadamente 280 idiomas)

DEMOGRAFÍA

Alfabetismo: 86,1%

Religiones: **católica** (76,5%), **protestante** (5,2%), **testigos de Jehová** (1.1%), **otras** (17,2%)

MEXICANOS CÉLEBRES

Octavio Paz
escritor, Premio Nobel de Literatura (1914–1998)

Diego Rivera
pintor (1886–1957)

Frida Kahlo
pintora (1907–1954)

Emiliano Zapata
revolucionario (1879–1919)

EN RESUMEN

1. México está en _____.

☐ Europa   ☐ Sudamérica
☐ El Caribe   ☐ Norteamérica
☐ Centroamérica

2. ¿Cierto o falso?

C F No hay lugares en México para hacer kayaking.

C F Agua Azul es un área de cataratas, ríos y cuevas en el estado de Chiapas, México.

3. ¿Qué tradición, imagen o persona asocias con México?

Castillo de Chichén-Itzá
© 2003 STEVE WINTER/National
Geographic Image Collection

Top left: Alfarería típica de
Oaxaca
Monica Rodriguez/Lifesize/Getty Images

Top center: Celebración del Día
de los Muertos en un cementerio
© RAUL TOUZON/National
Geographic Image Collection

Top right: Mariposas monarcas
© 2010 JOEL SARTORE/National
Geographic Image Collection

Mariposas monarcas
© National Geographic Digital Motion

kkgas/iStockphoto.com

Nicholas Monu/iStockphoto.com

Antes de ver

México es un mosaico de muchas imágenes: modernas, tradicionales, indígenas, católicas, antiguas y naturales. Pasea por un México muy diverso: de la ciudad capital moderna y enorme a las cataratas dramáticas de Agua Azul, a las ruinas mayas de Palenque y Tulum, o a Michoacán para ver las mariposas monarcas que viajan de Canadá y los Estados Unidos cada año para pasar el invierno en México. O participa en uno de las celebraciones nacionales, como el Día de la Independencia o el Día de los Muertos. ¡Viva México!

Act. 1 ESTRATEGIA Using visuals to aid comprehension

You can learn a lot from just looking at the visuals when you watch video. The scenes and images you see help you understand the language that you hear. Be sure to pay attention to the visuals as well as to the narration. What visuals do you think will accompany the following words?

1. imágenes tradicionales _____

2. imágenes modernas _____

3. imágenes de la naturaleza _____

4. imágenes antiguas _____

Act. 2 VOCABULARIO NUEVO

Match the English definitions with the Spanish words. Try to do it without using a dictionary. Once you have finished, go to an online Spanish dictionary which pronounces the words in Spanish and listen to each word twice.

1. el rascacielos	**a.** *priest*
2. el laberinto	**b.** *main square*
3. la catarata	**c.** *at the shoreline*
4. ruidoso(a)	**d.** *labyrinth*
5. la noche anterior	**e.** *to pass away, to die*
6. el zócalo	**f.** *waterfall*
7. el grito	**g.** *skyscraper*
8. fallecer	**h.** *the night before, eve*
9. el sacerdote	**i.** *noisy*
10. la ubicación	**j.** *location*
11. a las orillas	**k.** *shout*
12. la mariposa	**l.** *butterfly*

70

Ver

As you watch the video, circle the word or phrase that describes the cue.

1. imágenes modernas
   a. rascacielos y tráfico   b. mercados y mariachis

2. imágenes tradicionales
   a. los charros y el ballet folclórico   b. el metro y los centros comerciales

3. la Ciudad de México
   a. más pequeña del mundo   b. más grande del mundo

4. Agua Azul
   a. lagos de agua azul   b. ríos de agua azul

5. las mariposas monarcas
   a. Michoacán   b. Chiapas

Después de ver

Act. 4 ESCOGE

Pick the correct answer based on the video.

1. La Ciudad de México también se llama _____
   a. Palenque   b. el Distrito Federal   c. Nueva York

2. Agua Azul está en _____.
   a. la selva tropical   b. el desierto   c. las montañas

3. Las mariposas monarcas viajan a México desde _____.
   a. Europa   b. Centroamérica   c. Canadá y los Estados Unidos

4. El Día de la Independencia de México es el _____.
   a. 5 de mayo   b. 16 de septiembre   c. 4 de julio

5. El Día de los Muertos se celebra el _____.
   a. 1° de noviembre   b. 25 de diciembre   c. 1° de enero

Cataratas de Agua Azul, estado de Chiapas
© National Geographic Digital Motion

Write the correct answer in the blank.

1. El Distrito Federal es la ciudad más _____ del mundo.

2. El primer grito de independencia lo da el cura Miguel Hidalgo y Costilla en el año _____.

3. El Día de los Muertos es un día de _____ y festividades.

4. El Día de los Muertos tiene sus orígenes en costumbres aztecas que tienen más de _____ años.

5. Palenque es una _____ maya.

6. Tulum tiene una _____ pequeña al lado del Castillo.

La Plaza de la Constitución, también conocida como El Zócalo, es el lugar de todo tipo de celebración popular.
© National Geographic Digital Motion

Act. 6 COMPRENSIÓN

After viewing the video as many times as you need to, answer the following questions in Spanish.

1. ¿Qué otro nombre tiene la Ciudad de México?

2. ¿Cuántos habitantes tiene el área metropolitana de la Ciudad de México?

3. ¿Qué forman los ríos de Agua Azul?

4. ¿Cuál es el gran misterio de las mariposas monarcas?

5. ¿Qué marca el 16 de septiembre para los mexicanos?

6. ¿En qué pueblo se oye el Grito de la Independencia en el año 1810?

7. ¿En qué civilización antigua tiene sus orígenes el Día de los Muertos?

8. ¿Por qué es Palenque un sitio arqueológico muy importante?

9. ¿Quiénes vivían en Palenque?

10. ¿En qué mar está situado Tulum?

Act. 7 EXPANSIÓN

Paso 1. Pick one of the topics below for further research.

Conexiones (historia):

Find out more about **El Grito de la Independencia**: where it happened, what it signified, who was behind it and why.

Comparaciones:

Do you and your family celebrate any holidays like El Día de la Independencia or El Día de los Muertos?
What do you do?
What personal meaning does the holiday have for you?

Paso 2. Conduct a web search for information about your topic. Select two or three relevant sources.

Paso 3. Using the information you've researched, write a short **resumen** of 3–5 sentences, in Spanish, which answers the questions and reports your findings. Be prepared to present your conclusions to the class.

Altar tradicional del Día de los Muertos en el pueblo fronterizo de Terlingua, Estados Unidos
Erich Schlegel/Corbis

© National Geographic Maps

panamá

© National Geographic Maps

INFORMACIÓN GENERAL

Nombre oficial: **República de Panamá**

Nacionalidad: **panameño(a)**

Área: **75 420 km²** (aproximadamente la mitad del tamaño de Florida)

Población: **3 510 045** (2011)

Capital: **Panamá** (f. 1519) (1 346 000 hab.)

Otras ciudades importantes: **San Miguelito** (294 000 hab.), **David** (83 000 hab.)

Moneda: **balboa** (oficial), **dólar estadounidense** (circulante)

Idiomas: **español** (oficial), **inglés**

DEMOGRAFÍA

Alfabetismo: 91,9%

Religiones: **católica** (85%), **protestante** (15%)

PANAMEÑOS CÉLEBRES

Rubén Blades
cantautor, actor, abogado, político (1948–   )

Omar Torrijos
militar, presidente (1929–1981)

Joaquín Beleño
escritor y periodista (1922–1988)

EN RESUMEN

1. Panamá está en _____.

☐ Europa   ☐ Sudamérica
☐ El Caribe   ☐ Norteamérica
☐ Centroamérica

2. ¿Cierto o falso?

C F La Isla de Barro Colorado es una selva tropical panameña.

C F El Instituto Smithsonian de Investigaciones Tropicales se encuentra en una isla de Panamá.

3. ¿Qué tradición, imagen o persona asocias con Panamá?

Vista del Casco Antiguo de Panamá
© 2008 Kike Calvo/National Geographic
Image Collection

Top left: El "Diablo Rojo": un
autobús famoso en la ciudad
de Panamá
Holger Mette/iStockphoto.com

Top center: Árbol de caoba en
una selva tropical
© 2011 STEPHEN ST. JOHN/National
Geographic Image Collection

Top right: Una mola, tejido
tradicional de los kuna
traveler1116/iStockphoto.com

La densa vegetación cubre la isla Barro Colorado.
© National Geographic Digital Motion

kkgas/iStockphoto.com

Antes de ver

En medio del Canal de Panamá, hay una isla que contiene todos los elementos de un gran misterio: ¿cómo existe una comunidad de vida tan extraordinaria en la selva tropical? Unos científicos de diferentes partes del mundo vienen a esta isla pequeña para investigar la lucha por la existencia de todas las criaturas y también de los árboles. Entra al Instituto Smithsonian de Investigaciones Tropicales para conocer a los bellos habitantes de esta selva panameña y a los científicos que están enamorados de ellos.

Act. 1 ESTRATEGIA Watching facial expressions

Watching facial expressions aids comprehension when watching a video. A frown, a raised eyebrow, a laugh are gestures that can help you decipher the speaker's meaning. Write down five facial expressions that you think a scientist who loves their work in the jungle might have on their face as they describe their work.

1. _____
2. _____
3. _____
4. _____
5. _____

Act. 2 VOCABULARIO NUEVO

Match the English definitions with the Spanish words. Try to do it without using a dictionary. Once you have finished, go to an online Spanish dictionary which pronounces the words in Spanish and listen to each word twice.

1. el amanecer		a.	to confront
2. la mitad		b.	treasure
3. sostener		c.	countless, endless
4. la lucha		d.	half
5. el conocimiento científico		e.	scientific knowledge
6. el tesoro		f.	dawn
7. enfrentar		g.	danger
8. el peligro		h.	to sustain
9. descifrar		i.	with certainty
10. estorbar		j.	struggle, battle
11. molestar		k.	to decipher
12. desarrollar		l.	to obstruct, disturb
13. con certeza		m.	to bother
14. a medida que		n.	as
15. un sinnúmero		o.	to develop, evolve, unfold

Ver

Act. 3 LAS FRASES

As you watch the video, circle the word or phrase that describes the cue.

1. Barro Colorado
   a. península   b. isla

2. la selva tropical de Barro Colorado
   a. menos de la mitad de las especies del planeta   b. más de la mitad de las especies del planeta

3. animal y planta
   a. lucha   b. colaboración

4. el tesoro
   a. el conocimiento científico   b. el peligro

5. un área protegida
   a. en el Canal de Panamá   b. en el Mar Caribe

Después de ver

Act. 4 ESCOGE

Pick the correct answer based on the video.

1. Barro Colorado es una _____.
   a. selva mexicana   b. isla panameña   c. isla hondureña

2. El Instituto Smithsonian de Investigaciones Tropicales tiene _____.
   a. instalaciones científicas   b. construcciones coloniales   c. islas salvajes

3. Los científicos vienen al Instituto para _____ los misterios de la selva tropical.
   a. desarrollar   b. estorbar   c. descifrar

4. La isla es ideal para los estudios científicos porque está _____.
   a. desarrollada   b. poblada   c. protegida

5. Se sabe con certeza que el _____ está al centro del misterio de la selva.
   a. instituto   b. árbol   c. científico

Amanecer en la isla Barro Colorado
© National Geographic Digital Motion

Write the correct answer in the blank.

1. La isla de Barro Colorado es una _____ tropical.

2. La selva se sostiene por la colaboración entre _____ y planta.

3. La selva ha producido más de la mitad de las _____ en el planeta Tierra.

4. Barro Colorado es un área _____ en medio del Canal de Panamá.

5. En Barro Colorado se desarrolla uno de los misterios más grandes de la _____.

6. Un solo _____ afecta la vida de muchas criaturas.

La comunidad natural de Panamá es motivo de estudios científicos.
© National Geographic Digital Motion

Act. 6 COMPRENSIÓN

After viewing the video as many times as you need to, answer the following questions in Spanish.

1. ¿Qué es Barro Colorado?

2. ¿Qué clase de bosque hay en Barro Colorado?

3. ¿Cómo se sostiene la selva?

4. ¿Cuántas especies ha producido la selva de Barro Colorado?

5. ¿Qué tiene que enfrentar el científico que viaja a la isla?

6. ¿Qué instituto se encuentra en la isla?

7. ¿Desde dónde vienen los científicos para hacer sus investigaciones allí?

8. ¿Qué se desarrolla en la selva tropical de Barro Colorado?

9. ¿Cuál es ese misterio?

10. ¿Qué está al centro del misterio?

Act. 7 EXPANSIÓN

Paso 1. Pick one of the topics below for further research.

Conexiones (ciencias, ecología):

Find out more about one of the species on Barro Colorado Island. Try to find a detail about the species that is unusual, or that you did not know before.

Comparaciones:

Do you know of any scientists that have done research at the Smithsonian Institute on Barro Colorado Island?
Research one and elaborate on at least one detail about his or her work there.

Paso 2. Conduct a web search for information about your topic. Select two or three relevant sources.

Paso 3. Using the information you've researched, write a short **resumen** of 3–5 sentences, in Spanish, which answers the questions and reports your findings. Be prepared to present your conclusions to the class.

Pájaro barranquero, típico de la isla Barro Colorado
Frank Leung/iStockphoto.com

perú

Tumbes
Máncora
Sullana
Piura
Sechura
Huancabamba
Moyobamba
Chiclayo
Cajamarca
Trujillo
Chimbote
Huaraz
Pucallpa
Huánuco
Cerro de Pasco
Atalaya
Huacho
Callao · Lima
Huancayo
Huancavelica
Machu Picchu
Ayacucho
Pisco · Ica
Cusco
Nasca
Coracora
Juliaca
Arequipa
Puno
Mollendo
Moquegua
Tacna
Andoas
Pebas
Iquitos
Nauta
Yurimaguas
Esperanza
Puerto Maldonado

Océano Pacífico

Putumayo
Yavari
Ucayali

© National Geographic Maps

© National Geographic Maps

INFORMACIÓN GENERAL

Nombre oficial: **República del Perú**

Nacionalidad: **peruano(a)**

Área: **1 285 216 km²** (un poco más pequeño que el estado de Alaska)

Población: **29 549 517** (2011)

Capital: **Lima** (f. 1535) (8 769 000 hab.)

Otras ciudades importantes: **Callao** (877 000 hab.), **Arequipa** (778 000 hab.), **Trujillo** (906 000 hab.)

Moneda: **nuevo sol**

Idiomas: **español** y **quechua** (oficiales), **aimara** y **otras lenguas indígenas**

DEMOGRAFÍA

Alfabetismo: 92,9%

Religiones: **católica** (81,3%), **evangélica** (12,5%) **otras** (6,2%)

PERUANOS CÉLEBRES

Mario Vargas Llosa
escritor, político (1936–), Premio Nobel de Literatura

César Vallejo
poeta (1892–1938)

Javier Pérez de Cuellar
secretario general de las Naciones Unidas (1920–)

Tania Libertad
cantante (1952–)

EN RESUMEN

1. Perú está en _____

☐ Europa   ☐ Sudamérica
☐ El Caribe   ☐ Norteamérica
☐ Centroamérica

2. ¿Cierto o falso?

C F Machu Picchu es la 'ciudad perdida' de los incas.

C F El explorador español Vasco Nuñez de Balboa descubre Machu Picchu en 1911.

3. ¿Qué tradición, imagen o persona asocias con Perú?

El pico Machu Picchu está
rodeado por edificios de la ciudad
perdida de los incas.
© 2005 DAVID EVANS/National
Geographic Image Collection

Top left: Monasterio de Santa
Catalina, Arequipa
meunierd/Shutterstock.com

Top center: Mujer andina en las
islas flotantes de los uros, en el
Lago Titicaca
Hugh Sitton/Corbis

Top right: Líneas de Nazca: un
geoglifo de un colibrí
George Steinmetz/Corbis

kkgas/iStockphoto.com

Vista panorámica de Machu Picchu
© National Geographic Digital Motion

Nicholas Monu/iStockphoto.com

Antes de ver

Machu Picchu, una ciudad de más de 500 años de antigüedad, antes se conoce como la "ciudad perdida de los incas". ¡Pero ya no está perdida! Cientos de turistas visitan la ciudad misteriosa cada día. Hay dos actitudes hacia la popularidad reciente de esta ciudad magnífica. A un lado están los peruanos que quieren más negocio y más dinero para el país. Al otro lado están los ecologistas que piensan que el turismo daña el medio ambiente. ¿Qué piensas tú? ¿Es mejor preservar Machu Picchu o modernizarla? En cualquier caso, Machu Picchu es un lugar mágico y misterioso que atrae a gente de todos los continentes.

Act. 1 ESTRATEGIA Using questions as an advance organizer

One way to prepare yourself to watch a video segment is to familiarize yourself with the questions you will answer after viewing. Look at the questions in *Comprensión*. Before you watch the video, use these questions to create a short list of the information you need to find.

EJEMPLO: Machu Picchu: ¿cuántos años de antigüedad?

1. _____
2. _____
3. _____
4. _____
5. _____

Act. 2 VOCABULARIO NUEVO

Match the English definitions with the Spanish words. Try to do it without using a dictionary. Once you have finished, go to an online Spanish dictionary which pronounces the words in Spanish and listen to each word twice.

1. la altura	**a.** *summit*
2. perdido(a)	**b.** *noise*
3. antigüedad	**c.** *steps*
4. los escalones	**d.** *serene*
5. sereno(a)	**e.** *lost*
6. ambiente	**f.** *height*
7. la actitud	**g.** *ambience*
8. el ruido	**h.** *point of view*
9. el punto de vista	**i.** *age (of monument, object)*
10. la cima	**j.** *attitude*

94

Ver

Act. 3 LAS FRASES

As you watch the video, circle the answer that best relates to the phrase provided.

1. Machu Picchu
   a. los incas   b. los mayas   c. los aztecas

2. las montañas donde se encuentra la 'ciudad perdida' de los incas
   a. la Sierra Nevada   b. la Sierra Madre   c. los Andes

3. el explorador que descubre Machu Picchu en 1911
   a. Hernán Cortés   b. Hiram Bingham   c. Cristóbal Colón

4. el turismo
   a. trae negocio y dinero   b. los ecologistas están a su favor   c. ayuda al medio ambiente

5. los ecologistas
   a. quieren preservar Machu Picchu   b. quieren modernizar Machu Picchu
   c. quieren que más turistas visiten Machu Picchu

Después de ver

Act. 4 ESCOGE

Pick the correct answer based on the video.

1. Machu Picchu está a 2438 metros de altura en _____.
   a. los Andes   b. la Sierra Nevada   c. las Amazonas

2. Machu Picchu tiene más de _____ años de antigüedad.
   a. 200   b. 300   c. 500

3. En 1911, el explorador _____ Hiram Bingham descubre la ciudad.
   a. peruano   b. argentino   c. estadounidense

4. Una actitud hacia la popularidad reciente de Machu Picchu es que los turistas representan más _____ y más dinero.
   a. pobreza   b. negocio   c. dificultades

5. Otro punto de vista es que _____ sufre a causa del turismo.
   a. el medio ambiente   b. la economía   c. la gente

Algunos ecologistas se preocupan por el efecto negativo del turismo en la zona de Machu Picchu.
© National Geographic Digital Motion

95

Write the correct answer in the blank.

1. Llaman a Machu Picchu la '_____ perdida' de los incas.

2. Machu Picchu se encuentra en los _____.

3. Llegar a Machu Picchu es muy _____.

4. Hoy día, _____ de turistas llegan a Machu Picchu todos los días.

5. Aguas Calientes es el _____ donde los visitantes toman los autobuses para llegar a la cima de Machu Picchu.

6. La gente de Aguas Calientes vive exclusivamente del dinero del _____.

Las comunidades que viven cerca de las ruinas se benefician económicamente del turismo.
© National Geographic Digital Motion

Act. 6 COMPRENSIÓN

After viewing the video as many times as you need to, answer the following questions in Spanish.

1. ¿A cuántos metros de altura está Machu Picchu?

2. ¿En que montañas se encuentra Machu Picchu?

3. ¿Con qué otro nombre se conoce Machu Picchu?

4. ¿Cuántos años tiene Machu Picchu?

5. ¿Quién es el explorador estadounidense que descubre Machu Picchu?

6. ¿En qué año la descubre?

7. ¿Por qué poca gente visita Machu Picchu al principio?

8. ¿Cuántos turistas visitan Machu Picchu todos los días?

9. ¿Por qué algunos peruanos quieren más turistas en Machu Picchu?

10. ¿Por qué los ecologistas quieren limitar el número de turistas que visitan Machu Picchu?

Paso 1. Pick one of the topics below for further research.

Conexiones (arqueología, culturas del mundo):
Can you find another example in archaeology of a "lost city"?

Comparaciones:
Have you ever visited an ancient site like Machu Picchu?
Or is there one you would like to visit?
Try to find an ancient site that interests you and compare it to Machu Picchu.

Paso 2. Conduct a web search for information about your topic. Select two or three relevant sources.

Paso 3. Using the information you've researched, write a short **resumen** of 3–5 sentences, in Spanish, which answers the questions and reports your findings. Be prepared to present your conclusions to the class.

Ruinas incas de Choquequirao
Gordon Wiltsie/National Geographic/Getty Images

puerto rico

© National Geographic Maps

© National Geographic Maps

INFORMACIÓN GENERAL

Nombre oficial: **Estado Libre Asociado de Puerto Rico**

Nacionalidad: **puertorriqueño(a)**

Área: **13.790 km²** (un poco menos de tres veces el tamaño de Rhode Island)

Población: **3 998 905** (2011)

Capital: **San Juan** (f. 1521) (2 730 000 hab.)

Otras ciudades importantes: **Ponce** (166 000 hab.), **Caguas** (143 000 hab.)

Moneda: **dólar** (estadounidense)

Idiomas: **español, inglés** (oficiales)

DEMOGRAFÍA

Alfabetismo: 94,1%

Religiones: **católica** (85%), **protestante y otras** (15%)

PUERTORRIQUEÑOS CÉLEBRES

Francisco Oller y Cestero
pintor (1833–1917)

Esmeralda Santiago
escritora (1948–)

Rita Moreno
actriz, cantante (1931–)

EN RESUMEN

1. Puerto Rico está en _____

☐ Europa ☐ Sudamérica
☐ El Caribe ☐ Norteamérica
☐ Centroamérica

2. ¿Cierto o falso?

C F El fuerte de San Felipe del Morro en San Juan, Puerto Rico fue construido por los españoles.

C F No hay ninguna influencia africana en la cultura puertorriqueña.

3. ¿Qué tradición, imagen o persona asocias con Puerto Rico?

El agua del Caribe golpea la costa rocosa de Humacao
© 2009 RAUL TOUZON/National Geographic Image Collection

Top left: Bote navegando por las aguas de Fajardo
© 2009 RAUL TOUZON/National Geographic Image Collection

Top center: Senderista en la selva, cerca de Camuy
Stephanie Maze/Corbis

Top right: Calle típica en el Viejo San Juan
Lori Froeb/Shutterstock.com

kkgas/iStockphoto.com

Las calles de San Juan muestran edificios coloridos.
© Cengage Learning, 2014

Nicholas Monu/iStockphoto.com

Antes de ver

Puerto Rico es la Isla Encantada porque ofrece muchos encantos. Con costas hacia el Atlántico y el Caribe, es ideal para actividades acuáticas, como el surf o la pesca. La historia colonial de la isla se puede ver por todas partes, en el fuerte San Felipe del Morro y en el viejo San Juan. Algunas artesanías tienen influencia africana y la comida es una delicia. Para disfrutar de esta isla bella, hay que viajar a Ponce, la segunda ciudad más grande de Puerto Rico. ¡Esta isla te va a encantar!

Act. 1 ESTRATEGIA Using visuals to aid comprehension

You can learn a lot from just looking at the visuals when you watch video. The scenes and images you see help you understand the language that you hear. Be sure to pay attention to the visuals as well as to the narration. Write down a few things you might expect to see when you hear the following words.

1. historia colonial _____

2. artesanías típicas _____

3. comida típica _____

4. actividades acuáticas _____

5. actividades al aire libre _____

Act. 2 VOCABULARIO NUEVO

Match the English definitions with the Spanish words. Try to do it without using a dictionary. Once you have finished, go to an online Spanish dictionary which pronounces the words in Spanish and listen to each word twice.

1. la muralla	**a.** *mask*	
2. el fuerte	**b.** *kiosk, stand*	
3. la muñeca	**c.** *fort*	
4. la máscara	**d.** *syrup*	
5. poderoso(a)	**e.** *(city) wall*	
6. el quiosco	**f.** *doll*	
7. el bacalao	**g.** *snow cone*	
8. la piragua	**h.** *sunset*	
9. almíbar	**i.** *powerful*	
10. la puesta del sol	**j.** *cod*	

Ver

Act. 3 LAS CATEGORÍAS

As you watch the video, put the following words and phrases in the correct column.

bacalao   fritura   máscaras   piragua

Catedral de la   fuerte San Felipe   muñecas   Plaza Las
  Guadalupe   del Morro   muralla   Delicias

edificios históricos   joyería   Parque de Bombas

HISTORIA COLONIAL	ARTESANÍA	COMIDA	PONCE

Después de ver

Act. 4 ESCOGE

Pick the correct answer based on the video.

1. Puerto Rico se conoce como _____.
  a. la Isla Fuerte   b. la Isla Bella   c. la Isla Encantada

2. Los españoles construyeron una _____ alrededor de la ciudad de San Juan.
  a. muralla   b. casa   c. plaza

3. El fuerte San Felipe del Morro es una edificación _____.
  a. escolar   b. militar   c. cultural

4. Las máscaras de papel maché tienen influencia _____.
  a. africana   b. española   c. cubana

5. En la Playa de los Piñones, hay muchos quioscos de _____ típica.
  a. artesanía   b. madera   c. comida

Máscara de papel maché
© Cengage Learning, 2014

Write the correct answer in the blank.

1. La muralla que bordea San Juan es de _____ pies de altura.

2. El fuerte de San Felipe del Morro es de _____ niveles.

3. San Juan tiene una _____ colonial.

4. Ponce es la _____ ciudad más grande Puerto Rico.

5. El Parque de Bombas es una estación de _____.

6. Puerto Rico es ideal para las actividades acuáticas y _____.

Entrada al fuerte San Felipe del Morro
© Cengage Learning, 2014

Act. 6 COMPRENSIÓN

After viewing the video as many times as you need to, answer the following questions in Spanish.

1. ¿Cuál es la capital de Puerto Rico?

2. ¿Quiénes construyeron la muralla que rodea San Juan?

3. ¿Para qué construyeron el fuerte San Felipe del Morro los españoles?

4. ¿Qué influencia cultural se puede ver en las máscaras de papel maché?

5. ¿Qué es el bacalao?

6. ¿Dónde se encuentra Ponce?

7. ¿Frente a qué mar está Ponce?

8. ¿De qué colores está pintado el Parque de Bombas?

9. ¿Qué puedes admirar desde el Paseo Tablado la Guancha?

10. ¿Por qué Puerto Rico es ideal para las actividades acuáticas?

Paso 1. Pick one of the topics below for further research.

Conexiones (historia):

Find out more about Puerto Rico's colonial history and why the Spanish built a fort there.
Was its location a strategic military point?
Why did the Spanish think so?

Comparaciones:

Find out more about the papier-mâché masks that you can buy in Puerto Rico.
Is there any similar folkloric craft in your town or state?
Compare their origins.

Paso 2. Conduct a web search for information about your topic. Select two or three relevant sources.

Paso 3. Using the information you've researched, write a short **resumen** of 3–5 sentences, in Spanish, which answers the questions and reports your findings. Be prepared to present your conclusions to the class.

Máscaras de vejigantes
Walter Bibikow/Photolibrary/Getty Images

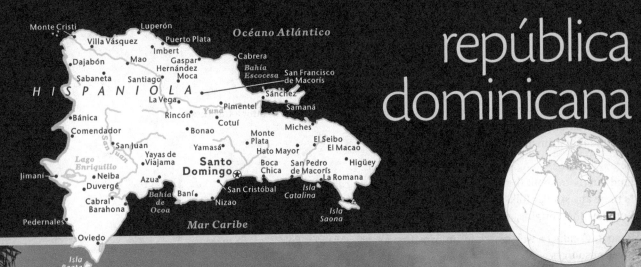

república dominicana

© National Geographic Maps

© National Geographic Maps

INFORMACIÓN GENERAL

Nombre oficial: **República Dominicana**

Nacionalidad: **dominicano(a)**

Área: **48 670 km²** (aproximadamente 2 veces el tamaño de New Hampshire)

Población: **10 088 598** (2011)

Capital: **Santo Domingo** (f. 1492) (2 138 000 hab.)

Otras ciudades importantes: **Santiago de los Caballeros** (1 972 000 hab.), **La Romana** (228 000 hab.)

Moneda: **peso** (dominicano)

Idiomas: **español** (oficial)

DEMOGRAFÍA

Alfabetismo: 87%

Religiones: **católica** (95%), **otras** (5%)

DOMINICANOS CÉLEBRES

Juan Pablo Duarte
héroe de la independencia (1813–1876)

Julia Álvarez
escritora (1950–)

Sammy Sosa
pelotero (1968–)

EN RESUMEN

1. La República Dominicana está en _____

☐ Europa ☐ Sudamérica
☐ El Caribe ☐ Norteamérica
☐ Centroamérica

2. ¿Cierto o falso?

C F Cristóbal Colón llama "La Española" a la isla que hoy día contiene a la República Dominicana y Haití.

C F La primera catedral del Nuevo Mundo se encuentra en la República Dominicana.

3. ¿Qué tradición, imagen o persona asocias con la República Dominicana?

Paseo a caballo por las playas
dominicanas
© 2011 RAUL TOUZON/National
Geographic Image Collection

Top left: Carnaval en Río San Juan
Alfredo Maiquez/Lonely Planet Images/
Getty Images

Top center: Plaza Colón, Santo
Domingo
© 2011 MICHAEL HANSON/National
Geographic Image Collection

Top right: Venta de frutas
tropicales en el Mercado Modelo
de Santo Domingo
Franck Guiziou/Hemis/Corbis

Vista de Santo Domingo desde el Mar Caribe
© Cengage Learning, 2014

kkgas/iStockphoto.com

Nicholas Monu/iStockphoto.com

Antes de ver

La República Dominicana tiene un clima agradable que es ideal para las vacaciones. Mucha gente participa en actividades al aire libre, como el paseo en bote, el ciclismo y el patinaje. Las hermosas playas de Santo Domingo son perfectas para tomar el sol y relajarse. Y la historia del país en la isla que Cristóbal Colón nombró "La Española" se puede ver en las ruinas coloniales. La República Dominicana es un paraíso para el visitante.

Act. 1 ESTRATEGIA Listening for details

Knowing in advance what to listen for will help you find key information in a video's narration. Look at the comprehension questions in **Act. 6**, and write 5 key things that you will want to look for while you watch the video.

1. _____

2. _____

3. _____

4. _____

5. _____

Act. 2 VOCABULARIO NUEVO

Match the English definitions with the Spanish words. Try to do it without using a dictionary. Once you have finished, go to an online Spanish dictionary which pronounces the words in Spanish and listen to each word twice.

1. la desembocadura	**a.** *pleasant*
2. la tumba	**b.** *table game*
3. el (la) descubridor(a)	**c.** *paradise*
4. el faro	**d.** *mouth (of a river)*
5. la época	**e.** *cooking pot*
6. el patinaje	**f.** *tomb*
7. el juego de mesa	**g.** *discoverer*
8. agradable	**h.** *skating*
9. la vasija	**i.** *lighthouse*
10. el paraíso	**j.** *time period*

Ver

As you watch the video, circle the word or phrase that describes the cue.

1. **el río Ozama**
   a. la desembocadura   b. la playa

2. **Cristóbal Colón**
   a. beisbolista   b. descubridor

3. **La Española**
   a. la isla   b. el país

4. **Santa María la Menor**
   a. construcción moderna   b. construcción colonial

5. **la artesanía**
   a. fútbol, patinaje, juegos de mesa   b. collares, platos, vasijas

Después de ver

Act. 4 ESCOGE

Pick the correct answer based on the video.

1. Santo Domingo es la _____ de la República Dominicana.
   a. isla   b. Española   c. capital

2. Cristóbal Colón es el _____ del continente americano.
   a. descubridor   b. capitán   c. faro

3. Santa María la Menor es la primera _____ del Nuevo Mundo.
   a. conquista   b. catedral   c. construcción

4. El _____ es el deporte más popular del país.
   a. fútbol   b. patinaje   c. béisbol

5. Para ver las hermosas _____ de Santo Domingo, debes caminar por la Avenida del Malecón.
   a. montañas   b. playas   c. edificaciones

Una mujer y su hija dan un paseo por la Avenida del Malecón, en Santo Domingo.
© Cengage Learning, 2014

107

Write the correct answer in the blank.

1. La _____ de Cristóbal Colón está en Santo Domingo.

2. La Universidad Santo Tomás de Aquino es un ejemplo de las antiguas construcciones de la _____ colonial.

3. El _____ agradable del país es bueno para actividades al aire libre.

4. El béisbol es el _____ que más se juega en la República Dominicana.

5. Los dominicanos son muy _____.

6. En el Mercado Modelo _____ artesanía.

Partido de béisbol
© Cengage Learning, 2014

Act. 6 COMPRENSIÓN

After viewing the video as many times as you need to, answer the following questions in Spanish.

1. ¿Dondé está situada la ciudad de Santo Domingo?

2. ¿Qué nombre le dio Cristóbal Colón a la isla?

3. ¿Dónde está la tumba de Cristóbal Colón?

4. ¿En qué año fue fundada la Universidad Tomás de Aquino?

5. ¿De qué son ejemplos la Universidad Tomás de Aquino y el hospital San Nicolás de Bari?

6. ¿Puedes nombrar dos actividades que se benefician del clima agradable de la isla?

7. ¿Cuál es el deporte más popular en la isla?

8. ¿Cómo es la gente dominicana?

9. ¿Puedes nombrar dos objetos de artesanía que se venden en el Mercado Modelo?

10. ¿Por dónde es bueno caminar para ver las hermosas playas de Santo Domingo?

Paso 1. Pick one of the topics below for further research.

Conexiones (historia):

When did Christopher Columbus land in the Dominican Republic?
Why did he name the island "La Española"?
Are there any other interesting details about his 'discovery' of the island?

Comparaciones:

Find out more about the Universidad Santo Tomás Aquino.
Compare the founding of a university in your state to that of the Universidad Santo Tomás Aquino: date and subjects first offered.

Paso 2. Conduct a web search for information about your topic. Select two or three relevant sources.

Paso 3. Using the information you've researched, write a short **resumen** of 3–5 sentences, in Spanish, which answers the questions and reports your findings. Be prepared to present your conclusions to the class.

Detalle de una estatua de Cristóbal Colón
Dag Sundberg/Photographer's Choice RF/Getty Images

latinos en EE.UU.

INFORMACIÓN GENERAL

Nombre oficial: Estados Unidos de América

Nacionalidad: **estadounidense**

Área: **9 826 675 km²** (aproximadamente el tamaño de China o 3 veces y media el tamaño de Argentina)

Población: **313 847 465** (2011) (aproximadamente el 16% son latinos)

Capital: **Washington, D.C.** (f. 1791) (4 421 000 hab.)

Otras ciudades importantes: **Nueva York** (19 300 000 hab.), **Los Ángeles** (12 675 000 hab.), **Chicago** (9 134 000 hab.), **Miami** (5 699 000 hab.)

Moneda: **dólar** (estadounidense)

Idiomas: **inglés, español y otros**

DEMOGRAFÍA

Alfabetismo: 99%

Religiones: **protestante** (51,3%), **católica** (23,9%), **mormona** (1,7%), **judía** (1,7%), **budista** (0,7%), **musulmana** (0,6%), **otras** (14%), **sin afiliación** (4%)

LATINOS CÉLEBRES DE LOS ESTADOS UNIDOS

Ellen Ochoa
astronauta (1958–)

Edward James Olmos
actor (1947–)

César Chávez
activista a favor de los derechos de los trabajadores (1927–1993)

Sonia Sotomayor
juez de la Corte Suprema (1954–)

EN RESUMEN

1. Tres ciudades de EE.UU. donde viven muchos hispanohablantes son _____.

☐ San Antonio, Texas
☐ Sioux Rapids, Iowa
☐ Miami, Florida
☐ Billings, Montana
☐ Nueva York, NY

2. ¿Cierto o falso?

C F El Álamo es una misión española en Miami, Florida.

C F La famosa Calle Ocho es una calle comercial en San Antonio.

3. ¿Qué tradición, imagen o persona asocias con los latinos en EE.UU.?

Vista aérea de la ciudad de Nueva York
© 2010 ALISON WRIGHT/National Geographic Image Collection

Top left: Celebración del Cinco de Mayo en Los Ángeles
Nik Wheeler/Corbis

Top center: Paseo del Río, San Antonio
Bob Stefko/The Image Bank/Getty Images

Top right: Desfile de la herencia puertorriqueña en Nueva York
© 2004 TINO SORIANO/National Geographic Image Collection

kkgas/iStockphoto.com

Fachada bilingüe en la Gran Manzana
© Cengage Learning, 2014

Antes de ver

Hay grupos hispanos de todas las nacionalidades en los Estados Unidos. En ciertas ciudades, como San Antonio, Miami y Nueva York, la presencia hispana es especialmente robusta. La influencia mexicoamericana en San Antonio se puede ver en el Paseo del Río, el Mercado y los muchos barrios mexicanos de la ciudad. En Miami, la Pequeña Habana es donde la comunidad y el comercio cubanoamericano florece. Y en Nueva York, los puertorriqueños, dominicanos, mexicanos y centroamericanos han incorporado su cultura en la Gran Manzana.

Act. 1 ESTRATEGIA Viewing a segment several times

When you hear authentic Spanish, it may sound very fast. Remember that you don't have to understand everything and that, with video, you have the opportunity to replay. The first time you view the segment, listen for the general idea. The second time, listen for details. Before you watch the video, write down what Hispanic groups you think are an important presence in the following cities.

1. San Antonio, Texas _____

2. Miami, Florida _____

3. New York, New York _____

Act. 2 VOCABULARIO NUEVO

Match the English definitions with the Spanish words. Try to do it without using a dictionary. Once you have finished, go to an online Spanish dictionary which pronounces the words in Spanish and listen to each word twice.

1. cruzar	**a.** *flavor, taste*
2. el puente	**b.** *to cross*
3. la sombra	**c.** *home*
4. el sabor	**d.** *to love*
5. el desarrollo	**e.** *shade*
6. querido(a)	**f.** *business*
7. el ambiente	**g.** *bridge*
8. el hogar	**h.** *environment, atmosphere, ambience*
9. domar	**i.** *media*
10. el medio de comunicación	**j.** *development*
11. el negocio	**k.** *beloved*
12. amar	**l.** *to tame*

124

Ver

As you watch the video, circle the word or phrase that describes the cue.

1. San Antonio
   a. ciudad de Texas   b. ciudad de la Florida

2. El Mercado
   a. mercado mexicano más grande de EE.UU.   b. mercado mexicano más pequeño de EE.UU.

3. Miami
   a. clima de invierno   b. clima de verano

4. la Pequeña Habana
   a. centro cubanoamericano   b. centro mexicoamericano

5. Nueva York
   a. más gente que en ninguna otra ciudad de los EE.UU.
   b. menos gente que en ninguna otra ciudad de los EE.UU.

6. Nueva York
   a. menos puertorriqueños que en San Juan   b. más puertorriqueños que en San Juan

Después de ver

Act. 4 ESCOGE

Pick the correct answer based on the video.

1. San Antonio está a doscientos cincuenta kilómetros de la frontera _____.
   a. canadiense   b. mexicana   c. centroamericana

2. Puedes tomar _____ para pasearte por el Río San Antonio.
   a. un bote   b. un avión   c. un carro

3. La mayoría de la población hispana en Miami es de origen _____.
   a. mexicana   b. puertorriqueño   c. cubano

4. La famosa Calle Ocho es la calle _____ de la Pequeña Habana.
   a. residencial   b. industrial   c. comercial

5. Los puertorriqueños tienen una larga historia con _____.
   a. San Antonio.   b. Miami   c. Nueva York

6. La influencia de los hispanos en Nueva York se puede ver en _____.
   a. los medios de comunicación en español   b. el Parque Central   c. la Quinta Avenida

Es notable la presencia de prensa en español en Nueva York.
© Cengage Learning, 2014

Act. 5 ESCRIBE

Write the correct answer in the blank.

1. La influencia _____ en San Antonio le da un sabor latino a la ciudad.

2. Las tradiciones de los mexicanos en San Antonio se pueden ver en _____.

3. La comunidad _____ vive y juega en la Pequeña Habana.

4. Otros grupos hispanos, como los salvadoreños, los _____ y los nicaragüenses, viven en Miami.

5. Desde el siglo XIX, los _____ vienen a Nueva York.

6. Otros grupos hispanos, como los _____, los mexicanos y los colombianos, ahora viven en Nueva York.

Hombres jugando al dominó en Miami
© Cengage Learning, 2014

Act. 6 COMPRENSIÓN

After viewing the video as many times as you need to, answer the following questions in Spanish.

1. ¿Qué ciudad en Texas tiene una influencia mexicoamericana?

2. ¿A cuántos kilómetros está San Antonio de la frontera mexicana?

3. ¿Qué hay en San Antonio que es el más grande de los Estados Unidos?

4. ¿Qué clase de comida puedes comer en el Versailles?

5. ¿Cuál es la tradición cubana que se juega en el parque Máximo Gómez?

6. ¿Cómo se llama la famosa calle en la Pequeña Habana?

7. ¿Qué grupo hispano tiene una larga historia con Nueva York?

8. ¿Desde qué siglo van los puertorriqueños a Nueva York?

9. ¿En qué dos áreas se ven la importancia hispana en la vida económica de Nueva York?

10. Nombra tres ciudades estadounidenses que tienen mucha presencia hispana.

Act. 7 EXPANSIÓN

Paso 1. Pick one of the topics below for further research.

Conexiones (historia):

Look into the history of one of the Hispanic groups mentioned in the video. Is there a U.S. city where this group has a notable presence? If so, which city is it? What made them migrate there?

Comparaciones:

Find a city near you that has a large Hispanic population. Find out one or two important things (economic, cultural, artistic) that was a result of that group's presence in that city.

Paso 2. Conduct a web search for information about your topic. Select two or three relevant sources.

Paso 3. Using the information you've researched, write a short **resumen** of 3–5 sentences, in Spanish, which answers the questions and reports your findings. Be prepared to present your conclusions to the class.

Venta de comida cubana en Miami
Tony Savino/Sygma/Corbis

Table of Contents

Getting Started

Congratulations on working with a Cengage Learning book! *iLrn: Heinle Learning Center* gives you access to a wealth of data about your performance, thereby allowing you to learn more effectively. Moreover, you'll enjoy *iLrn: Heinle Learning Center* because it is easy to use and gives you instant feedback when you complete an exercise. *iLrn: Heinle Learning Center* simply requires you to set up your account with your book key and then to log in each time you use it.

Registration

Creating an Account

To set up your account, follow these steps:

Step 1: Go to *http://ilrn.heinle.com*

Step 2: Click the *Login* button.

Step 3: Click *Create account*.

Step 4: Enter your user information and click *Submit*.

Step 5: You will be prompted to enter your book key printed inside the sleeve that came bundled with your book. Click *Go.* (You can also purchase an access code online from cengagebrain.com)

Step 6: Your book also requires an instructor's course code. You must get the course code from your instructor to gain access to your course. If you already have it, enter it when prompted. Otherwise, you can enter it the next time you login.

Figure 1: Student Workstation: Before entering course code

Login Instructions

To access your book after you have added it to your account, follow these steps:

Step 1: Go to *http://ilrn.heinle.com*

Step 2: Click the *Login* button.

Step 3: Enter your username and password. You are taken to the Student Workstation.

Step 4: Click on the book cover to open the *iLrn: Heinle Learning Center*.

If you experience any problems with setting up your account, ask Quia for help. You can submit a request at http://hlc.quia.com/support.html, email Quia at bookhelp@quia.com or call them at 1-877-282-4400.

Updating Your Profile

When you create your *iLrn: Heinle Learning Center* account, the information you enter, such as your name and email address, is saved in your profile.

To update your profile:

1. Login to the *Student Workstation*.

2. Click *Profile* in the upper right corner of your screen.

3. Update the information and press *Save changes*.

Make sure your email address is current in your profile, as Quia uses this email address to respond to technical support questions and provide forgotten username/password information.

Student Workstation

Once you have entered your book and course keys, the Student Workstation will appear like the screen below each time you login.

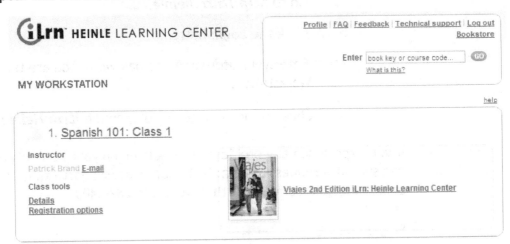

Figure 2: Student Workstation: After entering course code

In this view, you can choose one of the five options:

1) Click on book cover to access resources

Click on the book title or cover. This brings you to the *Welcome page* for *iLrn: Heinle Learning Center*, where you have access to all the resources available for your course.

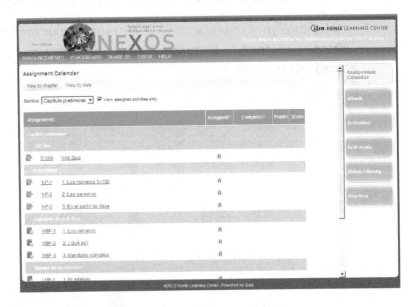

Figure 3: Student Workstation: Assignment Calendar Welcome Screen

From the Welcome page, you have access to these tabs:

▸ **Assignment Calendar**— Provides one place for you to go to access all of your assignments (Text and SAM Activities). Here you can locate all assignments by due date or by chapter.

▸ **eBook**—This page-for-page reproduction of the printed book features embedded audio, video, as well as note-taking and text highlighting capabilities. You can complete textbook activities directly from the ebook interface. You can also see whether it is assigned, completed or graded. Just look for the 🅐 icon to see what is assigned and when it is due. Hover the mouse over the 🅐 icon to see your grade for a completed assignment. The page view can be magnified and the content searched via the index, table of contents, or search functions. Within the ebook, your instructor can also write and post notes and links for the whole class to view. All books published in copyright year 2013 or beyond have an iPad-compatible ebook.

▸ **Activities**— You can locate all assignments (textbook and SAM) here. You can select a chapter and view all of the Textbook and SAM exercises for each chapter. Click on the title to open an activity. Links to the exercises are available here, the Assignment Calendar and directly from the ebook.

▸ **Self-Tests**— You may take an online self-test before or after working through a textbook chapter to get an initial assessment of what you know and what you still need to master. Your results are graded automatically and displayed according to learning outcomes.

A Personalized Study Plan, based on the automatically graded test, directs you to additional study aids that focus your efforts and study time on the areas where you need the most help. Please see the **Self-Tests and Personalized Learning** section for more information.

▸ **Video Library**— For every chapter, you can access accompanying video segments. You can can also turn closed captioning on and off as an aid to understanding. Video segments may be accompanied by pre and post-viewing exercises.

▸ **Practice**—Depending on the title, practice activities might include any or all of the following additional activities: vocabulary flashcards; grammar and pronunciation tutorials; additional auto-graded quizzing; and access to Heinle iRadio's MP3-ready cultural exploration activities.

▸ **Online exams** - Your instructor may choose to make exams available online. If you are in a distance course, this may be the sole method of taking exams in your course. To access your exam, click the book cover from your Student Workstation. On the left-hand navigation bar, click on the ⊞ to expand a chapter. Click on the **Exam** for that chapter. Your instructor can assign times when the exams are available. If the exam is not yet available, you will not be able to access it. If it is available, just click **Start** to begin.

2) Class details

In your Student Workstation you will find the details related to your course including:

- ▸ Course Information: Name (the title and section), Instructor (with a button to click for easy contact, Code (course number), School, Duration (dates of course)

- ▸ Book Information: Book title, Publisher, Book duration.

3) Registration options

You can drop a course, transfer to a different class, or transfer to a different course or instructor.

To drop a course:

1. Login to the Student Workstation.

2. Click the *Registration options* button in the course you wish to drop.

3. Click *Drop course* to drop your enrollment in this course. Your instructor will be notified. After dropping this course, you will still be able to view your scores; however, you will no longer be able to access the books in this course.

To transfer to a different course or instructor:

1. Login to the Student Workstation.

2. Click the *Registration options* button in the course you wish to transfer from.

3. Click *Change course/instructor*.

4. Enter the new course code and click *Submit*.

To transfer to a different class:

1. Login to the Student Workstation.

2. Click the *Registration options* button in the course you wish to transfer from.

3. Click *Change class*.

4. Select the class you want to enroll in and click *Submit*.

Assignment Calendar

To access all of your assignments by date:

1. Login to the Student Workstation. Click on the book title or cover.

2. Click on the *Assignment Calendar* tab on the right-hand side. Then click on "View by Date" in the blue toolbar.

Figure 4: Calendar

3. You will see all Textbook and Student Activities Manual assignments that are due. This icon indicates a Textbook Activity and this icon indicates a SAM Activity.
Click an activity to complete it.

4. You can also check your grades on completed assignments. If you see the ● icon, your assignment needs to be graded by your instructor.

5. To see assignments for previous or future weeks, select a date from the calendar during the week you wish to view.

To access all of your assignments by chapter:

Alternatively, you can view the assignments for each chapter.

1. From the Welcome page, click *Assignment Calendar* tab on the right-hand side.

Then click on "View by Chapter" in the blue toolbar.

2. Select a chapter from list to see all assignments for that chapter. A due date will appear under the Due Date column for all assigned activities. If an assignment has been completed, the date will be indicated.

3. Select an activity from the list to open and complete.

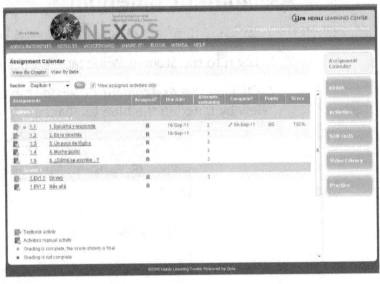

Figure 5: Assignment List

Review & Practice Activities

With enhanced feedback, student are given additional support. At the end of each chapter students will find additional auto-grade grammar activities with specific explanations to their answers. This way students are given direct support and guidance while practicing.

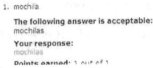

1. mochila

   The following answer is acceptable:
   mochilas

   Your response:
   mochilas

   Points earned: 1 out of 1

Figure 6: Enhanced Feedback

The **Review It!** button appears with grammar and vocabulary activities and links to relevant resources in the Textbook and Student Activities Manual. Located in the accent toolbar, when a you click the button for an accompanying activity you'll see links to ebook pages covering relevant lessons, flashcards for vocab terms in the activity, podcasts and tutorials that review grammar lessons in the activity, and other resources found in the iLrn for that topic all in one place. This will help you self-correct.

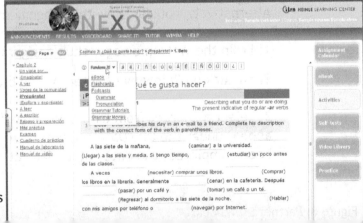

Figure 7: Review it! Button links

Voice-enabled Activities

Voice-enabled activities can be completed alone, with a partner, or with a group. You can talk to your partner or team and write instant messages to work together on the activity, then record a conversation that your instructor will grade. Please note that voice-enabled activities do not work on mobile devices at this time due to technical limitations.

Tips for setting up your computer

It is important that your computer is configured correctly to capture the voice-enabled activities. Here are some tips for ensuring you have the proper setup:

▸ *Microphone* — The latest browser versions and Adobe Flash works best with USB (Universal Serial Bus) connected microphones. Internal microphones, WebCam microphones and the older stereo-jack (male connection) microphones can be problematic.

▸ **Adobe Flash** — You should have the latest version of Adobe Flash installed. Also make sure your Flash settings are configured on your web browser for the program to recognize the microphone being used for Voiceboard. To this follow this steps:

   1. Open a voiceboard exercise and right-click on the *Record* button. Select *Settings*.

   2. At the bottom of the menu, click the second tab from the left (it looks like a monitor with an eye on it). Make sure the *Allow* option and the *Remember* check box are selected.

   3. Click the fourth tab (the one with a microphone on it). Make sure the record volume is up all the way and the correct microphone is selected from the drop-down list.

▸ *"Lab" environment*— In a "Lab" environment, your IT department needs to make sure that the network port "1935" is enabled for voice. If this port is disabled from the school's network voice will not transmit.

Find a partner/team

   1. Click on *Voiceboard* at the top of your student Welcome page screen.

   2. From the *Voice activities*, select the activity you want to complete.

   3. If you need a partner, click the *Find a partner* link at the top of the *Partner Record and Chat box*. This will take you to the partner switchboard where you can invite someone online to partner with you.

Figure 8: Partner Switchboard

4. If you are working with one partner, his or her name will appear at the top of the *Partner Record and Chat box*.

5. If the assignment requires you to work in teams, you will either need to join an existing team, or invite others to join you. To join an existing team, check the Partnership/Team column and find the name of a person whose team you would like to join. Click his/her name and send him/her a private chat to request an invitation.

6. To form your own team, find an available partner from the Partnership/Team column, click his/her name and the *Invite to partner* link. To add more team members, click their names and the *Invite to team* link. Note that if you have four teammates, you cannot invite more – teams are restricted to five members.

Complete a voice-enabled activity

1. To send text messages to your partner or team, type in the text box and press Send or press the *Enter* key.

2. To talk to your partner or team before recording, press the *Talk to your partner* button. Make sure that you and your partner have microphones and a headset or speakers, and that the volume is turned on. Note: Your partner cannot speak to you or hear what you say until he or she presses *Talk to your partner* as well. Your conversation will not be recorded unless you click the *Record* button.

3. Coordinate with your partner or team on what you'd like to say. When you're ready to record the conversation, press the *Record* your conversation button. The computer will start to record your conversation ONLY after all partners or teammates have clicked the *Record* button. You will know it is recording because a message in red appears saying "recording..." until either one of the partners presses *Stop recording*.

Figure 9: Activity in recording mode

4. Press *Stop* when you want to stop recording. You can still talk with your partner or team when the recording stops.

5. To listen to your recording, press *Play*. You can pause the recording at any time by pressing *Pause*. If you are not satisfied with your recording, you may record again.

Each recording is saved and you can choose which recording (from a drop-down list) you want to submit.

6. When you are satisfied with your recording, press **Submit answers** to send your recording to your instructor. Note: All partners and teammates must press **Submit** in order for the recording to be counted in all of your grades.

7. If you can't find a partner or team, you can record answers on your own; just press **Record** to record your voice, then stop the recording and submit it when you're done. Check with your instructor to see if an individual recording is acceptable, since these activities are designed to be done with a partner.

Share It!

The new Share It! feature allows you to upload a file, image or video to the Share It! tab where your classmates can comment and rate your file. You can make comments on your classmates files as well, including audio comments.

Your instructor may assign Share It! activities. These will be prompts asking you to upload a file to complete the assignment. When you submit the activity, it will go to the gradebook for your instructor to assign a grade. It will also publish directly the the Share It! tab.

Figure 10: Share It! comment

Self-Tests and Personalized Learning

You may take an online self-test before or after working through a text chapter to get an initial assessment of what you know and what you still need to master. Your results are graded automatically and displayed according to learning outcomes. A Personalized Study Plan, based on the automatically graded test, directs you to additional study aids available in *iLrn: Heinle Learning Center*, including Student Activities Manual activities and pages in the ebook, that focus your efforts and study time on the areas where you need the most help.

▸ Step 1 ...Pre-Test (or What Do I Know?) provides an evaluation of what you already know.

▸ Step 2 ... Personalized Study Plan (or What Do I Need to Learn?) provides a focus for your work. Chapter sections and additional study materials are chosen to cover concepts that you had problems with in the pre-test.

▸ Step 3 ... Post-Test (or What Have I Learned?) provides an evaluation of what you have learned after working through the personalized study plan.

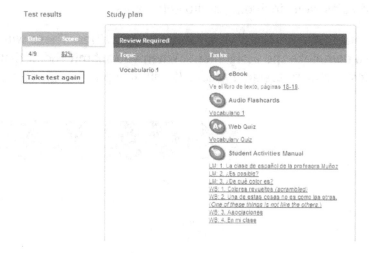

Figure 11: Personalized Study Plan

Using Personal Tutor

What is Personal Tutor?

▸ Personal Tutor provides tutors exclusively from among experienced and qualified instructors. Tutors have achieved high grades in their degrees (many have a Master's degree and higher) and have real classroom teaching experience. All of Personal Tutor's tutors are located in Tampa, FL, and are monitored on-site by a director, who also holds a Ph.D.

How does Personal Tutor work?

▸ Personal Tutor provides whiteboard technology for synchronous tutoring (Q&A sessions) that also includes video and audio capabilities (for those students who want these extra features).

How many hours of tutoring do students get on Personal Tutor?

▸ Personal Tutor provides students with 5 hours of tutoring time.

▸ Students have 3-semesters to use the 5 hours of tutoring

▸ Students have the option of purchasing additional tutoring directly from Personal Tutor if their hours/paper submissions are used up before the end of a semester. The cost is significantly less at $29.99 for an entire month of tutoring versus paying $35 per hour from other services.

When will tutoring be available?

▸ Tutors are available for online tutoring seven days a week, and offline questions and papers can be submitted at any time, 24 hours a day. Online tutoring is available for languages at the times below. Responses to offline questions can take 24 to 48 hours to be returned, however, they are usually returned within one day.

	Spanish	French	Italian	German
MONDAY	9AM-1PM 9PM-12AM			
TUESDAY	9AM-1PM	4-8PM		8PM-Midnight
WEDNESDAY	9AM-1PM 9PM-12AM		6PM-10PM	
THURSDAY	9AM-1PM	4-8PM	8PM-12PM	
FRIDAY	9AM-1PM 5PM-9PM	4-8PM		
SATURDAY	12PM-4PM	4-8PM		
SUNDAY			3PM-7PM	7PM-11PM

Technical Support

▶ Visit *http://hlc.quia.com/support.html*

▶ View FAQs at *http://hlc.quia.com/help/books/faq.html* for immediate answers to common problems.

▶ Send an e-mail to *bookhelp@quia.com*

▶ Call Toll-free 1-877-282-4400

System Requirements

Microsoft® Windows 98, NT, 2000, ME, XP, VISTA, 7
Browsers: Internet Explorer 7.x or higher, or Firefox version 3.x or higher

Macintosh OS X
Browsers: Firefox version 3.x or higher, or Safari 3.x or higher.

Additional Requirements

▶ A high-speed connection with throughput of 256 Kbps or more is recommended to use audio and video components.

▶ Screen resolution: 1024 x 768 or higher

▶ CPU: 233MHz

▶ RAM: 128MB

▶ Flash Player 10 or higher

▶ You will need speakers or a headset to listen to audio and video components, and a microphone is necessary for recording activities.